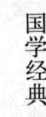

国学经典

[宋]司马光 著

薛瑞泽 薛伟泽 注译

资治通鉴

中州古籍出版社

资治通鉴

前 言

司马光与司马迁号称"两司马",可谓历史天空的两颗耀眼巨星;《资治通鉴》与《史记》皆有第一部通史之称,一为编年体,一为纪传体,千古流传,惠施万代。司马光其人充满传奇,砸缸故事家喻户晓,勤奋好学堪称楷模,秉直刚正气节流芳。《资治通鉴》其书举世瞩目,可谓经典名著,以其精到见解和独特书写风格备受后人喜爱。名人和名著是历史留下的宝贵财富,历久弥新,也最经得起时间的考验和不断的诠释,以故才有了一代又一代的后学对司马光人格光辉的文化解读和对《资治通鉴》深刻寓意的翻新阐释。

一、司马光的生平和政治主张

司马光(1019—1086),字君实,号迂夫,晚号迂叟,世称涑水先生,著名的政治家、史学家和文学家。北宋陕州夏县(今山西夏县)涑水乡人。宋真宗天禧三年(1019),其父司马池为光山县令,是年十月十八日司马光生于河南光山。《宋史》卷三百三十六《司马光传》云:"光生七岁,凛然如成人,闻讲《左氏春秋》,爱之,退为家人讲,即了其大指。自是手不释书,至不知饥渴寒暑。"这说明司马光从小就聪颖好学,显示出对历史的浓厚兴趣,表现出超乎常人的天赋。

宋仁宗宝元元年（1038）三月，司马光举进士甲第，被任命为奉礼郎、华州判官。宝元二年，司马光"求签苏州判官事以便亲，许之"。庆历四年（1044），签书武成军判官事，次年，改任宣德郎，将作监主簿，权知韦城县事。庆历六年，改大理评事，补国子直讲，迁本寺丞。皇祐元年（1049），枢密副使庞籍举荐司马光为馆阁校勘，同知太常礼院。皇祐四年，司马光迁殿中丞，除史馆检讨，修日历，改集贤校书。至和元年（1054），任群牧司判官。同年，庞籍以户部侍郎的身份知郓州事，征辟司马光典学。司马光开始通判郓州事。次年，庞籍被授予河东路经略安抚使，知并州事，司马光被庞籍征辟为并州通判。嘉祐二年（1057）六月，司马光改任太常博士、礼部员外郎，直秘阁、判吏部南曹。次年，迁开封府推官，赐五品服。嘉祐五年，迁度支员外郎，判勾院。次年，司马光被擢升撰修起居注，同判尚书礼部郎。七月，迁起居舍人，同知谏院。"光常患历代史繁，人主不能遍鉴"，于是立志编撰《通志》，作为统治者的借鉴。宋英宗治平三年（1066）撰写成战国迄秦的《通志》八卷进献宋英宗，他在《进通志表》中云："臣少好史学，病其烦冗，常欲删取其要，为思编年一书；力薄道悠，久而未就。伏遇皇帝陛下留意艺文，讲求古训。臣有先述《通志》八卷，起周威烈王二十三年，尽秦二世三年，《史记》之外，参以他书，于七国兴亡之迹，大略可见。不敢自匿，谨缮写随表上进。"《通志》进上后，"英宗悦之，命置局秘阁，续其书"。治平四年，宋神宗即位后，司马光先后知贡举、翰林学士、御史中丞。是年十月，司马光请求宋神宗辞去翰林学士一职，专司修史，宋神宗为《资治通鉴》作序，以其书"有鉴于往事，以资于治道"，"神宗名之曰《资治通鉴》，自制《序》授之，俾日进读"，"赐以颖邸旧书二千四百卷"。熙宁元年（1068）二月，司马光专门写了《谢赐资治通鉴序》。

在宋神宗的支持下，"（王）安石得政，行新法，光逆疏其利害"。司马光竭力反对，强调祖宗之法不可变。宋神宗命他为枢密副使，坚辞不就。神宗熙宁三年（1070），司马光出知永兴军。次年四月，任西京御史台，在洛阳15年，进行《资治通鉴》的编撰。至元丰七年（1084）十二月成书。司马光升为资政殿学士。

元丰八年（1085），宋哲宗即位，司马光为尚书左仆射兼门下侍郎，主持朝政，排斥新党，废止新法。元祐元年（1086），司马光推翻了王安石变法所采取的一系列措施，史称"元祐更化"。司马光执政一年半，是年九月初一，司马光辞世，"京师人罢市往吊，鬻衣以致奠，巷哭以过车"。次年正月，葬夏县涑水乡，百姓"哭者如哭其私亲。岭南封州父老，亦相率具祭，都中及四方皆画像以祀，饮食必祝"。追赠太师、温国公，谥文正。

据《宋史》卷二百二至卷二百九《艺文志》所记述，司马光学识渊博，学术造诣颇深，著述宏富。除史学经典《资治通鉴》外，还有经学类著作多种，如《易说》一卷又三卷、《系辞说》二卷、《中庸大学广义》一卷、《古文孝经指解》一卷、《切韵指掌图》一卷、司马光等《六家中庸大学解义》一卷、《三家冠婚丧祭礼》五卷（司马光、程颐、张载定），又《类编》四十四卷等（卷二百二）。与《资治通鉴》同类的编年体史书还有《资治通鉴举要历》八十卷、《通鉴前例》一卷、《稽古录》二十卷、《历年图》六卷、《通鉴节要》六十卷、《帝统编年纪事珠玑》十二卷、《历代累年》二卷。另有故事类《日录》三卷、《涑水记闻》三十二卷等。职官类史书《百官公卿表》十五卷（《本朝百官公卿表》六卷）、《官制遗稿》一卷等（卷二百三）。仪注类《书仪》八卷、《家范》一卷以及《宗室世表》三卷（卷二百四）。儒家类《潜虚》一卷、又《文中子传》一卷、《集注四家扬子》十三卷、《集注太玄经》六卷（并《司马光集》）。道家类《老子道德经注》二卷（卷二百五)。小说类《游山行记》十二卷(卷二百六)。杂艺术类《投壶新格》一卷。医书类《医问》七卷(卷二百七)。总集类《司马光集》八十卷、《绍圣三公诗》三卷(司马光、欧阳修、冯京所著)等。正因为在历史上的巨大贡献,司马光与孔子和孟子被奉为儒家三圣。

司马光在政治上是典型的守旧派。熙宁二年(1069),王安石在宋神宗的支持下,开始推行新法,出台了一系列理财、强兵、取士等方面改革措施,以期改变北宋积贫积弱的局面。而司马光"逆疏其利害",几度上书反对新法。他认为"刑新国用轻典,乱国用重典,是为世轻世重,非变也"。对于社会的改革他坚持慎重的态度,认为应当局限在伦理纲常的整顿。最主要是在思想领域内加强儒家思想的教化,而不是社会政治体制、经济体制的变革。况且治理天下,"譬如居室,敝则修之,非大坏不更造也。大坏而更造,非得良匠美材不成。今二者皆无有,臣恐风雨之不庇也"。(《苏轼集》卷九十《司马温公行状》)由此可见,在社会积重难返的情况下,改革所面临的种种阻碍。司马光无视北宋社会的矛盾,没有看到社会所存在的问题已经"大坏",当然也无从谈起"更造"了。因此,当王安石变法被废止后,他指责王安石说:"王安石不达政体,专用私见,变乱旧章,误先帝任使,遂致民多失业,闾里怨嗟。"(《续资治通鉴长编》卷三百五十六)

司马光同时提出为政要善于用人才。元祐元年(1086),司马光上奏指出:"为政得人则治。然人之才,或长于此而短于彼,虽皋、夔、稷、契,各守一官,中人安可求备?故孔门以四科论士,汉室以数路得人。若指瑕掩善,则朝无可用之人;苟随器授任,则世无可弃之士。"他建议朝廷官员都应当举荐人才,"莫若使有位达官,各举所知,然后克协至公,野无遗贤矣"。并建议朝廷设十科举士,为朝廷所采纳。(《宋史》卷一百六十《选举志六》)又提出应选用人才进行理财。"天下钱谷之数，五曹各得支用，户部不知出纳见在，无以量入为出。乞令尚书兼领左、右曹，钱谷财用事有散在五曹、寺监者，并归户部，使尚书周知其数，则利权归一；若选用得人，则天下之财庶几可理。"宋哲宗随即"诏尚书省立法"。（《宋史》卷一百六十三《职官志三》）

在守旧思想的指导下，司马光面对北宋日益严重的边境危机，也以守势为主。他说："家当戎夷附顺时，好与之计较末节，及其桀骜，又从而姑息之。近者西祸生于高宜，北祸起于赵滋；时方贤此二人，故边臣皆以生事为能，渐不可长。宜敕边吏，疆场细故辄以矢刃相加者，罪之。"（《司马光传》）司马光认为宋朝西边、北边的边境战事源于当时被视为能臣贤吏的高宜和赵滋，应当对朝臣中挑起外交争端、边境战乱的人予以重罚，以正视听。特别是他当政以后，对已经完成的抵御西夏的军事包围，也予以裁撤。他认为这样做可以免除"西夏愤怒"和西夏"兴兵犯塞"，以换取双方相安无事。这种守旧思想无疑葬送了王安石变法以后在边境地区所取得的成就。

二、《资治通鉴》的编纂

《资治通鉴》作为中国历史上最重要的一部编年史，其学术意义不言自明，它奠定了司马光在中国学术史上的地位。全书共二百九十四卷，还有《考异》、《目录》各三十卷。全书贯古通今，自战国时期三家分晋（前403）开始，到宋太祖代周（959）为止，前后跨16个朝代，计1362年的历史。全书具体内容包括《周纪》五卷、《秦纪》三卷（这两部分原为他早年所撰著的《通志》内容，后来又进一步加工修改而成）、《汉纪》六十卷、《魏纪》十卷、《晋纪》四十卷、《宋纪》十六卷、《齐纪》十卷、《梁纪》二十二卷、《陈纪》十卷、《隋纪》八卷、《唐纪》八十一卷、《后梁纪》六卷、《后唐纪》八卷、《后晋纪》六卷、《后汉纪》四卷、《后周纪》五卷等。因为司马光"正统"的封建史学观念，对于非中原地区的封建王朝和少数民族所建立的政权没有设立专门的"纪"加以记述，如三国时期曹魏政权设有《魏纪》，而没有蜀汉政权和孙吴政权的"纪"，其具体历史附在《魏纪》中。当然这种记述也使三国时期的历史浑然一体，其良苦用心可见一斑。又如南北朝对峙时期，司马光对南朝的封建政权以《宋纪》、《齐纪》、《梁纪》、《陈纪》分别加以记述，而对北朝的北魏、东魏、西魏、北齐、北周等封建政权，因为是少数民族所建立，不符合司马光的"正统"观念，所以这些朝代的史实都附在南朝政权的相关史实之下。五代十国特殊的历史演变，大致也因上述原因，出现了五代有纪，十国无纪的现象。

《资治通鉴》的编纂有其独有的特点。作者依时代先后，以年月为经，以史实为纬，顺序记写，将一千余年的历史进行了有序记述，对于重大的历史事件的前因后果，与各方面的关联都交代得清清楚楚，使读者对战国初期至五代这一段历史的发展能够有一个全面的了解，可以说是一部全面而内涵丰富的中国通史。

司马光一生大部分精力都奉敕编撰《资治通鉴》，共费时19年，自英宗治平三年（1066），至神宗元丰七年（1084）。如果加上早期撰写《通志》的时间，其前后花费的时间当更长。长达数十年的孜孜追求，耗尽了司马光的精力，他在《进资治通鉴表》中说："臣今筋骸癯瘁，目视昏近，齿牙无几，神识衰耗，目前所为，旋踵遗忘。臣之精力，尽于此书。"在编撰《资治通鉴》的过程中，司马光得到了朝廷的大力支持。《司马光传》中说："《资治通鉴》未就，帝尤重之，以为贤于荀悦《汉纪》，数促使终篇，赐以颍邸旧书二千四百卷。"《资治通鉴》征引史料极为丰富，真可谓是旁征博引。所收史料除正史之外，其他诸如稗官野史、百家谱录、总集别集、碑志等总数不下300种。

作为《资治通鉴》编纂的发起者，司马光首倡该书的编写，并得到宋朝皇帝的大力支持，前后参与编纂的还有刘攽、刘恕、范祖禹等人，上述诸人在学术上也颇有贡献。

刘攽（1023—1089），字贡夫，一作贡父、赣父，号公非，临江新喻（今江西新余）人。庆历六年（1046）与其兄刘敞同举进士，"仕州县二十年，始为国子监直讲"。宋神宗熙宁年间，判尚书考功、同知太常礼院。王安石变法时，刘攽"又尝诒安石书，论新法不便。安石怒摭前过，斥通判泰州，以集贤校理、判登闻检院、户部判官知曹州"。当时曹州"为盗区，重法不能止"，刘攽在曹州任上采取了不同于前人的做法，"治尚宽平，盗亦衰息"。后来刘攽又先后任开封府判官、京东转运使，"徙知兖、亳二州"，因为赞成变法的吴居厚代为转运使，"能奉行法令，致财赋，乃追坐攽废弛，黜监衡州盐仓"。正因为如此，刘攽有"守道背时之士"之称。宋哲宗年间，曾知襄州，又入为秘书少监，加直龙图阁、知蔡州，数月后，"召拜中书舍人"。元祐二年（1087）正月开始曾与苏辙受诏编辑神宗御制。元祐四年卒。刘攽虽然官场失意，但在学术上贡献颇多，"所著书百卷，尤邃史学。作《东汉刊误》，为人所称。预司马光修《资治通鉴》，专职汉史"。（《宋史》卷三百十九《刘敞传附弟攽传》）据《宋史·艺文志》记载，刘攽有《内传国语》十卷、《三刘汉书标注》六卷（刘敞、刘攽、刘奉世）、《汉书刊误》四卷、《五代春秋》一部、《芍药谱》一卷、《三异记》一卷、《刘攽集》六十卷、《经史新义》一部、《诗话》一卷等。刘攽还曾校《北齐书》，并有校勘记留存。（《廿二史劄记》卷九、卷十五）《文献通考》卷一百九十三《经籍考·史编年》云："《编年纪事》十一卷，晁氏曰：皇朝刘攽因司马温公所撰编次。"

刘恕（1032—1078），字道原，筠州（今江西高安）人。宋仁宗皇祐元年（1049）举进士。调钜鹿主簿、和川令。他反对王安石变法，但在史学上贡献颇多，《宋史》卷四百四十四《文苑传六·刘恕传》云：

> 笃好史学，自太史公所记，下至周显德末，纪传之外至私记杂说，无所不览，上下数千载间，钜微之事，如指诸掌。司马光编次《资治通鉴》，英宗命自择馆阁英才共修之。光对曰："馆阁文学之士诚多，至于专精史学，臣得而知者，唯刘恕耳。"即召为局僚，遇史事纷错难治者，辄以诿恕。恕于魏、晋以后事，考证差缪，最为精详。

他曾"著《五代十国纪年》（四十二卷）以拟《十六国春秋》，又采太古以来至周威烈王时事，《史记》、《左氏传》所不载者，为《通鉴外纪》（十卷）"。此外还有《疑年谱》一卷、《通鉴问疑》一卷等。

范祖禹（1041—1098），字淳甫，一字梦得，成都华阳人。嘉祐八年（1063）三月，以进士甲科登第。熙宁六年（1073）至洛阳，"从司马光编修《资治通鉴》，在洛十五年，不事进取。书成，光荐为秘书省正字"。司马光认为他"智识明敏，而性行温良，如不能言；好学能文，而谦晦不伐，如无所有；操守坚正，而圭角不露，如不胜衣，君子人也"。后来因为得罪王安石，受到压抑。

司马光与上述几人有着共同的政治主张，又具有勤于学问的精神，共同的志向加上十几年之功，终于修成鸿篇巨制，实乃史学之万幸。《资治通鉴》的编写是分工合作完成的。司马光首先提出提纲，不仅有总的提纲，而且有详细的编年提纲。然后由助手根据情况按时代顺序排列材料形成丛目，再根据材料整理形成长编，最后由司马光修订润色成稿。据记载，长编长达6500多卷，3000多万字。这都是在司马光指导下由刘攽、刘恕、范祖禹等人完成，最后由司马光删繁就简，加工润色，成为最终的书稿。司马光还将删减的材料加以说明，著成《通鉴考异》三十卷；另外，鉴于这一部书涉及的内容浩瀚庞杂，为便于查阅，编者在修史的同时还编写了《通鉴目录》三十卷。

三、《资治通鉴》的特点及评价

《资治通鉴》记事的特点可谓是厚今薄古。据粗略计算，《周纪》五卷记载了战国147年（前403—前256）的历史，平均每卷约记30年；《秦纪》三卷记载了秦代49年（前255—前207）的历史，平均每卷约记16年的历史；《汉纪》六十卷记载了两汉425年（前206—219）的历史，平均每卷约记7年的历史；《晋纪》四十卷记载了两晋154年（265—419）的历史，平均每卷约记4年；《唐纪》八十一卷，记载了唐朝289年（618—906）的历史，平均每卷记载3年半；五代部分二十九卷仅记载了52年（907—959）的历史，平均每卷所记不足2年。由此我们可以看出，各卷记载的历史年限呈递减趋势，可能是因为时代越远，史料越是贫乏；越是接近当世，史料越是丰富的缘故吧！

《资治通鉴》仿效《史记》在叙事之末加上司马迁的"太史公曰"的体例，于叙事之后，皆有附论，约有210条。其中"臣光曰"有100多条（含1条"臣光言"），有引述前人言论的，有司马光自己评论的；其余90条是各家评论。主要有《孟子》、荀卿、扬子《法言》、司马迁、班固、荀悦、陈寿、习凿齿、范晔、裴子野、颜之推、欧阳修等人的论述。其中引用扬子《法言》、班固、裴子野的论述较多，针对《汉纪》所抒发的评论占篇幅最多，其次为《唐纪》。

"臣光曰"的主要内容是司马光对有关国家治乱和君臣之道的评价，应该看做是司马光治国安邦思想的流露。他的论述主要涉及国计民生的各个方面，饱含忧患意识，目的是借古鉴今，以让统治者能从中有所借鉴。比如在叙述完"商鞅变法"后，司马光评述曰："夫信者，人君之大宝也。国保于民，民保于信；非信无以使民，非民无以守国。是故古之王者不欺四海，霸者不欺四邻，善为国者不欺其民，善为家者不欺其亲。不善者反之，欺其邻国，欺其百姓，甚者欺其兄弟，欺其父子。上不信下，下不信上，上下离心，以至于败。所利不能药其所伤，所获不能补其所亡，岂不哀哉！"（卷二《周纪二》）这里主要强调的是民心不可欺，人君应取信于民，否则便会出现上下离心，国家败亡的结果。他还对商鞅将议论变法是非的人"尽迁之于边"的做法进行了客观的评价，以为"商君尤称刻薄"。

又比如唐初李世民经过与隐太子李建成和齐王李元吉的拼争，得立为皇太子后，司马光论曰："立嫡以长，礼之正也。然高祖所以有天下，皆太宗之功；隐太子以庸劣居其右，地嫌势逼，必不相容。向使高祖有文王之明，隐太子有泰伯之贤，太宗有子臧之节，则乱何自而生矣！既不能然，太宗始欲俟其先发，然后应之，如此，则事非获已，犹为愈也。既而为群下所迫，遂至蹀血禁门，推刃同气，贻讥千古，惜哉！"（卷一百九十一《唐纪七》）这段话表明了司马光传统的嫡长子继承制思想，同时也流露了对诸王内讧的惋惜之情。

可能是由于自古以来反腐倡廉就是统治者所要面临的永恒的政治课题吧，《资治通鉴》极其重视腐败政治的记载。同时它也很重视战争的记载，历史上朝代末期的历次重要战争书中都有描述，并且继承了传统的写法，长于写战争的谋划、准备。另外，举凡权力更迭、施政得失、制度沿替、人才进退都有较为详细的陈述。可以这样说，《资治通鉴》的史料弥足珍贵。

《资治通鉴》成书以来，历代点评批注者不乏其人，为了更为详细地了解司马光在中国政治史和学术史上的贡献，我们选取宋代以后君王、大臣以及学者的主要述评加以介绍。封建帝王对此书评价甚高，将其作为治国安邦的必读之书，认为可以通过《资治通鉴》学习治国方略。金世宗完颜雍大定二十年（1180）曾经对宰臣说："近览《资治通鉴》，编次累代废兴，甚有鉴戒，司马光用心如此，古之良史无以加也。"（《金史》卷七《世宗纪中》）蒙古族接受汉文化后对《资治通鉴》也重视有加，或选译之，或请学者进行讲解，显示出《资治通鉴》独具的感人力量。忽必烈即位后，在战争的闲暇也以《资治通鉴》为学习的必备书籍。中统元年（1260），贾居贞被授中书左右司郎中，"从帝北征，每陈说《资治通鉴》，虽在军中，未尝废书"。（《元史》卷一百五十三《贾居贞传》）忽必烈的嫡子真金在被立为太子后，"每与诸王近臣习射之暇，辄讲论经典，若《资治通鉴》、《贞观政要》"，学习治国的经验。（《元史》卷一百十五《裕宗传》）忽必烈至元二十年（1283），江南诸道行台御史大夫相威，"以疾请入觐，进译语《资治通鉴》，帝即以赐东宫经筵讲读"。（《元史》卷一百二十八《相威传》）这仍然是为太子讲读《资治通鉴》，以使其学习。大德元年（1297），元成宗铁穆耳巡幸柳林，命焦养直进《资治通鉴》，"因陈规谏之言"。铁穆耳接受了焦养直的规谏，并因此"诏赐酒及钞万七千五百贯"以示褒奖。（《元史》卷一百六十四《焦养直传》）元仁宗延祐元年（1314）四月，"帝以《资治通鉴》载前代兴亡治乱，命集贤学士忽都鲁都儿迷失及李孟择其切要者译写以进"。（《元史》卷二十五《仁宗纪二》）这是选择其中对"兴亡治乱"有所借鉴的"切要者"加以选译，以便有所借鉴。元泰定帝泰定元年（1324）二月，"甲戌，江浙行省左丞赵简，请开经筵及择师傅，令太子及诸王大臣子孙受学，遂命平章政事张珪、翰林学士承旨忽都鲁都儿迷失、学士吴澄、集贤直学士邓文原，以《帝范》、《资治通鉴》、《大学衍义》、《贞观政要》等书进讲，复敕右丞相也先铁木儿领之"。(《元史》卷二十九《泰定帝纪一》)泰定四年六月，泰定帝又命"翰林侍讲学士阿鲁威、直学士燕赤等进讲，仍命译《资治通鉴》以进"。这是泰定帝接受大臣的建议，选择人员为太子以及诸王大臣子孙讲授包括《资治通鉴》在内的治国经典。这种现象到明代业已形成制度，中央专门设詹事官员讲解《资治通鉴》等书。朱元璋曾经说："习闻明知古代帝王之道，身体力行《通鉴》原则。"清代也有为皇太子讲《资治通鉴》的传统，如嘉庆十四年（1809），周系英直上书房，授三阿哥读，嘉庆帝诏令："不但授读讲习诗文，当教阿哥为人居心以忠厚为本。"周系英"请加授《资治通鉴》，以知古今治乱兴衰之故，悉民间疾苦"，得到嘉庆皇帝的同意。(《清史稿》卷三百五十四《周系英传》)

统治者之所以将《资治通鉴》作为治国安邦的必读书目加以重视，是因为《资治通鉴》提供了众多历史借鉴。宋神宗曾经说《资治通鉴》"鉴于往事，有资于治道"。胡三省说："为人君而不知《通鉴》，则欲治而不知自治之源，恶乱而不知防乱之术。为人臣而不知《通鉴》，则上无以事君，下无以治民。为人子而不知《通鉴》，则谋身必至于辱先，作事不足以垂后。乃如用兵行师，创法立制，而不知迹古人之所以得，鉴古人之所以失，则求胜而败，图利而害，此必然者也。"(胡三省《新注资治通鉴序》)康熙帝曾经说："事关前代得失，甚有裨于治道。"王夫之说："旨深哉，司马氏之名是编也！曰'资治'者，非知治知乱而已也，所以为力行求治之资也。览往代之治而快然，览往代之乱而愀然，知其有以致治而治，则称说其美；知其有以召乱而乱，则诉厉其恶；言已终，卷已掩，好恶之情已竭，穨然若忘，临事而仍用其故心，闻见虽多，辨证虽详，亦程子所谓'玩物丧志'也。"曾国藩云："窃以先哲经世之书，莫善于司马温公《资治通鉴》，其论古皆折衷至当，开拓心胸，若能读些书，将来出而任事自有所持循而不至失坠。"学者对《资治通鉴》也赞扬有加。胡三省说："《通鉴》不特记治乱之迹而已，至于礼乐、历数、天文、地理，尤致其详。读者如饮河之鼠，各充其量而已。"王鸣盛说："此天地间必不可无之书，亦学者必不可不读之书。"

所有这些都说明《资治通鉴》无论在政治领域还是在学术领域莫不得到了高度重视。该书问世以来，以其作为研究对象业已形成了一门显学——通鉴学。

四、关于本书的编选

《资治通鉴》实际上是一部中国政治史，按年编次，条陈始末。它着重记述朝代的兴衰、宫廷内部派系纷争、政治军事斗争、重要大臣的活动与奏疏、政治和经济制度的变革、中央政府与边疆少数民族的关系等。我们编选时选用的版本是中华书局1956年版的胡三省音注本。仍以年代为序，照顾到各个朝代。各卷选用的章节如下：《周纪》二十二篇，《秦纪》七篇，《汉纪》十八篇，《魏纪》二篇，《晋纪》十一篇，《宋纪》二篇，《齐纪》二篇，《梁纪》四篇，《陈纪》六篇，《隋纪》四篇，《唐纪》五十四篇，《后梁纪》一篇，《后唐纪》二篇，《后晋纪》二篇，《后汉纪》一篇，《后周纪》一篇。共计一百三十九篇。

我们编选的标准，一是具有重大影响的政治事件，诸如《商鞅变法》、《荆轲刺秦》、《张骞通西域》、《魏主迁都洛阳》等；二是具有警示意义的腐败政治事件，诸如《王恺石崇比富》、《"何不食肉糜？"》、《荒淫无道之北齐文宣帝》、《贵妃乱政》、《两个麻荅》；三是反映战争题材的历史事件，诸如《刘邦项羽起兵》、《官渡之战》、《赤壁之战》、《淝水之战》、《窦建德李世民武牢之战》、《李愬雪夜入蔡州》等；四是称颂正直、孝悌、廉政、纳谏、荐贤人物的故事，诸如《赵奢收税》、《正直宋弘"糟糠之妻不下堂"》、《五处士不就征辟》、《杨震"四知"美名传》、《谢安举贤不避亲》、《魏征苦谏死佳鹞》、《尉迟敬德富不易妻》等；五是一些影响历史转折的宫廷内乱及朝臣叛乱事件，诸如《胡亥袭位》、《赵高专权惹祸及身》、《诸王内斗》、《李敬业之乱》、《安禄山反叛》等。

  我们偏重的是故事类历史事件的选录，也选了一些文臣策士的奏疏。不过遗憾还是很多。囿于篇幅，拙于眼力，一些名篇如汉代贾谊的长篇奏疏、董仲舒的奏疏、三国时诸葛亮的表奏及其他一些重要的历史事件和名人事例等都没有录选。

薛瑞泽　薛伟泽
2010年4月

目 录

周 纪

- 吴起为将 —— 21
- 吴起修德 —— 23
- 卫鞅变法 —— 25
- 威王四宝 —— 29
- 孙膑围魏救赵 —— 30
- 昭奚恤为相 —— 32
- 申不害为相 —— 33
- 孙膑破魏救韩 —— 34
- 商君之死 —— 36
- 苏秦合纵六国 —— 38
- 孟子说齐王 —— 44
- 张仪巧舌施连横 —— 46
- 完璧归赵 —— 51
- 廉蔺交欢 —— 53
- 乐毅见逐 —— 55
- 田单相齐 —— 58
- 赵奢收税 —— 61
- 触龙说赵太后 —— 62
- 赵括空谈误国 —— 64
- 毛遂自荐救赵 —— 68
- 无忌窃符救赵 —— 71
- 不韦立嗣 —— 75

秦 纪

- 缩高死国 —— 78
- 荆轲刺秦 —— 81
- 胡亥袭位 —— 84
- 陈胜称王 —— 88
- 刘邦项羽起兵 —— 91
- 郦生智激沛公 —— 94
- 赵高专权惹祸及身 —— 96

汉 纪

- 刘邦约法三章 —— 100
- 鸿门之宴 —— 102

韩信为将 —— 108
垓下之役 —— 111
陈平计擒韩信 —— 114
曹参为相 —— 117
抑平诸吕 —— 119
张骞通西域 —— 121
苏武与李陵 —— 124
严母教子 —— 128
正直宋弘"糟糠之妻不下堂"
　　—— 130
杨震"四知"美名传 —— 131
薛包至行孝悌 —— 133
五处士不就征辟 —— 134
刘备交群英 —— 137
官渡之战 —— 138
赤壁之战 —— 146
三分荆州 —— 155

魏 纪

死诸葛走生仲达 —— 161
嵇康、阮籍轻蔑礼法 —— 163

晋 纪

王恺石崇比富 —— 166
"何不食肉糜？" —— 169
祖逖击楫中流 —— 170
石虎畋猎无度 —— 171

苻坚素有时誉 —— 173
桓温上疏迁都洛阳 —— 178
王猛嫉宠而谗慕容垂 —— 181
谢安举贤不避亲 —— 184
淝水之战 —— 185
刘裕勇健有大志 —— 194
魏主纳谏躬耕安民 —— 195

宋 纪

社稷之臣古弼 —— 198
诤臣高允 —— 201

齐 纪

范缜盛称无佛 —— 205
魏主迁都洛阳 —— 207

梁 纪

临川王货贿巨万 —— 211
昭明太子葬母 —— 214
高洋拥兵建北齐 —— 215
荒淫无道之北齐文宣帝
　　—— 220

陈 纪

纳谏至孝之孝昭帝 —— 226
弄臣和士开 —— 229
斛律光正直遭人陷害 —— 234

"无愁天子" —————— 238
苏威正直亲民 —————— 239
贵妃乱政 —————— 242

隋 纪

贺若弼"有三太猛" —— 247
杨勇失宠 —————— 248
薛道衡负才恃旧 —— 252
李密、翟让起兵 —— 254

唐 纪

窦建德李世民武牢之战
　　　—————————— 262
秦王受诬见疏 —————— 271
诸王内斗（一）—————— 274
诸王内斗（二）—————— 277
唐太宗以史为鉴 —— 290
魏征苦谏死佳鹞 —— 294
"隋文帝何如主也？" —— 294
魏征直言进谏 —————— 296
太宗猎苑故事 —————— 297
尉迟敬德富不易妻 —— 298
太宗纳谏宽恕侯君集 —— 299
文成公主如吐蕃 —— 301
"不知何罪而责，亦何罪而谢
也" ———————————— 302
魏征之死 —————————— 304

太宗自言"五事"过古人
　　　—————————— 305
房玄龄之死 —————— 306
武氏为后 —————————— 308
李敬业之乱 —————— 315
僧怀义为白马寺寺主 —— 323
陈子昂上疏太后承顺天意
　　　—————————— 324
太后纳谏缓刑用仁 —— 325
唾面自干 —————————— 328
酷吏来俊臣 —————— 329
狄仁杰上疏治国方略 —— 333
太平公主权倾朝野 —— 336
姚元之为相 —————— 337
"伴食宰相" —————— 340
姚崇荐宋璟代相 —— 342
姚、宋齐心辅佐成美名
　　　—————————— 344
刚直宋璟 —————————— 345
安禄山、史思明发迹 —— 346
李林甫欲专大权 —— 349
贵妃受宠 —————————— 352
安禄山反叛 —————— 353
明皇出逃 —————————— 359
马嵬驿之变 —————— 363
安禄山之死 —————— 367
史思明之死 —————— 369

郭子仪挺身说回纥 ———— 372
颜真卿上疏见放 ———— 375
陆贽上疏兴邦之计 ———— 377
回纥称臣 ———— 380
"今岁颇稔，何为不乐？"
———— 386
裴延龄恣为诡谲受宠幸
———— 388
柳宗元请与刘禹锡易职
———— 392
李愬雪夜入蔡州 ———— 395
韩愈切谏斥佛骨见放 ———— 405
裴度上表除奸佞 ———— 407
牛李因吐蕃而怨深 ———— 410
杜牧上李德裕书 ———— 412
李母教子 ———— 414
孙樵上言罢修佛舍 ———— 416
王仙芝、黄巢起兵 ———— 417
黄巢入长安 ———— 421

后梁纪
李存勖铲除异己 ———— 424

后唐纪
后唐庄宗宠幸伶人 ———— 427
李从珂与安重诲之争 ———— 429

后晋纪
石敬瑭割地而为"儿皇帝"
———— 433
汉殇帝之殁 ———— 437

后汉纪
两个麻荅 ———— 439

后周纪
王朴献策 ———— 444

周 纪

吴起为将

【周纪一】 威烈王二十三年（戊寅，前403年）

吴起者，卫人，仕于鲁。齐人伐鲁，鲁人欲以为将，起取①齐女为妻，鲁人疑之，起杀妻以求将，大破齐师。或譖②之鲁侯曰："起始事曾参，母死不奔丧，曾参绝之；今又杀妻以求为君将。起，残忍薄行人也！且以鲁国区区而有胜敌之名，则诸侯图鲁矣。"起恐得罪，闻魏文侯贤，乃往归之。文侯问诸李克③，李克曰："起贪而好色；然用兵，司马穰苴④弗能过也。"于是文侯以为将，击秦，拔五城。

起之为将，与士卒最下者同衣食，卧不设席，行不骑乘，亲裹赢粮⑤，与士卒分劳苦。卒有病疽者，起为吮之。卒母闻而哭之。人曰："子，卒也，而将军自吮其疽，何哭为？"母曰："非然也。往年吴公吮其父疽，其父战不旋踵⑥，遂死于敌。吴公今又吮其子，妾不知其死所矣，是以哭之。"

[注释]

①取：通"娶"。②谮：说坏话诬陷别人。③李克：即李悝，魏国人，是孔子弟子子夏的弟子，做了魏文侯的卿相。他是古代著名法律家，亲手制定魏国的新法典——《法经》。④司马穰苴：齐国名将。司马，官名；穰苴本姓田，做了齐国的司马，故名。⑤亲裹赢粮：裹，包裹；赢，担负。意为吴起亲自包裹、担负士卒们背负的粮食。⑥旋踵：旋，回转；踵，脚后跟。意为回转身，退缩。

[译文]

吴起是卫国人，在鲁国做官。齐国人攻打鲁国，鲁国人将要让吴起做将军，因为吴起娶齐国的一个女子为妻，鲁国人就怀疑他。吴起就杀掉妻子，来谋求做鲁国的将军，并率军大败齐国军队。有人就在鲁侯面前诬陷吴起说："吴起开始时侍奉曾参，母亲去世他不奔丧，曾参与他断绝交往；现在他又杀掉妻子来谋求做您的将军。吴起是一个残酷薄情寡德的人。况且，凭借我们小小的鲁国就能有战胜齐国的名声，诸侯国恐怕都要来算计鲁国了。"吴起害怕鲁侯治他的罪，听说魏文侯是个贤明的国君，于是就前往依附他。魏文侯向李克打听吴起，李克说："吴起为人贪婪且好色，但是他的用兵之道，连齐将司马穰苴也比不过他。"于是魏文侯就任命吴起为将军，攻打秦国，攻占了秦国的五座城池。

吴起做将军，与最下等的士兵穿一样的衣服，吃一样的伙食，睡觉不铺垫褥，行军不骑马乘车，亲自背负着捆扎好的粮食，与士兵同甘共苦。有个士兵生了毒疮，吴起给他吮吸脓液。这个士兵的母亲闻听后，就放声而哭。有人说："你的儿子只是个士兵，将军却亲自给他吮吸毒疮，你还哭什么呢？"那位母亲说："不是这样的。往年吴将军给他父亲吮吸毒疮，他的父亲作战时毫不退缩，就死在了敌人手里。现在吴将军又给我的儿子吮吸毒疮，我不知道他将死在哪里呀，因此，我才哭他啊。"

吴起修德

【周纪一】威烈王十五年（甲午，前387年）

武侯浮西河①而下，中流顾谓吴起曰："美哉山河之固，此魏国之宝也！"对曰："在德不在险。昔三苗氏②，左洞庭，右彭蠡；德义不修，禹灭之。夏桀之居，左河济，右泰华，伊阙在其南，羊肠在其北；修政不仁，汤放之。商纣之国，左孟门，右太行，常山在其北，大河经其南；修政不德，武王杀之。由此观之，在德不在险。若君不修德，舟中之人皆敌国也！"武侯曰："善。"

魏置相，相田文。吴起不悦，谓田文曰："请与子论功，可乎？"田文曰："可。"起曰："将三军，使士卒乐死，敌国不敢谋，子孰与③起？"文曰："不如子。"起曰："治百官，亲万民，实府库④，子孰与起？"文曰："不如子。"起曰："守西河，秦兵不敢东乡⑤，韩、赵宾从⑥，子孰与起？"文曰："不如子。"起曰："此三者子皆出吾下，而位居吾上，何也？"文曰："主少国疑，大臣未附，百姓不信，方是之时，属⑦之子乎，属之我乎？"起默然良久曰："属之子矣！"

久之，魏相公叔尚⑧魏公主而害吴起。公叔之仆曰："起易去也。起为人刚劲自喜，子先言于君曰：'吴起，贤人也，而君之国小，臣恐起之无留心也。君盍⑨试延以女，起无留心，则必辞矣。'子因与起归而使公主辱子，起见公主之贱子也，必辞，则子之计中矣。"公叔从之，吴起果辞公主。魏武侯疑之而未信，起惧诛，遂奔楚。

楚悼王素闻其贤，至则任之为相。起明法审令，捐不急之官⑩，废公族疏远者，以抚养战斗之士，要在强兵，破游说之言从横⑪者。

于是南平百越,北却三晋,西伐秦,诸侯皆患楚之强;而楚之贵戚大臣多怨吴起者。

[注释]

①武侯浮西河:武侯即魏文侯之子;浮,行船;西河,依胡三省说,即《禹贡》上说的"龙门西河",应指今天陕西、山西之间那段黄河。②三苗氏:古族名,亦称"有苗"。③孰与:与……比,谁更怎么样。④实府库:使府库充实。⑤乡:通"向","东乡"即向东。⑥宾从:像宾客一样从属于。⑦属:通"嘱",托付。⑧尚:仰攀婚姻。⑨盍:何不。⑩捐不急之官:除去无关紧要的官。⑪从横:即"纵横","合纵连横"的简称。

[译文]

魏武侯浮舟黄河顺流而下,船到中流,魏武侯回头来对吴起说:"多么美丽啊,山川是如此的坚固,这是魏国最为珍贵的东西啊!"吴起回答说:"国家的稳固、山川的壮美在于施德于民,而不在于地势的险要。以前三苗氏东临洞庭湖,西濒彭蠡泽,因为不修德行仁义,所以夏禹灭掉它。夏桀的国土,东临黄河、济水,西靠泰山、华山,伊阙山在它的南边,羊肠坂在它的北面,因为他不行仁政,所以商汤放逐了他。殷纣的国土,东边有孟门山,西边有太行山,常山在它的北边,黄河流经它的南面,因为他不施仁德,武王把他杀了。由此看来,政权稳固在于对百姓施行仁德,不在于地势的险要。如果您不修德政,就是同一条船上的人也会变成您的敌人啊!"魏武侯说:"讲得好。"

魏国设置了相位,以田文为相。吴起不高兴,对田文说:"请让我与您比一比功劳,可以吗?"田文说:"可以。"吴起说:"统率三军,让士兵愿意为国去拼死,敌国不敢图谋魏国,您与我比,谁更好?"田文说:"我不如您。"吴起说:"管理文武百官,使百姓亲附,使府库的储备充实,您与我比,谁做得更好?"田文说:"我不如您。"吴起说:"把守西河而秦国的军队不敢向东侵犯,韩国、赵国像宾客一样服从，您和我比，怎么样呢？"田文说："我不如您。"吴起说："这三个方面您都不如我，您的职位却在我之上，为什么呢？"田文说："国君年轻，国家前途未卜，大臣没有归附，百姓不信任，正处在这个时候，是把政事托付给您呢，还是应当托付给我？"吴起沉默了许久，说："应该托付给您啊。"

过了很久，魏国的相公叔娶了魏武侯的女儿，却妒忌吴起。公叔的仆人就说："吴起会很容易离开的。吴起为人有骨气而又自负。您可先对武侯说：'吴起是个贤能的人，而您的国土太小了，我担心吴起没有留在魏国的想法。您为什么不用把公主嫁给他的办法试探他？假如吴起没有留下来的想法，就一定会推辞。'您找个机会请吴起一道回家，让公主发怒而侮辱您，吴起见公主这样鄙视您，就一定不会娶公主了。那么您的目的就达到了。"公叔听从了仆人的建议，吴起果然推辞娶公主。魏武侯怀疑吴起就不再信任他。吴起害怕被杀，于是逃到楚国去了。

楚悼王平常听说吴起很有才能，吴起刚到楚国就任命他为相。他严明法纪，审察政令，裁撤无关紧要的官员，废止被疏远公族的按例供给，来安抚供养战士，目的在于加强军事力量，揭穿往来奔走的说客的游说之词。于是向南平定了百越；向北打退了韩、赵、魏三国的进攻；向西讨伐秦国。各诸侯国都对楚国的强大感到忧虑。而楚国的贵戚、权臣显要中却有很多人怨恨吴起。

卫鞅变法

【周纪二】显王十年（壬戌，前359年）

卫鞅①欲变法，秦人不悦。卫鞅言于秦孝公曰："夫民不可与虑②始，而可与乐成。论至德者不和于俗，成大功者不谋于众。是以圣人苟可以强国，不法其故。"甘龙③曰："不然。缘法而治者，吏习而民安之。"卫鞅曰："常人安于故俗，学者溺于所闻，以此两者，居官守法可也，非所与论于法之外也。智者作法，愚者制焉；贤者更礼，不肖者拘焉。"公曰："善。"以卫鞅为左庶长。卒定变法之令。令民为什伍④而相收司、连坐⑤，告奸者与斩敌首同赏，不告奸者与降敌同罚。有军功者，各以率受上爵；为私斗者，各以轻重被刑大小。僇力本业⑥，耕织致粟帛多者，复其身；事末利⑦及怠而贫者，举以为收孥⑧。宗室非有军功论，不得为属籍⑨。明尊卑爵秩等级，各以差次名田宅、臣妾、衣服。有功者显荣，无功者虽富无所芬华。

令既具未布，恐民之不信，乃立三丈之木于国都市南门，募民有能徙置北门者予十金。民怪之，莫敢徙。复曰："能徙者予五十金！"有一人徙之，辄予五十金。乃下令。

令行期年，秦民之国都言新令之不便者以千数。于是太子犯法。卫鞅曰："法之不行，自上犯之。太子，君嗣也，不可施刑。刑其傅公子虔，黥⑩其师公孙贾。"明日，秦人皆趋令。行之十年，秦国道不拾遗，山无盗贼，民勇于公战，怯于私斗，乡邑大治。秦民初言令不便者，有来言令便。卫鞅曰："此皆乱法之民也！"尽迁之于边。其后民莫敢议令。

臣光曰：夫信者，人君之大宝也。国保于民，民保于信；非信无以使民，非民无以守国。是故古之王者不欺四海，霸者不欺四邻，善为国者不欺其民，善为家者不欺其亲。不善者反之，欺其邻国，欺其百姓，甚者欺其兄弟，欺其父子。上不信下，下不信上，上下离心，以至于败。所利不能药其所伤，所获不能补其所亡，岂不哀哉！昔齐桓公不背曹沫之盟，晋文公不贪伐原之利，魏文侯不弃虞人之期⑪，秦孝公不废徙木之赏。此四君者道非粹白⑫，而商君尤称刻薄，又处战攻之世，天下趋于诈力，犹且不敢忘信以畜其民,况为四海治平之政者哉!

[注释]

①卫鞅:战国时期政治家、思想家,著名法家代表人物。因卫鞅本为卫国国君的后裔,公孙氏,故又称公孙鞅。后秦国封其于商,后人称之商鞅。因秦孝公求贤令而入秦,说服秦孝公变法图强。在位执政十九年,秦国大治,史称商鞅变法。②虑:思考、谋划。③甘龙:秦孝公的大臣,秦国旧世族中最有权谋的人物,商鞅变法的主要反对者。④什伍:古代户籍和军队的编制,户籍以五家为伍,十家为什;军队以五人为伍,二伍为什。⑤收司、连坐:收司,纠发监察;连坐,牵连入罪。⑥僇力:即戮力。本业,主要指农业,与后文的"末利"相对。⑦末利:指工商业。⑧孥:妻子和儿女。⑨属籍:宗属之籍。⑩黥:亦称墨刑,用刀刺刻额颊等处,再涂上墨,是一种酷刑。⑪齐桓公不背曹沫之盟:事见《史记·刺客列传》,曹沫是鲁国将军,与齐国作战,打了三次败仗,后来齐桓公与鲁国在柯地会盟,曹沫突然手持匕首劫持了齐桓公,齐桓公无奈之下答应归还侵占的鲁国土地。晋文公不贪伐原之利:出自《左传·僖公二十三年》。晋公子重耳蒙难流亡他乡,诸侯都不接纳他,只有楚国热情招待他,重耳许诺自己如果做了国君,假若在战场上相遇,便以退避三舍作为回报,后来,成了晋文公的重耳果然与楚国在战场上相遇,晋文公实践了自己的诺言,退避三舍以报楚恩。魏文侯不弃虞人之期:事见《资治通鉴》周威烈王二十三年(前403),魏文侯与群臣饮酒,兴致盎然,而此时下起了雨,魏文侯想起他与虞人相约当日要打猎,于是,他便"命驾将适野"。⑫粹白:纯粹。

[译文]

卫鞅想实行变法,秦国的贵族都不高兴。卫鞅对秦孝公说:"老百姓,不能与他们商量开创的计划,却可以与他们分享成功的快乐。谈论崇高道德的人,与普通人无共同语言,建功立业的人也不与普通人商议。所以圣人如果能够强国,就不必效法旧的传统。"甘龙反驳说:"不是这样。按照现有的制度来治理,才能使官员熟悉制度,让百姓安居乐业。"卫鞅说:"普通人只知道习惯于旧有的习俗，学者往往只沉湎于自己的所知，让这两种人做官守法可以，但不能和他们商讨在旧制度之外创业的事。有智慧的人制定法规，蠢笨的人只会受制于人；贤德的人因时而变动礼法，品行不好的人只会拘泥于现成的礼法。"秦孝公说："说得好！"便任命卫鞅担任左庶长，最终确定变法的法令。法令规定，老百姓以五家为伍，十家为什，互相纠发监察，牵连入罪。告发揭露奸佞罪行的与斩获敌人首级的享受同等的奖赏，不揭露告发坏人坏事的与叛国投敌的同罪。荣立战功的人，一律享受上等爵位的奖赏。因为私利而争斗的人，各因情节的轻重而处以不同的刑罚。专心从事农业生产，耕田织布而收获粮食多、织的布匹多的人，就免除他的徭役。从事工商业的以及因懒惰而贫困的人，把他们的妻子儿女都收为奴隶。宗室没有军功的不再列入宗室的属籍。明确地位尊卑、爵位高低、俸禄多少的等级，并因为各自等级的不同而分配田宅、臣妾和衣服。立有大功的人荣宗显祖，没有功劳的人即使很富有也不能铺张。

法令已制定完备但尚未公布，卫鞅担心民众不相信，于是在国都的市场南门立下一根三丈长的木杆，招求民众有能把它移置北门的，就赏给这个人十金。民众感到奇怪，无人敢去搬。卫鞅又说："能移到北门去的赏五十金！"有一个人把木杆搬到了北门，卫鞅就给予他五十金。卫鞅于是颁布变法法令。

变法法令颁行一年后，秦国民众前往都城谈论新法让他们不便的数以千计。在这时候太子也触犯了法令。卫鞅说："新法不能推行，是从上层的人开始违犯的。太子是国君的继承者，不可以施以刑罚。将太子的老师公子虔处以刑罚，将太子的另一个老师公孙贾处以黥刑。"第二天，秦国民众听说后都遵从了法令。新法施行十年，秦国路不拾遗，山上没有了盗贼，民众勇于为国而战，畏惧进行私斗，乡下城镇都非常安定。秦国民众当初说新法不便的，有些又来说新法便利。卫鞅说："这些都是扰乱法令的人！"把他们全部放逐到边疆。此后民众无人敢议论法令的是非。

臣司马光说：信誉是君主至高无上的法宝。国家靠民众来保卫，民众靠信誉来保护；无信誉无法役使百姓，没有民众便无法守卫国家。所以古代称王天下者不欺骗天下人，建立霸业者不欺侮四方邻国，善于治国者不欺骗他的民众，善于治家者不欺诈他的亲人。只有不善于治国、治家的人才反其道而行之，欺侮他的邻国，欺骗他的百姓，甚至欺诈他的兄弟，欺凌他的父子。上不信下，下不信上，上下离心，以至于败亡。靠欺骗所占的便宜救不了致命之伤，所得到的不能弥补其所失去的，难道不痛心吗！当年齐桓公不违背与曹沫所订立的盟约，晋文公不贪图攻打原地的好处，魏文侯不背弃与虞人的约会，秦孝公不中止对移动木杆之人的重赏。这四位君主的治国之道不是纯粹完美，而商鞅尤其称得上刻薄了，又处于争战攻伐的乱世，天下尔虞我诈、角于勇力，尚且不敢忘记树立信誉以收服民心，又何况是今日政治修明、社会安定时期的当政者呢！

威王四宝

【周纪二】显王十四年（丙寅，前355年）

齐威王、魏惠王会田①于郊。惠王曰："齐亦有宝乎？"威王曰："无有。"惠王曰："寡人国虽小，尚有径寸之珠，照车前后各十二乘②者十枚。岂以齐大国而无宝乎？"威王曰："寡人之所以为宝者与王异。吾臣有檀子者，使守南城，则楚人不敢为寇，泗上十二诸侯皆来朝。吾臣有盼子者，使守高唐，则赵人不敢东渔于河。吾吏有黔夫者，使守徐州，则燕人祭北门，赵人祭西门，徙而从者七千余家。吾臣有种首者，使备盗贼，则道不拾遗。此四臣者，将照千里,岂特③十二乘哉!"惠王有惭色。

[注释]

①会田:会,一起,共同。田,通"畋",打猎。②乘:读 shèng,一车四马为一乘。③特:只。

[译文]

齐威王、魏惠王共同到郊外打猎。魏惠王说:"齐国也有宝贝吗?"齐威王说:"没有。"魏惠王说:"我的国家虽然小,尚且有十枚直径一寸大小,光亮可以照彻前后各十二辆战车的宝珠。难道堂堂的齐国竟然会没有宝物吗?"齐威王说:"我所认定的宝物与大王是不一样的。我有一个大臣叫檀子,派他镇守南城,那么楚国人就不敢来侵犯,泗水边上的十二个诸侯都来朝拜。我有一个臣子叫盼子,使他把守高唐,那么赵国人就不敢向东在河里捕鱼。我有一个官吏叫黔夫,让他驻守徐州,那么燕国人就会到徐州的北门祭祀,赵国人到西门祭祀,跟随他迁徙而来的百姓有七千多家。我的大臣中有一个叫种首的,让他来防备盗贼,就会出现道不拾遗的现象。这四个大臣,将照亮千里远的地方,哪里只是照亮前后各十二辆战车呢!"魏惠王听后脸上露出了羞愧的神色。

孙膑围魏救赵

【周纪二】显王十六年(戊辰,前353年)

齐威王使田忌救赵。初,孙膑与庞涓俱学兵法,庞涓仕魏为将军,自以能不及孙膑,乃召之;至,则以法断其两足而黥之,欲使终身废弃。齐使者至魏,孙膑以刑徒阴见,说齐使者;齐使者窃载与之齐。田忌善而客待之,进于威王。威王问兵法,遂以为师。于是威王谋救赵,以孙膑为将;辞以刑余之人不可,乃以田忌为将而孙子为师,居辎车中,坐为计谋。

田忌欲引兵之赵。孙子曰:"夫解杂乱纷纠者不控拳①,救斗者不搏撠②,批亢捣虚③,形格势禁④,则自为解耳。今梁⑤、赵相攻,轻兵锐卒必竭于外,老弱疲于内;子不若引兵疾走魏都,据其街路,冲其方虚,彼必释赵以自救:是我一举解赵之围而收弊于魏也。"田忌从之。十月,邯郸降⑥魏。魏师还,与齐战于桂陵,魏师大败。

[注释]

①控拳:握拳。②搏撠:击刺,以撠刺人。撠,读jǐ。③批亢捣虚:打击敌人的要害和虚弱之处。④形格势禁:意谓抓住斗者的要害,殴斗者会因形势的限制而自然分开。后谓事情为形势所阻,无法进行。⑤梁:即魏国,因为魏的都城在大梁,故名。⑥降:投降。

[译文]

齐威王派遣田忌率军去救援赵国。起初,孙膑与庞涓一起学习兵法,庞涓在魏国做将军,自认为才能赶不上孙膑,就召请孙膑;孙膑来后,庞涓用计依法砍断孙膑的双脚,并施以黥刑,想让他终身成为废人被厌弃。齐国使者出使魏国,孙膑以刑徒的身份与他暗中相见,劝说齐国使者。齐国使者暗地里把孙膑藏在车里带到了齐国。齐将田忌很友好地以贵客招待他,又举荐给齐威王。齐威王向孙膑询问兵法,就以他为老师。在这时齐威王谋划援救赵国,任命孙膑为将;孙膑以自己是个受刑伤残之人为由坚决辞谢,齐威王就以田忌为将军,孙膑为军师,让他坐在辎车里,出谋划策。

田忌打算率军前往赵国。孙膑说:"想解开乱丝的人,不能紧握双拳生拉硬扯;解救斗殴的人,不能卷进去胡乱搏击,要扼住争斗者的要害乘虚而入,争斗者因形势限制,就不得不自行解开。现在魏、赵两国正激战,精兵锐卒倾巢出动,国内只剩老弱疲于应付;您不如率军急袭魏都,占据交通要冲,冲击其空虚的后方,魏军一定会放弃围攻赵国回兵救援。这样我们一举既解了赵国之围，又给魏国以打击。"田忌听从了孙膑的建议。十月，邯郸城降服于魏国。魏国军队回师救援，与齐国军队在桂陵发生激战，结果魏军大败。

昭奚恤为相

【周纪二】显王十六年（戊辰，前353年）

楚昭奚恤①为相。江乙②言于楚王曰："人有爱其狗者，狗尝溺井③，其邻人见，欲入言之，狗当门而噬之。今昭奚恤常恶臣之见，亦犹是也。且人有好扬人之善者，王曰'此君子也'，近之；好扬人之恶者，王曰'此小人也'，远之。然则且有子弑其父、臣弑其主者，而王终已不知也。何者？以王好闻人之美而恶闻人之恶也。"王曰："善，寡人愿两闻之。"

[注释]

①昭奚恤：战国时楚国令尹。②江乙：亦作"江一"、"江尹"，魏国人，有智谋，初为魏使楚，后仕于楚。③溺井：尿到井里。溺，读niào，小便。

[译文]

楚国任用昭奚恤为相。江乙对楚王说："有个喜欢自己狗的人，狗曾向井里撒尿，他的邻居看见了，想到他家里告诉他，狗把他堵在门口，还咬他。现在昭奚恤常常讨厌我来见您，也如同恶狗堵门一样。况且一有喜好说别人好话的人，您就说'这是君子啊'，便亲近他；而对喜好指出别人缺点的人，您就说'这是个小人'，便疏远他。既然这样，那么人世间有儿子杀父亲、臣下杀君主的人，您却始终不知道。为什么呢？因为您只喜欢听对别人的赞美，而不喜欢听别人的缺点呀！"楚王说："你说得好！我愿意听取两方面的言论。"

申不害为相

【周纪二】显王十八年（庚午，前351年）

韩昭侯以申不害为相。申不害者，郑之贱臣也，学黄、老、刑名①，以干②昭侯。昭侯用为相，内修政教，外应诸侯，十五年，终申子之身，国治兵强。

申子尝请仕其从兄，昭侯不许，申子有怨色。昭侯曰："所为学于子者，欲以治国也。今将听子之谒③而废子之术乎，已其行子之术而废子之请乎？子尝教寡人修功劳，视次第④；今有所私求，我将奚⑤听乎？"申子乃辟舍请罪曰："君真其人也！"

[注释]

①黄、老、刑名：黄老指的是黄帝、老子的书，刑名指的是法家的书；合起来泛指诸子百家。②干：求取。③谒：请求。④视次第：看（功劳的）高低。⑤奚：什么。

[译文]

韩昭侯任用申不害为相。申不害是郑国地位低下的小臣，学习黄帝、老子、刑名学说，以此向韩昭侯求取功名。韩昭侯便用他为相，对内整顿政治教化，对外与各诸侯国交往，这样过了十五年，直到申不害去世，国家太平，兵力强盛。

申不害曾经请求让他的堂兄做官，韩昭侯没有答应，申不害露出怨恨的表情。韩昭侯就对他说："我所做的是向你学习，想治理好国家。现在我将听从你的请求来抛弃你创设的法度呢，还是推行你的法度而抛弃你的请求呢？你曾经教导我要按功劳确定封赏等级；现在你有私下的请求，我该听哪种意见呢？"申不害便离开自己原来住的地方，另居别处，向韩昭侯请罪说："您是真的明君啊！"

孙膑破魏救韩

【周纪二】 显王二十八年（庚辰，前341年）

魏庞涓伐韩。韩请救于齐。齐威王召大臣而谋曰："蚤①救孰与晚救？"成侯②曰："不如勿救。"田忌曰："弗救则韩且折而入于魏，不如蚤救之。"孙膑曰："夫韩、魏之兵未弊而救之，是吾代韩受魏之兵，顾反听命于韩也。且魏有破国之志，韩见亡，必东面而诉于齐矣。吾因深结韩之亲而晚承魏之弊，则可受重利而得尊名也。"王曰："善！"乃阴许韩使而遣之。韩因恃齐，五战不胜，而东委国于齐。

齐因起兵，使田忌、田婴、田盼将之，孙子为师，以救韩，直走魏都。庞涓闻之，去韩而归。魏人大发兵，以太子申为将，以御齐师。孙子谓田忌曰："彼三晋之兵素悍勇而轻齐，齐号为怯。善战者因其势而利导之。《兵法》：'百里而趣③利者蹶④上将，五十里而趣利者军半至。'"乃使齐军入魏地为十万灶，明日为五万灶，又明日为二万灶。庞涓行三日，大喜曰："我固知齐军怯，入吾地三日，士卒亡者过半矣！"乃弃其步军，与其轻锐倍日并行逐之。孙子度其行，暮当至马陵。马陵道狭而旁多阻隘，可伏兵。乃斫大树，白而书之曰："庞涓死此树下！"于是令齐师善射者万弩夹道而伏，期日暮见火举而俱发。庞涓果夜到斫木下，见白书，以火烛之。读未毕，万弩俱发，魏师大乱相失。庞涓自知智穷兵败，乃自刭，曰："遂成竖子之名！"齐因乘胜大破魏师，虏太子申。

[注释]

①蚤：通"早"。②成侯：指邹忌。邹忌为齐相，封成侯。③趣：奔赴，趋向。④蹶：挫败。

[译文]

　　魏国的庞涓率军攻打韩国。韩国向齐国求救。齐威王召集大臣商量对策，就问："早救还是晚救啊？"成侯邹忌说："不如不救。"田忌说："如果不去救，那么韩国就会遭受损失，并且会并入魏国，不如早一点去救它。"孙膑说："韩国、魏国的军队还没有困乏、疲敝，就去救韩国，这是我们在替韩国去迎接魏国的进攻，反而听命于韩国了。况且魏国有灭韩国的志向，韩国将被灭，一定会向东去求告齐国。我们趁机可以与韩国结下深厚的友谊并且晚些时候承受魏国进攻的弊端，就可以因此得到大的好处和尊贵的名声。"齐威王说："好！"于是暗地里答应了韩国使节的请求，让韩国的使者回去。韩国因此依靠齐国，五战不胜，就向东依附齐国。

　　齐国趁机起兵，齐威王派田忌、田婴、田盼做将军，孙膑为军师，来救韩国。田忌等人率军直接奔向魏国都城。庞涓听说后，率领魏军离开韩国回到国内。魏国集结了大批的军队，以太子申为将军，来抵御齐国军队。孙膑对田忌说："那三晋的军队一向彪悍勇猛，轻视我们齐军，齐军名义上总是害怕魏军的，善于带兵打仗的人要因势利导。《孙子兵法》里说：'百里而趣利者蹶上将，五十里而趣利者军半至。'"于是就让齐军在进入魏国的第一天垒灶十万个，第二天垒的灶成了五万个，第三天又减少为两万个。庞涓率领魏军追赶齐军，走了三天，看到齐军灶台在逐日减少，高兴地说："我本来就知道齐军胆怯，入侵我们的地盘三天，队伍已经损失过半了！"庞涓于是放弃他的步兵，与他的精锐轻骑日夜兼程追赶齐军。孙膑估计庞涓的行程，傍晚应该到达马陵。马陵道路狭窄，周围又有许多险隘，可以埋伏军队。于是就将路旁一棵大树的树皮斫掉，在白白的树干上写道："庞涓死此树下！"这时孙膑就让齐军中善于射箭的一万名士兵埋伏在路的两旁，约定傍晚见有火把举起来时就一起射箭。庞涓果然在天黑时赶到了那棵树下，看见白白的树干上写着字，用火把照着看。庞涓还没有读完，齐军万箭齐发，魏军大乱，相互踩踏，庞涓知道自己智穷兵败，于是拔剑自杀，说："成就了这小子的名声！"齐军趁势大破魏军，俘虏了魏军统帅太子申。

商君之死

【周纪二】显王三十一年（癸未，前338年）

秦孝公薨，子惠文王立。公子虔之徒告商君欲反，发吏捕之。商君亡之魏；魏人不受，复内①之秦。商君乃与其徒之商於，发兵北击郑。秦人攻商君，杀之，车裂以徇②，尽灭其家。

初，商君相秦，用法严酷，尝临渭论囚③，渭水尽赤，为相十年，人多怨之。赵良见商君，商君问曰："子观我治秦，孰与五羖大夫④贤？"赵良曰："千人之诺诺，不如一士之谔谔。仆请终日正言而无诛，可乎？"商君曰："诺。"赵良曰："五羖大夫，荆之鄙人⑤也，穆公举之牛口之下，而加之百姓之上，秦国莫敢望焉。相秦六七年而东伐郑，三置晋君，一救荆祸。其为相也，劳不坐乘，暑不张盖。行于国中，不从车乘，不操干戈。五羖大夫死，秦国男女流涕，童子不歌谣，舂者不相杵。今君之见也，因嬖人景监以为主；其从政也，凌轹⑥公族，残伤百姓。公子虔杜门不出已八年矣。君又杀祝欢而黥公孙贾。《诗》曰：'得人者兴，失人者崩。'此数者，非所以得人也。君之出也，后车载甲，多力而骈胁者⑦为骖乘，持矛而操闟戟者⑧旁车而趋。此一物不具，君固不出。《书》曰：'恃德者昌，恃力者亡。'此数者，非恃德也。君之危若朝露，而尚贪商於之富，宠秦国之政，畜百姓之怨。秦王一旦捐宾客⑨而不立朝，秦国之所以收君者岂其微哉！"商君弗从。居五月而难作。

[注释]

①内：通"纳"，接纳。②车裂以徇：车裂，古代一种酷刑，俗称"五马分尸"，即将人头和四肢分别拴在五辆车上，以五马驾车，同时分驰，撕裂肢体；徇，通"殉"。③论囚：定罪并处决犯人。④五羖大夫：即百里奚。⑤荆之鄙人：依胡三省注，据《史记》记载，晋灭虞，执百里奚，为秦穆公媵（即仆人）。百里奚亡秦走宛，楚鄙人执之，穆公以五羖羊皮赎之，以为上大夫。⑥凌轹：亦作"陵轹"、"轹轹"，倾轧，欺压。⑦骈胁者：肌肉健壮不显肋骨的人。⑧操阘戟者：手持矛戟的人。⑨捐宾客：舍弃宾客，"死"的委婉说法。

[译文]

秦孝公死了，他的儿子秦惠文王即位。公子虔的徒众告发商鞅要造反，秦惠文王就派人前去捉拿商鞅。商鞅逃到了魏国。魏国人不接受他，商鞅又逃回到秦国。商鞅就和他的徒众到商於去，兴兵向北进攻郑。秦国军队进攻商君，将他杀死，车裂分尸，并把他全家杀光了。

起初，商鞅在秦国做相时，用法极为严酷，他曾亲临渭河边处决犯人，渭河水全都变红了。他任相十年，人们大多怨恨他。赵良拜见商鞅，商鞅问他："你看我治理秦国，与当年的五羖大夫百里奚相比谁更有德行？"赵良说："一千个人唯唯诺诺，不如一个读书人敢于直言。我请求允许我整天都说出心里的话，而您不怪罪我，可以吗？"商鞅说："好吧！"赵良就说："五羖大夫，楚国的乡野之人，秦穆公把他提拔到民众之上的职位上，秦国的民众无人敢比量他。他在秦国做相六七年，向东讨伐郑国，三次为晋国设立国君，一次拯救楚国的危难。他做相，劳累了不坐车，炎热的夏季不打起伞盖。他在国中巡视，不带车马随从，不舞刀弄剑。五羖大夫死的时候，秦国的男女都痛哭流涕，儿童不唱歌谣，舂米的人停下了舂杵。现在再来看您，您因为结交主上宠幸的心腹景监而进身仕途；待到掌权执政，就凌辱公族大家，残害百姓。弄得太子的老师公子虔闭门不出已有八年之久。您又杀死祝欢，并且给太子的老师公孙贾施以黥刑。《诗经》中说：'得人心者兴旺，失人心者灭亡。'这几件事，不是用来得人心的。您出行时，身后尾随车辆载着甲士，有许多孔武有力的侍卫作为骖乘，持矛挥戟的武士在车旁疾行。这些东西一样不具备，您就坚决不出行。《尚书》中说：'依赖德行者昌盛，凭借武力者灭亡。'这几件事，不是凭借德行。您的危险正像早晨的露水，却还贪恋商於的富庶收入，骄纵于秦国的政治，积蓄下百姓的怨恨。秦孝公一旦死去，不再延续王位，秦国用来逮捕您的罪名难道还会少吗？"商君没有听从劝告。过了五个月灾难就发生了。

苏秦合纵六国

【周纪二】显王三十六年（戊子，前333年）

初，洛阳人苏秦说秦王以兼天下之术，秦王不用其言。苏秦乃去，说燕文公曰："燕之所以不犯寇被甲兵①者，以赵之为蔽其南也。且秦之攻燕也，战于千里之外；赵之攻燕也，战于百里之内。夫不忧百里之患而重千里之外，计无过于此者。愿大王与赵从亲②，天下为一，则燕国必无患矣。"

文公从之，资苏秦车马，以说赵肃侯曰："当今之时，山东之建国莫强于赵，秦之所害亦莫如赵。然而秦不敢举兵伐赵者，畏韩、魏之议其后也。秦之攻韩、魏也，无有名山大川之限③，稍蚕食之，傅④国都而止。韩、魏不能支⑤秦，必入臣于秦；秦无韩、魏之规⑥则祸中于赵矣。臣以天下地图案⑦之，诸侯之地五倍于秦，料度诸侯之卒十倍于秦。六国为一，并力西乡而攻秦，秦必破矣。夫衡人者⑧皆欲割诸侯之地以与秦，秦成则其身富荣，国被⑨秦患而不与其忧,是以衡人日夜务以秦权恐猲⑩诸侯,以求割地。故愿大王熟计之也!窃为大王计,莫如一⑪韩、魏、齐、楚、燕、赵为从亲以畔秦,令天下之将相会于洹水之上,通质结盟,约曰:'秦攻一国,五国各出锐师,或桡⑫秦,或救之。有不如约者,五国共伐之!'诸侯从亲以摈⑬秦,秦甲必不敢出于函谷以害山东矣。"肃侯大说,厚待苏秦,尊宠赐赉⑭之,以约于诸侯。

于是苏秦说韩宣惠王曰:"韩地方九百馀里,带甲数十万,天下之强弓、劲弩、利剑皆从韩出。韩卒超足而射,百发不暇止。以韩卒之勇,被⑮坚甲,跖⑯劲弩,带利剑,一人当百,不足言也。大王事秦,秦必求宜阳、成皋;今兹效之,明年复求割地。与则无地以给之;不与则弃前功,受后祸。且大王之地有尽而秦之求无已,以有尽之地逆无已之求,此所谓市怨结祸者也,不战而地已削矣。鄙谚曰:'宁为鸡口,无为牛后⑰。'夫以大王之贤,挟强韩之兵,而有牛后之名,臣窃为大王羞之!"韩王从其言。

苏秦说魏王曰:"大王之地方千里,地名虽小,然而田舍、庐庑之数,曾无所刍牧⑱。人民之众,车马之多,日夜行不绝,辁辁殷殷⑲,若有三军之众。臣窃量大王之国不下楚。今窃闻大王之卒,武士二十万,苍头二十万,奋击二十万,厮徒十万;车六百乘,骑五千匹;乃听于群臣之说,而欲臣事秦!故敝邑赵王使臣效愚计,奉明约,在大王之诏诏之。"魏王听之。

苏秦说齐王曰:"齐四塞之国,地方二千余里,带甲数十万,粟如丘山。三军之良,五家之兵,进如锋矢,战如雷霆,解如风雨,即有军役,未尝倍泰山、绝清河、涉渤海者也。临淄之中七万户,臣窃度之,不下户三男子,不待发于远县,而临菑之卒固已二十一万矣。临淄甚富而实,其民无不斗鸡、走狗、六博、阗鞠⑳。临淄之涂,车毂击,人肩摩,连衽成帷㉑,挥汗成雨。夫韩、魏之所以重畏秦者,为与秦接境壤也。兵出而相当,不十日而战,胜存亡之机决矣。韩、魏战而胜秦，则兵半折，四境不守；战而不胜，则国已危亡随其后；是故韩、魏之所以重与秦战而轻为之臣也。今秦之攻齐则不然，倍韩、魏之地，过卫阳晋之道，经乎亢父之险，车不得方轨㉒，骑不得比行。百人守险，千人不敢过也。秦虽欲深入则狼顾，恐韩、魏之议其后也，是故恫疑、虚喝、骄矜而不敢进，则秦之不能害齐亦明矣。夫不深料秦之无奈齐何，而欲西面而事之，是群臣之计过也。今无臣事秦之名而有强国之实，臣是故愿大王少留意计之！"齐王许之。

乃西南说楚威王曰："楚，天下之强国也，地方六千余里，带甲百万，车千乘，骑万匹，粟支十年，此霸王之资也。秦之所害莫如楚，楚强则秦弱，秦强则楚弱，其势不两立。故为大王计，莫如从亲以孤秦。臣请令山东之国奉四时之献，以承大王之明诏；委社稷，奉宗庙，练士厉兵，在大王之所用之。故从亲则诸侯割地以事楚，衡合则楚割地以事秦。此两策者相去远矣，大王何居焉？"楚王亦许之。

于是苏秦为从约长，并相六国，北报赵，车骑辎重拟于王者。

[注释]

①犯寇被甲兵：遭受军队的侵犯骚扰。犯、被，都是"遭受"的意思。②从亲：即"纵亲"，六国联合起来结为一体。③限：阻挡。④傅：通"附"，附着。⑤支：支撑，此处为抵挡。⑥规：谋划，算计。⑦案：考察，核实。⑧衡人者：主张连横的人。衡，指连横。⑨被：遭受。⑩恐愒：亦写作"恐吓"，用武力胁迫人。⑪一：统一，作动词用。⑫桡：读náo，削弱。⑬摈：排斥，弃绝。⑭赉：赏赐。⑮被：通"披"。⑯跖：践，踏，用脚踏。⑰宁为鸡口，无为牛后：据《史记正义》，鸡口虽小，犹进食；牛后虽大，乃出粪。⑱刍牧：割草放牧。⑲辚辚殷殷：辚辚即"轰轰"，象声词，形容声音大。这里指车马的轰鸣。⑳斗鸡、走狗、六博、蹹鞠：当时的几种游戏。㉑连衽成帷：衣襟连起来可做成帷幕，这里的意思是说人多势众。㉒方轨：两车并行。

[译文]

　　当初，洛阳人苏秦用兼并天下的计谋向秦王游说，秦王没有采纳他的建议。苏秦于是离开，游说燕文公道："燕国之所以不遭受秦国军队的侵犯和骚扰，是因为赵国为屏障在其南面的缘故。况且，秦国进攻燕国，要到千里之外去作战；赵国进攻燕国，百里之内即可作战。不担忧百里之内的祸患，而重视千里之外，计策没有比这更糟的了。我希望大王您能与赵国合纵为亲邻，两国统一行动，那么燕国必定无祸患了。"

　　燕文公听从苏秦的劝告，资助苏秦车马，让他去游说赵肃侯。苏秦说："现在，崤山以东所建立的国家没有比赵国更强大的，秦国的祸患也没有超过赵国的。然而秦国始终不敢兴兵征讨赵国，就是害怕韩国、魏国在背后合谋算计。秦国攻打韩、魏两国，没有名山大川阻隔，逐步蚕食其土地，迫近韩国国都而停止。韩国、魏国不能抗拒秦国，必定向秦国称臣；秦国没有韩国、魏国暗中算计它，那么战祸就降临到赵国头上。我用天下的地图查考，各诸侯国的土地面积是秦国的五倍，估计各诸侯国的军队是秦国的十倍。六国统一行动，合力向西进攻秦国，秦国一定会破亡。主张连横的人都想割各诸侯国的土地来献给秦国，秦国成功了那么他们本人则获得富足和荣显，而各诸侯国遭受秦国的祸患他们却不分担，所以主张连横的人日日夜夜做着用秦国的威势恐吓各诸侯国，以求得各诸侯国割地的事。所以希望大王仔细谋划！我私下里为大王考虑，不如统一韩、魏、齐、楚、燕、赵各诸侯国为合纵亲邻以背离秦国，让六国的将、相相会在洹水边上，互换人质，结成同盟，相互约定：'秦国进攻一国，五国各派出精锐之师，或者削弱秦国，或者救援被攻之国。如果一国不遵守盟约，五国共同讨伐它！'各诸侯国合纵为亲邻以排斥秦国，秦国的军队就不敢出函谷关来祸害崤山以东的诸侯国了。"赵肃侯听了很高兴，优厚地接待苏秦，尊崇他并赏赐丰厚,用他去联合各诸侯国。

因此,苏秦劝说韩宣惠王说:"韩国之地方圆九百余里,有几十万士兵,天下的强弓、劲弩、利剑都从韩国产出。韩国士兵双脚踏弩而射箭,连续发射百发而不停止。凭借韩国士兵的勇猛,披上牢固的盔甲,踩着强劲的弓弩,佩戴锋利的宝剑,以一当百也不在话下。大王若是侍奉秦国,秦国必定索求宜阳、成皋两座城池。现在更加尽心尽力进献给他,明年又再次要求割地。再给它就已无地可给,不给就耗费了以前下的功夫,要蒙受后祸。况且大王的土地有竭尽之时而秦国的索求没有停止,用有限的土地迎合没有停止的索求,这就是所说的招致怨恨,结下祸根,不用打仗土地就已经被削减了。俗语说:'宁为鸡口,无为牛后。'凭借大王的贤明,拥有强大韩国的军队,而拥有'牛后'的名声,我也要私下里为您羞愧了!"韩王听从了苏秦的劝说。

苏秦又对魏王说:"大王的国土方圆千里,土地面积名义上虽然狭小,然而田地和屋舍、庐庑稠密的数量,已到了无处放牧的地步。民众数量之众、车马数量之多,昼夜行路不绝,车马的轰鸣声,好似步、车、骑三军通过。我私下估计大王国家的实力不在楚国之下。现在私下听说大王的军队,武士有二十万,苍头军有二十万,奋击兵有二十万,厮徒兵有十万;还有战车六百辆,战马五千匹;竟然打算听从群臣的劝说,而想去臣服侍奉于秦国!所以我们赵国赵王派遣我向您进献愚计,捧着盟约,只等大王下令答复订立盟约。"魏王听取了苏秦的建议。

苏秦游说齐王说:"齐国是一个四面有要塞的国家,国土方圆两千多里,披着铠甲的士兵几十万,粮食堆积如山。装备精良的三军,连五家之兵,进攻像迅急的利箭,作战有如雷霆之势,收兵解散时像风雨迅速。即使遇到战事,也不用背离泰山、渡过清河、跨过渤海去征兵。临淄城里有七万户人家,我私下里算了算,每户男子不下三人,不用到边远的县乡去征调军队,而临淄城里的士卒本来就有二十一万了。临淄城非常富庶殷实,这里的居民没有不玩斗鸡、赛狗、下棋、踢球游戏的。临淄城的道路上,车辆多得车毂互相碰撞,人更是摩肩接踵,衣服连起来可以成帷帐,众人挥汗如同下雨一样。韩国、魏国之所以过分害怕秦国,是与秦国国土接壤啊。军队出发与秦国对阵,用不了十天而作战,胜败存亡的大趋势就确定了。韩国、魏国如果战胜了秦国,那么其军队也损伤过半,四境难以守卫;如果战胜不了秦国,那么国家已经危亡紧随其后;所以韩国、魏国很慎重地对待与秦国作战,而轻易地做秦国的臣子。现在秦国进攻齐国就不是这样了,要背向韩国、魏国的国土,经过卫国阳晋的道路,通过亢父的险隘,车辆不能并行,战马不能并排奔跑。一百个人守住险要的地方,一千个人也不敢通过。秦国虽然想驱兵深入,但担心韩国、魏国在其背后图谋,所以它恐惧怀疑、虚张声势而又骄躁矜夸不敢贸然进攻齐国,那么秦国不能祸害齐国也是明显的了。而您不仔细考虑秦国对齐国的无计可施,却打算向西对秦国俯首称臣,这是齐国群臣谋略的过错啊。现在,齐国没有臣服侍奉秦国的名声,却有强国的实情,我因此希望大王能稍加留意谋划这件事!"齐王答应了苏秦的建议。

　　于是苏秦就到西南游说楚威王说:"楚国是天下的强国,国土方圆六千多里,披甲的士兵有一百万,有战车一千辆,有战马一万匹,储存的粮食可支持十年,这是称霸称王的资本。秦国惧怕的莫过于楚国,楚国强大了那么秦国就会衰弱,秦国强大了那么楚国就会衰弱,两国势不两立。所以我为大王考虑,不如合纵亲邻国以孤立秦国。我请您允许我让崤山以东的各诸侯国向您进贡一年四季的礼品,来秉承大王的明令;把江山社稷、祖先宗庙都托付给您,历练军队,只等着大王您的指挥调动。所以,合纵亲邻那么各诸侯国就会割地侍奉楚国,连横亲秦那么楚国要割地侍奉秦国。这两种策略相距甚远，人工您选择哪一种策略呢？"楚王也听从了苏秦的劝说。

于是苏秦成为合纵的盟主，同时兼任六国相，返回北方向赵王报告合纵结盟的情况。苏秦乘坐的车马和随从供应物资的车辆可比拟各诸侯国国君。

孟子说齐王

【周纪三】赧王元年（丁未，前314年）

齐王问孟子曰："或谓寡人勿取燕，或谓寡人取之。以万乘之国伐万乘之国，五旬而举之，人力不至于此；不取，必有天殃。取之何如？"孟子对曰："取之而燕民悦则取之，古之人有行之者，武王是也。取之而燕民不悦则勿取，古之人有行之者，文王是也。以万乘之国伐万乘之国，箪食壶浆①以迎王师，岂有他哉？避水火也。如水益深，如火益热，亦运②而已矣！"

诸侯将谋救燕。齐王谓孟子曰："诸侯多谋伐寡人者，何以待之？"对曰："臣闻七十里为政于天下者，汤是也；未闻以千里畏人者也。《书》曰：'徯③我后，后来其苏④。'今燕虐其民，王往而征之，民以为将拯己于水火之中也，箪食壶浆以迎王师。若杀其父兄，系累其子弟，毁其宗庙，迁其重器，如之何其可也！天下固畏齐之强也，今又倍地而不行仁政，是动天下之兵也。王速出令，反⑤其旄倪⑥，止其重器，谋于燕众，置君而后去之，则犹可及止也。"齐王不听。

已而燕人叛。王曰："吾甚惭于孟子。"陈贾⑦曰："王无患焉。"乃见孟子，问曰："周公何人也？"曰："古圣人也。"陈贾曰："周公使管叔监商，管叔以⑧商畔⑨也。周公知其将畔而使之与?"曰:"不知也。"陈贾曰:"然则圣人亦有过与?"曰:"周公,弟也;管叔,兄也,周公之过不亦宜乎!且古之君子,过则改之;今之君子,过则顺之。古之君子,其过也如日月之食,民皆见之;及其更也,民皆仰之。今之君子,岂徒顺之,又从为之辞!"

[注释]

①箪食壶浆:古时老百姓用箪盛饭,用壶盛汤来欢迎他们爱戴的军队。②运:转动。言燕之民转而之他国也。③徯:等待。④苏:死而复生,苏醒过来,引申为在困难中得到解放。⑤反:通"返"。⑥旄倪:"旄"通"耄","倪"通"儿",老人和孩子的合称。⑦陈贾:战国时齐国大夫。⑧以:在。⑨畔:通"叛",背叛,叛乱。

[译文]

齐宣王问孟子说:"有人对我说不要夺取燕国,有人对我说吞并它。以万乘兵车的大国讨伐另一个万乘兵车的大国,五十天就能占领它,这光靠人的力量是办不到的;不吞并燕国,就一定会有天灾。吞并燕国,怎么样呢?"孟子回答说:"如果您征服了燕国后燕国的民众很高兴,那就吞并吧,古代的君王有这样做的,比如周武王。征服了燕国而燕国的民众不高兴,就不要吞并了,古代的君王有这样行事的,比如周文王。齐国以万乘兵车的大国去征讨另一个万乘兵车的国家,那里的百姓都用箪盛饭,用壶盛汤来欢迎大王的军队,难道还有其他的原因吗?只是为了躲避水深火热的战祸啊!如果在齐国的统治下,水更深,火更热,那么老百姓也就将转而投奔别的国家罢了。"

诸侯国准备谋划援救燕国。齐宣王对孟子说:"各诸侯国都谋划来讨伐我,用什么办法来防备呢?"孟子回答说:"我听说过只占有七十里土地而能行使政令于天下的君王,就是商王汤;没听说过拥有千里之地的国君畏惧别人的。《尚书》说:'等待着我们的君主,他来了以后将可以获得解救。'现在燕国虐待它的民众,大王前往征讨它，民众认为您是拯救他们于水深火热中，就用箪盛饭，用壶盛汤来迎接大王的军队。如果您杀了民众的父兄，囚系民众的子弟，毁坏民众的祖庙，掠夺民众的珍宝，像这样怎么能行呢！天下的诸侯国本来就畏惧齐国的强大，现在土地又增加一倍却不施行仁政，这就引起天下诸侯动用军队来讨伐您。大王应该迅速下令，让老幼百姓返回他们的家园，停止掠夺燕国的珍宝，与燕国民众商议，设立新的国君，然后离开燕国，那么这样做还来得及。"齐宣王不听孟子的意见。

不久，燕国民众反叛齐国，齐宣王说："我很惭愧不听孟子的话。"陈贾说："大王不用忧虑。"陈贾于是拜见孟子，问他说："周公是什么样的人？"孟子回答说："古代的圣人。"陈贾又说："周公派管叔监视商遗民，管叔却在商地叛乱。难道周公知道管叔将反叛而仍派他去吗？"孟子回答："不知道。"陈贾便说："既然这样，那么圣人也会犯错误吗？"孟子说："周公是弟弟，管叔是哥哥，周公的错误不也是应该的嘛！况且古代的君子，有了错误就改正；现在的君子，有了过错就放任自流。古代的君子，他的过失像日食月食，民众都能看得到；等到他改正了，民众都敬慕他。现在的君子，岂止是听任错误，又顺从错误为它寻找托辞！"

张仪巧舌施连横

【周纪三】赧王四年（庚戌，前311年）

秦惠王使人告楚怀王，请以武关之外易黔中地。楚王曰："不愿易地，愿得张仪而献黔中地。"张仪闻之，请行。王曰："楚将甘心于子，奈何行？"张仪曰："秦强楚弱，大王在，楚不宜敢取臣。且臣善其嬖臣靳尚，靳尚得事幸姬郑袖，袖之言，王无不听者。"

遂往。楚王囚，将杀之。靳尚谓郑袖曰："秦王甚爱张仪，将以上庸六县及美女赎之。王重地尊秦，秦女必贵而夫人斥矣。"于是郑袖日夜泣于楚王曰："臣各为其主耳。今杀张仪，秦必大怒。妾请子母俱迁江南，毋为秦所鱼肉也！"王乃赦张仪而厚礼之。张仪因说楚王曰："夫为从者无以异于驱群羊而攻猛虎，不格①明矣。今王不事秦，秦劫韩驱梁而攻楚，则楚危矣。秦西有巴、蜀，治船积粟②，浮岷江而下，一日行五百余里，不至十日而拒③扞关，扞关惊则从境以东尽城守矣，黔中、巫郡非王之有。秦举甲出武关，则北地绝。秦兵之攻楚也，危难在三月之内，而楚待诸侯之救在半岁之外，夫待弱国之救，忘强秦之祸，此臣所为大王患也。大王诚能听臣，臣请令秦、楚长为兄弟之国，无相攻伐。"楚王已得张仪而重④出黔中地，乃许之。

张仪遂之韩，说韩王曰："韩地险恶山居，五谷所生，非菽而麦，国无二岁之食；见卒不过二十万。秦被甲百余万。山东⑤之士被甲蒙胄⑥以会战，秦人捐甲徒裼⑦以趋敌，左挈人头，右挟生虏。夫战孟贲、乌获之士以攻不服之弱国，无异垂千钧之重于鸟卵之上，必无幸矣。大王不事秦，秦下甲据宜阳，塞⑧成皋，则王之国分矣，鸿台之宫，桑林之苑，非王之有也。为大王计，莫如事秦以攻楚，以转祸而悦秦，计无便于此者！"韩王许之。

张仪归报，秦王封以六邑，号武信君。复使东说齐王曰："从人说大王者必曰：'齐蔽于三晋，地广民众，兵强士勇，虽有百秦，将无奈齐何。'大王贤其说而不计其实。今秦、楚嫁女娶妇，为昆弟之国；韩献宜阳；梁效⑨河外⑩；赵王入朝，割河间以事秦。大王不事秦，秦驱韩、梁攻齐之南地，悉赵兵，渡清河，指博关，临菑、即墨非王之有也！国一日见攻，虽欲事秦，不可得也！"齐王许张仪。

张仪去，西说赵王曰："大王收率天下以摈秦，秦兵不敢出函谷关十五年。大王之威行于山东,敝邑恐惧,缮甲厉兵⑪,力田积粟,愁居慑处,不敢动摇,唯大王有意督过之也。今以大王之力,举巴、蜀,并汉中,包两周,守白马之津。秦虽僻远,然而心忿含怒之日久矣。今秦有敝甲凋兵军于渑池,愿渡河,逾漳,据番吾,会邯郸之下,愿以甲子合战,正殷纣之事⑫。谨使使臣先闻左右。今楚与秦为昆弟之国,而韩、梁称东藩⑬之臣,齐献鱼盐之地,此断赵之右肩也。夫断右肩而与人斗,失其党而孤居,求欲毋危得乎!今⑭秦发三将军,其一军塞午道,告齐使渡清河,军于邯郸之东,一军军成皋,驱韩、梁军于河外,一军军于渑池,约四国为一以攻赵,赵服必四分其地。臣窃为大王计,莫如与秦王面相约而口相结,常为兄弟之国也。"赵王许之。

张仪乃北之燕,说燕王曰:"今赵王已入朝,效河间以事秦。大王不事秦,秦下甲云中、九原,驱赵而攻燕,则易水、长城非大王之有也!且今时齐、赵之于秦,犹郡县也,不敢妄举师以攻伐。今王事秦,长无齐、赵之患矣。"燕王请献常山之尾五城以和。

张仪归报,未至咸阳,秦惠王薨,子武王立。武王自为太子时,不说张仪;及即位,群臣多毁短之。诸侯闻仪与秦王有隙,皆畔衡,复合从。

[注释]

①格:抗拒,格斗。②治船积粟:准备置办船只,囤积粮食。③拒:占据。④重:难。⑤山东:指崤山以东。⑥被甲蒙胄:披上铠甲戴上头盔。⑦捐甲徒裼:扔掉铠甲只是光着上身。捐,抛弃;裼,读xī,露出肉体。⑧塞:边塞,此处为动词,扼守关塞。⑨效:献,呈献。⑩河外:依胡三省注,秦尽以河东为河外,梁则以河西为河外,张仪以秦言之也。⑪缮甲厉兵:修缮铠甲,磨砺兵器。指做军事准备。⑫愿以甲子合战,正殷纣之事:希望用古时甲子会战的形式,重演武王伐纣的故事。张仪在此借用武王伐纣之故事,有羞辱赵王之意。⑬东藩:东方的藩属之国。因为韩国和梁国在秦国的东方,故称。⑭今:如果。

[译文]

　　秦惠王派人告诉楚怀王，请求用武关以外的土地交换楚国黔中之地。楚王说："我不愿意交换土地，愿意得到张仪而献给秦国黔中之地。"张仪听说后，请求前往楚国。秦王说："楚王打算杀你而甘心，你为什么还要去？"张仪说："秦国强大，楚国弱小，只要大王您在，楚国不应当敢捉拿我。而且我与楚王的宠臣靳尚关系很好，靳尚能够侍奉楚王的爱姬郑袖，郑袖的话，楚王没有不听的。"于是张仪前往楚国。楚王将其囚禁，准备处死他。靳尚对郑袖说："秦王非常宠爱张仪，准备用上庸六个县以及美女赎回他。大王重视土地，又尊奉秦国，秦国的美女必将地位显要，而夫人您将被排斥。"于是郑袖日夜在楚王面前哭泣："张仪的事不过是作为臣子的各为其主罢了。现在杀了张仪，秦王一定会非常愤怒。我请求我母子一起迁居江南，不要成为秦国人的鱼肉。"楚王于是赦免了张仪，并且用隆重的礼节招待他。张仪趁机劝说楚王："那些主张合纵的，与赶着羊群去进攻猛虎没有什么区别，不用格斗结果已很明了。现在大王不侍奉秦国，秦国威逼韩国、驱赶魏国而进攻楚国，那么楚国就危险了。秦国西部占有巴、蜀之地，修缮船只，聚积粮食，沿岷江而下，一天行五百多里，不到十天就占据扞关。扞关被惊动，那么由此境以东的全部都要以城防守了，黔中郡、巫郡不是大王所有的了。秦国如果大举甲兵出了武关，那么楚国的北部地区就成为绝地。秦军进攻楚国，楚国的危难只在三个月以内，而楚国等待各诸侯国的救援要在半年以上。坐等弱小诸侯国来救，而忘记了强秦的祸难，这是我在替大王担心的啊！大王如果能听取我的意见，请允许我让秦国、楚国永久结为兄弟之国，不再互相攻杀。"楚王已经得到了张仪，却再难以献出黔中之地，于是答应了张仪的请求。

　　张仪于是到韩国，游说韩王说："韩国地势险恶且百姓多在山上居住，所产的五谷，不是豆子就是杂麦，国家没有两年的存储粮

周纪 49

食，现在的士兵不止二十万，秦国拥有身披铠甲的士兵一百多万。崤山以东的战士披着铠甲戴着头盔来参战，而秦国人扔掉铠甲赤身露体上阵迎敌，左手提着人头，右手夹着俘虏。秦国以孟贲、乌获之类勇士们进攻不臣服的弱国，与在鸟蛋上压下千钧巨石没有什么两样，无一可以幸免。大王不肯侍奉秦国，如果秦国派出甲兵占据宜阳，扼守成皋关塞，那么大王的国家就会被分裂，鸿台的宫殿，桑林的园苑，就不是大王所有的了。替大王考虑，不如侍奉秦国然后进攻楚国，来转嫁祸灾并且取悦秦国。计策没有比这更便利的了！"韩王听从了张仪的意见。

张仪回到秦国报告，秦王封给他六座城池，并封号武信君。又派他向东游说齐王说："主张合纵的人，游说大王的一定会说：'齐国有三晋作屏障，土地广袤人民众多，军事力量强大士兵勇敢，即使有一百个秦国，也拿齐国没有什么办法。'大王认为这种说法好而不考虑实际情况。现在秦国、楚国嫁女儿娶媳妇，结为兄弟之国；韩国献宜阳给秦国；魏国献出河外之地；赵王入朝拜见秦王，割让河间的土地来侍奉秦国。大王不侍奉秦国，秦国驱使韩国、魏国的军队进攻齐国南部，迫使赵国的军队倾巢而出，渡过清河，直指博关，临淄、即墨就不是大王所有了！国家被攻击的那天，即使想讨好秦国，也来不及了！"齐王采纳了张仪的建议。

张仪离开齐国，又向西游说赵王："大王带头联合天下的力量抵抗秦国，使秦兵十五年不敢出函谷关侵犯各国。大王的威望在崤山以东广为传扬，我们秦国十分恐惧，修缮铠甲，磨砺兵器，积蓄粮草，忧愁恐惧，不敢有丝毫放松，唯恐大王您前来兴师问罪。现在我们秦国凭借您大王的力量，一举攻下巴、蜀，吞并汉中，包围周王朝，兵抵白马渡口。我们秦国虽然地处偏远，然而对赵国心含愤怒已经很长时间了。现在秦国有一支铠甲残破、精疲力竭的队伍驻扎在渑池，希望渡过黄河，越过漳水，进驻番吾，前来邯郸城下与大王相会。希望用古时甲子会战的形式，重演武王伐纣的故事。为此，特派遣微臣我来通知您的手下。现在楚国与秦国结为兄弟之邦，韩国、魏国俯首称臣，齐国献出盛产鱼盐的海滨之地，这就像是砍断了赵国的右臂啊。被砍断了右臂而与别人争斗，失去同党而又孤立无援，想要不灭亡，能办到吗？如果秦国派出三支大军，一支军队扼守午道，告知齐国让他们渡过清河，在邯郸之东驻军；另一支军队驻扎成皋，驱使韩、梁军队进驻河外；还有一支军队驻扎渑池，约定四国联合起来一起攻打赵国，征服后一定四分其地。我私下里为大王着想，不如与秦王当面亲口结下盟约，使两国成为长久的兄弟之国。"赵王答应了张仪的建议。

张仪于是北上到达燕国，对燕王劝说道："如今赵王已经去朝拜秦王，并献出河间之地来讨好秦国。大王您不赶快结好秦国，秦国就会派甲兵到云中、九原，驱使赵国进攻燕国，那么易水、长城可就不是大王您的了！况且，现在齐国、赵国就像秦国的郡县一样，不敢随便举兵相攻伐。大王您如果侍奉秦国，就可以长年免除齐国、赵国的威胁了。"燕王于是请求献上常山脚下的五座城池来与秦国交好。

张仪回到秦国报告，还没到咸阳，秦惠王就去世了，其子秦武王继位。武王从做太子时就不喜欢张仪；等到他一即王位，群臣中很多人便前来诽谤数说张仪的短处。各国诸侯听说张仪与秦王间发生矛盾，都背叛了连横的盟约，再次联合起来对付秦国。

完璧归赵

【周纪四】赧王三十二年（戊寅，前283年）

赵王得楚和氏璧，秦昭王欲之，请易①以十五城。赵王欲勿与，畏秦强；欲与之，恐见欺②。以问蔺相如，对曰："秦以城求璧而王不许，曲③在我矣。我与之璧而秦不与我城，则曲在秦。均④之二策，宁许以负秦。臣愿奉⑤璧而往；使⑥秦城不入，臣请完璧而归之！"赵王遣之。相如至秦，秦王无意偿赵城。相如乃以诈绐⑦秦王，复取璧，遣从者怀之，间行⑧归赵，而以身待命于秦。秦王以为贤而弗诛，礼而归之。赵王以相如为上大夫。

[注释]

①易：交换。②恐见欺：害怕被欺骗。③曲：理屈，理亏。④均：比较。⑤奉：通"捧"。⑥使：假使，如果。⑦诈绐：欺骗。⑧间行：抄小路走。间，读 jiàn。

[译文]

赵惠文王得到楚国的和氏璧，秦昭王想要它，请求用十五座城池来交换它。赵惠文王想不将和氏璧给秦国，又害怕秦国的强大；想将和氏璧给秦国，又担心被欺骗。赵惠文王拿这件事询问蔺相如，蔺相如回答说："秦王拿十五座城池来交换和氏璧，大王不答应，理亏在我们。我们把和氏璧给秦国，而秦国不给我们城池，那么理屈在秦国。比较这样两种计策，我们宁肯答应秦国来使他们理亏。我愿意捧着和氏璧前往秦国；如果秦国不把十五座城池交给我们，我将完整的和氏璧还给赵国！"赵惠文王就派蔺相如出使秦国。相如到了秦国，秦王无意给赵国城池。相如就用欺诈的手段哄骗秦王，又把和氏璧取了回来，派遣手下的人把和氏璧藏在怀里，抄小路回到了赵国。而蔺相如自己就待在秦国听候秦王的处置。秦王认为蔺相如做得好而不处置他，以礼相待，使他回到赵国。赵惠文王让蔺相如做了上大夫。

廉蔺交欢

【周纪四】赧王三十六年（壬午，前279年）

秦王使使者告赵王，愿为好会于河外渑池。赵王欲毋行，廉颇、蔺相如计曰："王不行，示赵弱且怯也。"赵王遂行，相如从。廉颇送至境，与王诀曰："王行，度①道里会遇之礼毕，还不过三十日；三十日不还，则请立太子以绝秦望。"王许之。

会于渑池。王与赵王饮，酒酣，秦王请赵王鼓瑟，赵王鼓之。蔺相如复请秦王击缶，秦王不肯。相如曰："五步之内，臣请得以颈血溅大王矣！"左右欲刃②相如，相如张目叱之，左右皆靡。王不怿③，为一击缶。罢酒，秦终不能有加于赵；赵人亦盛为之备，秦不敢动。赵王归国，以蔺相如为上卿，位在廉颇之右。

廉颇曰："我为赵将，有攻城野战之功。蔺相如素贱人，徒以口舌而位居我上。吾羞，不忍为之下！"宣言④曰："我见相如，必辱之！"相如闻之，不肯与会；每朝，常称病，不欲争列。出而望见，辄引⑤车避匿。其舍人皆以为耻。相如曰："子视廉将军孰与秦王？"曰："不若。"相如曰："夫以秦王之威而相如廷叱之，辱其群臣；相如虽驽⑥，独畏廉将军哉！顾吾念之，强秦所以不敢加兵于赵者，徒以吾两人在也。今两虎共斗，其势不俱生。吾所以为此者，先国家之急而后私仇也！"廉颇闻之，肉袒负荆⑦至门谢罪，遂为刎颈之交⑧。

[注释]

①度：读duó，估计，揣度。②刃：用刀杀。③怿：高兴。④宣言：扬言，宣扬。⑤引：掉转车头。⑥驽：劣马，比喻才能低下。⑦肉袒负荆：袒露着上身，背负荆条。⑧刎颈之交：指生死与共的朋友。

[译文]

秦昭王派遣使者告诉赵王,愿意与赵惠文王在黄河边上的渑池举行友好会晤。赵王想不去,廉颇、蔺相如商量着说:"大王不去的话,显得我们赵国既弱小又害怕啊。"赵王于是前去赴约,让蔺相如做随从。廉颇送到国境边上,与赵王诀别说:"大王的行程,估计路上走的时间加上会见礼节完毕,回到国内,总共不会超过三十天;到了三十天,大王还没有回来,那么请允许我拥立太子为王,来断绝秦国的企图。"赵王答应了廉颇的请求。

秦王与赵王在渑池相会,秦王与赵王饮酒,喝到尽兴处,秦王请赵王鼓瑟,赵王就鼓了瑟。蔺相如又请秦王击缶,秦王不答应。蔺相如说:"五步之内,我可以将脖颈上的血溅到大王的身上!"秦王手下的人想用刀杀死蔺相如,蔺相如怒目呵斥,秦王手下的人都吓得退到一边。秦王不高兴,只得给赵王击了一下缶。直到酒会结束,秦国始终不能凌驾于赵国之上;赵国国内也做好了充分的准备,秦国不敢轻举妄动。赵王回到国内,任命蔺相如为上卿,地位在廉颇之上。

廉颇说:"我是赵国大将军,有攻城野战的功劳。蔺相如向来地位低贱,只是凭借着口舌之功而地位就在我之上。我感到羞耻,不能容忍地位在他之下!"廉颇还扬言说:"我碰见蔺相如,一定要羞辱他!"蔺相如听说后,不肯与廉颇碰面。每次上朝,蔺相如常常说得病了,不想和廉颇争位次的高低。出门远远地望见廉颇车骑,总是掉转车头避开。蔺相如的门客们都以此为耻。蔺相如就说:"你们看廉将军与秦王比谁更厉害?"门客们说:"廉将军没有秦王厉害。"蔺相如说:"任凭秦王的淫威,我都敢在朝堂上呵斥他,羞辱他的大臣;相如虽然没有才干,难道只是害怕廉将军吗!只不过我想到,强大的秦国不敢对我们赵国用兵的原因,只是因为有我们两个人在啊。现在两虎相争,其结果不能共生存。我这样做的原因,是把国家的急事放到前面,把个人的私怨放在后头啊!"廉颇听说后,袒露着上身,背负荆条,到蔺相如的家门前谢罪,两个人于是成为生死与共的朋友。

乐毅见逐

【周纪四】赧王三十六年(壬午,前279年)

初,燕人攻安平,临淄市掾①田单在安平,使其宗人皆以铁笼傅车轊②。及城溃,人争门而出,皆以轊折车败,为燕所禽③;独田单宗人以铁笼得免,遂奔即墨。是时齐地皆属燕,独莒、即墨未下,乐毅乃并右军、前军以围莒,左军、后军围即墨。即墨大夫出战而死。即墨人曰:"安平之战,田单宗人以铁笼得全,是多智习兵。"因共立以为将以拒燕。乐毅围二邑,期年不克,乃令解围,各去城九里而为垒,令曰:"城中民出者勿获,困者赈之,使即旧业,以镇新民。"三年而犹未下。或谗之于燕昭王曰:"乐毅智谋过人,伐齐,呼吸之间克七十余城,今不下者两城耳,非其力不能拔,所以三年不攻者,欲久仗兵威以服齐人,南面而王耳。今齐人已服,所以未发者,以其妻子在燕故也。且齐多美女,又将忘其妻子。愿王图之!"昭王于是置酒大会,引④言者而让之曰:"先王举国以礼贤者,非贪土地以遗子孙也。遭所传德薄,不能堪命,国人不顺。齐为无道,乘孤国之乱以害先王。寡人统位,痛之入骨,故广延群臣,外招宾客,以求报仇;其有成功者,尚欲与之同共燕国。今乐君亲为寡人破齐,夷其宗庙,报塞先仇,齐国固乐君所有,非燕之所得也。乐君若能有齐,与燕并为列国,结欢同好,以抗诸侯之难,燕国之福,寡人之愿也。汝何敢言若此!"乃斩之。赐乐毅妻以后服,赐其子以公子之服;辂⑤车乘马,后属百两,遣国相奉而致之乐毅，立乐毅为齐王。乐毅惶恐不受，拜书，以死自誓。由是齐人服其义，诸侯畏其信，莫敢复有谋者。

顷之，昭王薨，惠王立。惠王自为太子时，尝不快于乐毅。田单闻之，乃纵反间于燕，宣言曰："齐王已死，城之不拔者二耳。乐毅与燕新王有隙，畏诛而不敢归，以伐齐为名，实欲连兵南面王齐。齐人未附，故且缓攻即墨以待其事。齐人所惧，唯恐他将之来，即墨残矣。"燕王固已疑乐毅，得齐反间，乃使骑劫代将而召乐毅。乐毅知王不善代之，遂奔赵。燕将士由是愤惋不和。

[注释]

①掾：属官。②轊：读wèi，车轴的末端。③禽：通"擒"。④引：牵，拉。⑤辂：读lù，绑在车辕上用来牵引车子的横木，此处引申为车子。

[译文]

当初，燕国军队攻打齐国安平城时，临淄管理市场的属官田单正在安平城内，他让他家族的人都用铁皮包上车轴头。等到城被攻破，人们争相涌出城门，都因为车轴碰断，车辆损坏，被燕军擒获；只有田单家族因铁皮包裹车轴得以幸免，于是逃到了即墨。当时齐国国土都属于燕国，只有莒城、即墨没有被攻下。燕国大将军乐毅于是集中右军、前军包围莒城，集中左军、后军围攻即墨。即墨城的齐国大夫出城迎战即战死。即墨的民众说："安平之战，田单家族人因铁皮包裹车轴得以保全，这说明田单足智且熟悉兵事。"于是即墨城的百姓共同拥立田单为将军以抵御燕军。乐毅率军围攻的两座城，一年不能攻占，下令解除包围，各退到距离城门九里的地方修筑营垒，下令说："城中的民众出来不要捕捉，生活窘迫的要赈济他们，使他们操持旧业，来安抚新占领地方的民众。"这样过了三年，城还是没有攻下。有人在燕昭王面前诬陷乐毅说："乐毅的智慧和谋略超过普通人，当年进攻齐国，一口气攻占七十多座城。现在没有攻下的只有两座城，不是他的兵力不能攻取，三年不进攻的原因,就是想长时间倚仗军事威势来降服齐国的人心,好南面称王罢了。现在齐国民众已经归顺,他不行动是因为妻子、儿女还在燕国的缘故啊。况且齐国多美女,他将忘记妻子、儿女。希望大王设法对付他!"燕昭王因此设置酒宴大聚会,拉出进谗言的人指责他说:"先王动员全国的力量以礼待贤明的人,并不是贪图土地留给子孙。遇到所传的继承人德行浅薄,不能胜任王命,国内民众不顺从。齐国不讲道义,利用我国混乱残害先王。我即位后,对齐国恨之入骨,所以对内广为延请群臣,对外招揽宾客,以求得报仇;那些保有我成功的人,我还想与他共同拥有燕国。现在乐毅君亲自为我破灭齐国,夷平齐国宗庙,报了先帝之仇,齐国本来应归乐毅君所有,不是燕国该得到的。乐毅君如果能够占有齐国,与燕国成为平起平坐的国家,结为友好,来抵御诸侯各国的祸患,这正是燕国的福气,我的心愿啊。你为什么敢说这种话呢!"于是将进谗言的人处死。赏赐乐毅妻子以王后的服饰,赏赐他的儿子以公子的服饰,配备车驾和乘马,上百辆属车,派遣国相奉送到乐毅那里,立乐毅为齐王。乐毅惶恐不敢接受,拜谢并写辞书,以死效忠燕王自誓。从这以后,齐国人佩服乐毅的德义,诸侯国敬重他的诚信,没有敢再来图谋的。

不久,燕昭王去世,燕惠王即位。惠王从当太子时,曾与乐毅有不快乐的事情发生。田单听说后,就派人在燕国施行反间计,散布谣言说:"齐王已经死了,两座城没被攻克。乐毅与燕国新王有仇隙,害怕被杀不敢回国,他以讨伐齐国为名,实际上想联络军队在齐国南面称王。齐国人没有归附,所以他暂缓进攻即墨,以等待时机举事。齐国人所担心的,唯恐派别的大将来,那样即墨城就惨了。"燕惠王本来已经猜忌乐毅,受到齐国反间计的挑拨,就派骑劫代替乐毅任将领。乐毅知道燕王换将不怀好意,于是投奔了赵国。燕军将士从此愤恨叹息,不相和睦。

田单相齐

【周纪四】赧王三十六年（壬午，前279年）

田单相齐，过淄水，有老人涉淄而寒，出水不能行。田单解其裘而衣之。襄王恶之，曰："田单之施于人，将欲取我国乎！不早图，恐后之变也。"左右顾无人，岩下有贯珠者，襄王呼而问之曰："汝闻吾言乎？"对曰："闻之。"王曰："汝以为何如？"对曰："王不如因以为己善。王嘉单之善，下令曰：'寡人忧民之饥也，单收而食之。寡人忧民之寒也，单解裘而衣之。寡人忧劳百姓，而单亦忧，称寡人之意。'单有是善而王嘉之，单之善亦王之善也！"王曰："善。"乃赐单牛酒。后数日，贯珠者复见王曰："王朝日宜召田单而揖①之于庭，口劳之。乃布令求百姓之饥寒者，收穀②之。"乃使人听于闾里③，闻大夫之相与语者曰："田单之爱人，嗟，乃王之教也！"

田单任④貂勃于王。王有所幸臣九人，欲伤安平君⑤，相与语于王曰："燕之伐齐之时，楚王使将军将万人而佐齐。今国已定而社稷已安矣，何不使使者谢于楚王？"王曰："左右孰可？"九人之属曰："貂勃可。"貂勃使楚，楚王受而觞之，数月不反⑥。九人之属相与语曰："夫一人之身而牵留万乘者，岂不以据势也哉！且安平君之与王也，君臣无异而上下无别。且其志欲为不善，内抚百姓，外怀戎翟⑦，礼天下之贤士，其志欲有为，愿王察之！"异日，王曰："召相单而来！"田单免冠、徒跣⑧、肉袒而进，退而请死罪。五日而王曰："子无罪于寡人。子为子之臣礼，吾为吾之王礼而已矣。"貂勃从楚来，王赐之酒。酒酣，王曰："召相单而来！"貂勃避席稽首曰："王上者孰与周文王？"王曰："吾不若也。"貂勃曰："然，臣固知王不若也。下者孰与齐桓公？"王曰："吾不若也。"貂勃曰："然，臣固知王不若也。然则周文王得吕尚以为太公，齐桓公得管夷吾以为仲父，今王得安平君而独曰'单'，安得此亡国之言乎！且自天地之辟，民人之始，为人臣之功者，谁有厚于安平君者哉？王不能守王之社稷，燕人兴师而袭齐，王走而之城阳之山中，安平君以惴惴即墨三里之城，五里之郭，敝卒七千人，禽其司马而反千里之齐，安平君之功也。当是之时，舍城阳而自王，天下莫之能止。然而计之于道，归之于义，以为不可，故栈道木阁而迎王与后于城阳山中，王乃得反，子临百姓。今国已定，民已安矣，王乃曰'单'，婴儿之计不为此也。王亟⑨杀此九子者以谢安平君，不然，国其危矣！"乃杀九子而逐其家，益封安平君以夜邑⑩万户。

[注释]

①揖：拱手行礼。②穀：养活。③闾里：街头巷尾。④任：保举，推荐。⑤安平君：指田单，前280年，齐、燕安平之战以后，田单被齐王封为安平君。⑥反：通"返"。⑦戎翟：戎，中国古代西部的少数民族；翟，通"狄"，中国古代北方的少数民族。合在一起泛指少数民族。⑧徒跣：光着脚。⑨亟：急速，赶快。⑩夜邑：地名。

[译文]

田单任齐国相时，路过淄水，见一个老人趟过淄水时冻得发抖，走出淄水时不能行走。田单解下自己的裘皮衣给他穿上。齐襄王厌恶田单这样做，说："田单施恩惠于他人，将要取代我的王位，我不早做考虑，恐怕日后发生变故！"环顾左右无人，高廊下有一穿珠子的人，襄王呼唤他并问他："你听见我的话了吗？"那人回答说："听见了。"襄王问："你认为怎么样？"那人答道："大王不如趁机把这件事作为自己的善行。大王嘉许田单的善行，下令说：'我忧虑民众的饥饿，田单就收纳他们，并且给他们饮食。我担忧民众遭受寒冻,田单脱下裘皮衣给他们穿上。我忧虑百姓的劳苦,田单也因此忧虑,符合我的心意。'田单有这样的善行而大王表彰他,田单的善行也就是大王的善行了!"襄王说:"好。"于是赏赐田单牛、酒。几天后,穿珠子的人再次见到齐襄王说:"大王在群臣朝见日召见田单,并且在殿庭上拱手行礼,口头慰劳他。顺便发布告令寻找百姓中的遭受饥寒的人,收养他们。"襄王于是派人到街头巷尾去打听,听到大夫们共同谈论说:"田单疼爱百姓,哦!是大王教导的呀!"

田单向齐王举荐貂勃。齐王有宠臣九个人,打算中伤安平君田单,共同对齐王说:"燕国讨伐齐国时,楚王派将军率一万人帮助齐国。现在国家已经稳定,社稷已经安全,为什么不派使者向楚王致谢呢?"齐王问:"左右的人谁适合去?"九个宠臣说:"貂勃适合。"貂勃出使楚国,楚王接受致谢,并且用酒款待他,数月不让他返回。九个宠臣共同对齐王说:"貂勃以个人的身份受到万乘之君楚王的挽留,难道不是因为倚仗了田单的权势吗!况且安平君与大王之间,君臣没有差异,上下没有区别。况且他的志向是打算做不好的事,对内安抚百姓,对外怀柔戎狄,礼待天下的贤明之士,他的志向是想有所作为,祈求大王明察!"另一天,齐王说:"召唤国相田单来!"田单摘下帽子、赤脚、赤裸上身进来,退下时请齐王治他的死罪。过了五天,齐王说:"你对我没有罪。你遵守你臣子的礼节,我用我君王的礼节罢了。"貂勃从楚国回来,齐王赐他酒宴。酒酣耳热之际,齐王说:"召唤国相田单来!"貂勃离开座席行磕头大礼说:"大王向上与周文王比如何?"齐王说:"我不如周文王。"貂勃说:"是这样,我本来知道大王不如周文王。那么向下与齐桓公比如何?"齐王回答:"我不如齐桓公。"貂勃又说:"是这样,我本来知道大王不如齐桓公。既然这样,那么周文王得到吕尚,尊他为太公,齐桓公得到管夷吾,敬他为仲父,现在大王得到安平君，却独独称为'单'，怎么能有这种亡国的言论呢！何况自开天辟地，有百姓开始，做臣子的功劳，有谁比安平君大？大王不能守卫大王的社稷，当燕国人派遣军队袭击齐国时，大王逃跑到城阳的山中，安平君凭借恐惧不安的即墨方圆三里的城和方圆五里的郭，以及疲惫的士兵七千人，擒获燕军司马，使方圆千里的土地还归齐国，这是安平君的功劳啊！当此之时，他要是舍弃城阳的大王而自立为王，天下没有人能阻止。然而他考虑问题基于道德，本之于道义，认为不可以这样，所以修筑栈道、木阁迎接大王和王后于城阳山中，大王才得以返回，治理百姓。现在国家已经稳定，民众已经安居乐业，大王竟然叫'单'，小孩子的考虑也不是这样。大王赶快杀掉这九个人向安平君谢罪，不这样的话，国家就要危险了！"齐王于是杀掉九个人，并放逐他们的家族，用夜邑的一万户加封给安平君。

赵奢收税

【周纪五】赧王四十四年（庚寅，前271年）

赵田部吏赵奢收租税，平原君①家不肯出；赵奢以法治之，杀平原君用事者九人。平原君怒，将杀之。赵奢曰："君于赵为贵公子，今纵君家而不奉公则法削，法削则国弱，国弱则诸侯加兵，是无赵也。君安得有此富乎！以君之贵，奉公如法则上下平，上下平则国强，国强则赵固，而君为贵戚，岂轻于天下邪！"平原君以为贤，言之于王。王使治国赋②，国赋大平，民富而府库实。

[注释]

①平原君：赵国公子赵胜。赵国平原君赵胜与魏国信陵君无忌、楚国春申君黄歇和齐国孟尝君田文并称为"战国四公子"。②赋：赋税。

[译文]

赵国田部官吏赵奢征收租税,平原君赵胜的家人不肯交租税;赵奢用法律惩处他们,杀死平原君家中管事的九人。平原君很恼怒,打算杀死赵奢。赵奢说:"您在赵国是贵公子,现在放纵家人而不奉公法律就会被削弱,法律被削弱国家就会衰弱,国家衰弱了,那么诸侯国就会侵犯,这样就没有赵国了。您哪里能拥有这些财富呢!凭借您的尊贵地位,奉公按照法则行事,就会上下公平,上下公平则国家强大,国家强大则赵国稳固,而您作为贵戚,哪里会被天下人轻视!"平原君认为赵奢是贤才,把他举荐给赵王。赵王派他管理国家赋税,国家赋税征收十分平顺,民众富足而国库充盈。

触龙说赵太后

【周纪五】赧王五十年(丙申,前265年)

秦伐赵,取三城。赵王新立,太后用事①,求救于齐。齐人曰:"必以长安君为质。"太后不可。齐师不出,大臣强谏。太后明谓左右曰:"复言长安君为质者,老妇必唾其面!"左师触龙愿见太后,太后盛气而胥②之。左师公徐趋而坐,自谢曰:"老臣病足,不得见久矣,窃自恕;而恐太后体之有所苦也,故愿望见太后。"太后曰:"老妇恃辇③而行。"曰:"食得毋衰乎④?"曰:"恃粥耳。"太后不和之色稍解。左师公曰:"老臣贱息⑤舒祺,最少,不肖,而臣衰,窃怜爱之,愿得补黑衣⑥之缺以卫王宫,昧死⑦以闻!"太后曰:"诺。年几何矣?"对曰:"十五岁矣。虽少,愿及未填沟壑⑧而托之。"太后曰:"丈夫⑨亦爱少子乎?"对曰:"甚于妇人。"太后笑曰:"妇人异甚。"对曰:"老臣窃以为媪之爱燕后贤于长安君。"太后曰："君过矣！不若长安君之甚。"左师公曰："父母爱其子则为之计深远。媪之送燕后也，持其踵而泣，念其远也，亦哀之矣。已行，非不思也，祭祀则祝之曰：'必勿使反！'岂非为之计长久，为子孙相继为王也哉？"太后曰："然。"左师公曰："今三世⑩以前，至于赵王之子孙为侯者，其继有在者乎？"曰："无有。"曰："此其近者祸及身，远者及其子孙。岂人主之子侯则不善哉？位尊而无功，奉厚而无劳，而挟重器⑪多也。今媪尊长安君之位，而封之以膏腴之地，多与之重器，而不及今令有功于国，一旦山陵崩⑫，长安君何以自托于赵哉？"太后曰："诺，恣⑬君之所使之！"于是为长安君约车⑭百乘质于齐。齐师乃出，秦师退。

[注释]

①用事：主持、掌管政事。②胥：等待。③恃辇：坐车。恃，凭借，依靠；辇，人力车，秦汉以后特指皇帝坐的车。④食得毋衰乎：吃饭没有减少吧？"得毋……乎"是一固定结构，相当于"恐怕……吗"或"不免于……吧"或"大概……吧"。⑤贱息：对人谦称自己的孩子。⑥黑衣：赵国王宫卫士的制服，此为卫士的代称。⑦昧死：冒昧而犯死罪，这是古时臣下对君主进言时的客套话。⑧及未填沟壑：趁着还没有死。及，趁着；填沟壑，指死。⑨丈夫：古代成年男子的通称。⑩三世：即三代。指赵孝成王、惠文王、武灵王，三世以前，指赵肃侯以前。⑪重器：财宝，指金玉珍宝钟鼎等。⑫山陵崩：比喻太后之死。⑬恣：任凭。⑭约车：套车，备车。

[译文]

秦国征讨赵国，攻取了三座城池。赵王刚刚即位，赵太后掌管政事，向齐国求救。齐国人答复："一定要用长安君做人质。"赵太后不同意。齐国的军队便不派出，赵国的大臣们固执地劝谏赵太后，太后明确地对随从说："再提长安君做人质的事，老妇一定唾到他脸上！"左师触龙希望拜见赵太后，太后气冲冲地等他进来。触龙慢慢地走近坐下，道歉说："老臣脚有病，不能拜见太后很长时间了，常私下自我宽恕；却担心太后的身体有不适的地方，所以希望拜见太后。"赵太后说:"老妇靠车子行动。"触龙又问:"饭量恐怕有所减少吧?"太后说:"只喝粥罢了。"太后不高兴的脸色慢慢缓和下来。触龙又说:"我的儿子舒祺,年岁最小,不成器,而我年老了,私下怜爱他,希望他能够补个黑衣卫士的缺,冒死向您请求!"太后说:"行啊。年龄多大了?"触龙回答说:"十五岁了。虽然年龄小,但希望在我未死之前将他托付给您。"太后说:"男人也疼爱小儿子吗?"触龙回答说:"比妇人还厉害呢!"太后笑着说:"妇人更厉害!"触龙却说:"我私下里认为您爱女儿燕后超过爱儿子长安君。"太后说:"你错了!远不如对长安君那么厉害。"触龙说:"父母疼爱子女,就为他们长远考虑。您送燕后出嫁时,抓住她的脚后跟掉眼泪,想到她要远嫁燕国,也十分哀伤。燕后出嫁后,不是不想她,祭祀时就祝愿她说:'一定不要让她回来!'难道不是替她长久打算,为了她的子孙能相继为王吗?"太后说:"是的。"触龙说:"现在赵国三代以前,到赵王的子孙被封侯的,他们的继承者现在还有吗?"太后回答:"没有了。"触龙说:"这就是往近了说灾祸殃及自身,往远了说殃及其子孙。难道是君王的儿子封侯都不好吗?是因为他们地位尊贵却没有军功,俸禄优厚却没有劳绩,却持有许多财宝啊。现在您使长安君的地位尊贵,封给他肥美的土地,多给他财宝,却赶不上现在让他为国家立功,有朝一日您去世,长安君凭借什么在赵国立身呢?"太后恍然大悟说:"说得好,任凭你使用他吧!"于是给长安君备好一百乘车,到齐国做人质。齐国于是出兵,秦国的军队退去。

赵括空谈误国

【周纪五】赧王五十五年(辛丑,前260年)

秦数①败赵兵,廉颇坚壁不出。赵王以颇失亡多而更怯不战,怒,数让②之。应侯③又使人行千金于赵为反间,曰:"秦之所畏,独畏马服君④之子赵括为将耳!廉颇易与,且降矣!"赵王遂以赵括代颇将。蔺相如曰:"王以名使括,若胶柱鼓瑟⑤耳。括徒能读其父书传,不知合变也。"王不听。初,赵括自少时学兵法,以天下莫能当;尝与其父奢言兵事,奢不能难,然不谓善。括母问其故,奢曰:"兵,死地也,而括易言之。使赵不将括则已;若必将之,破赵军者必括也。"及括将行,其母上书,言括不可使。王曰:"何以?"对曰:"始妾事其父,时为将,身所奉饭而进食者以十数,所友者以百数,王及宗室所赏赐者,尽以与军吏士大夫;受命之日,不问家事。今括一旦为将,东乡而朝,军吏无敢仰视之者;王所赐金帛,归藏于家,而日视便利田宅可买者买之。王以为如其父,父子异心,愿王勿遣!"王曰:"母置之⑥,吾已决矣!"母因曰:"即如有不称,妾请无随坐⑦。"赵王许之。

秦王闻括已为赵将,乃阴使武安君为上将军而王龁为裨将,令军中:"有敢泄武安君将者斩!"赵括至军,悉更约束⑧,易置军吏,出兵击秦师。武安君佯败而走,张⑨二奇兵以劫之。赵括乘胜追造秦壁,壁坚拒不得入;奇兵二万五千人绝赵军之后,又五千骑绝赵壁间。赵军分而为二,粮道绝。武安君出轻兵击之,赵战不利,因筑壁坚守以待救至。秦王闻赵食道绝,自如河内发民年十五以上悉诣长平,遮绝赵救兵及粮食。齐人、楚人救赵。赵人乏食,请粟于齐,王弗许。周子曰:"夫赵之于齐、楚,扞蔽⑩也,犹齿之有唇也,唇亡则齿寒;今日亡赵,明日患及齐、楚矣。救赵之务,宜若奉漏瓮沃焦釜然⑪。且救赵,高义也;却秦师,显名也;义救亡国,威却强秦。不务为此而爱粟,为国计者过矣!"齐王弗听。九月,赵军食绝四十六日,皆内阴相杀食。急来攻垒,欲出为四队,四五复之,不能出。赵括自出锐卒搏战,秦人射杀之。赵师大败,卒四十万人皆降。武安君曰:"秦已拔上党,上党民不乐为秦而归赵。赵卒反覆⑫,非尽杀之,恐为乱。"乃挟诈而尽坑杀之,遗其小者二百四十人归赵。前后斩首虏四十五万人,赵人大震。

[注释]

①数:读 shuò,屡次,多次。②让:责备。③应侯:指范雎。④马服君:即赵奢。⑤胶柱鼓瑟:瑟上有柱张弦,用以调节声音。柱被粘住,音调就不能调换。比喻拘泥不知变通。⑥置之:置,停止;置之,废置此事。⑦随坐:犹"连坐",因别人犯法而被牵连获罪。⑧约束:规定,规章;悉更约束:全部更改原来的规章制度。⑨张:陈设,设置。⑩扞蔽:屏藩。⑪奉漏甕沃焦釜然:奉,通"捧";甕,瓦罐;沃,浇灌;焦釜,烧焦的铁锅。捧着漏瓦罐去浇烧焦了的铁锅。⑫反覆:变动无定,反复无常。

[译文]

秦国军队多次打败赵国军队,廉颇坚守军垒不出战。赵王认为廉颇损失和逃亡的士兵多而更加胆怯不出战,很气愤,多次责备他。秦国的应侯范雎又派人携带千金到赵国行反间计,散布谣言说:"秦国所害怕的,只是害怕马服君赵奢的儿子赵括任将领!廉颇容易对付,要投降了!"赵王于是用赵括代替廉颇统军。蔺相如劝阻说:"大王因为名气使用赵括,如同用粘住调弦的琴柱在弹琴呀。赵括只能读他父亲的兵书,不知道协调变通。"赵王不听。当初,赵括从小学习兵法,认为天下无人能比;曾与父亲赵奢谈论兵法,赵奢难不倒他,但不说好。赵括的母亲询问其中的原因,赵奢说:"战争,是陷之死地的事情,而赵括轻率地谈论它。假如赵国不用赵括为将就罢了;如果一定用他为将,毁灭赵军的一定是赵括。"等到赵括即将出发,他的母亲给赵王上书,说赵括不可用。赵王问:"为什么?"其母回答说:"当初我嫁给赵括的父亲,他做大将时,亲自捧着饭碗喂食的有数十人,他的朋友也有数百人。大王及宗室赏赐的东西,全部用来分给吏士和士大夫;自受命之日,不再过问家里的事。现在赵括一天之间做了大将,向东而坐接受拜见，军官无人敢抬头看他；大王所赏赐的黄金和钱物，拿回家藏起来，天天察看良田美宅可买的买下来。大王认为他像父亲，其实父子心性不同。希望大王不要派他！"赵王说："你不用管，我已经决定了。"赵括的母亲趁机说："假如将来赵括做了不合您意的事情，我请求不要连累我一起治罪。"赵王答应了她。

秦王听说赵括已经做了赵国将军，就暗中派遣武安君白起为上将军，让王龁为副将，下令军中说："有敢泄露武安君为上将军的，处死！"赵括到了军中，全部更改原来的规章制度，调换军官，出兵进攻秦军。武安君佯装战败退走，设置两支奇兵来截击赵军。赵括乘胜追击，到达秦军壁垒，壁垒牢固，抗拒赵军不能攻入；秦军二万五千人的奇兵已断绝了赵军的后路，又有五千人的骑兵截断赵军营垒间的通道。赵军被一分为二，粮道被截断。武安君派出轻装的部队袭击，赵军作战失利，于是修筑营垒坚守等待救援的到来。秦王闻听赵军粮道断绝，亲自到河内征发民众十五岁以上的全部到长平，阻断赵国救兵及粮运。齐国、楚国救援赵国。赵军缺乏粮食，向齐国请求借粟，齐王不给。周子说："赵国对于齐国、楚国是屏障，如同牙齿之外有嘴唇，唇亡而齿寒；今天灭亡了赵国，明天祸患降临齐国、楚国。救援赵国之事，应当如捧着漏瓦罐浇烧焦了的铁锅那样。况且救援赵国是高尚的道义；击退秦军是显扬威名；用道义救援亡国，用威势击退强秦。不致力于这件事而吝惜粮食，是国家决策大错了！"齐王不听。九月，赵军粮食断绝四十六天，都在内部暗中相杀、吞吃。赵括焦急地命令攻击秦军壁垒，打算派出四支队伍，进攻了四五次不能冲出。赵括亲自率领精锐士卒肉搏，秦兵射杀了他。赵国军队大败，士卒四十万人全部投降。武安君白起说："秦军已攻取上党，上党的民众不乐意为秦民而返回赵国。赵国的士兵反复无常，不全部杀掉他们，恐怕发动叛乱。"于是使用计谋全部坑杀了他们，留下他们年岁小的二百四十人送回赵国。前后斩首的俘虏四十五万人，赵国大为震惊。

毛遂自荐救赵

【周纪五】赧王五十七年（癸卯，前258年）

正月，王陵攻邯郸，少利①，益发卒佐陵②；陵亡五校。武安君③病愈，王欲使代之。武安君曰："邯郸实未易攻也；且诸侯之救日至。彼诸侯怨秦之日久矣，秦虽胜于长平，士卒死者过半，国内空，远绝④河山而争人国都；赵应其内，诸侯攻其外，破秦军必矣。"王自命不行⑤，乃使应侯请之。武安君终辞疾，不肯行；乃以王龁代王陵。

赵王使平原君⑥求救于楚，平原君约其门下食客文武备具者二十人与之俱，得十九人，余无可取者。毛遂自荐于平原君。平原君曰："夫贤士之处世也，譬若锥之处囊中，其末⑦立见。今先生处胜之门下三年于此矣，左右未有所称诵，胜未有所闻，是先生无所有也。先生不能，先生留！"毛遂曰："臣乃今日请处囊中耳！使遂蚤⑧得处囊中，乃颖脱而出，非特其末见而已。"平原君乃与之俱，十九人相与目笑之。平原君至楚，与楚王言合纵⑨之利害，日出而言之，日中不决。毛遂按剑历阶而上，谓平原君曰："从之利害，两言而决耳！今日出而言，日中不决，何也？"楚王怒叱曰："胡不下！吾乃与而君言，汝何为者也！"毛遂按剑而前曰："王之所以叱遂者，以楚国之众也。今十步之内，王不得恃楚国之众也！王之命悬于遂手。吾君在前，叱者何也？且遂闻汤以七十里之地王天下，文王以百里之壤而臣诸侯，岂其士卒多哉？诚能据其势而奋其威也。今楚地方五千里，持戟百万，此霸王之资也。以楚之强，天下弗能当。白起，小竖子耳，率数万之众，兴师以与楚战，一战而举鄢、郢，再战而烧夷陵，三战而辱王之先人，此百世之怨而赵之所羞，而王弗知恶焉。合从者为楚，非为赵也。吾君在前，叱者何也？"楚王曰："唯唯，诚若先生之言，谨奉社稷⑩以从。"毛遂曰："从定乎？"楚王曰："定矣。"毛遂谓楚王之左右曰："取鸡、狗、马之血来！"毛遂奉铜盘而跪进之楚王曰："王当歃血⑪以定从；次者吾君，次者遂。"遂定从于殿上。毛遂左手持盘血而右手招十九人曰："公等相与歃此血于堂下！公等录录⑫，所谓'因人成事⑬'者也。"平原君已定从而归，至于赵，曰："胜不敢相⑭天下士矣！"遂以毛遂为上客。

于是楚王使春申君⑮将兵救赵，魏王亦使将军晋鄙⑯将兵十万救赵。

[注释]

①少利：出兵失利，没有占到便宜。②益发卒佐陵：益，更加，增加；继续发派援军以助王陵。③武安君：指秦将白起。④绝：横渡。⑤不行：不去执行。⑥平原君：赵国公子赵胜。⑦末：末梢，尖端。⑧蚤：通"早"。⑨合纵：战国时，弱国联合起来一起进攻强国。⑩社稷：古代帝王、诸侯所祭祀的土神和谷神，后代指国家。⑪歃血：口含血，古代订立盟约时表示信誓的一种仪式。⑫录录：通"碌碌"，平庸。⑬因人成事：靠别人的力量把事情办好。⑭相：观察，审视。⑮春申君：楚国公子黄歇。⑯晋鄙：魏国将军。

[译文]

正月，秦将王陵进攻赵都邯郸，没有胜利，秦王进一步发派士卒以辅助王陵；王陵丧失了五位军官。武安君白起病好了，秦王打算让他代替王陵。武安君说："邯郸实际上不易攻克；况且诸侯国的救援军队一日可到。那些诸侯国怨恨秦国时间很长了，秦国虽然在长平取得了胜利，但是军队死亡过半，国内空虚，远距离越过大河，翻过大山，而争夺他人的国都；赵国做内应，诸侯国从外边进攻，击溃秦军是肯定的了。"秦王亲自命令武安君前去，武安君不肯去，就派遣应侯范睢请武安君。武安君最终以得病为由请辞，不肯赴任；秦王就让王龁代替王陵。

　　赵王派平原君赵胜向楚国求救，平原君邀结门下食客中文武双全的二十人与他同行，得到了十九人，剩下没有可挑选的。门客毛遂向平原君自我推荐。平原君说："有才能的人在世上，好像锥子放在布袋里，锥尖立刻显露出来。现在先生在我的门下已经三年了，手下的人没有称扬你，我没有听说过你，这是先生没有什么啊。先生没有才能，先生留下吧！"毛遂说："我只是今天才请你把我放在布袋里罢了！假如我早点能够处在布袋里，早脱颖而出了，不止是锥尖露出而已。"平原君于是让毛遂与他同行，十九个人一起看着嘲笑他。平原君到了楚国，与楚王商讨合纵抗秦的利弊好坏。从日出开始谈论，到正午没有定下来。毛遂手按宝剑顺着台阶走上去，对平原君说："合纵抗秦的好坏，两句话就可以决定了！今天从日出开始谈，到日中没有定下来，为什么呢？"楚王厉声呵斥道："为什么不下去！我是在和你的主子谈话，你是什么人？"毛遂手按宝剑走上前说："大王能够大声斥责我，因为楚国人多势众啊。现在十步之内，大王不能依仗楚国人多势众！大王的性命掌控在我的手中。我的主人在眼前，为什么要呵斥？而且毛遂听说商汤凭借着方圆七十里的土地称王天下，周文王凭借着方圆百里的土地臣服诸侯，难道他们的军队多吗？确实是能够依据历史的趋势，奋起他们的威势罢了。现在，楚国国土方圆五千里，持戟的士卒一百万，这是建立霸业称王天下的资本啊。凭借楚国的强盛，天下的诸侯国难以抵挡。白起小子，率领几万人，发动军队与楚国作战，一战就占领了鄢、郢两座城池，再战就火烧夷陵，三战毁了楚国的宗庙、辱没楚王的祖先，这是百世的仇怨，并且赵国都感到羞愧，可是大王不知道羞耻。合纵抗秦是为了楚国，不是为了赵国啊。我的主人在眼前，为什么要呵斥？"楚王说："是的，确实如同先生说的,谨请拿楚国的力量来跟随。"毛遂说:"合纵抗秦定下来了吗?"楚王说:"定下来了。"毛遂对楚王手下的人说:"取鸡、狗、马的血来!"毛遂手捧着铜盘跪着上前给楚王说:"大王应当歃血宣誓以确定合纵盟约,其次是我的主子,再次是我毛遂。"于是在朝堂上订立了合纵盟约。毛遂左手持着盛血的铜盘,右手招呼着同来的十九个人说:"你们在朝堂下一起歃血宣誓吧!你们这些人碌碌无为,这就是所说的'靠别人的力量把事情办好'啊。"平原君已经订立合纵盟约回国,到了赵国,说:"我不敢说能识别天下的贤士了!"于是尊奉毛遂为上宾。

由于这个原因,楚王派遣春申君率军救援赵国,魏王也派将军晋鄙率领十万人马救赵。

无忌窃符救赵

【周纪五】赧王五十七年/五十八年(癸卯/甲辰,前258年/前257年)

初,魏公子无忌仁而下士,致食客三千人。魏有隐士曰侯嬴,年七十,家贫,为大梁夷门监者①。公子置酒大会宾客,坐定,公子从车骑②虚左③自迎侯生。侯生摄敝衣冠④,直上载公子上坐⑤不让;公子执辔⑥愈恭。侯生又谓公子曰:"臣有客在市屠中,愿枉⑦车骑过之。"公子引车入市,侯生下见其客朱亥,睥睨⑧,故久立,与其客语,微察公子,公子色愈和;乃谢客就车,至公子家。公子引侯生坐上坐,遍赞宾客,宾客皆惊。及秦围赵,赵平原君之夫人,公子无忌之姊也,平原君使者冠盖相属⑨于魏,让公子曰:"胜所以自附于婚姻⑩者,以公子之高义,能急人之困也。今邯郸旦暮降秦而魏救不至,纵公子轻胜弃之,独不怜公子姊邪⑪!"公子患之,数请魏王敕晋鄙令救赵,及宾客辩士游说万端,王终不听。公子乃属⑫宾客,约车骑百余乘,欲赴斗以死于赵;过夷门,见侯生。侯生曰:"公子勉之矣,老臣不能从!"公子去,行数里,心不快,复还见侯生。侯生笑曰:"臣固知公子之还也!今公子无他端而欲赴秦军,譬如以肉投馁虎,何功之有!"公子再拜问计。侯嬴屏人曰:"吾闻晋鄙兵符在王卧内,而如姬最幸,力能窃之。尝闻公子为如姬报其父仇,如姬欲为公子死无所辞,公子诚一开口,则得虎符,夺晋鄙之兵,北救赵,西却秦,此五伯之功⑬也。"公子如其言,果得兵符。公子行,侯生曰:"将在外,君令有所不受。有如晋鄙合符而不授兵,复请之,则事危矣。臣客朱亥,其人力士,可与俱。晋鄙若听,大善;不听,可使击之!"于是公子请朱亥与俱。至邺,晋鄙合符,疑之,举手视公子曰:"吾拥十万之众屯于境上,今单车来代之,何如哉?"朱亥袖四十斤铁椎,椎杀晋鄙,公子遂勒兵下令军中曰:"父子俱在军中者,父归!兄弟俱在军中者,兄归!独子无兄弟者,归养!"得选兵八万人,将之而进。

魏公子无忌大破秦师于邯郸下,王龁解邯郸围走。

公子无忌既存赵,遂不敢归魏,与宾客留居赵,使将将其军还魏。赵王与平原君计,以五城封公子。赵王扫除⑭自迎,执主人之礼,引公子就西阶。公子侧行辞让,从东阶上,自言罪过,以负于魏,无功于赵。赵王与公子饮至暮,口不忍献五城,以公子退让也。赵王以鄗为公子汤沐邑。魏亦复以信陵奉公子。

[注释]

①大梁夷门监者:魏都大梁夷门的守门的官员。②从车骑:使车骑从,意思是带着车马随从。③虚左:空下左边的位子,当时以左为尊。④摄敝衣冠:摄,提起;敝,破旧,破败;合起来的意思是戴着破帽子穿着旧衣裳。⑤坐:通"座"。⑥执辔:手里拿着马缰绳。⑦枉:降低身份,屈尊相访。⑧睥睨:斜着眼睛看,表示轻视。⑨冠盖相属:(平原君赵胜派到魏国求救的

使者的）车马接连不断。冠盖，官员的服饰和车乘；属，连接，连续。⑩婚姻：亲家，有亲戚关系。⑪独不怜公子姊邪：难道您不可怜您的姐姐吗？"独……邪"是一个固定句式，意为"难道……吗"。⑫属：读zhǔ，聚集。⑬五伯之功：依胡三省注，"伯"读"霸"，即"五霸之功"。⑭除：台阶。

[译文]

当初，魏国公子魏无忌讲求仁义并且礼待读书人，招引食客三千人。魏国有个隐士叫侯嬴，七十岁了，家庭贫穷，是大梁夷门的守门官员。魏公子摆设酒宴大规模宴请宾客，宾客坐定后，魏公子带着车骑，空着左边的尊位，亲自迎接侯嬴。侯嬴穿戴着破旧衣帽，径直上了魏公子的车子，坐在上座，并不谦让；魏公子执着缰绳，更加恭敬。侯嬴又对魏公子说："我有个朋友在市场当屠户，请委屈车骑绕到他那里。"魏公子牵引车子进入市场，侯嬴下车见到他的朋友朱亥，斜着眼睛，故意长久地站立，与他的朋友谈话，悄悄地观察魏公子，魏公子的表情更加谦和；于是辞别朋友上车，到魏公子的家。魏公子引导侯嬴坐在上座，向宾客称赞他，宾客都很惊奇。等到秦军围困赵都邯郸，赵国平原君赵胜的夫人，是公子魏无忌的姐姐。平原君的使者车马接连不断到魏国求救，指责魏公子说："赵胜之所以与您联姻，认为公子的高尚道义，能够以别人的危难为自己的急事。现在邯郸早晚要投降秦国而魏国的救兵不到，即使公子轻视赵胜而抛弃他，难道不可怜公子的姐姐吗？"魏公子忧虑这件事，多次请求魏王下令晋鄙救援赵国，及至宾客辩士多方游说，魏王始终不听。魏公子于是聚集宾客，邀结百余辆车马，打算奔赴前线战斗并因此死于救赵国。路过夷门，见到侯嬴。侯嬴说："公子努力吧，老臣不能跟随！"魏公子离开后，走了几里路，心中不乐，返回见侯嬴。侯嬴笑着说："我本来知道公子会回来的！现在公子没有其他的办法而打算奔赴迎战秦军，好比用肉投掷饿虎，有什么功劳呢！"魏公子再拜询问计策。侯嬴屏退周围的人说:"我听说晋鄙的兵符在魏王卧室里,只有如姬最受宠爱,有能力偷到兵符。曾经听说公子为如姬报了她杀父之仇,如姬希望为公子死而无所推辞。公子如果一开口,就得到虎符,夺取晋鄙的兵权,向北救赵,向西击退秦兵,这是五霸的功绩啊。"魏公子按照他的话去做,果然得到兵符。公子将行,侯嬴说:"将军在外,君令可以不接受。假如晋鄙合验兵符后却不交出兵权,返回请示,那事情危险了。我的朋友朱亥是个力士,可与他一起去。晋鄙如果听从,非常好;不听从,可以让朱亥击杀他!"因此魏公子邀请朱亥与他一起去。到了邺城,晋鄙合验兵符后,怀疑这件事,举手看着魏公子说:"我拥有十万大军驻扎在边境上,现在你单车前来取代,怎么回事?"朱亥用袖中四十斤的铁椎,椎杀了晋鄙,魏公子于是指挥下令军中说:"父子两人都在军队中的,父亲回去!兄弟两人都在军队中的,兄长回去!独子没有兄弟的,回家奉养父母!"得到挑选的八万人,率领他们前进。

魏公子无忌在邯郸城下大败秦军,秦将王龁率领军队解围撤离邯郸而去。

公子魏无忌已经保全赵国,就不敢回魏国,与宾客留驻在赵国,派将军统率军队回国。赵王与平原君商议,用五座城池封给魏公子。赵王打扫殿前的台阶亲自迎接,执主人的礼节,引导魏公子由西面台阶上殿。魏公子侧行辞让,从东面台阶走上,自己说自己有罪,因为辜负了魏国,又对赵国没有功劳。赵王与魏公子饮酒到天黑,赵王不忍心说出送给他五座城池,因为公子谦让的缘故。赵王把鄗城作为魏公子的汤沐邑。魏国也把魏公子的封地信陵还给他。

不韦立嗣

【周纪五】赧王五十八年（甲辰，前257年）

秦太子之妃曰华阳夫人，无子；夏姬生子异人。异人质于赵；秦数伐赵，赵人不礼之。异人以庶孽①孙质于诸侯，车乘进用不饶②，居处困不得意。

阳翟大贾吕不韦适③邯郸，见之，曰："此奇货可居！"乃往见异人，说曰："吾能大④子之门。"异人笑曰："且自大君之门！"不韦曰："子不知也，吾门待子门而大。"异人心知所谓，乃引与坐，深语。不韦曰："秦王老矣。太子爱华阳夫人，夫人无子。子之兄弟二十余人，子傒有秦国之业，士仓又辅之。子居中，不甚见幸⑤，久质诸侯。太子即位，子不得争为嗣⑥矣。"异人曰："然则奈何？"不韦曰："能立適嗣者，独华阳夫人耳。不韦虽贫，请以千金为子西游，立子为嗣。"异人曰："必如君策，请得分秦国与君共之。"不韦乃以五百金与异人，令结宾客。复以五百金买奇物玩好，自奉而西，见华阳夫人之姊，而以奇物献于夫人，因誉⑦子异人之贤，宾客遍天下，常日夜泣思太子及夫人，曰："异人也以夫人为天！"夫人大喜。不韦因使其姊说夫人曰："夫以色事人者，色衰则爱弛。今夫人爱而无子，不以繁华时蚤自结于诸子中贤孝者，举以为適⑧，即色衰爱弛，虽欲开一言，尚可得乎！今子异人贤，而自知中子不得为適，夫人诚以此时拔之，是子异人无国而有国，夫人无子而有子也，则终身有宠于秦矣。"夫人以为然，承间言⑨于太子曰："子异人绝贤，来往者皆称誉之。"因泣曰："妾不幸无子，愿得子异人立以为子，以托妾身！"太子许之，与夫人刻玉符，约以为嗣，因厚馈遗异人，而请吕不韦傅⑩之。异人名誉盛于诸侯。

[注释]

①庶孽：即"庶子"，古代指妾媵之子。②饶：物产丰富，充盈。③适：去，到。④大：超过，此处引申为提高。⑤见幸：被宠幸。⑥嗣：继承人。⑦誉：称扬，赞美。⑧適：通"嫡"，嫡子。⑨承间言：等待机会说。承：接受，承受，此处引申为"凭借"、"依靠"；间，机会。⑩傅：辅佐，教导。

[译文]

秦国太子的妃子叫华阳夫人，没有儿子；夏姬生儿子异人。异人在赵国作人质；秦国多次征讨赵国，赵国人因此不以礼对待他。异人以秦王的庶子的身份在诸侯国作人质，车马及日常用度不充盈，居住窘困，不得志。

阳翟大商人吕不韦到邯郸，见到异人，说："这个人奇货可居！"于是前往拜见异人，说："我能够光大您的门庭！"异人笑着说："暂且光大您的门庭吧！"吕不韦说："您不知道，我的门庭要靠您的门庭来光大。"异人心中知道他所说的意思，于是邀请他一起坐下，与他深谈。吕不韦说："秦王老了。太子宠爱华阳夫人，华阳夫人没有儿子。你兄弟二十余人，子傒有秦国大业的条件，又有士仓辅佐他。你排行居中，不怎么被宠爱，长期在诸侯国为人质。太子即位后，你不能争到继承人。"异人说："既然这样，怎么办呢？"吕不韦说："能够确立嫡子继承人的，只有华阳夫人。吕不韦虽然贫穷，请允许我用千金为你到西边去游说，立你为继承人。"异人说："一定像您计划的那样，请允许我能剖分秦国与你共同管理。"吕不韦于是拿五百金给异人，让结交宾客。又用五百金置买奇珍玩物，亲自带着向西去，见到华阳夫人的姐姐，就拿珍宝献给华阳夫人，趁机赞美异人有德行，宾客遍天下，常常日夜哭泣思念太子和华阳夫人，说："异人把夫人当做上天！"华阳夫人很高兴。吕不韦趁机让她姐姐劝说华阳夫人："靠容貌侍奉别人，年老色衰则恩爱流失。现在夫人被宠爱却没有儿子，不趁着青春年华时，早点自己挑选各个儿子中一个贤良孝顺的,推举他作为嫡子,等到年老色衰恩爱流失时,即使想说一句话,还可能吗!现在异人有德行,自己知道排行居中不能为嫡子,夫人如果在这时提拔他,这样儿子异人就从无国变成了有国,夫人从没有儿子变成了有儿子,就会终身在秦国受贵宠。"华阳夫人认为说得很对,等待机会对太子说:"儿子异人非常有德行,来往的人都称颂和赞誉他。"又哭着说:"我不幸没有生儿子,希望能够将儿子异人立为我的儿子,以托付我的后半生!"太子答应了她,与华阳夫人刻玉符,约定以异人作为继承人,于是用丰厚财物送给异人,并请吕不韦辅佐他。异人的名望声誉盛传于诸侯国。

秦 纪

缩高死国

【秦纪一】庄襄王三年（甲寅，前247年）

蒙骜帅师伐魏，取高都、汲。魏师数败，魏王患之，乃使人请信陵君于赵。信陵君畏得罪①，不肯还，诫门下曰："有敢为魏使通者死！"宾客莫敢谏。毛公、薛公见信陵君曰："公子所以重于诸侯者，徒以有魏也。今魏急而公子不恤，一旦秦人克大梁，夷先王之宗庙，公子当何面目立天下乎！"语未卒，信陵君色变，趣②驾还魏。魏王持信陵君而泣，以为上将军。信陵君使人求援于诸侯。诸侯闻信陵君复为魏将，皆遣兵救魏。信陵君率五国之师败蒙骜于河外③，蒙骜遁走。信陵君追至函谷关，抑之④而还。

安陵人缩高之子仕于秦，秦使之守管。信陵君攻之不下，使人谓安陵君曰："君其遣缩高，吾将仕之以五大夫，使为执节尉。"安陵君曰："安陵，小国也，不能必使其民。使者自往请之。"使吏导使者至缩高之所。使者致信陵君之命，缩高曰："君之幸高也，将使高攻管也。夫父攻子守，人之笑也；见臣而下，是倍主也。父教子倍,亦非君之所喜。敢再拜辞!"使者以报信陵君。信陵君大怒,遣使之安陵君所曰:"安陵之地,亦犹魏也。今吾攻管而不下,则秦兵及我,社稷必危矣。愿君生束缩高而致之!若君弗致,无忌将发十万之师以造安陵之城下。"安陵君曰:"吾先君成侯受诏襄王以守此城也,手授太府之宪⑤。宪之上篇曰:'臣弑君,子弑父,有常不赦。国虽大赦,降城亡子不得与焉。'今缩高辞大位以全父子之义,而君曰'必生致之',是使我负襄王之诏而废太府之宪也,虽死,终不敢行!"缩高闻之曰:"信陵君为人,悍猛⑥而自用,此辞必反为国祸。吾已全己,无违人臣之义矣,岂可使吾君有魏患乎!"乃之使者之舍,刎颈而死。信陵君闻之,缟素辟舍⑦,使使者谢安陵君曰:"无忌,小人也,困于思虑,失信于君,请再拜辞罪!"

[注释]

①信陵君畏得罪:信陵君留赵事件发生在前257年,因为为救赵而窃取兵符,并杀死了魏国大将晋鄙。②趣:读 cù,急速,赶快。③河外:依胡三省注,自春秋至战国,率以黄河以西为河外。④抑之:主要是指将秦军抑制在函谷关以西。⑤太府之宪:太府中所藏的国法。太府,魏国藏图籍之府;宪,法也。⑥悍猛:凶暴,勇猛。⑦缟素辟舍:穿着白色的丧服,住在偏僻的厢房里。缟素,白色的衣服;辟舍,偏僻的房舍,指厢房或门房等。

[译文]

蒙骜率领军队讨伐魏国,夺取高都、汲。魏国军队多次战败,魏王忧愁这件事,于是就派人到赵国延请信陵君魏无忌。信陵君害怕被治罪,不肯返回,告诫手下的宾客说:"有敢为魏国使者通报的处死!"宾客没有人敢劝谏。毛公、薛公拜见信陵君说:"魏公子所以被各诸侯国所尊重,只因为有魏国啊。现在魏国的情况危急,而公子却不怜悯,一旦秦国人攻占大梁,夷平先王的宗庙,公子将以什么脸面立于天下呢!"话还没有说完,信陵君的脸色就变了,赶快驾车返回魏国。魏王握着信陵君的手流泪,让他做上将军。信

秦纪 79

陵君派人向诸侯国求援。各诸侯国闻听信陵君重新任魏国大将，都派遣军队救援魏国。信陵君率五个诸侯国的军队在黄河以西打败蒙骜，蒙骜逃走。信陵君追到函谷关，抑制秦军才返回。

安陵人缩高的儿子在秦国做官，秦国派他守卫管城。信陵君攻打管城，没有攻下，派使者对安陵君说："您如果遣送缩高，我将给他五大夫的官职，用他任执节尉。"安陵君说："安陵是个小国，不能一定使唤动它的民众。使者自己前去邀请他吧。"派一小吏引导使者到缩高的住所。使者转达了信陵君的意图，缩高说："您宠爱缩高，将让我进攻管城。这样的话，父亲攻城儿子守城，是天下的笑话。儿子见我攻城而投降，是背叛他的国君。父亲教育儿子背叛，也不是您所喜欢的。我冒昧再拜推辞！"使者以此回报信陵君，信陵君大怒，派使者到安陵君住所说："安陵这个地方也还是魏国的，现在我攻不下管城，那么秦军就来攻打我，魏国一定危险了。希望您活捉缩高送来！如果您不送来，我就将调动十万大军到安陵城下。"安陵君说："我的先君成侯接受魏襄王的诏令镇守此城，并亲手将太府中的国法给我，国法的上篇说：'臣弑君，子弑父，有常不赦。国虽大赦，降城亡子不得与焉。'现在缩高推辞高官，以此成全父子的节义，而您却说'必生致之'，这样做让我违背襄王的诏令并抛弃太府的国法啊，即使去死，最终不敢去做！"缩高听说这件事后说："信陵君的为人，性情强悍凶猛而且刚愎自用，那些推辞一定反过来给安陵国招祸。我已经保全了自己，没有违背作为人臣的道义，难道可以让我的国君蒙受魏国的祸患吗！"于是到使者的住所，割颈而死。信陵君听说这件事后，素服住到厢房，派使者对安陵君道歉说："无忌是个小人啊，为思虑所困扰，失信于您，请允许我再拜道歉！"

荆轲刺秦

【秦纪一、二】始皇帝十九年/二十年（甲戌/癸酉，前228年/前227年）

太子闻卫人荆轲之贤，卑辞厚礼①而请见之。谓轲曰："今秦已虏韩王，又举兵南伐楚，北临赵；赵不能支②秦，则祸必至于燕。燕小弱，数困于兵，何足以当秦！诸侯服秦，莫敢合从③。丹之私计愚，以为诚得天下之勇士使于秦，劫秦王，使悉反④诸侯侵地，若曹沫之与齐桓公⑤，则大善矣；则不可，因而刺杀之。彼大将擅兵⑥于外而内有乱，则君臣相疑，以其间，诸侯得合从，其破秦必矣。唯荆卿留意焉！"荆轲许之。于是舍荆卿于上舍⑦，太子日造⑧门下，所以奉养荆轲，无所不至。及王翦灭赵，太子闻之惧，欲遣荆轲行。荆轲曰："今行而无信⑨，则秦未可亲也。诚得樊将军首与燕督亢之地图，奉献秦王，秦王必说见臣，臣乃有以报。"太子曰："樊将军穷困来归丹，丹不忍也！"荆轲乃私见樊於期曰："秦之遇将军，可谓深矣，父母宗族皆为戮没！今闻购将军首，金千斤，邑万家，将奈何？"於期太息流涕曰："计将安出？"荆卿曰："愿得将军之首以献秦王，秦王必喜而见臣，臣左手把其袖，右手揕⑩其胸，则将军之仇报而燕见陵⑪之愧除矣！"樊於期曰："此臣之日夜切齿腐心也！"遂自刎。太子闻之，奔往伏哭，然已无奈何，遂以函盛其首。太子豫求天下之利匕首，使工以药焠⑫之，以试人，血濡缕⑬，人无不立死者。乃装为遣荆轲，以燕勇士秦舞阳为之副，使入秦。

荆轲至咸阳，因王宠臣蒙嘉卑辞以求见；王大喜，朝服，设九宾而见之。荆轲奉图以进于王，图穷而匕首见，因把王袖而揕之；

未至身,王惊起,袖绝。荆轲逐王,王环柱而走。群臣皆愕,卒⑭起不意,尽失其度。而秦法,群臣侍殿上者不得操尺寸之兵,左右以手共搏之,且曰:"王负剑!"负剑,王遂拔以击荆轲,断其左股。荆轲废,乃引匕首擿⑮王,中铜柱。自知事不就,骂曰:"事所以不成者,以欲生劫之,必得约契以报太子也!"遂体解荆轲以徇⑯。王于是大怒,益发兵诣赵,就王翦以伐燕,与燕师、代师战于易水之西,大破之。

[注释]

①卑辞厚礼:低声下气准备厚礼。②支:抗拒,抵御。③合从:即"合纵",战国时弱国联合进攻强国。④反:通"返",返还。⑤曹沫之与齐桓公:据《史记·刺客列传》载,当时曹沫任鲁国将军,与齐国作战,打了三次败仗。后来齐桓公与鲁庄公已经在坛上盟誓,随行的曹沫突然手持匕首劫持了齐桓公,齐桓公被逼无奈便将侵夺鲁国的土地还给了鲁国。曹沫三次战败而失去的土地都又回到了鲁国。⑥擅兵:独揽兵权。⑦舍荆卿于上舍:把荆轲安排在最好的房间。第一个舍读 shè,作动词用,安置。⑧日造:每天造访。⑨信:信物,凭证。⑩揕:读 zhèn,用刀剑刺。⑪见陵:被凌辱。见表被动。⑫焠:读 cuì,即"淬火",制作刀剑时把烧红了的刀剑浸入水或其他液体中,急速冷却,使之硬化。⑬血濡缕:流血如丝缕。濡,沾湿,沾染;缕,一丝一缕。⑭卒:读 cù,通"猝",突然,仓促。⑮擿:读 zhì,投掷。⑯徇:示众。

[译文]

燕太子丹听说卫国人荆轲有才干,就低声下气准备厚礼请求拜见他。太子丹对荆轲说:"现在秦国已经俘虏了韩王,又举兵向南讨伐楚国,向北进攻赵国。赵国不能抵御秦国,那么祸患一定降临到燕国。燕国小而弱,多次被兵祸所困扰,凭什么才能够抵挡秦国呢!诸侯国归顺秦国,没有敢合纵抗秦。我私下里想,认为如果能得到天下的勇士派他到秦国,劫持秦王,让他全部归还侵夺诸侯国的土地,如同曹沫对于齐桓公,那就太好了;如果不行,就趁势刺杀了他。他的大将带兵在外,而朝内有祸乱,那么君臣互相猜疑,趁着这个时间，诸侯国能够合纵，打败秦国是必然的。希望荆卿留意啊！"荆轲答应了太子。于是太子就把荆轲安排在最好的房间，每天都去造访问安，用来招待荆轲的东西，没有什么不周到，都是最好的。等到王翦灭了赵国，太子闻听后很害怕，想派遣荆轲到秦国。荆轲说："现在去没有什么信物，那么秦王就不能接近。如果能得到樊将军的头和燕国督亢地区的地图，捧着献给秦王，秦王一定高兴见我，我才有机会来报答太子。"太子说："樊将军因为穷困来投靠我，我不忍心呀！"荆轲于是私下拜见樊於期说："秦国人对待樊将军，可以说是太狠毒了，父母宗族都被杀尽！现在听说购求将军的头颅，出千斤金、万户城邑的封赏，将怎么办呢？"樊於期仰天叹息，流着泪说："怎么办才好呢？"荆轲说："希望得到将军的头颅来献给秦王，秦王一定高兴而接见我，我左手抓住他的衣袖，右手刺他的胸部，那么将军的仇可报，并且燕国被欺凌的耻辱也就洗雪了！"樊於期说："这是我日夜切齿痛恨的事！"于是自杀了。太子听说后，急速前往，伏尸而哭，但是已无可奈何，于是用匣子装上樊於期的头。太子事先寻求天下最锋利的匕首，使工匠用毒药焠火，拿来在人身上试用，流血虽然只是如丝缕，人没有不立即死亡的。于是装备这些，遣送荆轲，让燕国的勇士秦武阳做荆轲的副手，让他们进入了秦国。

　　荆轲到了咸阳，通过秦王的宠臣蒙嘉低声下气地来请求拜见，秦王很高兴，穿着上朝时的礼服，用九宾的礼节接见了他。荆轲捧着地图献给秦王。地图展开到最后，匕首显现出来，荆轲趁势抓住秦王的衣袖而刺去；没有刺到秦王身上，秦王惊恐而起，衣袖挣断了。荆轲追逐秦王，秦王转着柱子跑。群臣都很惊讶，由于事发突然，出人意料，群臣全部失去了应有的气度。而且秦国法律规定，群臣在大殿上侍奉君王不能带一点兵器，秦王的手下用手搏击荆轲，并且喊："大王背着剑！"因为背着剑，秦王于是拔出剑还击荆轲，砍断了荆轲的左腿。荆轲跌倒，就抽出匕首投向秦王，匕首投中铜柱。荆轲知道刺杀秦王的事不能成功，骂道："事情没有成功的原因，因为想活着劫持你，确保得到归还国土的契约来回报太子啊！"于是，荆轲被肢解示众。秦王因此大怒，增派军队到赵国，依随王翦来讨伐燕国，在易水之西与燕军、代师作战，把他们打得大败。

胡亥袭位

【秦纪二】 始皇帝三十七年（辛卯，前210年）

冬，十月，癸丑，始皇出游；左丞相斯从，右丞相去疾守。始皇二十余子，少子胡亥最爱，请从；上许之。

十一月，行至云梦，望祀虞舜于九疑山。浮江下，观藉柯，渡海渚，过丹阳，至钱塘，临浙江。水波恶，乃西百二十里，从峡中渡。上会稽，祭大禹，望于南海；立石颂德。还，过吴，从江乘渡。并海上，北至琅邪、之罘。见巨鱼，射杀之。遂并海西，至平原津而病。

始皇恶言死，群臣莫敢言死事。病益甚，乃令中车府令行符玺事赵高为书赐扶苏曰："与丧，会咸阳而葬。"书已封，在赵高所，未付使者。秋，七月，丙寅，始皇崩于沙丘平台。丞相斯为上崩在外，恐诸公子及天下有变，乃秘之不发丧，棺载辒凉车中，故幸宦者骖乘。所至，上食、百官奏事如故，宦者辄从车中可其奏事。独胡亥、赵高及幸宦者五六人知之。

初，始皇尊宠蒙氏，信任之。蒙恬任外将，蒙毅常居中参谋议，名为忠信，故虽诸将相莫敢与之争。赵高者，生而隐宫①；始皇闻其强力，通于狱法，举以为中车府令，使教胡亥决狱②；胡亥幸之。赵高有罪，始皇使蒙毅治之；毅当高法应死。始皇以高敏于事，赦之，复其官。赵高既雅③得幸于胡亥，又怨蒙氏，乃说胡亥，请诈以始皇命诛扶苏而立胡亥为太子。胡亥然其计。赵高曰："不与丞相谋，恐事不能成。"乃见丞相斯曰："上赐长子书及符玺④，皆在胡亥所。定太子，在君侯与高之口耳。事将何如？"斯曰："安得亡国之言！此非人臣所当议也！"高曰："君侯材能、谋虑、功高、无怨、长子信之，此五者孰与蒙恬？"斯曰："不及也。"高曰："然则长子即位，必用蒙恬为丞相，君侯终不怀通侯之印⑤归乡里明矣！胡亥慈仁笃厚，可以为嗣。愿君审计而定之！"丞相斯以为然，乃相与谋，诈为受始皇诏，立胡亥为太子；更为书赐扶苏，数⑥以不能辟地立功，士卒多耗，数⑦上书，直言诽谤，日夜怨望不得罢归为太子，将军恬不矫正，知其谋；皆赐死，以兵属⑧裨将王离。

扶苏发⑨书，泣，入内舍，欲自杀。蒙恬曰："陛下居外，未立太子；使臣将三十万众守边，公子为监，此天下重任也。今一使者来，即自杀，安知其非诈！复请而后死，未暮也。"使者数趣⑩之。扶苏谓蒙恬曰："父赐子死，尚安复请！"即自杀。蒙恬不肯死，使者以属吏，系诸阳周；更置李斯舍人为护军，还报。胡亥已闻扶苏死，即欲释蒙恬。会蒙毅为始皇出祷山川，还至。赵高言于胡亥曰："先帝欲举贤立太子久矣，而毅谏以为不可，不若诛之！"乃系诸代。

遂从井陉抵九原。会暑，辒车臭⑪，乃诏从官令车载一石鲍鱼以乱之。从直道至咸阳，发丧。太子胡亥袭位。

【注释】

①生而隐宫：生下来就被藏在宫中，指的是赵高一生下来就被阉割了。隐宫，宫刑。②决狱：判决案件。③雅：一向，平素。④符玺：泛指皇帝的印章。⑤通侯之印：是说功德通于王室，是说李斯位极人臣。⑥数：读shǔ，数

落，指责。⑦数：读 shuò，多次。⑧属：交付，动词。⑨发：启封，打开。⑩数趣：读 shuò cù，多次催促。⑪辒车臭：装载始皇遗体的凉车散发出恶臭。辒车，亦作"温车"，古代的一种卧车。这里指装载始皇遗体的凉车。

[译文]

冬天，到了十月，癸丑日，始皇帝出游；左丞相李斯陪同，右丞相冯去疾留守。始皇帝二十多位皇子，小儿子胡亥最受宠爱，请求跟从；始皇帝答应了他。

十一月，始皇帝到了云梦，在九疑山遥祭虞舜。然后乘船沿长江而下，观览藉柯，渡过海渚，经过丹阳，到达钱塘，到了浙江边上。水波凶险，就向西走了一百二十里，从江面狭窄的地方渡过。登上会稽山，祭祀大禹，遥望南海；在那里刻石立碑，颂扬秦朝的功德。始皇返回，途经吴地，从江乘县渡江。沿海岸北上，到达琅邪、之罘。遇见了大鱼，射死了一条。接着沿海岸向西进发。始皇帝到达平原津时生了病。

始皇帝讨厌说"死"这个字，群臣没有敢说死的事情。始皇帝病得更厉害了，就让中车府令代管符玺事的赵高代写诏书给公子扶苏说："回咸阳来参加丧事，在咸阳安葬。"诏书已封好了，存放在赵高那里，没有交给使者。秋天，七月丙寅日，始皇帝在沙丘平台逝世。丞相李斯认为始皇帝在外地逝世，恐怕皇子们和天下发生变故，就把此事秘守起来，不发丧，棺材放置在辒凉车中，让以前那些受始皇帝宠幸的宦官做陪乘。每到一个地方，就献上饭食，百官像过去一样向皇上奏事，宦官就在辒凉车中降诏批签。只有胡亥、赵高和五六个曾受宠幸的宦官知道皇上死了。

当初，始皇帝尊重和宠爱蒙氏家族，很信任他们。蒙恬在外担任大将，蒙毅常常在朝中参与谋略和商议，被称为忠信大臣，所以，即使是将军或丞相，也没有敢与他们相争。赵高一生下来就被阉割了；始皇帝听说他能力很强，精通刑法，提拔他任中车府令，让他教胡亥学习断案；胡亥非常宠爱他。赵高犯了罪，始皇帝派遣蒙毅惩处他；蒙毅认为赵高依法应被处死。始皇帝认为赵高办事敏捷而赦免了他，恢复了他的官职。赵高一向得到胡亥的宠幸，又怨恨蒙氏兄弟，就劝说胡亥，请他诈称始皇帝遗诏杀掉扶苏，立胡亥为太子。胡亥听从了赵高的计策。赵高说："不与丞相合谋进行，恐怕事情不能成功。"于是拜见丞相李斯，说："皇上赐给扶苏的诏书及符玺都在胡亥处。确定太子，只是您我口中的一句话罢了。事情将怎么办呢？"李斯说："怎能有这种亡国的话！此事不是为人臣的人所应该议论的！"赵高道："您的才能、谋略、功勋、无怨以及长子扶苏的信任，这五点都拿来与蒙恬相比，哪一点比得上？"李斯说："都比不上。"赵高说："既然这样，那么扶苏即位，必定任用蒙恬为丞相，您最终不能怀揣通侯的印信返归故乡已经很明了的了！胡亥仁爱、厚道、诚笃、敦厚，可以作为皇位继承人。希望您慎重地考虑而决定！"丞相李斯同意了，就一起谋划，假装是接受了始皇帝的遗诏，立胡亥为太子；重新写了一封信赐给扶苏，指责他不能开辟疆土、荣立功业，使士卒大量损耗，多次上书，直言诽谤，日夜抱怨不能解除职务，返回当太子，将军蒙恬不纠正，知道扶苏的图谋；都赐死，将兵权交给副将王离。

扶苏打开诏书，流着眼泪进入内室，将要自杀。蒙恬说："陛下在外地，没有确立太子；派我统率三十万军队镇守边关，您担任监军，这是天下的重任啊。现在一个使者来传书，就自杀，哪里知道其中不是有诈呢！再奏请然后去死也不迟啊。"使者多次催促他们。扶苏对蒙恬说："父亲赐儿子死，还哪里需要再奏请呢！"随即自杀。蒙恬不肯自杀，使者便把他交给小吏，捆绑羁押在阳周；另行安排李斯的舍人任护军，返回报告。胡亥已经听说扶苏死了，就想释放蒙恬。适逢蒙毅为始皇帝外出祈祷山川神灵返回，赵高对胡亥说："始皇帝想要选用有德行的人，确定你为太子已经很长时间了，而蒙毅劝谏认为不可以；不如杀了蒙毅！"于是将蒙毅囚禁到代郡。

于是从井陉抵达九原。时值酷暑，辒凉车散发出恶臭，就下令随从官员装上一车的鲍鱼以遮掩尸体的臭味。从直道返回咸阳，宣告始皇帝驾崩。太子胡亥继承了皇位。

陈胜称王

【秦纪二】二世皇帝元年（壬辰，前209年）

秋，七月①，阳城人陈胜、阳夏人吴广起兵于蕲。是时，发闾左②戍渔阳，九百人屯大泽乡，陈胜、吴广皆为屯长。会天大雨，道不通，度已失期③；失期，法皆斩。陈胜、吴广因天下之愁怨，乃杀将尉，召令徒属曰："公等皆失期当斩；假令毋斩，而戍死者固什六七④。且壮士不死则已，死则举大名耳！王侯将相宁有种乎！"众皆从之。乃诈称公子扶苏、项燕，为坛而盟⑤，称大楚；陈胜自立为将军，吴广为都尉。攻大泽乡，拔之；收而攻蕲，蕲下。乃令符离人葛婴将兵徇⑥蕲以东；攻铚、酂、苦、柘、谯，皆下之。行收兵；比⑦至陈，车六七百乘，骑千余，卒数万人。攻陈，陈守、尉皆不在，独守丞与战谯门中，不胜；守丞死，陈胜乃入据陈。

初，大梁人张耳、陈馀相与为刎颈交。秦灭魏，闻二人魏之名士，重赏购求之。张耳、陈馀乃变名姓，俱之陈，为里监门以自食。里吏尝以过笞陈馀，陈馀欲起，张耳蹑之，使受笞。吏去，张耳乃引陈馀之桑下，数⑧之曰："始吾与公言何如？今见小辱而欲死一吏乎！"陈馀谢之。陈涉既入陈，张耳、陈馀诣门上谒。陈涉素闻其贤，大喜。陈中豪杰父老⑨请立涉为楚王，涉以问张耳、陈馀。耳、馀对曰："秦为无道，灭人社稷，暴虐百姓；将军出万死之计⑩,为天下除残也。今始至陈而王之,示天下私。愿将军毋王,急引兵而西;遣人立六国后,自为树党⑪,为秦益敌;敌多则力分,与众则兵强。如此,则野无交兵,县无守城,诛暴秦,据咸阳,以令诸侯;诸侯亡而得立,以德服之,如此则帝业成矣!今独王陈,恐天下懈⑫也。"陈涉不听,遂自立为王,号"张楚"。

[注释]

①七月:应该是夏历的七月,这是秋天的第一个月。②闾左:里门的左边。秦代贵右贱左,贫穷者居住在闾巷的左边。③度已失期:估计已经超过了期限。④什六七:十分之六七。⑤为坛而盟:筑土为坛,订立盟约。⑥徇:攻占,占领。⑦比:等到。⑧数:数落,责备。⑨父老:古代乡里中管理公共事务的有声望的老人。⑩万死之计:指与吴广率领部下举行大泽乡起义。万死,九死一生,形容极其危险。⑪自为树党:即"为自树党",为自己培养党羽。⑫懈:松懈。

[译文]

秋天,到了七月,阳城人陈胜、阳夏人吴广在蕲起兵反秦。当时,征调闾左贫穷的百姓到渔阳戍边,有九百人驻扎在大泽乡,陈胜、吴广都是屯长。正赶上天下大雨,道路不通,估计已经超过了到达渔阳的期限。超过了期限,按法律规定应当斩首。陈胜、吴广利用天下的百姓的愁苦怨恨,就杀掉了押送的将尉,召集手下号令他们说:"你们这些人都错过期限应当斩首;即使不被斩首,戍守边疆死亡的本来就有十分之六七。况且壮士不死则已,要死就要图谋出大名!王侯将相难道天生就是贵种吗!"众人都听从他们。于是就假称秦公子扶苏、楚国大将项燕之名,筑土为坛,订立盟约,号称"大楚"。陈胜自立为将军,吴广为都尉。进攻大泽乡,占领了它。整好队伍攻打蕲,蕲也被攻下。陈胜于是让符离人葛婴率领队伍攻打蕲以东的地方,进攻铚、酂、苦、柘、谯等地,都一一攻下。起义军在行军途中招收士兵,等到了陈,拥有六七百辆战车,一千多骑兵，几万多士卒。攻打陈，陈的县令、县尉都不在城里，只有守丞和起义军在谯门中对攻，没有取胜，守丞战死，陈胜于是入城占据了陈。

当初，大梁人张耳、陈馀互相结为生死与共的朋友。秦国灭掉魏国后，闻知二人是魏国的名士，重金悬赏拘捕他们。张耳、陈馀就改名换姓，都来到了陈，做里门的看守来养活自己。里的小吏因为过错而鞭打陈馀。陈馀想起来反抗，张耳用脚踩他，让他接受鞭打。小吏离开后，张耳才拉陈馀到桑树下，责备他说："开始我与你是怎么说的？今天受到一点点屈辱就要和一个小吏拼命吗？"陈馀为此道歉。陈胜已经进入陈，张耳、陈馀到陈胜的门上拜见。陈胜一向听说他们贤能，非常高兴。陈地的豪杰人士、里中有声望的老人请求立陈胜为楚王，陈胜拿这件事询问张耳、陈馀。张耳、陈馀回答说："秦朝做一些惨无人道的事，毁灭了别人的宗庙社稷，对百姓残酷暴虐。将军冒着九死一生举兵抗秦，是替天下人铲除祸害啊。现在刚打到陈地就称王，这是向天下人展示了您的私心。希望将军不要称王，赶快带领军队向西进攻；派人拥立六国国君的后人，自然是替您树立党羽，给秦朝增加敌人；敌人多了就会兵力分散，联合的人多了就会兵力强大。像这样的话，那么在野外没有可以交战的军队，县里没有守城的兵力，除去残暴的秦朝，占领咸阳，以此号令天下诸侯。那些已经亡国的诸侯国得到了恢复，用仁德使他们归服，像这样您的帝业就成功了。现在只在陈地称王，恐怕天下反秦义士的斗志就会松懈啊。"陈胜没有听从他们的意见，于是就自立为王，号称"张楚"。

刘邦项羽起兵

【秦纪二】 二世皇帝元年（壬辰，前209年）

刘邦，字季，为人隆准、龙颜①，左股有七十二黑子。爱人喜施，意豁如②也；常有大度，不事家人生产作业③。初为泗水亭长，单父人吕公，好相人，见季状貌，奇之，以女妻之。

既而季以亭长为县送徒骊山，徒多道亡。自度比至皆亡之，到丰西泽中亭，止饮，夜，乃解纵④所送徒曰："公等皆去，吾亦从此逝矣！"徒中壮士愿从者十余人。

刘季被酒⑤，夜径泽中，有大蛇当径，季拔剑斩蛇。有老妪哭曰："吾子，白帝子也，化为蛇，当道；今赤帝子杀之！"因忽不见。刘季亡匿于芒、砀山泽之间，数有奇怪；沛中子弟闻之，多欲附者。

及陈涉起，沛令欲以沛应之。掾、主吏萧何、曹参曰："君为秦吏，今欲背之，率沛子弟，恐不听。愿君召诸亡在外者，可得数百人，因劫众，众不敢不听。"乃令樊哙召刘季。刘季之众已数十百人矣；沛令后悔，恐其有变，乃闭城城守，欲诛萧、曹。萧、曹恐，逾城保刘季。刘季乃书帛射城上，遗沛父老，为陈利害。父老乃率子弟共杀沛令，开门迎刘季，立以为沛公。萧、曹等为收沛子弟，得三千人，以应诸侯。

项梁者，楚将项燕子也，尝杀人，与兄子籍避仇吴中。吴中贤士大夫皆出其下。籍少时学书，不成，去；学剑，又不成。项梁怒之。籍曰："书，足以记名姓而已！剑，一人敌，不足学；学万人敌！"于是项梁乃教籍兵法，籍大喜；略知其意，又不肯竟学。籍长八尺余，力能扛鼎⑥，才器过人。会稽守殷通闻陈涉起，欲发兵以应涉，使项梁及桓楚将。是时，桓楚亡在泽中。梁曰："桓楚亡，人莫知其处，独籍知之耳。"梁乃诫籍持剑居外，梁复入，与守坐，曰："请召籍，使受命召桓楚。"守曰："诺。"梁召籍入。须臾，梁眴⑦籍曰："可行矣！"于是籍遂拔剑斩守头。项梁持守头，佩其印绶。门下⑧大惊，扰乱；籍所击杀数十百人，一府中皆慴伏，莫敢起。梁乃召故所知豪吏，谕以所为起大事，遂举吴中兵，使人收下县，得精兵八千人。梁为会稽守，籍为裨将，徇⑨下县。籍是时年二十四。

[注释]

①隆准、龙颜：高鼻梁、眉骨突起如龙额。隆准，高鼻子；龙颜，容貌像龙，"龙颜"后来成了皇帝的代称。②豁如：开朗、阔大的样子。③生产作业：指农业生产。④解纵：释放。⑤被酒：指喝醉酒。⑥力能扛鼎：形容力气大。扛，读 gāng，抗，用双手举起；鼎，三足两耳的青铜器。⑦眴：读 shùn，以目示意，使眼色。⑧门下：门庭之下。⑨徇：攻占，占领。

[译文]

刘邦，字季，有高高的鼻梁、龙的容貌，左大腿长着七十二颗黑痣。对人友爱，喜欢施舍，心胸豁达；平常具有远大的志向，不愿从事平民的农业生产。起初，刘邦任泗水亭长，单父县人吕公，喜好给人相面，观察刘邦的相貌，很惊奇，把女儿嫁给了他。

不久，刘邦以亭长身份替县里押送服劳役的民众到骊山，民众多在途中逃跑。刘邦估计等到了骊山时民众都将逃尽，走到丰乡西的泽中亭时，停下来饮酒，晚上释放了所押送的民众，说："你们都逃走吧，我也从此逃命去了！"民众中愿意跟随他的壮士有十几个人。

刘邦喝醉了酒，走夜路进入丰泽中，有一条大蛇挡住去路，刘邦拔剑斩大蛇。有一老妇哭着说："我的儿子是白帝的儿子啊，变作蛇，挡在路上；现在被赤帝的儿子杀了！"说完忽然不见了。刘邦逃亡后隐藏在芒、砀的山泽间，这里于是常常出现怪异现象；沛地的年轻人听说这件事后，大多想去归附。

等到陈胜起兵，沛县县令打算以沛县响应，县令的属官主吏萧何、狱掾曹参说："您是秦朝官员，现在准备背叛它，率领沛县的年轻人，恐怕他们不听您的。希望您召唤那些逃亡在外的人，可召集几百人，利用他们胁迫民众，民众不敢不听。"县令于是命令樊哙召唤刘邦，刘邦的队伍已经有百十来人了。县令后悔，担心刘邦将发动变乱，就下令关闭城门进行防守，并打算诛杀萧何、曹参。萧、曹二人惶恐之中翻越城墙归附刘邦。刘邦于是在绢帛上写信并用箭射进城内，送给沛县有声望的老人，为他们陈说利害关系。那些老人就率领年轻人一起杀掉了沛县令，打开城门迎接刘邦，拥立他为"沛公"。萧何、曹参等人为刘邦收拢沛县年轻人，得到了三千人，以响应诸侯。

项梁是楚国大将军项燕之子，曾经杀人，与他兄长之子项羽躲避仇家逃到吴中。吴中有才能的士人的本事都比不上项梁。项羽年轻时学习写字，学不成就离开了；学习剑法，又没有学成。项梁恼怒他。项羽说："学习写字，记住名姓罢了！学习剑法，只能抵挡一人，不值得去学；要学那抵抗万人的本事！"因此项梁就教项羽兵法，项羽很高兴；略知兵法大意后，又不肯学到底。项羽身长八尺多，力气大得能举起大鼎，才能、器度超过了常人。会稽郡郡守殷通听到陈胜起兵，准备起兵以响应陈胜，让项梁和桓楚统领军队。这时，桓楚正逃命山泽。项梁说："桓楚逃亡，没有人知道他在什么地方，只有项羽知道他的行踪。"项梁就告诫项羽持剑等候在外面，项梁再次进去与郡守对坐相谈，项梁说："请召见项羽，让他受命去召回桓楚。"殷通说："好。"项梁召唤项羽入内。不一会儿，项梁向项羽使了个眼色说："可以动手了！"因此，项羽就拔剑砍下了殷通的头。项梁拿着郡守的头，持有郡守的官印。郡守门庭之下的侍从护卫们见状非常惊慌、混乱；被项羽所击杀的有百十来人，郡府中的人都恐惧得趴在地上，没有敢起身的。项梁于是召集以前熟识的有势力的豪强官吏，告诉他们起事反秦的道理，于是发动吴中兵起事，派人收拢所属县的兵力，选得精兵八千人。项梁做会稽郡郡守，以项羽为副将，占据了所属各县。项羽此时年仅二十四岁。

郦生智激沛公

【秦纪三】二世皇帝三年（甲午，前207年）

昌邑未下，沛公引兵西过高阳。高阳人郦食其，家贫落魄①，为里监门。沛公麾下骑士适②食其里中人，食其见，谓曰："诸侯将过高阳者数十人，吾问其将皆握龁③，好苛礼，自用，不能听大度之言。吾闻沛公慢而易④人，多大略，此真吾所愿从游，莫为我先⑤。若见沛公，谓曰：'臣里中有郦生，年六十余，长八尺，人皆谓之狂生。生自谓"我非狂生"。'"骑士曰："沛公不好儒，诸客冠儒冠来者，沛公辄解其冠，溲溺其中，与人言，常大骂，未可以儒生说也。"郦生曰："第⑥言之。"骑士从容言，如郦生所诫者。

沛公至高阳传舍⑦，使人召郦生。郦生至，入谒。沛公方倨床⑧，使两女子洗足而见郦生。郦生入，则长揖⑨不拜，曰："足下欲助秦攻诸侯乎，且欲率诸侯破秦也？"沛公骂曰："竖儒⑩！天下同共苦秦久矣，故诸侯相率而攻秦，何谓助秦攻诸侯乎！"郦生曰："必聚徒、合义兵诛无道秦，不宜倨见长者！"于是沛公辍洗，起，摄衣，延郦生上坐，谢之。郦生因言六国从横时。沛公喜，赐郦生食，问曰："计将安出？"郦生曰："足下起纠合之众，收散乱之兵，不满万人；欲以径入强秦，此所谓探虎口者也。夫陈留，天下之冲，四通五达之郊也；今其城中又多积粟。臣善其令，请得使之令下足下；即不听，足下引兵攻之，臣为内应。"于是遣郦生行，沛公引兵随之，遂下陈留；号郦食其为广野君。郦生言其弟商。时商聚少年得四千人，来属沛公，沛公以为将，将陈留兵以从。郦生常为说客，使诸侯。

[注释]

①落魄：穷困失意。②适：正好，恰好。③握龊：通"龌龊"，气量狭窄，拘于小节。④易：轻视，看不起。⑤先：先导。⑥第：副词，只是，只管。⑦传舍：古时供来往行人居住的旅舍，客舍。传，读 zhuàn。⑧倨床：伸开双腿，坐在床上，形容态度傲慢。⑨长揖：古时不分尊卑的相见礼，拱手高举，自上而下。⑩竖儒：骂人的话，指无识见的儒生。

[译文]

昌邑城没有攻下，沛公刘邦率领军队向西过了高阳。高阳人郦食其，家境贫寒，穷困失意，是里门的看门人。沛公部下一骑兵恰好是郦食其同里的人，郦食其见到他，说："诸侯的将领路过高阳的有几十人，我考察这些将领都器量狭小，喜好繁文缛礼，刚愎自用，听不进宏大抱负的言论。我听说沛公为人虽然傲慢、轻视人，但多宏图大略，这实在是我愿意结交的人，但没有人为我作前驱引荐。如果见到沛公，对他说：'我的里中有个郦食其，六十多岁了，高八尺，人们都称他是狂生。他自己说："我不是狂生。"'"骑兵说："沛公不喜欢儒生，宾客中戴着儒生帽子来的人，沛公就摘掉他的帽子，在里面撒尿。与人谈话，常常破口大骂。不可用儒生的身份游说他。"郦食其说："只管告诉他吧。"骑兵如同郦食其所告诫的那样，镇定地转达给了沛公。

沛公到了高阳的客舍，派人召见郦食其。郦食其到后，前去拜谒。沛公正傲慢地坐在坐床上，让两个女子给他洗脚，就这样接见郦食其。郦食其进来，仅行揖礼而不跪拜，说："您是打算帮助秦朝攻打诸侯呢，还是打算率领诸侯破灭秦朝呢？"沛公骂道："没见识的儒生！天下的人同受秦朝的苦已经很久了，所以诸侯们才陆续起兵进攻秦朝，怎么说帮助秦朝攻打诸侯呢！"郦食其说："如果是聚集民众、会合义军讨伐暴虐无道的秦朝，不应当傲慢无礼地接见长者！"于是沛公停止洗脚，起身穿好衣服，邀请郦食其坐上座，向他道歉。郦食其趁势谈起了六国合纵连横时的往事。沛公很高兴，赏赐给郦食其饭吃，并问道："计策将怎么制定呢？"郦食其说："您起事时，纠集一群乌合之众，收拢了散兵游勇，不足一万人；就想凭借这些人径直进攻强秦，这就是所说的用手掏虎口啊！陈留是天下的要冲，四通八达的交通要冲，现在城中又贮存有大量的粮食。我与陈留县令很友善，能够让他向您来投降；他如不听从，您就领兵攻城，我做内应。"于是就派郦食其出发，沛公率军跟随，于是占领了陈留；封郦食其为广野君。郦食其向沛公谈到他的弟弟郦商。当时郦商聚集年轻人，得到四千人，来归附沛公，沛公任命郦商为将军，率领陈留的军队相随。郦食其则常常作为说客，出使各诸侯。

赵高专权惹祸及身

【秦纪三】二世皇帝三年（甲午，前207年）

初，中丞相赵高欲专秦权，恐群臣不听，乃先设验，持鹿献于二世曰："马也。"二世笑曰："丞相误邪，谓鹿为马！"问左右，左右或默，或言马以阿顺赵高，或言鹿者。高因阴中诸言鹿者以法。后群臣皆畏高，莫敢言其过。

高前数言"关东盗无能为也"；及项羽虏王离等，而章邯等军数败，上书请益助。自关以东，大抵尽畔秦吏，应诸侯；诸侯咸率其众西乡。八月，沛公将数万人攻武关，屠之。高恐二世怒，诛及其身，乃谢病，不朝见。

二世梦白虎啮其左骖马，杀之，心不乐，怪问占梦。卜曰："泾水为祟。"二世乃斋于望夷宫，欲祠泾水，沈①四白马。使使责让高以盗贼事。高惧，乃阴与其婿咸阳令阎乐及弟赵成谋曰："上不听谏；今事急，欲归祸于吾。欲易置上，更立子婴。子婴仁俭，百姓皆载②其言。"乃使郎中令为内应，诈为有大贼，令乐召吏发卒追，劫乐母置高舍。遣乐将吏卒千余人至望夷宫殿门，缚卫令仆射，曰："贼入此，何不止？"卫令曰："周庐设卒甚谨，安得贼，敢入宫！"乐遂斩卫令，直将吏入，行射郎、宦者。郎、宦者大惊，或走，或格③；格者辄死，死者数十人。郎中令与乐俱入，射上幄坐帏。二世怒，召左右；左右皆惶扰不斗。旁有宦者一人侍，不敢去。二世入内，谓曰："公何不早告我，乃至于此！"宦者曰："臣不敢言，故得全；使臣早言，皆已诛，安得至今！"阎乐前即二世，数曰："足下骄恣，诛杀无道，天下共畔足下；足下其自为计！"二世曰："丞相可得见否？"乐曰："不可！"二世曰："吾愿得一郡为王。"弗许。又曰："愿为万户侯。"弗许。曰："愿与妻子为黔首④，比诸公子。"阎乐曰："臣受命于丞相，为天下诛足下；足下虽多言，臣不敢报！"麾其兵进。二世自杀。阎乐归报赵高。赵高乃悉召诸大臣、公子，告以诛二世之状，曰："秦故王国；始皇君天下，故称帝。今六国复自立，秦地益小，乃以空名为帝，不可；宜如故，便。"乃立子婴为秦王。以黔首葬二世杜南宜春苑中。

九月，赵高令子婴斋戒，当庙见⑤，受玉玺；斋五日。子婴与其子二人谋曰："丞相高杀二世望夷宫，恐群臣诛之，乃诈以义立我。我闻赵高乃与楚约，灭秦宗室而分王关中。今使我斋、见庙，此欲因庙中杀我。我称病不行，丞相必自来；来则杀之。"高使人请子婴数辈⑥，子婴不行。高果自往，曰："宗庙重事，王奈何不行?"子婴遂刺杀高于斋宫,三族高家以徇⑦。

[注释]

①沈:通"沉"。②载:记,记载。③格:抗拒,抵御。④黔首:战国及秦朝时对平民的称呼。⑤庙见:庙中参拜祖先。下文中的"见庙"同此义。⑥数辈:好几批人。数,读shuò,屡次,多次。⑦徇:示众。

[译文]

当初,中丞相赵高想独揽秦朝大权,担心群臣不听命,就预先安排试验,捉住一只鹿献给秦二世说:"这是马啊。"秦二世笑着说:"丞相弄错了,说鹿是马呢!"询问左右的大臣,群臣有的沉默,有的说是马以顺从赵高,有的说是鹿。赵高趁机暗中陷害那些说是鹿的人,用法律惩治。后来群臣都畏惧赵高,没有人敢说他的过错。

赵高以前曾多次说"函谷关以东的盗贼无所作为";等到项羽俘虏王离等人,而章邯等人的军队多次失败,上书请求援助。自函谷关以东,大都背叛了秦朝官吏,响应诸侯;诸侯都率领其部众向西进攻。八月,刘邦率数万人攻打武关,并进行屠城。赵高害怕秦二世发怒,惩罚及于自身,就托病不出,不朝见。

秦二世梦见白虎咬他的左骖马,将马咬死,心中不高兴,感到奇怪就问占梦的人。卜人说:"是泾水神在作祟。"秦二世于是在望夷宫斋戒,想祭祀泾水神,将四匹白马沉入泾水中。派遣使者用盗贼的事情责备赵高。赵高害怕,就暗中与他的女婿咸阳令阎乐和他的弟弟赵成商议说:"皇上不听劝谏;现在情势危急,想嫁祸于我。我打算更立皇上,改立子婴。子婴是个仁爱俭朴的人,百姓们都记着他说的话。"就派遣郎中令作为内应,谎称有强盗,让阎乐召集官吏、征发士兵追捕,劫持阎乐的母亲安置到赵高居室。派遣阎乐率领小吏和士兵一千余人到望夷宫殿门前,捆绑卫令仆射,说:"盗贼进里面去了,为什么不阻止呢?"卫令仆射说:"周围房舍布置士兵非常严密,怎么能有盗贼闯入宫中呢!"阎乐就斩杀了卫令,径直率领小吏闯进宫,边走边射杀郎官和宦官。郎官、宦官非常惊慌,有的逃跑,有的抵抗;抵抗者立即被杀死,死的人有几十个。郎中令和阎乐一起闯入,用箭射向秦二世的篷帐、帷帐。秦二世大怒,召唤左右的卫士,卫士都恐惧、慌乱,不敢格斗。秦二世身旁有宦官一人服侍着,不敢离开。秦二世进入内室对宦官说:"你为什么不早告诉我呀,竟然到了这个地步!"宦官说:"我不敢说,所以能够保全性命;假使我早说了,都被杀掉了,哪里能活到今日!"阎乐上前接近秦二世,指责说:"您骄横放纵,滥杀不近情理,天下人都背叛了您,您还是为自己打算吧!"秦二世说:"可以见到丞相吗?"阎乐说:"不行!"秦二世说:"我希望得到一个郡称王。"阎乐没有应允。秦二世又说:"希望做万户侯。"阎乐又不应允。秦二世说:"希望与妻子儿女做平民百姓,像各位公子那样。"阎乐说:"我接受丞相的命令,为天下百姓诛杀您,您即便说得再多,我也不敢禀告!"指挥他的兵士上前。秦二世自杀。阎乐返回报告赵高,赵高就全部召集诸位大臣、公子,将诛杀二世的情状告诉他们,并说:"秦本是个王国,始皇帝统一天下,因此称帝。现在六国又各自独立,秦的国土更加小,仍用空名称帝,不可以。应像过去那样称王才合适。"于是立子婴为秦王,用平民的身份埋葬秦二世在杜县南的宜春苑中。

九月,赵高让子婴斋戒,到宗庙参拜祖先,接受皇帝的玉玺;斋戒五天。子婴与他的两个儿子商量说:"丞相赵高在望夷宫杀了二世皇帝,害怕群臣杀他,就假装用礼义拥立我。我听说赵高曾经与楚约定,除尽秦的宗室之后,在关中分别称王。现在让我斋戒,宗庙参拜,这是打算趁朝见宗庙之机杀了我。我称病不去,丞相一定亲自来,来了就杀掉他。"赵高派了几批人请子婴,子婴不去。赵高果然亲自前往,说:"参拜宗庙是大事,大王为什么不去啊?"子婴就在斋宫刺杀了赵高,并杀赵高家三族以示众。

秦纪

汉 纪

刘邦约法三章

【汉纪一】 高帝元年（乙未，前206年）

沛公西入咸阳，诸将皆争走金帛财物之府分之；萧何独先入秦丞相府图籍藏之，以此沛公得具知天下厄塞、户口多少、强弱之处。沛公见秦宫室、帷帐、狗马、重宝、妇女以千数，意欲留居之。樊哙谏曰："沛公欲有天下耶，将为富家翁耶？凡此奢丽之物，皆秦所以亡也，沛公何用焉！愿急还霸上，无留宫中！"沛公不听。张良曰："秦为无道，故沛公得至此。夫为天下除残贼，宜缟素为资①。今始入秦，即安其乐，此所谓'助桀为虐'。且忠言逆耳利于行，毒药苦口利于病，愿沛公听樊哙言！"沛公乃还军霸上。

十一月，沛公悉召诸县父老、豪桀②，谓曰："父老苦秦苛法久矣！吾与诸侯约，先入关者王之；吾当王关中。与父老约，法三章耳：杀人者死，伤人及盗抵罪。馀悉除去秦法，诸吏民皆案堵③如故。凡吾所以来，为父老除害，非有所侵暴，无恐！且吾所以还军霸上，待诸侯至而定约束④耳。"乃使人与秦吏行县、乡、邑，告谕之。秦民大喜。争持牛、羊、酒食献飨军士。沛公又让⑤不受,曰:"仓粟多,非乏,不欲费民。"民又益喜,唯恐沛公不为秦王。

[注释]

①宜缟素为资:应该以朴素为本。缟素,素色的衣服。②豪桀:即豪杰。③案堵:通"安堵",定居,安定。④约束:规定,规章。⑤让:辞让。

[译文]

沛公向西进入咸阳城,诸位将领都争相奔向藏有金帛财宝的府库分财物;萧何独自先进入秦丞相府收拢秦朝的地图、户籍并藏起来,凭借这些图书典籍,沛公详细了解了天下重要的关口、人口的多少、财力强弱的分布。沛公看到秦朝的官室、帷帐、猎狗奔马、贵重的宝物和数以千计的嫔妃美女,心里想留下来居住在内。樊哙劝谏说:"沛公想占有天下呢,还是想成为富翁呢?所有这些奢侈豪华的物品,都是秦朝灭亡的原因啊,沛公怎能用呢!希望赶快返回霸上,不要留在官中!"刘邦不听。张良说:"秦朝施政无道,所以沛公能够到这里。况且替天下人铲除残害百姓的奸贼,应该以朴素为本。现在刚刚进入秦地,就安逸享乐,这就是所说的'助桀为虐'啊。况且忠言逆耳利于行,毒药苦口利于病,希望沛公听樊哙的话!"沛公于是率军返回霸上。

十一月,刘邦把各县的有声望的老人、豪杰都召集起来,对他们说:"父老苦于秦朝的严酷刑法已经很久了!我与诸侯约定,先攻入函谷关的人称王;我应当称王关中了。我和大家约法三章:杀人的人要处死,伤人的人和偷盗的人要依法治罪。其他秦朝的法律一律废黜,各个官员和百姓都像过去一样安定不动。我来到这里的原因,是替你们除残去害的,不是来侵扰欺侮你们的,不要害怕!况且我率领部队还军霸上,是等待诸侯的到来,签订一个共同遵守的规章罢了。"于是派人和秦朝的官员一起到各县各乡各镇去巡行,告诉他们。秦地的民众都很高兴。争着拿牛、羊、酒食来慰问犒劳刘邦的军队。沛公一再推让，不肯接受，说："仓库中的粮食多得很，不缺粮，不想烦劳民众。"民众又更加高兴，唯恐沛公不做秦王。

鸿门之宴

【汉纪一】高帝元年（乙未，前206年）

或说沛公曰："秦富十倍天下，地形强。闻项羽号章邯为雍王，王关中，今则①来，沛公恐不得有此。可急使兵守函谷关，无内②诸侯军；稍征关中兵以自益，距③之。"沛公然其计，从之。

已而项羽至关，关门闭；闻沛公已定关中，大怒，使黥布等攻破函谷关。十二月，项羽进至戏。沛公左司马曹无伤使人言项羽曰："沛公欲王关中，令子婴为相，珍宝尽有之。"欲以求封。项羽大怒，飨士卒，期旦日击沛公军。当是时，项羽兵四十万，号百万，在新丰鸿门；沛公兵十万，号二十万，在霸上。

范增说项羽曰："沛公居山东时，贪财，好色；今入关，财物无所取，妇女无所幸，此其志不在小。吾令人望其气，皆为龙虎，成五采，此天子气也。急击勿失！"

楚左尹项伯者，项羽季父也，素善张良，乃夜驰之沛公军，私见张良，具告以事，欲呼与俱去，曰："毋俱死也！"张良曰："臣为韩王送沛公；沛公今有急，亡去，不义，不可不语。"良乃入，具告沛公。沛公大惊。良曰："料④公士卒足以当项羽乎？"沛公默然曰："固不如也。且为之奈何？"张良曰："请往谓项伯，言沛公之不敢叛也。"沛公曰："君安与项伯有故？"张良曰："秦时与臣游，尝杀人，臣活之。今事有急，故幸来告良。"沛公曰："孰与⑤君少长？"良曰："长于臣。"沛公曰："君为我呼入，吾得兄事之。"张良出,固要⑥项伯;项伯即入见沛公。沛公奉卮酒为寿,约为婚姻⑦,曰:"吾入关,秋毫不敢有所近,籍吏民,封府库而待将军。所以遣将守关者,备他盗之出入与非常也。日夜望将军至,岂敢反乎!愿伯具言臣之不敢倍德⑧也。"项伯许诺,谓沛公曰:"旦日不可不蚤⑨自来谢。"沛公曰:"诺。"于是项伯复夜去,至军中,具以沛公言报项羽;因言曰:"沛公不先破关中,公岂敢入乎!今人有大功而击之,不义也;不如因善遇之。"项羽许诺。

沛公旦日从百余骑来见项羽鸿门,谢曰:"臣与将军戮力而攻秦,将军战河北,臣战河南;不自意能先入关破秦,得复见将军于此。今者有小人之言,令将军与臣有隙。"项羽曰:"此沛公左司马曹无伤言之;不然,籍何以至此!"项羽因留沛公与饮。范增数目项羽,举所佩玉玦以示之者三;项羽默然不应。范增起,出,召项庄,谓曰:"君王为人不忍。若入前为寿,寿毕,以剑舞,因击沛公于坐,杀之。不者,若属⑩皆且为所虏!"庄则入为寿,寿毕,曰:"军中无以为乐,请以剑舞。"项羽曰:"诺。"项庄拔剑起舞。项伯亦拔剑起舞,常以身翼蔽沛公,庄不得击。

于是张良至军门见樊哙。哙曰:"今日之事何如?"良曰:"今项庄拔剑舞,其意常在沛公也。"哙曰:"此迫⑪矣,臣请入,与之同命!"哙即带剑拥盾入。军门卫士欲止不内,樊哙侧其盾以撞,卫士仆地。遂入,披帷立,瞋目视项羽,头发上指,目眦尽裂。项羽按剑而跽⑫曰:"客何为者?"张良曰:"沛公之参乘樊哙也。"项羽曰:"壮士!赐之卮酒!"则与斗卮酒。哙拜谢,起,立而饮之。项羽曰:"赐之彘肩!"则与一生彘肩。樊哙覆其盾于地,加彘肩其上,拔剑切而啖之。项羽曰:"壮士能复饮乎?"樊哙曰:"臣死且不避,卮酒安足辞!夫秦有虎狼之心,杀人如不能举,刑人如恐不胜;天下皆叛之。怀王与诸将约曰:'先破秦入咸阳者,王之。'今沛公先破秦入咸阳,豪毛不敢有所近,还军霸上以待将军。劳苦而功高如此，未有封爵之赏，而听细人之说，欲诛有功之人，此亡秦之续耳，窃为将军不取也！"项羽未有以应，曰："坐！"樊哙从良坐。

坐须臾，沛公起如厕，因招樊哙出。沛公曰："今者出，未辞也，为之奈何？"樊哙曰："如今人方为刀俎，我方为鱼肉，何辞为！"于是遂去。鸿门去霸上四十里，沛公则置车骑，脱身独骑；樊哙、夏侯婴、靳强、纪信等四人持剑、盾步走，从骊山下道⑬芷阳，间行趣霸上。留张良使谢项羽，以白璧献羽，玉斗与亚父。沛公谓良曰："从此道至吾军，不过二十里耳。度⑭我至军中，公乃入。"沛公已去，间至军中，张良入谢曰："沛公不胜杯杓，不能辞，谨使臣良奉白璧一双，再拜献将军足下；玉斗一双，再拜奉亚父足下。"项羽曰："沛公安在？"良曰："闻将军有意督过之，脱身独去，已至军矣。"项羽则受璧，置之坐上。亚父受玉斗，置之地，拔剑撞而破之，曰："唉，竖子⑮不足与谋！夺将军天下者，必沛公也。吾属今为之虏矣！"沛公至军，立诛杀曹无伤。

[注释]

①则：表假设，相当于"假如"。②内：通"纳"，后文"军门卫士欲止不内"中"内"同。③距：通"拒"。④料：料想，估计。⑤孰与：与……比谁更怎么样。⑥固要：坚持邀请。要，通"邀"。⑦婚姻：儿女亲家。⑧倍德：背信弃义。倍，通"背"，背弃。⑨蚤：通"早"。⑩若属：你们这些人。⑪迫：危急。⑫跽：长跪，挺直上身两膝着地。⑬道：取道。⑭度：读 duó，估计，揣测。⑮竖子：小子，对人的蔑称。

[译文]

有人劝沛公说："秦地富裕十倍于天下其他诸侯，地理形势优越。听说项羽给章邯以雍王的封号，自己称王关中，现在如果项羽入关，沛公恐怕不能拥有关中了。应该赶快派兵把守函谷关，不要接纳各诸侯的军队；逐步征用关中兵以壮大自己的力量，抗拒各诸侯的大军。"沛公认为这个计策是正确的,听从了劝说。

不久,项羽率军到了函谷关,关门紧闭。听说沛公已经平定了关中,项羽很生气,派遣黥布等人率军攻破函谷关。十二月,项羽率军到了戏。刘邦的左司马曹无伤派人对项羽说:"沛公想称王关中,使子婴为丞相,珍玩珠宝全都占有了。"想借此求得封赏。项羽非常恼怒,便犒赏军队,约定第二天去攻打沛公的军队。正当这时,项羽有军队四十万,号称一百万,在新丰鸿门驻扎;沛公有军队十万,号称二十万,在霸上驻守。

范增劝说项羽:"沛公驻扎在崤山以东时,贪财好色;现在入了函谷关,财物没有掠取,美女也不宠幸了,这说明他的志向不在小事上。我派人看过他的云气,都是龙虎的形状,呈现五种色彩,这是天子的气象啊,赶快进攻不要失掉机会!"

楚国的左尹项伯是项羽的叔父,一向与张良交好,于是连夜骑马奔驰到沛公的军营,私下里见到张良,把这些事详细地告诉他,想叫张良与他一起离开。说:"不要和沛公一起送死啊!"张良说:"我替韩王护送沛公;沛公现在有了危急,逃跑离开是不道义的,不能不告诉他。"张良于是进入营帐内,把所有的情况都告诉给了刘邦。刘邦大惊失色。张良说:"估计您的兵力完全可以抵挡项羽吗?"沛公沉默不语,说:"本来就比不上啊。可该怎么办呢?"张良说:"请允许我前去告诉项伯,说沛公不敢背叛项羽。"沛公说:"你怎么和项伯有交情?"张良说:"秦朝时,项伯和我结交,他曾经杀了人,我使他活下来。现在情况紧急,所以特意来告诉我。"沛公说:"项伯与你谁年龄大?"张良说:"项伯比我大。"沛公说:"你替我把项伯招呼进来,我要以兄长侍奉他。"张良出去,坚持邀请项伯,项伯就进到营帐内见了沛公。沛公捧着酒杯为项伯祝寿,又结成了儿女亲家。沛公说:"我进入函谷关,连秋毫那样细小的东西都没敢动,登记好了官民的户籍,查封了各类府库,而等待将军的到来。我派遣将领把守函谷关的原因,是为了防备其他盗贼的窜入和意外的变故发生。我们日夜盼望着项将军的到来,哪里敢谋反哪!希望项伯详细地告诉项将军,说我决不会背信弃义的。"项伯答应了,对沛公说:"明天不可不早些亲自来道歉。"刘邦说:"好。"于是项伯又连夜离开,回到了军营中,把沛公的话全都向项羽汇报了,趁机说:"沛公不先攻破关中,大王怎么敢入关呢?现在人家有大功反而要攻打他,不道义啊,不如趁势好好对待他。"项羽答应了。

  沛公第二天带领百余名骑兵来到鸿门拜见项羽,道歉说:"我与将军齐心协力攻打秦军,将军转战黄河北,我征战黄河南;但我没有想到能先入关攻破秦朝,能够在这里又见到您。如今有小人说了坏话,使得将军与我之间产生了误会。"项羽说:"这是沛公的左司马曹无伤说的,不这样的话,我怎么会这样!"项羽于是留下沛公喝酒。范增多次使眼色暗示项羽,再三举起自己所佩戴的玉玦向项羽示意,项羽沉默不应。范增站起身,出去召来项庄,对他说:"君王为人心肠太软,你进去上前敬酒祝寿,敬完酒,请求舞剑助兴,趁机刺向沛公于座位上,杀死他。不这样的话,你们这些人都将被他俘虏!"项庄就进入营帐敬酒祝寿。敬酒祝寿完毕,说:"军营中没有什么可以娱乐的,请允许我来舞剑吧。"项羽说:"好。"项庄就拔出剑舞动起来。项伯也拔剑起舞,常常用身体掩护沛公,项庄不能袭击沛公。

  在这个时候,张良来到军门,见到樊哙。樊哙问道:"今天的事情怎么样了?"张良说:"现在项庄拔剑起舞,他的意图常常是指向沛公的。"樊哙说:"这情况太紧急了,我请求进去,和沛公生死与共!"樊哙立刻带着剑拿着盾去闯军门。军门的卫士想阻止他,不让他进去,樊哙用盾牌侧身一撞,卫士跌倒在地。樊哙就冲进营帐内,揭开帷幕在一旁站立,睁圆眼睛怒视项羽,头发都竖起来,眼眶快要开裂了。项羽用手握住宝剑，直起身子说："客人是干什么的？"张良说："这是沛公的骖乘樊哙。"项羽说："壮士啊！赏他一杯酒！"就给他一大杯酒。樊哙跪地拜谢，站起身，一饮而尽。项羽说："赏他一条猪腿！"就给他一条生猪腿。樊哙把盾牌扣在地上，把猪腿放在盾牌上，拔出剑切割猪腿上的肉吃。项羽说："壮士还能饮酒吗？"樊哙说："我死都不躲避，一杯酒还用推辞吗！那秦王有虎狼一样凶狠的心，杀人好像唯恐杀不完，加刑于人好像唯恐用不尽；天下的人都背叛了他。怀王与各位将军约定说：'先攻破秦地进入咸阳的，让他在关中为王。'现在沛公先攻破秦地，进入咸阳，连毫毛那么细小的东西都不敢靠近，把军队撤到霸上驻扎，等待将军您的到来。如此劳苦功高，没有得到封爵的奖赏，您却听取小人的谗言，要杀害有功的人，这是已经灭亡了的秦朝的继续罢了，我私下里认为将军不应该采取这种做法！"项羽没有话回应，说："坐下！"樊哙挨着张良坐下。

坐了一会儿，沛公起身上厕所，趁机招呼樊哙出去。沛公说："现在出来就走，没有告辞，怎么办？"樊哙说："现在人家好比是菜刀和砧板，我们好像是鱼和肉，还告辞什么！"于是就离开鸿门而去。鸿门距离霸上四十里，沛公就扔下车马，独自骑马脱身离去；樊哙、夏侯婴、靳强、纪信等四个人手持刀剑、盾牌跑步跟随，从骊山脚下取道芷阳，抄小路赶回霸上。留下张良让他去向项羽辞别。把白璧献给项羽，把玉斗献给亚父范增。沛公对张良说："从这条路到我们军营中，不过二十里罢了。估计我回到军营中，你就可以进去辞谢。"刘邦已经离开鸿门，抄小路回到了军营中，张良走进营帐道歉说："沛公不胜酒力，不能来辞别，谨让臣下张良奉上一双白璧恭敬地献给将军；一双玉斗，恭敬地献给亚父。"项羽说："沛公在哪里？"张良说："听说将军有意责怪他，脱身独自一人回去，现在已经回到军营了。"项羽就接受了白璧，把它放在座位上。亚父接过玉斗，掷在地上拔出剑来击碎了，说："唉，项羽这小子不值得与他共谋大事！夺取将军天下的人，一定是沛公啊。我们这些人现在都要被他俘虏了！"沛公回到军营中，立刻诛杀了曹无伤。

韩信为将

【汉纪一】高帝元年（乙未，前206年）

初，淮阴人韩信，家贫，无行①，不得推择为吏，又不能治生商贾②，常从人寄食饮，人多厌之。信钓于城下，有漂母见信饥，饭信③。信喜，谓漂母曰："吾必有以重报母。"母怒曰："大丈夫不能自食；吾哀王孙④而进食，岂望报乎！"淮阴屠中少年有侮信者曰："若虽长大，好带刀剑，中情怯耳。"因众辱之曰："信能死，刺我⑤；不能死，出我袴下！"于是信孰视之，俛⑥出袴下，蒲伏⑦。一市人皆笑信，以为怯。

及项梁渡淮，信杖剑从之；居麾下，无所知名。项梁败，又属项羽，羽以为郎中；数以策干羽⑧，羽不用。汉王之入蜀，信亡楚归汉，未知名。为连敖⑨，坐当斩；其辈十三人皆已斩，次至信，信乃仰视，适见滕公⑩，曰："上不欲就天下乎？何为斩壮士？"滕公奇其言，壮其貌，释而不斩。与语，大说之，言于王。王拜以为治粟都尉，亦未之奇也。

信数与萧何语，何奇之。汉王至南郑，诸将及士卒皆歌讴思东归，多道亡者。信度何等已数言王，王不我用，即亡去。何闻信亡，不及以闻，自追之。人有言王曰："丞相何亡。"王大怒，如失左右手。居一二日，何来谒王。王且怒且喜，骂何曰："若亡，何也？"何曰："臣不敢亡也，臣追亡者耳。"王曰："若所追者谁？"

何曰："韩信也。"王复骂曰："诸将亡者以十数，公无所追。追信，诈也！"何曰："诸将易得耳。至如信者，国士⑪无双。王必欲长王汉中，无所事信；必欲争天下，非信无可与计事者。顾王策安所决耳！"王曰："吾亦欲东耳，安能郁郁⑫久居此乎！"何曰："计必欲东，能用信，信即留；不能用信，终亡耳。"王曰："吾为公以为将。"何曰："虽为将，信不留。"王曰："以为大将。"何曰："幸甚！"于是王欲召信拜之。何曰："王素慢无礼。今拜大将，如呼小儿，此乃信所以去也。王必欲拜之，择良日，斋戒，设坛场，具礼，乃可耳。"王许之。诸将皆喜，人人各自以为得大将。至拜大将，乃韩信也，一军皆惊。

[注释]

①无行：品行不好。"行"读 xìng。②治生商贾：做买卖来维持生活。③饭信：给韩信饭吃。④王孙：古代贵族子弟的通称。⑤信能死，刺我：韩信，你不怕死就用刀剑刺死我。⑥俛：读 fǔ，俯下身子。⑦蒲伏：即"匍匐"。⑧数以策干羽：多次献计向项羽谋求功名。数，多次；干，求取。⑨连敖：战国时楚国官名，执掌民族事务，接待来访的宾客等。⑩滕公：即夏侯婴，初从刘邦为滕令，故号滕公。⑪国士：国家的奇士。⑫郁郁：忧伤，沉闷。

[译文]

当初，淮阴人韩信，家里贫穷，没有好的品行，既不能被推选为小吏，又不会做买卖来维持生活，经常跟随熟人到家里混吃闲饭，人们大多很厌恶他。一天，韩信在城下河里钓鱼，有一个漂洗衣物的妇人看到韩信忍饥挨饿，就拿饭给他吃。韩信很高兴，就对漂洗衣物的妇女说："我将来一定要重重地报答您！"妇人恼怒地说："大丈夫不能养活自己；我是可怜你这个公子才给你饭吃，难道希望你报答吗！"淮阴城里有一个年轻屠户侮辱韩信说："你虽然又高又大，喜欢带刀佩剑，实际上你内心胆小得很。"趁机当众侮辱他说:"韩信,你要不怕死就用刀剑刺死我;怕死的话,就从我裤裆下爬过去!"于是韩信就仔细地打量了那个人一番,俯下身子从那人裤裆下爬过去。满街市的人都讥笑韩信,认为他很胆怯。

等到项梁率军渡过了淮河,韩信带着刀剑跟随他;在项梁的旗帜下作战,没有什么名气。项梁失败后,他又投靠项羽,项羽任用他为郎中;韩信多次向项羽进献计策来求取功名,项羽都没有采用。汉王到蜀地时,韩信就逃离楚王归顺汉王,仍然默默无名。他担任连敖官,因犯罪应当斩首;同案犯十三个人都已经被斩首,轮到韩信,韩信于是抬头仰视,刚好看到滕公夏侯婴,韩信就说:"大王不是要谋求天下吗,他为什么要杀壮士呢?"滕公惊奇于他的话,感到他的容貌很雄壮,就释放了他不杀;和他交谈后,非常高兴,就说给汉王。汉王让他担任治粟都尉,也没有发现他有什么奇特之处。

韩信多次和萧何谈话,萧何很赏识他。汉王到达南郑时,诸位将领和士兵都唱着感伤的歌,想要东归回乡,很多人在途中逃走。韩信揣度萧何等人已经多次向汉王说过他,汉王不用自己,就逃走了。萧何听说韩信逃走,来不及让汉王知道,就亲自追赶韩信。有人对汉王说:"丞相萧何逃跑了。"汉王非常恼怒,好像失去了左右手一样。经过一两天,萧何回来拜见汉王。汉王既生气又高兴,骂萧何说:"你逃跑了,为什么呀?"萧何说:"我不敢逃走,我是追那逃走的人罢了。"汉王说:"你所追的人是谁?"萧何说:"是韩信。"汉王又骂道:"诸位将领逃走了几十个,你都不追。追韩信,骗我吧!"萧何说:"诸位将领容易得到,至于像韩信这样的人,是天下独一无二的杰出人物。大王如果希望长久称王汉中,那就不必任用韩信;如果希望夺取天下,不用韩信没有可以与您一起谋划大事的人。看大王的谋略如何决定了!"汉王说:"我也希望向东进攻,怎么能够内心苦闷地长久停留在这里呢!"萧何说:"考虑一定要向东进攻,能够重用韩信,韩信就能留下来;不能重用韩信,他最终会逃跑的。"汉王说:"我为了您任命他为将。"萧何说:"即使任命他为将,韩信不会留下来。"汉王说:"任命他为大将。"萧何说:"非常好!"于是汉王要召见韩信,拜他为大将。萧何说:"大王一向对人简慢不讲礼节,如今任命大将军就像呼喊小孩儿一样,这就是韩信要离开的原因啊。大王如果要任命他,就要选择个良辰吉日,沐浴斋戒,在广场上设个高坛,准备好拜将的礼仪,才行啊。"汉王答应了他。诸位将领都很高兴,每个人都自认为要被任命为大将。等到了任命大将的时候,被任命的却是韩信,一军将士都很吃惊。

垓下之役

【汉纪三】高帝五年(己亥,前202年)

十二月,项王至垓下,兵少,食尽,与汉战不胜,入壁①;汉军及诸侯兵围之数重。项王夜闻汉军四面皆楚歌,乃大惊曰:"汉皆已得楚乎?是何楚人之多也!"则夜起,饮帐中,悲歌慷慨,泣数行下;左右皆泣,莫能仰视。于是项王乘其骏马名骓,麾下壮士骑从者八百余人,直夜,溃围南出驰走。平明②,汉军乃觉之,令骑将灌婴以五千骑追之。项王渡淮,骑能属者才百余人。至阴陵,迷失道,问一田父③,田父绐④曰:"左。"左,乃陷大泽中,以故汉追及之。

项王乃复引兵而东,至东城,乃有二十八骑;汉骑追者数千人。项王自度不得脱,谓其骑曰:"吾起兵至今,八岁矣;身七十余战,未尝败北,遂霸有天下。然今卒困于此,此天之亡我,非战之罪也!今日固决死,愿为诸君快战,必溃围,斩将,刈⑤旗,三胜之，令诸君知天亡我，非战之罪也。"乃分其骑以为四队，四乡。汉军围之数重。项王谓其骑曰："吾为公取彼一将。"令四面骑驰下，期⑥山东为三处。于是项王大呼驰下，汉军皆披靡，遂斩汉一将。是时，郎中骑杨喜追项王，项王瞋目而叱之，喜人马俱惊，辟易⑦数里。项王与其骑会为三处，汉军不知项王所在，乃分军为三，复围之。项王乃驰，复斩汉一都尉，杀数十百人。复聚其骑，亡其两骑耳。乃谓其骑曰："何如？"骑皆伏曰："如大王言！"

于是项王欲东渡乌江，乌江亭长檥⑧船待，谓项王曰："江东虽小，地方千里，众数十万人，亦足王也。愿大王急渡！今独臣有船，汉军至，无以渡。"项王笑曰："天之亡我，我何渡为！且籍与江东子弟八千人渡江而西，今无一人还；纵江东父兄怜而王我，我何面目见之！纵彼不言，籍独不愧于心乎！"乃以所乘骓马赐亭长，令骑皆下马步行，持短兵接战。独籍所杀汉军数百人，身亦被⑨十余创。顾见汉骑司马吕马童，曰："若非吾故人乎？"马童面之，指示⑩中郎骑王翳曰："此项王也。"项王乃曰："吾闻汉购我头千金，邑万户，吾为若德⑪。"乃自刎而死。王翳取其头；馀骑相蹂践争项王，相杀者数十人；最其后，杨喜、吕马童及郎中吕胜、杨武各得其一体；五人共会其体，皆是，故分其户⑫，封五人皆为列侯。

[注释]

①壁：军营。②平明：天亮的时候，清晨。③田父：种田人。④绐：读dài，哄骗，欺骗。⑤刈：读yì，割，砍。⑥期：约定。⑦辟易：避开，退避。辟，读bì。⑧檥：通"舣"，船靠岸。⑨被：遭受。⑩指示：指给……看。⑪德：恩惠。⑫户：这里指封地。

[译文]

十二月，项王率军到了垓下，军队少了，粮食也吃完了，与汉军交战不能取胜，退回军营。汉军和其他诸侯的军队把他们包围了好几重。项王夜里听到四周的汉军将士都在唱楚地的歌谣，于是就很吃惊地说:"难道汉军已经全部占领了楚地吗?为什么楚人有这么多啊!"项王就晚上起来,在营帐里喝酒,慷慨悲歌,泪水流了一行又一行;手下的人都哭了,没人敢抬头看他。在这时候,项王骑上那匹叫骓的骏马,带领着手下骑马跟随他的壮士八百多人,趁着夜色突破重围向南奔驰。天亮后,汉军才发觉,派骑将灌婴率领五千骑兵追击项王。项王渡过淮河,骑士能跟上他的只有一百多人。到了阴陵,迷了路,就问一个农夫,农夫欺骗他说:"向左边走。"他们向左走,就陷进大沼泽里,因此汉军追上了他们。

项王于是又带领军队向东,到了东城,只剩下二十八个人;汉军骑兵追赶上来的有几千人。项王自己估计不能逃脱,对他的骑兵说:"我起兵至今有八年了;亲自打了七十多仗,未曾有过败绩,终于称霸天下。但是现在最终受困于此,这是天要亡我,不是仗打得不好的罪过啊!现在一定要决一死战,愿意为大家痛快地打一仗,一定冲破包围,斩杀敌将,砍倒他们的旗杆,取得这三个胜利,让你们明白是天要亡我,不是仗打得不好啊。"于是把剩下的骑士分成四队,面对四个方向。汉军将他们包围了好几重。项王对他的骑士说:"我给你们斩杀汉军的一个将领。"让骑士从四面奔驰而下,约定在山的东面三个地方集合。这时,项王大声喊着奔驰而下,汉军都望风披靡,于是就斩杀了汉军的一个将领。当时,汉将郎中骑杨喜追赶项王,项王瞪大眼睛大喝一声,杨喜的人马都受了惊吓,后退了好几里。项王和他的骑士在三个地方会合。汉军不知道项王在哪里,就把部队分为三路,再次包围上来。项王就纵马迎上,又斩杀了汉军一名都尉,杀死百十来人;再次集合他的骑士,只损失两个人。项王就对他的骑士说:"怎么样?"骑士们都佩服得五体投地,说:"正像大王说的那样!"

这时项王打算东渡乌江,乌江的亭长把船靠在岸边等着,对项王说:"江东虽然小,地域方圆一千里,民众几十万人,也足够称王了。希望大王赶快渡江!现在只有我有船,汉军追上来,就没法渡江了。"项王笑着说:"这是天要亡我,我还渡乌江干什么!况且当年我与江东子弟八千人渡过乌江挥师向西,现在没有一个人回来;即使江东父老怜悯我,让我做王,我有什么脸面去见他们!就是他们不说,我项羽心里难道没有愧疚吗!"于是项王把自己骑的骓马赏赐给亭长,让骑士们都下马步行,手持短兵器与汉军交战。仅项王自己杀死的汉军就有几百人,身上也有十多处受伤。项王回头看见汉军的骑司马吕马童,就说:"你不是我的老相识吗?"马童面对项王,指给中郎骑王翳说:"这就是项王啊!"项王就说:"我听说汉王用千斤金购买我的人头,还给一万户的封邑,我把这份好处给你吧。"于是自刎而死。王翳割下项王的头,其他的骑士相互践踏争抢项王的躯体,相争而被杀的有几十人;最后,杨喜、吕马童和郎中吕胜、杨武各争得一个肢体;五个人在一起把肢体拼凑起来,正好对上,因此,汉王把项王原来的领地分为五份,封这五个人为列侯。

陈平计擒韩信

【汉纪三】高帝六年(庚子,前201年)

冬,十月,人有上书告楚王信反者。帝以问诸将,皆曰:"亟①发兵,坑竖子耳②!"帝默然。又问陈平。陈平曰:"人上书言信反,信知之乎?"曰:"不知。"陈平曰:"陛下精兵孰与楚?"上曰:"不能过。"平曰:"陛下诸将,用兵有能过韩信者乎?"上曰:"莫及也。"平曰:"今兵不如楚精而将不及,举兵攻之,是趣③之战也,窃为陛下危之。"上曰:"为之奈何?"平曰:"古者天子有巡狩,会诸侯。陛下第出,伪游云梦,会诸侯于陈。陈,楚之西界；信闻天子以好出游，其势必无事而郊迎谒；谒而陛下因禽之，此特一力士之事耳。"帝以为然；乃发使告诸侯会陈："吾将南游云梦④。"上因随以行。

楚王信闻之，自疑惧，不知所为。或说信曰："斩钟离昧⑤以谒上，上必喜，无患。"信从之。十二月，上会诸侯于陈，信持昧首谒上；上令武士缚信，载后车。信曰："果若人言：'狡兔死，走狗烹；高鸟尽，良弓藏；敌国破，谋臣亡。'天下已定，我固当烹！"上曰："人告公反。"遂械系⑥信以归，因赦天下。

上还，至洛阳，赦韩信，封为淮阴侯。信知汉王畏恶其能，多称病，不朝从；居常鞅鞅⑦，羞与绛、灌⑧等列。尝过樊将军哙，哙跪拜送迎，言称臣，曰："大王乃肯临臣！"信出门，笑曰："生乃与哙等为伍！"

上尝从容与信言诸将能将兵多少。上问曰："如我能将几何？"信曰："陛下不过能将十万。"上曰："于君何如？"曰："臣多多而益善耳。"上笑曰："多多益善，何为为我禽？"信曰："陛下不能将兵而善将将，此乃信之所以为陛下禽也。且陛下，所谓'天授，非人力'也。"

[注释]

①亟：赶快。②坑竖子耳：把这小子活埋算了。③趣：读 cù，促使。④云梦：今湖北江汉平原上的古湖泊群的总称。⑤钟离昧：原为项羽帐下五大将之一，素与韩信交情不错。是时从韩信。⑥械系：用镣铐枷锁锁住。⑦鞅鞅：通"怏怏"，郁闷不乐。⑧绛、灌：指汉初名臣绛侯周勃、将军灌婴。

[译文]

冬天，到了十月，有人上书高帝告发楚王韩信谋反。高帝拿这件事询问各位将领，将军们都说："赶快发兵，把这小子活埋算了！"高帝沉默不语。又征求陈平的意见。陈平说："有人上书告发韩信谋反，韩信知道这件事吗？"高帝说："不知道。"陈平说：

"陛下的精锐部队与楚王比哪个厉害?"高帝说:"比不过。"陈平说:"陛下的各位将军,用兵打仗有超过韩信的吗?"高帝说:"没有人能比得过。"陈平说:"现在您的军事力量没有楚王精锐,将领的才能又赶不上韩信,就要发兵前去攻打他,这是促使他起兵作战呀,我私下里为陛下的安危感到担忧。"高帝说:"那该怎么办呢?"陈平说:"古代有天子巡行天下、盟会诸侯的传统。陛下只管出来视察,假装巡游云梦泽,在陈地会见诸侯。而陈地是楚地的西部边界;韩信听说天子怀着善意出游,国家必定是平安无事,便会到郊外迎接拜见陛下。拜见时陛下趁机擒获他,这只不过是一个力士办的事情罢了。"高帝认为是这样;就派出使者告知诸侯到陈地盟会,说:"我将南游云梦泽。"高帝随即出发。

楚王韩信听到这个消息后,内心感到疑虑和恐惧,不知做什么好。有人劝韩信说:"杀了钟离昧去拜见皇上,皇上一定高兴,不会有什么危险了。"韩信听从了他的建议。十二月,高帝在陈地会盟诸侯,韩信拿着钟离昧的头拜见高帝;高帝命令武士捆绑韩信,装载到副车上。韩信说:"果然像人们说的那样:'狡猾的兔子死了,出色的猎狗就被烹杀;高翔的飞禽打光了,优良的弓箭收藏起来;敌国破灭,谋臣死亡。'天下已经平定,我本来就应当被烹杀!"高帝说:"有人告发你谋反。"就用镣铐枷锁锁住韩信而归,趁势大赦天下。

高帝还朝,到了洛阳,赦免了韩信,封他为淮阴侯。韩信知道汉王嫉妒并畏惧他的才能,就多次借口有病,不参加朝见和随侍外出;居家常常郁闷不乐,羞于与绛侯周勃、将军灌婴这样的人处于同等地位。韩信曾经拜访将军樊哙。樊哙用跪拜之礼迎接,言谈自称臣,说:"大王竟肯光临臣这里!"韩信出门后,笑着说:"我这辈子居然要和樊哙等人为伍了!"

高帝曾与韩信悠闲舒缓地聊天,谈及众将领能带多少兵。高帝问:"像我这样的能率领多少兵呀?"韩信说:"陛下不过能统率十万兵。"高帝说:"对您怎么样呢?"韩信道:"我是越多越好啊。"高帝笑着说:"越多越好,为什么被我擒获呀?"韩信说:"陛下不能带兵却善于统率将领,这就是我被陛下擒获的原因了。况且陛下是人们所说的'是上天赐予的,不是人力能做到的'。"

曹参为相

【汉纪四】惠帝二年(戊申,前193年)

鄷文终侯萧何病,上亲自临视,因问曰:"君即百岁①后,谁可代君者?"对曰:"知臣莫如主。"帝曰:"曹参何如?"何顿首曰:"帝得之矣,臣死不恨②!"

秋,七月,辛未③,何薨。何置田宅,必居穷僻处,为家,不治垣屋。曰:"后世贤,师吾俭;不贤,毋为势家所夺。"

癸巳④,以曹参为相国。参闻何薨,告舍人:"趣⑤治行!吾将入相。"居无何⑥,使者果召参。始,参微时,与萧何善;及为将相,有隙;至何且死,所推贤唯参。参代何为相,举事无所变更,一遵何约束。择郡国吏木讷于文辞、重厚长者,即召除为丞相史;吏之言文刻深、欲务声名者,辄斥去之。日夜饮醇酒;卿、大夫以下吏及宾客见参不事事⑦,来者皆欲有言,参辄饮以醇酒;间欲有所言,复饮之,醉而后去,终莫得开说,以为常。见人有细过,专掩匿覆盖⑧之,府中无事。

参子窋为中大夫。帝怪相国不治事,以为:"岂少朕与?"使窋归,以其私问参。参怒,笞窋二百,曰:"趣入侍!天下事非若所当言也!"至朝时,帝让参曰:"乃者我使谏君也。"参免冠谢曰:"陛下自察圣武孰与高帝?"上曰:"朕乃安敢望先帝!"又曰:"陛下观臣能孰与萧何贤？"上曰："君似不及也。"参曰："陛下言之是也。高帝与萧何定天下，法令既明。今陛下垂拱⑨，参等守职，遵而勿失，不亦可乎！"帝曰："善！"

参为相国，出入三年，百姓歌之曰："萧何为法，较若画一⑩；曹参代之，守而勿失；载其清净，民以宁壹⑪。"

[注释]

①百岁：古人以为人生不过百岁，因以为死的讳称。②恨：遗憾。③辛未：按天干地支计时为夏历的初五日。④癸巳：按天干地支计时为夏历的二十七日。⑤趣：读cù，赶快。⑥居无何：没过多久。⑦事事：做事情，这里指处理朝政。⑧掩匿覆盖：指包庇掩饰。⑨垂拱：垂衣拱手，古代形容太平无事，可无为而治。⑩较若画一：整齐划一。⑪载其清净，民以宁壹：做事清净，百姓安心。载，乘。宁壹，安定齐一。

[译文]

酂文终侯萧何病危，惠帝亲自前去探视病情，趁机问他："您百年之后，谁可以接替您呢？"萧何回答说："了解臣下的没有谁像皇上啊。"惠帝又问："曹参怎么样？"萧何叩头说："皇上已得到合适的人选了，我死没有遗憾了。"

秋季，七月，辛未日，萧何去世。萧何购置田地、房宅，一定选择位于穷乡僻壤的，他治家不修建有围墙的房屋。他说："如果后代多才能，就学习我的俭朴；如果没有才能，不会被权势人家抢夺。"

癸巳日，朝廷任命曹参为相国。曹参一听说萧何去世，告诉门下的舍人说："快准备行装！我将要入朝做相国了。"过了不久，使者果然前来召曹参入朝。起初，曹参贫贱时，与萧何关系很好；等到各自做了将军、相国，就有了隔阂；到萧何临死时，他所推举的贤才只有曹参。曹参接替萧何做了相国，所有的事情都不做变更，全部遵照萧何制定的法令。他挑选郡、国小吏中为人质朴、不善言辞、敦厚的长者，就召来任命为丞相的属官；官员中那些言谈、行文苛求细枝末节，一味追逐名声的，立即斥退他们离开。曹参日夜饮香醇美酒。卿、大夫以下的官员及宾客见他不处理政事，来看望的人都想好言劝说，曹参总是拿美酒给他们喝；喝酒间隙中有想说话劝谏的，曹参又让他们喝，直到喝醉了离开，最终没有能够开口说话的，这样的情况已经成为常事。曹参见到别人犯有细小的过失，一味隐瞒遮盖，相国府中平安无事。

　　曹参的儿子曹窋任中大夫，惠帝向他责怪相国不理政事，认为："难道是因为我年纪轻吗？"让曹窋回家后，私下里询问曹参。曹参大怒，鞭笞曹窋二百下，呵斥道："赶快入宫侍候皇帝！国家大事不是你该说的！"到上朝时，惠帝责备曹参说："往日是我让曹窋劝谏你的。"曹参脱下帽子谢罪说："陛下自己体察一下圣明威武与高帝比怎么样？"惠帝说："我哪里敢跟先帝比拟！"曹参又问："陛下再看我与萧何比谁更有才能？"惠帝说："你好像不如他。"曹参便说："陛下说得太对了。高帝与萧何平定天下，法令已经明确。如今陛下无为而治，曹参等人谨守各自职责，遵守以前的法令而不去违反，不也可以吗！"惠帝说："好！"

　　曹参做相国，前后三年，百姓歌颂他说："萧何制定法律，整齐划一；曹参接替相位，遵守而不改变；顺应那清净无为的做法，百姓因而安宁。"

抑平诸吕

【汉纪五】高皇后七年（庚寅，前181年）

　　是时，诸吕擅权用事；朱虚侯章[①]，年二十，有气力，忿刘氏不得职。尝入侍太后燕[②]饮，太后令章为酒吏。章自请曰："臣将种也，请得以军法行酒。"太后曰:"可。"酒酣,章请为《耕田歌》;太后许之。章曰:"深耕穊③种,立苗欲疏;非其种者,锄而去之!"太后默然。顷之,诸吕有一人醉,亡酒,章追,拔剑斩之而还,报曰:"有亡酒一人,臣谨行法斩之!"太后左右皆大惊,业已许其军法,无以罪也;因罢。自是之后,诸吕惮朱虚侯,虽大臣皆依朱虚侯,刘氏为益强。

陈平患诸吕,力不能制,恐祸及己;尝燕居④深念,陆贾⑤往,直入坐;而陈丞相不见。陆生曰:"何念之深也!"陈平曰:"生揣我何念?"陆生曰:"足下极富贵,无欲矣;然有忧念,不过患诸吕、少主耳。"陈平曰:"然。为之奈何?"陆生曰:"天下安,注意相;天下危,注意将。将相和调,则士豫附;天下虽有变,权不分。为社稷计,在两军掌握耳。臣尝欲谓太尉绛侯⑥;绛侯与我戏,易⑦吾言。君何不交欢太尉,深相结!"因为陈平画⑧吕氏数事。陈平用其计,乃以五百金为绛侯寿,厚具乐饮;太尉报亦如之。两人深相结,吕氏谋益衰。陈平以奴婢百人、车马五十乘、钱五百万遗陆生为饮食费。

[注释]

①朱虚侯章:刘章,齐悼惠王刘肥之子,吕后二年封为朱虚侯。②燕:通"宴"。③穊:读jì,稠密,一般指农作物。④燕居:独居静室。燕,通"宴",安闲,安逸。⑤陆贾:原为楚人,汉初儒者、思想家。早年随汉高祖刘邦平定天下,有辩士之称,被拜为太中大夫。陆贾主要活动于汉高祖、吕后、文帝三世。⑥绛侯:指太尉绛侯周勃。⑦易:轻视。⑧因为陈平画:接着替陈平谋划。

[译文]

这时,诸吕把持朝政;朱虚侯刘章,年方二十,血气方刚,身强力壮,怨恨刘氏宗室不能担任要职。他曾经入宫侍奉太后参加酒宴,太后让刘章做监酒吏。刘章自请说:"我本是将门之后,请能够按照军法监酒。"太后说:"可以。"酒酣之时,刘章请求吟唱一首《耕田歌》;太后答应了他。刘章唱道:"深耕播种,株距要疏;不是同一个品种，挥锄铲除！"太后沉默无语。过了一会儿，诸吕中有一个人醉了，避席离开，刘章追上来，拔剑斩了此人才回来，报告说："有一个人逃酒而走，我谨使用军法处斩了他！"太后手下的人都大吃一惊，已经应允他以军法监酒，也就无法将他治罪，于是散席。从这以后，诸吕惧怕朱虚侯，即便是朝廷大臣也都要依附他，刘氏宗室的势力更加强大。

陈平担心诸吕坐大，无力控制，害怕灾祸降临殃及自己；曾经独居静室，苦思对策。陆贾来访，径直入室坐下；而陈丞相没有发现。陆贾说："思虑什么事，如此专注！"陈平说："先生猜测我思考何事？"陆贾说："您富贵达到顶点，没有欲望了；即使有忧虑，不过是担心诸吕和年幼的皇上罢了。"陈平说："是这样。此事该如何办呢？"陆贾说："天下安定，关注国相；天下危难，关注大将。将与相关系和谐、融洽，那么士人就会归附；天下即使有变故，权力不会被瓜分。为国家安全考虑，就在你和周勃二位掌握之中。我曾想对太尉绛侯周勃说明；绛侯平素与我常开玩笑，不重视我的话。您为什么不与太尉交好，建立密切的关系呢！"陆贾趁机为陈平谋划应对诸吕的几种办法。陈平采纳陆贾的计谋，就用五百斤黄金为绛侯周勃祝寿，并准备了盛大的歌舞宴会招待他；太尉周勃也以同样的礼节回报。两人互相紧密团结，吕氏篡权阴谋更加衰减。陈平用一百个奴婢、五十乘车马、五百万钱送给陆贾作为饮食费。

张骞通西域

【汉纪十一】 武帝元狩元年（己未，前122年）

初，张骞自月氏还，具为天子言西域诸国风俗："大宛在汉正西，可万里。其俗土著①，耕田；多善马，马汗血；有城郭、室屋，如中国。其东北则乌孙，东则于窴。于窴之西，则水皆西流注西海，其东，水东流注盐泽。盐泽潜行地下，其南则河源出焉。盐泽去长安可五千里。匈奴右方②居盐泽以东，至陇西长城，南接羌，鬲③汉道焉。乌孙、康居、奄蔡、大月氏，皆行国④，随畜牧，与匈奴同俗。大夏在大宛西南，与大宛同俗。臣在大夏时，见邛竹杖、蜀布，问曰：'安得此？'大夏国人曰：'吾贾人往市之身毒⑤。'身毒在大夏东南可数千里，其俗土著，与大夏同。以骞度之，大夏去汉万二千里，居汉西南；今身毒国又居大夏东南数千里，有蜀物，此其去蜀不远矣。今使大夏，从羌中，险，羌人恶之；少北，则为匈奴所得；从蜀，宜径，又无寇。"

天子既闻大宛及大夏、安息之属，皆大国，多奇物，土著，颇与中国同业，而兵弱，贵汉财物。其北有大月氏、康居之属，兵强，可以赂遗设利朝也。诚得而以义属之，则广地万里，重九译⑥，致殊俗，威德遍于四海，欣然以骞言为然。乃令骞因蜀、犍为发间使⑦王然于等四道并出，出駹，出冉，出徙，出邛、僰，指求身毒国，各行一二千里，其北方闭氐、莋，南方闭巂、昆明。昆明之属无君长，善寇盗，辄杀略汉使，终莫得通。于是汉以求身毒道，始通滇国。滇王当羌谓汉使者曰："汉孰与我大？"及夜郎侯亦然。以道不通，故各自以为一州主，不知汉广大。使者还，因盛言滇大国，足事亲附；天子注意焉，乃复事西南夷。

[注释]

①土著：世代常居一地，不迁徙。②右方：西边，即面朝南时的右方。③鬲：通"隔"，阻隔。④行国：游牧国。⑤身毒：古代的天竺国。⑥九译：旧指不同民族或外国的语言经过辗转翻译始能通晓。后亦通称殊方远国之人。⑦间使：负有见机行事使命的使者。

[译文]

当初，张骞从月氏国返回，向汉武帝详细汇报了西域各国的风俗:"大宛国在汉朝正西方,大约一万里。其习俗为定居,耕种田地;多好马,马汗像血一样;有城郭、房屋,如同中原地区。它的东北为乌孙国,东面为于阗国。于阗国的西面,河水都向西流入西海;它的东面,河水向东流入盐泽。盐泽地区河流在地下流淌,往南就是黄河的发源地。盐泽距长安约五千里。匈奴国的西界在盐泽以东,直到陇西长城,南面与羌人相接,隔断汉朝通往西域的道路。乌孙、康居、奄蔡、大月氏都是游牧国家,随牲畜逐水草而居,与匈奴风俗相同。大夏国在大宛西南方,与大宛风俗相同。我在大夏时,曾见到邛山出产的竹杖和蜀地产的布,问他们:'怎能得到这些东西?'大夏国人说:'我国商人去身毒买来的。'身毒国在大夏东南约几千里之外,习俗是定居,与大夏相同。凭我的估计,大夏距离汉朝一万二千里,处在汉朝西南方;现在身毒国又在大夏东南几千里,有蜀地的物产,这表明身毒距蜀地不太远。现在出使大夏,经由羌人区,道路险恶,羌人厌恶这件事;稍微往北走,就会被匈奴人捕获;经由蜀地,应该是直路,又没有强盗。"

汉武帝已经听到大宛以及大夏、安息之类都是大国,多产奇珍异物,定居生活,与中原地区很是相同,但军事力量薄弱,崇尚汉朝的财物;它们的北面大月氏、康居等,兵力强盛,可以用赠送财物的方法诱使他们朝贡。如果能用道义争取到他们的归附,那么,扩大中国的疆域可达万里,远方的人将通过九重翻译来朝见,不同风俗的地区将归入中国,天子的威德将遍布四海。汉武帝高兴地认为张骞的话是对的,于是命令张骞利用蜀郡、犍为派王然于等人作为使者,从四条路线一起出发,由駹、冉、徙及邛、僰去探寻身毒国,各路使者分别走出一二千里之后,北路被氐、莋阻挡,南路被阻挡在嶲、昆明。昆明一带没有君长,喜好攻击和盗窃,经常劫杀汉朝使者,始终无人能通过其地。这次汉朝使者为探寻身毒国的道路,才首次打通滇国,滇王当羌对汉朝使者说:"汉朝与我国相此,谁人呢?"等到夜郎时,也发出相同的疑问。因为道路阻塞,所以他们各自认为都是一州的王,不知道汉朝地域广阔。使者返回后,极力申说滇国是大国,值得争取它归附,引起了汉武帝的注意,于是重新经营西南少数民族地区。

苏武与李陵

【汉纪十五】昭帝始元六年(庚子,前81年)

初,苏武既徙北海上,禀食①不至,掘野鼠、去草实而食之。杖汉节②牧羊,卧起操持,节旄③尽落。武在汉,与李陵俱为侍中;陵降匈奴,不敢求武。久之,单于使陵至海上,为武置酒设乐,因谓武曰:"单于闻陵与子卿④素厚,故使来说足下,虚心欲相待,终不得归汉,空自苦;亡人之地,信义安所见乎!足下兄弟二人,前皆坐事自杀;来时,太夫人已不幸;子卿妇年少,闻已更嫁矣;独有女弟⑤二人、两女、一男,今复十余年,存亡不可知。人生如朝露,何久自苦如此!陵始降时,忽忽⑥如狂,自痛负汉,加以老母系保宫⑦。子卿不欲降,何以过陵!且陛下春秋⑧高,法令无常,大臣无罪夷灭者数十家。安危不可知,子卿尚复谁为乎!"武曰:"武父子无功德,皆为陛下所成就,位列将,爵通侯,兄弟亲近,常愿肝脑涂地。今得杀身自效,虽斧钺、汤镬,诚甘乐之!臣事君,犹子事父也;子为父死,无所恨。愿勿复再言!"陵与武饮数日,复曰:"子卿壹听陵言!"武曰:"自分已死久矣,王⑨必欲降武,请毕今日之欢,效死于前!"陵见其至诚,喟然叹曰:"嗟乎,义士!陵与卫律⑩之罪上通于天!"因泣下沾衿,与武决去。赐武牛羊数十头。

后陵复至北海上,语武以武帝崩。武南乡号哭欧⑪血,旦夕临,数月。及壶衍鞮单于立,母阏氏不正,国内乖离⑫,常恐汉兵袭之,于是卫律为单于谋,与汉和亲。汉使至,求苏武等,匈奴诡言武死。后汉使复至匈奴,常惠⑬私见汉使,教使者谓单于,言:"天子射上林中,得雁,足有系帛书,言武等在某泽中。"使者大喜,如惠语以让单于。单于视左右而惊,谢汉使曰:"武等实在。"乃归武及马宏等。马宏者,前副光禄大夫王忠使西国,为匈奴所遮⑭;忠战死,马宏生得,亦不肯降。故匈奴归此二人,欲以通善意。于是李陵置酒贺武曰:"今足下还归,扬名于匈奴,功显于汉室,虽古竹帛⑮所载,丹青所画,何以过子卿!陵虽驽怯,令汉贳⑯陵罪,全其老母,使得奋大辱之积志,庶几乎曹柯之盟⑰,此陵宿昔之所不忘也。收族⑱陵家,为世大戮,陵尚复何顾乎!已矣,令子卿知吾心耳!"陵泣下数行,因与武决。

单于召会武官属,前已降及物故,凡随武还者九人。既至京师,诏武奉一太牢⑲谒武帝园庙,拜为典属国,秩中二千石,赐钱二百万,公田二顷,宅一区。武留匈奴凡十九岁,始以强壮出,及还,须发尽白。霍光、上官桀与李陵素善,遣陵故人陇西任立政等三人俱至匈奴招之。陵曰:"归易耳,丈夫不能再辱!"遂死于匈奴。

[注释]

①禀食:即"稍食",由公家供食。禀通"廪"。②杖汉节:手持汉朝的符节。③节旄:亦作"节髦"。古代符节上所饰的旄牛尾。④子卿:苏武的字。⑤女弟:妹妹。⑥忽忽:迷惑,恍惚,失意的样子。⑦保宫:汉代少府属官。其官署有时也用为系囚之所。本名居室,武帝太初元年更名保宫。此处指牢狱。⑧春秋:指人的年岁。⑨王:指李陵。匈奴封李陵为右校王,故称之。⑩卫律:本是汉臣,后投降匈奴,被匈奴封为丁灵(匈奴族的一支)王。⑪欧:通"呕",吐。⑫乖离:背离,不一致。⑬常惠:西汉并州太原人。生卒年不详,仕于汉武帝、昭帝、宣帝三朝,外交活动家。⑭遮:阻拦。⑮竹帛:竹简和白绢。古代在竹帛上写字。也泛指书籍史册。⑯贳:读shì,赦免,

宽免。⑰曹柯之盟：齐桓公五年，齐伐鲁。鲁败，请求割让土地并缔结和约。齐桓公答应在柯（齐国境内）举行受降仪式。就在两国国君准备签约时，鲁国大臣曹沫拔出匕首，将齐桓公劫持，要求齐国退还以前侵占的鲁国土地。齐桓公只能答应齐鲁盟约。鲁国因而收回了失地。⑱收族：逮捕、拘押并族灭。⑲太牢：古代祭祀宴会时，牛、羊、豕三牲俱备为太牢。

[译文]

当初，苏武已经被匈奴放逐到北海边上，供应的粮食运不到，就挖掘野鼠，剥草籽吃。苏武手持汉朝的符节放羊，无论睡觉还是起身都握着它，节杖上的毛缨脱落殆尽。苏武在汉朝时，与李陵同为侍中；李陵投降匈奴后，不敢访求苏武。过了很长时间，单于派李陵到北海边，为苏武摆下酒席，并安排乐舞助兴。李陵趁势对苏武说："单于听说我与你平素交谊深厚，所以派我来劝你，愿意对你虔诚相待。你终究不能再回汉朝，白白地自己受苦，你的信义节操，又有谁看到呢！你的两个兄弟，先前都已因犯事自杀；我来的时候，你母亲也已不幸去世；你的夫人年轻，听说已经改嫁别人了；只剩下两个妹妹、两个女儿、一个儿子，现在又过了十几年，是死是活不得而知。人的一生就像早晨的露水，何必长久地这样糟践自己呢！我刚投降匈奴时，失意得像要发疯，痛恨自己对不起汉朝，连累老母亲被拘禁牢狱。你不愿投降匈奴，怎么会超过我！况且皇上年事已高，法令变化无常，大臣没有罪而被灭宗族的数十家。前途安危难以预料，你又为谁这样呢！"苏武说："我父子没有功劳和德行，都是陛下成全，身居将军之列，爵位达到通侯，兄弟得以亲近圣上，常希望肝脑涂地报答皇恩。如今能够杀身报效，即使是斧钺加身，汤锅烹煮，确实心甘情愿！臣侍奉君王，如同儿子侍奉父亲；儿子为父亲死，没有什么遗憾。希望不要再说了！"李陵与苏武饮酒好几天，又劝道："子卿再听我一句话！"苏武说："我甘愿必死已经很久了，你一定要我投降，请结束今日的欢宴，我死在你的面前!"李陵见苏武极忠诚,长叹道:"唉!义士!我与卫律的罪行上达于天!"就泪湿衣襟,与苏武诀别而去。送给苏武几十头牛羊。

后来李陵又到北海边,将汉武帝驾崩的消息告诉苏武。苏武对着南方号啕大哭以至吐血,每天早晚哭吊达数月。壶衍鞮单于即位后,其母阏氏品行不正,国内混乱,常常害怕汉军袭击,这时卫律为单于谋划,与汉朝和亲。汉使到匈奴,寻求苏武等人,匈奴谎称苏武已死。后来汉使又到匈奴,常惠暗中面见汉使,教使者对单于说:"汉天子在上林苑射猎,射下一只大雁,雁脚上系着帛书,说苏武等人在某湖泽之地。"使者很高兴,依照常惠的话责备单于。单于环视左右侍从而惊慌,向汉使道歉说:"苏武等人确实活着。"于是归还苏武及马宏等人。马宏是光禄大夫王忠先前出使西域各国的副使,被匈奴拦截,王忠战死,马宏被俘,也不肯投降。所以匈奴将苏武、马宏二人归还,想以此表示他们的善意。在这个时候,李陵设酒宴祝贺苏武说:"如今你返回祖国,名声传遍匈奴,功劳显扬于汉朝,即使是古代竹帛所记载、丹青所描画的人物,怎么能超过你!我虽然愚笨怯懦,假如汉朝能宽恕我的罪过,保全我的老母,使我能够忍辱负重以完成蕴藏已久的夙愿,略同于曹沫劫持齐桓公在柯邑订立盟约,这是我从前不敢忘的志向。汉朝逮捕族灭我家族,是当世最大的杀戮,我还能再顾念什么呢!算了,不过是让你知道我的心思罢了!"李陵泪流满面,便与苏武诀别。

单于召集跟随苏武的从官,除去先前已投降匈奴和去世的以外,共有九人与苏武一同返回汉朝。到达京师后,汉昭帝令苏武用太牢的仪式祭拜汉武帝陵园的宗庙,任命苏武为典属国,品秩为中二千石,赏赐苏武二百万钱、二顷公田、一所住宅。苏武被扣留匈奴共十九年,开始去的时候正当壮年,等到返回时胡须、头发全都白了。霍光、上官桀平素都和李陵关系很好,派遣李陵的旧友陇西人任立政等三人一同前往匈奴招抚李陵。李陵说:"回去容易,但大丈夫不能再次受辱!"于是就死在了匈奴。

严母教子

【汉纪十九】宣帝神爵四年(癸亥,前58年)

河南太守严延年为治阴鸷酷烈①,众人所谓当死者一朝出之,所谓当生者诡杀之,吏民莫能测其意深浅,战栗不敢犯禁。冬月,传属县囚会论府上,流血数里,河南号曰"屠伯"。延年素轻黄霸②为人,及比郡③为守,褒赏反在己前,心内不服。河南界中又有蝗虫,府丞义出行蝗,还,见延年。延年曰:"此蝗岂凤皇食邪?"义年老,颇悖④,素畏延年,恐见中伤。延年本尝与义俱为丞相史,实亲厚之,馈遗之甚厚。义愈益恐,自筮⑤,得死卦,忽忽不乐,取告⑥至长安,上书言延年罪名十事;已拜奏,因饮药自杀,以明不欺。事下御史丞按验⑦,得其语言怨望⑧、诽谤政治数事。十一月,延年坐不道⑨,弃市⑩。

初,延年母从东海来,欲从延年腊⑪;到洛阳,适见报囚⑫,母大惊,使止都亭⑬,不肯入府。延年出至都亭谒母,母闭阁不见。延年免冠顿首阁下,良久,母乃见之,因数责延年:"幸得备郡守,专治千里,不闻仁爱教化,有以全安愚民;顾⑭乘刑罚,多刑杀人,欲以立威,岂为民父母意哉!"延年服罪,重顿首谢,因为母御归府舍。母毕正腊,谓延年曰:"天道神明,人不可独杀。我不意当老见壮子被刑戮也!行矣,支汝东归,扫除墓地耳!"遂去,归郡,见昆弟、宗人,复为言之。后岁余,果败⑮,东海莫不贤智其母。

[注释]

①阴鸷酷烈：阴险凶狠，残暴。②黄霸（？—前51）：西汉名臣，字次公，淮阳阳夏（今河南太康）人。前55年，黄霸为丞相，并封为建成侯，总揽朝纲社稷。③比郡：相邻的两个郡。④悖：惑乱，糊涂。⑤筮：古代用蓍草占卜。⑥取告：告假。取，休假。⑦按验：审问验证。⑧怨望：怨恨，心怀不满。⑨坐不道：犯了大逆不道的罪。坐，特指办罪的因由。⑩弃市：古代在闹市执行死刑，并将尸体暴露街头，称为弃市。⑪腊：腊日行祭，取猎祭祖。⑫报囚：奏报处决犯人。⑬都亭：古代城郭附近的亭舍，即驿站或客栈。⑭顾：反而，却。⑮败：指延年被杀一事。

[译文]

河南太守严延年为政阴险残暴，众人所说的应当处死的犯人，他一下子就释放了；众人所说的应该活的犯人，却奇怪地被杀了，吏民百姓没有人能探知其内心的深浅，因而战战兢兢不敢违犯禁令。冬天，严延年传唤所属各县的囚犯到郡衙集中定罪，血流数里，河南郡称其为"屠伯"。严延年向来看不起黄霸的为人，等到两个人在相邻的郡做太守，黄霸获得奖赏反而在自己前面，严延年内心不服。河南地界又发生蝗灾，府丞名叫义的人出去视察蝗灾，回来向严延年汇报，严延年说："这蝗虫难道不是凤凰的食物吗？"府丞义年老，很是糊涂，平时就害怕严延年，害怕被他陷害。严延年本来曾与义一起当过丞相史，实际上亲爱厚待他，送给他的礼品非常丰厚。义更加恐惧，自己占卦，得到死卦，于是郁闷不乐，告假前往长安，上书说严延年十件事；呈上奏章后，便喝药自杀，来表明不欺骗朝廷。此事交给御史丞调查核实，查出他言谈中对朝廷心怀不满、诽谤朝政等几件事。十一月，严延年以大逆不道的罪名被斩首并暴尸街头。

当初，严延年的母亲从东海郡来看儿子，打算跟随严延年进行腊祭。到洛阳时，正遇到处决囚犯。他母亲非常吃惊，便留在都亭中，不肯进府。严延年来到都亭拜谒母亲，其母闭门不见。严延年在门外摘帽叩头，过了很长时间，母亲才与他见面，就数落严延年说："你有幸当了郡太守,掌管方圆千里的土地,没听说用仁爱教化百姓,使民众得到保全和安定;反而利用刑罚,大量杀人,想以此来树立威望,这难道是百姓父母官胸怀吗?"严延年服罪,再次叩头道歉,趁势为母亲驾车回到府上。他母亲在腊祭完毕后,对严延年说:"天理昭昭,神明在上,人不可以仅仅靠杀人立威。我没有想到到了老年看到壮年的儿子被刑杀!走了,离开你东归故乡,打扫墓地去了!"于是离去。回到东海郡,见到严延年的兄弟和族人,又说给他们听。一年多以后,严延年果然被杀,东海郡没有人不认为他的母亲贤惠、明智。

正直宋弘"糟糠之妻不下堂"

【汉纪三十二】光武帝建武二年(丙戌,26年)

壬子,以太中大夫京兆宋弘为大司空。弘荐沛国桓谭,为议郎、给事中。帝令谭鼓琴,爱其繁声。弘闻之,不悦;伺谭内出,正朝服坐府上,遣吏召之。谭至,不与席而让之,且曰:"能自改邪,将①令相举以法乎?"谭顿首辞谢;良久,乃遣之。后大会群臣,帝使谭鼓琴。谭见弘,失其常度②。帝怪而问之,弘乃离席免冠谢曰:"臣所以荐桓谭者,望能以忠正导主。而令朝廷耽悦郑声③,臣之罪也。"帝改容谢之。

湖阳公主新寡,帝与共论朝臣,微观其意。主曰:"宋公威容德器,群臣莫及。"帝曰:"方且图之。"后弘被引见,帝令主坐屏风后,因谓弘曰:"谚言'贵易交,富易妻',人情乎?"弘曰:"臣闻贫贱之知不可忘,糟糠之妻不下堂。"帝顾谓主曰:"事不谐④矣!"

[注释]

①将:读jiāng,抑或,还是,表示选择。②常度:平常的姿态。③郑声:

指春秋战国时郑国一带的音乐,《礼记·乐记》中记载"郑卫之音,乱世之音也",后来人们将"郑声"、"郑卫之音"作为淫靡之乐的代称。④谐:成功,谈妥或办妥。

[译文]

壬子日,光武帝任命太中大夫京兆人宋弘为大司空。宋弘举荐沛国人桓谭,为议郎、给事中。光武帝让桓谭弹琴,喜欢那种浮靡的音乐。宋弘听说后不高兴;等到桓谭从内官中出来,宋弘穿戴朝服坐在府中,派官吏去召唤桓谭。桓谭到后,宋弘不给他让座就责备他,并且说:"能自己改正呢,还是让我用法律检举你呢?"桓谭磕头道歉;过了很久,宋弘才打发他走。此后光武帝大规模聚会群臣,让桓谭弹琴。桓谭看见宋弘,失却平常风度。光武帝感到奇怪询问原因,宋弘于是离开坐席脱帽道歉说:"我举荐桓谭的原因,是希望能用忠正之心劝导皇上;而他让朝廷沉湎于喜悦郑国的靡靡之音,这是臣的过错。"光武帝改了脸色,向他道歉。

光武帝的姐姐湖阳公主刚守寡,光武帝和她一块儿谈论朝臣,暗暗揣摸她的心意。公主说:"宋弘威严的容貌和道德修养与才识度量,群臣没有人赶得上他。"光武帝说:"我正在谋划这件事。"后来宋弘被召见,光武帝让公主坐在屏风后,就对宋弘说:"谚语说'贵易交,富易妻',这是人之常情吗?"宋弘说:"我听说:贫贱之知不可忘,糟糠之妻不下堂。"光武帝回头对公主说:"事情办不成了!"

杨震"四知"美名传

【汉纪四十一】安帝永初四年(庚戌,110年)

邓骘在位,颇能推进贤士,荐何熙、李郃等列于朝廷,又辟弘农杨震、巴郡陈禅等置之幕府,天下称之。震孤贫好学,明欧阳①

《尚书》，通达博览，诸儒为之语曰："关西孔子杨伯起②。"教授③二十余年，不答州郡礼命，众人谓之晚暮④，而震志愈笃。骘闻而辟之，时震年已五十余，累迁荆州刺史、东莱太守。当之郡，道经昌邑，故所举荆州茂才⑤王密为昌邑令，夜怀金十斤以遗震。震曰："故人知君，君不知故人，何也？"密曰："暮夜无知者。"震曰："天知，地知，我知，子知，何谓无知者！"密愧而出。后转涿郡太守。性公廉，子孙常蔬食、步行；故旧或欲令为开产业，震不肯，曰："使后世称为清白吏子孙，以此遗之，不亦厚乎！"

[注释]

①欧阳：指西汉千乘（今山东高青县高苑镇北）人欧阳生，曾研习并传授《尚书》，并形成欧阳氏尚书学派，有一定的影响。②伯起：杨震的字。③教授：教生授徒。④晚暮：迟暮，末途。依胡三省注，意为岁月已老而出仕迟也。⑤茂才：即"秀才"，汉代推举人才的科目之一。因避光武帝刘秀名讳，改秀才为茂才。

[译文]

邓骘担任大将军时，很能推举有才能的人，他举荐何熙、李郃等位列朝廷大臣，还征召弘农人杨震、巴郡人陈禅等，将他们安排在自己的衙署，天下人都称赞他。杨震自幼孤苦贫寒而好学，精通欧阳生注解的《尚书》，通晓、博览典籍，众多的儒家学者称他为"关西孔子杨伯起"。他教授学生二十多年，不应州郡官府的礼聘与任命，人们认为杨震出仕时间已太迟，但他的意志更加坚定。邓骘闻听杨震的盛名后，将他征辟为幕僚。当时杨震已五十多岁，多次升迁，做到了荆州刺史和东莱太守。在他往东莱郡的路上，途经昌邑，过去所举荐的荆州秀才王密正好任昌邑县令，晚上王密怀里揣着十斤金送给杨震。杨震说："老朋友了解你，你却不了解老朋友，这是为什么？"王密说："晚上没有人知道。"杨震说："天知，地知，我知，你知，怎么能说无人知晓！"王密羞愧地出门走了。杨震后来转任涿郡太守。他本性公正清廉，子孙经常以草菜为食、徒步出行。故人旧友有的人想劝杨震为子孙置办产业，但杨震不肯，他说："让后人说他们是清官的子孙，以此赠送给他们，不也是财富吗！"

薛包至行孝悌

【汉纪四十二】安帝建光元年（辛酉，121年）

初，汝南薛包，少有至行。父娶后妻而憎包，分出之。包日夜号泣，不能去，至被驱扑①，不得已，庐②于舍外，旦入洒扫。父怒，又逐之，乃庐于里门③，晨昏不废。积岁余，父母惭而还之④。及父母亡，弟子求分财异居；包不能止，乃中分其财，奴婢引其老者，曰："与我共事久，若不能使也。"田庐取其荒顿⑤者，曰："吾少时所治，意所恋也。"器物取朽败者，曰："我素所服食，身口所安也。"弟子数破其产，辄复赈给。帝闻其名，令公车⑥特征，至，拜侍中。包以死自乞，有诏赐告归⑦，加礼如毛义⑧。

[注释]

①驱扑：殴打。②庐：简陋的房屋，此处作动词，筑起简陋的房屋。③里门："里"是古代的居民组织，"里门"可以理解成"乡村大门"。④还之：使之还。⑤荒顿：荒废。⑥公车：古代中央政府里的一个官署，专管征召之事。⑦告归：请归乡里，请假回家。⑧毛义：汉章帝时虞江人，家里贫穷，以贤孝母亲闻名于世。

[译文]

当初，汝南人薛包，少年时就有卓绝的品行。父亲娶了后妻之后，厌恶薛包，就分家将他赶出去。薛包日夜号啕大哭，不肯离去，以致遭到殴打，没有办法，就在房舍外搭起简陋的房子，早晨回家洒扫庭院。父亲发怒,又一次驱赶他,他就在里门的旁边搭建小屋,早晚向父母请安。过了一年多,父母感到羞愧而让他回家。等到父母去世,薛包的侄儿请求分割家财并分开居住;薛包不能阻止,便将家均分,奴婢挑选年老的,说:"与我一起做事的时间长,你不能使唤得动他们。"田地房舍挑选那些荒废的,说:"这些是我年轻时修建的,内心有所依恋。"器物选取腐朽破旧的,说:"这些是我平常使用的衣着食物,身体和口腹觉得习惯。"侄儿多次耗尽家产,薛包总是再给予赈济。安帝听到了他的名声,便命公车特地征召。到达后,官拜侍中。薛包以死请求,安帝下诏,恩赐他告别回家,对他以礼相待如同毛义。

五处士不就征辟

【汉纪四十六】孝桓皇帝延熹二年(己亥,159年)

尚书令陈蕃上疏荐五处士①,豫章徐稚、彭城姜肱、汝南袁闳、京兆韦著、颍川李昙;帝悉以安车、玄𬘘②备礼征之,皆不至。

稚家贫,常自耕稼,非其力不食,恭俭义让,所居服其德;屡辟公府,不起。陈蕃为豫章太守,以礼请署功曹;稚不之免③,既谒而退。蕃性方峻④,不接宾客,唯稚来,特设一榻,去则县⑤之。后举有道,家拜太原太守,皆不就。稚虽不应诸公之辟,然闻其死丧,辄负笈⑥赴吊。常于家豫⑦炙鸡一只,以一两绵絮渍酒中暴⑧干,以裹鸡,径到所赴冢𬭼⑨外,以水渍绵,使有酒气,斗米饭,白茅为藉⑩,以鸡置前,酹酒毕,留谒⑪则去,不见丧主。

肱与二弟仲海、季江俱以孝友著闻,常同被而寝,不应征聘。肱尝与弟季江俱诣郡,夜于道为盗所劫,欲杀之,肱曰:"弟年幼,父母所怜,又未聘娶,愿杀身济弟。"季江曰:"兄年德⑫在前,家之珍宝，国之英俊，乞自受戮，以代兄命。"盗遂两释焉，但掠夺衣资而已。既至，郡中见肱无衣服，怪问其故，肱托以它辞，终不言盗。盗闻而感悔，就精庐⑬求见征君⑭，叩头谢罪，还所略物。肱不受，劳以酒食而遣之。帝既征肱不至，乃下彭城，使画工图其形状。肱卧于幽暗，以被韬⑮面，言患眩⑯疾，不欲出风，工竟不得见之。

闳，安⑰之玄孙也，苦身修节，不应辟召。

著隐居讲授，不修世务。

昙继母苦烈⑱，昙奉之逾谨，得四时珍玩，未尝不先拜而后进，乡里以为法。

[注释]

①处士：有德才而隐居不愿做官的人。②安车、玄𬘘：安车，古代一种与立乘有别的坐乘小车，一般用一匹马拉，多为贵夫人或老年大臣所用；玄𬘘，黑色的币帛，常用为聘请贤士的礼品。③不之免：即"不免之"，宾语前置句。④方峻：方正、正直，严峻、严肃、严厉。⑤县：通"悬"，悬挂。⑥负笈：背着书箱求学。⑦豫：预备，事先准备。⑧暴：通"曝"，晒。⑨冢隧：墓冢和隧道。⑩白茅为藉：用白茅草做垫子。⑪谒：进见时用的名帖。⑫年德：年龄和德行。⑬精庐：学舍。⑭征君：依胡三省注，以其当蒙征聘，故称为征君。⑮韬：隐藏。⑯眩：眼睛昏花。⑰安：即袁安，历事明帝、章帝、和帝，以忠笃誉世。⑱苦烈：残暴。

[译文]

尚书令陈蕃向桓帝上书推荐五位处士，他们是豫章人徐稚、彭城人姜肱、汝南人袁闳、京兆人韦著、颍川人李昙；桓帝对所有的人都用安车和玄𬘘，礼仪周全地征聘他们，他们都没有应聘。

徐稚家境贫穷，经常亲自种庄稼，不是自己劳动收获来的食物不吃，恭谨俭约、谦让他人，所居住地方的民众都钦佩他的品德；多次被公府征聘，他都不出任官职。陈蕃做豫章郡太守时，曾恭敬地礼请他委任功曹；徐稚也不推托，但在拜见陈蕃后，即行告退。

陈蕃性格方正严峻，从不接见宾客，只有徐稚来时，特地设一坐榻，徐稚离开就悬挂起来。后来徐稚被举荐为有德才的人，在家中官拜太原郡太守，都不肯就任。徐稚虽然没有应允众公卿的征聘，但是听到他们的死讯，总是背着书箱前往吊丧。他通常是在家里预备烤鸡一只，用一两绵絮浸泡在酒中，晒干，以绵絮包裹烤鸡，径直来到所奔丧的坟墓隧道之外，用水将绵絮浸泡，使水含酒气，一斗米饭，用白茅草作垫子，把鸡放在坟墓前面，将酒酹在地上吊祭完毕，留下名帖就离开了，不见丧事的主持人。

姜肱和两个弟弟姜仲海、姜季江，都以侍奉父母孝顺、对兄弟友爱而众所闻知，经常同盖一条被子睡觉，不应允官府的征召。姜肱曾经和他的弟弟姜季江一同到郡上去，夜间在道路上被强盗抢夺。强盗要杀他们，姜肱说："我的弟弟年龄还小，父母怜爱，又没有娶妻，希望杀掉我保全我弟弟的性命。"姜季江对强盗说："我的哥哥年龄、德行在我之上，是家庭的珍宝，国家的才俊，乞求我自己被杀，以代替哥哥之命。"强盗于是将他俩都释放了，只掠夺衣服和财物罢了。到了郡上，人们看见姜肱没有穿衣服觉得奇怪，问他是什么缘故。姜肱用其他言词推托，始终不说被抢劫。强盗听说以后，感到惭愧和后悔，到姜肱的学舍请求拜见他，叩头请罪，归还所抢夺的衣物。姜肱没有接受，用酒饭招待强盗并送走他们。桓帝既然征聘姜肱不能到，于是下诏彭城令，让画工画出姜肱的肖像。姜肱躺在幽暗的房屋里，用被子蒙住脸，声称患了眼睛昏花的病，不愿出来受风，画工最终没有能见到他。

袁闳，是袁安的玄孙，刻苦修养自己的节操，不应允朝廷的征召。

韦著隐居讲授功课，不学习尘世间的事务。

李昙的继母非常残暴，李昙奉养她愈发恭谨，得到四季的珍贵玩物，没有不先行礼然后送给继母的，乡里的民众都以他作为效法的楷模。

刘备交群英

【汉纪五十二】献帝初平二年（辛未，191年）

初，涿郡刘备，中山靖王之后①也。少孤贫，与母以贩履②为业，长七尺五寸，垂手下膝，顾自见其耳；有大志，少语言，喜怒不形于色。尝与公孙瓒同师事卢植，由是往依瓒。瓒使备与田楷徇③青州有功，因以为平原相。备少与河东关羽、涿郡张飞相友善；以羽、飞为别部司马，分统部曲④。备与二人寝则同床，恩若兄弟，而稠人广坐，侍立终日，随备周旋，不避艰险。常山赵云为本郡将吏兵诣公孙瓒，瓒曰："闻贵州人皆愿袁氏，君何独迷而能反乎？"云曰："天下讻讻⑤，未知孰是，民有倒县之厄⑥，鄙州论议，从仁政所在，不为忽袁公，私明将军也。"刘备见而奇之，深加接纳，云遂从备至平原，为备主骑兵。

[注释]

①据《蜀书》记载，刘备系汉初中山靖王刘胜的儿子陆城亭侯刘贞的后代，但是，自祖父以上，世系不可考。②履：鞋。③徇：掠取地盘。④部曲：古代军队的编制单位，此指军队。⑤讻讻：喧扰不安。⑥倒县之厄：百姓遭受像是被倒吊起来一样的痛苦。倒县，即"倒悬"；厄，灾难，困苦。

[译文]

当初，涿郡人刘备是西汉中山靖王刘胜的后代，幼年孤苦贫寒，与母亲靠贩卖草鞋为生。他身高七尺五寸，双手下垂时超过膝盖，回首能看到自己的耳朵；他有远大的志向，少言寡语，喜怒不形于色。他曾与公孙瓒共同拜卢植为师，因此前往依附公孙瓒。公孙瓒派他与田楷夺取青州，立下了战功，因此让他担任平原相。刘备年轻时与河东人关羽、涿郡人张飞彼此亲密友好；刘备让关羽、张飞担任别部司马，分别统领部队。刘备与二人就寝时就在同一床上，情同手足兄弟，但在公共场所，他们整天站在刘备身边侍卫，跟随刘备与对手追逐较量，不畏惧艰难险阻。常山人赵云率领本郡的官兵投奔公孙瓒，公孙瓒说："听说你们冀州人都愿归顺袁绍，为什么唯独你能迷途知返呢？"赵云答道："天下人惊恐不安，不知道谁是正确的。民众遭受像是被倒吊起来一样的痛苦。我们冀州的百姓在谈论时表示，只是向往仁政所在之处，并不是轻视袁绍偏爱亲附将军啊。"刘备见到赵云就赏识他，便用心结交。赵云于是就随刘备到平原郡，为他统领骑兵。

官渡之战

【汉纪五十五】献帝建安五年（庚辰，200年）

曹操出兵与袁绍战，不胜，复还，坚壁①。绍为高橹，起土山，射营中，营中皆蒙楯②而行。操乃为霹雳车③，发石以击绍楼，皆破；绍复为地道攻操，操辄于内为长堑以拒之。操众少粮尽，士卒疲乏，百姓困于征赋，多叛归绍者。操患之，与荀彧④书，议欲还许，以致绍师。彧报曰："绍悉众聚官渡，欲与公决胜败。公以至弱当至强，若不能制，必为所乘，是天下之大机也。且绍，布衣之雄耳，能聚人而不能用。以公之神武明哲而辅以大顺，何向而不济！今谷食虽少，未若楚、汉在荥阳、成皋间也。是时刘、项莫肯先退者，以为先退则势屈也。公以十分居一之众，画地而守之，扼其喉而不得进，已半年矣。情见势竭，必将有变。此用奇之时，不可失也。"操从之，乃坚壁持之。

操见运者，抚之曰："却⑤十五日为汝破绍，不复劳汝矣。"绍运谷车数千乘至官渡。荀攸⑥言于操曰："绍运车旦暮至，其将韩猛锐而轻敌,击,可破也!"操曰:"谁可使者?"攸曰:"徐晃可。"乃遣偏将军河东徐晃与史涣邀⑦击猛,破走之,烧其辎重。

冬,十月,绍复遣车运谷,使其将淳于琼等将兵万余人送之,宿绍营北四十里。沮授⑧说绍:"可遣蒋奇别为支军于表,以绝曹操之钞。"绍不从。

许攸⑨曰:"曹操兵少而悉师拒我,许下余守,势必空弱。若分遣轻军,星行掩袭,许可拔也。许拔,则奉迎天子以讨操,操成禽矣。如其未溃,可令首尾奔命,破之必也。"绍不从,曰:"吾要当先取操。"会攸家犯法,审配⑩收系之,攸怒,遂奔操。

操闻攸来,跣⑪出迎之,抚掌笑曰:"子卿⑫远来,吾事济矣!"既入坐,谓操曰:"袁氏军盛,何以待之?今有几粮乎?"操曰:"尚可支一岁。"攸曰:"无是,更言之!"又曰:"可支半岁。"攸曰:"足下不欲破袁氏邪,何言之不实也!"操曰:"向言戏之耳。其实可一月,为之奈何?"攸曰:"公孤军独守,外无救援而粮谷已尽,此危急之日也。袁氏辎重万余乘,在故市、乌巢,屯军无严备,若以轻兵袭之,不意而至,燔⑬其积聚,不过三日,袁氏自败也。"操大喜,乃留曹洪、荀攸守营,自将步骑五千人,皆用袁军旗帜,衔枚⑭缚马口,夜从间道⑮出,人抱束薪,所历道有问者,语之曰:"袁公恐曹操钞略⑯后军,遣军以益备。"闻者信以为然,皆自若。既至,围屯,大放火,营中惊乱。会明,琼等望见操兵少,出陈门外,操急击之,琼退保营,操遂攻之。

绍闻操击琼,谓其子谭曰:"就操破琼,吾拔其营,彼固无所归矣!"乃使其将高览、张郃等攻操营。郃曰:"曹公精兵往,必破琼等,琼等破,则事去矣,请先往救之。"郭图⑰固请攻操营。郃曰:"曹公营固,攻之必不拔。若琼等见禽,吾属尽为虏矣。"绍但遣轻骑救琼,而以重兵攻操营,不能下。

绍骑至乌巢,操左右或言:"贼骑稍近,请分兵拒之。"操怒曰："贼在背后,乃白!"士卒皆殊死战,遂大破之,斩琼等,尽燔其粮谷,士卒千余人,皆取其鼻,牛马割唇舌,以示绍军。绍军将士皆恟[18]惧。郭图惭其计之失,复谮[19]张郃于绍曰:"郃快军败。"郃忿惧,遂与高览焚攻具,诣操营降。曹洪疑,不敢受,荀攸曰:"郃计画[20]不用,怒而来奔,君有何疑!"乃受之。

于是绍军惊扰,大溃。绍及谭等幅巾[21]乘马,与八百骑渡河。操追之不及,尽收其辎重、图书、珍宝。余众降者,操尽坑之,前后所杀七万余人。

沮授不及绍渡,为操军所执,乃大呼曰:"授不降也,为所执耳!"操与之有旧,迎谓曰:"分野殊异,遂用圮绝[22],不图今日乃相禽也!"授曰:"冀州失策,自取奔北。授知力俱困,宜其见禽。"操曰:"本初无谋,不相用计,今丧乱未定,方当与君图之。"授曰:"叔父、母弟,县命[23]袁氏,若蒙公灵,速死为福。"操叹曰:"孤早相得,天下不足虑也。"遂赦而厚遇焉。授寻谋归袁氏,操乃杀之。

操收绍书中,得许下及军中人书,皆焚之,曰:"当绍之强,孤犹不能自保,况众人乎!"

冀州城邑多降于操。袁绍走至黎阳北岸,入其将军蒋义渠营,把其手曰:"孤以首领相付矣!"义渠避帐而处之,使宣号令。众闻绍在,稍复归之。

或谓田丰[24]曰:"君必见重矣。"丰曰:"公貌宽而内忌,不亮吾忠,而吾数以至言[25]迕之,若胜而喜,犹能救我,今战败而恚,内忌将发,吾不望生。"绍军士皆拊膺[26]泣曰:"向令田丰在此,必不至于败。"绍谓逢纪[27]曰:"冀州诸人闻吾军败,皆当念吾,惟田别驾前谏止吾,与众不同,吾亦惭之。"纪曰:"丰闻将军之退,拊手大笑,喜其言之中也。"绍于是谓僚属曰:"吾不用田丰言,果为所笑。"遂杀之。初,曹操闻丰不从戎,喜曰:"绍必败矣。"及绍奔遁㉓，复曰："向使绍用其别驾计，尚未可知也。"

审配二子为操所禽，绍将孟岱言于绍曰："配在位专政，族大兵强，且二子在南，必怀反计。"郭图、辛评亦以为然。绍遂以岱为监军，代配守邺。护军逄纪素与配不睦，绍以问之，纪曰："配天性烈直，每慕古人之节，必不以二子在南为不义也。愿公勿疑。"绍曰："君不恶之邪？"纪曰："先所争者，私情也；今所陈者，国事也。"绍曰："善！"乃不废配，配由是更与纪亲。冀州城邑叛绍者，绍稍复击定之。

绍为人宽雅，有局度，喜怒不形于色，而性矜愎自高，短于从善，故至于败。

[注释]

①坚壁：加固营垒。②楯：此处读dùn，通"盾"，盾牌。③霹雳车：古代以机械发石的战车。④荀彧（163—212）：字文若，颍川郡（今河南许昌）人，曹操麾下重要谋士。⑤却：还有，再有。⑥荀攸（157—214）：字公达，颍川郡（今河南许昌）人。荀彧之侄，曹操的重要谋士之一，杰出战术家，被称为曹操的"谋主"，官至尚书令，谥封敬侯。⑦邀：堵截，拦击。⑧沮授（？—200）：字公与，广平（今河北鸡泽县）人。袁绍的谋士。⑨许攸：字子远，荆州南阳（今河南南阳）人。许攸年轻时与袁绍、曹操相友善，先成为袁绍谋士，官渡之战时，归仕曹操。⑩审配（？—204）：字正南，魏郡（今河北魏县）人。袁绍谋士。⑪跣：光着脚。⑫子卿：即许攸，依胡三省注，此处呼为子卿，贵之也。⑬燔：读fán，焚烧。⑭衔枚：横枚衔于口中，以禁喧哗，也比喻寂静无声。⑮间道：小路。⑯钞略：即"抄掠"，抢劫，掠取财物。⑰郭图：字公则，颍川（今河南禹州）人，与下文的辛评俱为袁绍谋士。⑱恟：读xiōng，恐惧，害怕。⑲谮：读zèn，说人坏话，诬陷别人。⑳计画：谋划，考虑。㉑幅巾：束发用的丝巾，古代男子不戴帽子时，用一幅绢束发，这是一种儒雅的装束。㉒圮绝：断绝。圮，读pǐ。㉓县命：把性命托付给人，等于说性命攸关。㉔田丰：字元皓，钜鹿（今河北巨鹿）人。袁绍谋士，官至冀州别驾，为人刚直，曾多次向袁绍进言而不被采纳，官渡之战后，被袁绍

杀害。㉕至言：真话，实话。㉖拊膺：拍胸，多表示悲愤痛心。㉗逢纪：也写作"逄纪"，初为袁绍谋士，袁绍死后追随袁尚，不久被袁谭所杀。㉘奔遁：亡命逃跑。

[译文]

　　曹操出兵与袁绍交战，不能取胜，又退回军营，加固壁垒备战。袁绍军队建起高台，堆起土山，向曹营射箭，曹军在营中都要用盾牌遮挡飞箭才能行走。曹操于是制作霹雳车，发射石块攻打袁绍的高台，将其全部摧毁；袁绍军队又挖地道进攻曹操，曹操军队就在军营内挖长长的沟壕来抵御袁军。曹操士兵少粮食尽，士兵疲惫不堪，百姓被沉重的赋税所困扰，多数叛逃而降附袁绍。曹操很是忧虑，给荀彧写信，商量准备退回许都，来引诱袁绍的军队深入。荀彧回信说："袁绍倾其全部军队聚集到官渡，打算与您决一胜负。您以最弱的军队抵抗最强大的敌人，如果不能制伏敌人，就将被敌人战胜，这正是夺取天下的关键。而且袁绍只是平民百姓中的杰出者罢了，能聚集人才却不能任用。凭借您的神明威武和明智通达事理的秉性，加上您尊奉天子名正言顺，做什么事情做不成呢！现在粮食虽少，但还没有像楚、汉在荥阳、成皋对峙时的困境。那时刘邦、项羽没有谁肯先向后撤，因为先后撤就处于劣势。您凭借只有袁绍十分之一的军队，坚守阵地，扼住袁军的咽喉使其不能前进，已有半年了。您在军事上弱势已经暴露，军事力量已经衰竭到了最后，必将发生变化，这正是出奇兵的时机，一定不能放弃。"曹操听从荀彧的话，于是坚守营垒，与袁绍对峙。

　　曹操见到运输粮草的人，安抚他们说："再过十五天，为你们击溃袁绍，不再麻烦你们了。"袁绍的运粮车几千辆将到达官渡，荀攸对曹操说："袁绍运送辎重的车队早晚就要来了，负责押运的大将韩猛勇敢而轻敌，进攻，可以击溃他！"曹操说："谁可以派遣呢？"荀攸说："徐晃最适合。"于是曹操派遣偏将军河东人徐晃与史涣在半路截击韩猛，击破韩猛并赶走他，烧毁袁军的辎重。

冬天，到了十月，袁绍又派遣车辆运送粮草，派他的大将淳于琼等率军一万余人护送，停留在袁绍军营以北四十里处。沮授劝袁绍说："可派遣蒋奇率主力部队之外另一支军队，在外围巡行，来防备曹操军队抢掠。"袁绍没有听从。

许攸说："曹操兵力少，而集中全军来抵抗我军，许都由剩余的人守卫，力量必定空虚处于弱势，如果派一支队伍轻装前进，连夜突然袭击，许都就可以攻下。攻占许都后，就奉迎天子来讨伐曹操，一定能捉住曹操。如果他没有被击溃，可以让他首尾不能相顾，疲于奔命，攻破他是必然的。"袁绍没有听从他的建议，说："我应当先捉住曹操。"适逢许攸家里有人犯法，审配逮捕了他们，许攸大怒，就投奔了曹操。

曹操听说许攸来投奔，顾不上穿鞋光着脚出来迎接他，拍手笑着说："子卿从远方而来，我的大事成功了！"入座以后，许攸对曹操说："袁绍军队势力强大，你凭借什么来对付他？现在还有多少粮草？"曹操说："还可以支撑一年。"许攸说："不是这样，再说一次！"曹操又说："可以支撑半年。"许攸说："您不想击破袁绍吗？为什么说话不实在呢！"曹操说："刚才戏言罢了，其实只可支撑一个月，怎么办呢？"许攸说："您孤军独守，外面没有救援的军队，而粮草已尽，这是危险而急迫的关头。袁绍有一万多装载辎重的车辆，驻扎在故市、乌巢；守军没有严密的防备，如果用轻装部队袭击，趁他们空虚无防备而来，焚毁他们积聚起来的粮草与军用物资，不出三天，袁绍就会自行溃散。"曹操非常高兴，于是留下曹洪、荀攸防守军营，亲自率领步骑兵五千名偷袭，军队一律用袁军的旗号，士兵嘴里衔着小木棍，绑住马嘴，夜里从小路出发，每人抱一捆柴火，所经过的路上遇有人询问，告诉他说："袁公恐怕曹操抢掠后方，派军队以加强守备。"听的人信以为真，都不加戒备。到乌巢后,围住袁军辎重营地,四面放火,袁绍军营受惊而溃乱。这时天已渐亮,淳于琼等人看到曹军兵少,在营门外摆开阵势,曹操猛烈攻击,淳于琼等人退守军营,于是曹军发起进攻。

袁绍听到曹操袭击淳于琼,对他的儿子袁谭说:"趁着曹操击溃淳于琼,我攻占他的大营,他一定无处可归。"于是,派遣大将高览、张郃等人攻打曹军大营。张郃说:"曹操精兵前往偷袭,必定能攻破淳于琼等,淳于琼等人溃败,那么大势已去,请先去救援淳于琼。"郭图坚持请求进攻曹操军营。张郃说:"曹操军营坚固,进攻它一定不能攻克。如果淳于琼等人被擒获,我们都将成为俘虏。"袁绍只是派遣轻骑兵援救淳于琼,而用重兵进攻曹军大营,不能攻下。

袁绍的骑兵到达乌巢,曹操手下有的人说:"贼人的骑兵逐渐靠近,请分兵抵抗。"曹操怒喝道:"敌人到了背后,再来报告!"曹军士兵都拼死作战,于是把袁军打得大败,斩杀淳于琼等,烧毁袁军全部粮草。杀死袁军士兵一千多名,并将鼻子全都割下,将缴获牛马的嘴唇、舌头也割下,拿给袁绍军队看。袁军将士都很恐惧。郭图因计谋失败而心中羞愧,又向袁绍诬告张郃,说:"张郃听说我军失败,十分高兴。"张郃又恨又怕,就与高览烧毁了进攻的装备,到曹营投降。曹洪心中疑虑,不敢接受。荀攸说:"张郃的计策不被采用,一怒之下来投奔,您有什么可怀疑的!"于是接受张郃、高览的投降。

这时,袁军惊恐扰乱,全面崩溃。袁绍与袁谭等戴着头巾,骑着快马,率领八百名骑兵渡过黄河北逃。曹军追赶没有赶上,全部缴获了袁绍的辎重、图书和珍宝。袁军残部投降的,曹操将他们全部活埋,前后被杀死的有七万余人。

沮授没有赶上与袁绍渡河逃走,被曹军俘虏,于是大喊:"我不投降,只是被活捉!"曹操与他有老交情,亲自来迎接他,对他说:"政治观念的极大不同,就因此导致音信隔绝,不料今天你会被我捉住。"沮授说:"袁绍策划不当,自己招致失败。我的才智和能力全都无法施展,应该被擒。"曹操说:"袁绍没有谋略,不能采用你的计策,现在天下战乱尚未平定,正好应当与你一同谋划。"沮授说:"我叔父、母亲与弟弟的性命都控制在袁绍手中。如果蒙您的圣明,就请快些杀我,这才是我的福气。"曹操叹息说:"我如果早些得到你,天下大事都不值得担忧了。"于是赦免沮授,并给予他优厚待遇。沮授不久后图谋逃归袁绍,曹操就将他处死。

曹操在收缴袁绍的书信中发现许都官员以及军中将领的信,他将这些信全部烧掉,说:"当袁绍强盛之时,我还不能自保,何况众人呢!"

冀州属下的郡县大多投降曹操。袁绍逃跑到黎阳的黄河北岸,进入他的将军蒋义渠军营中,握着他的手说:"我把性命托付给你了。"蒋义渠离开自己的营帐,而让袁绍安身其中,让他在内发号施令,袁军残部听说袁绍在此,又逐渐聚集起来。

有人对田丰说:"您一定会被重用。"田丰说:"袁绍外貌宽厚而内心忌妒,不能明白我的一片忠心,而我屡次因直言相劝而触犯了他,如果他因胜利而高兴,还能救了我;现在因战败而愤恨,内心妒忌将要发作,我不指望能活下去。"袁军将士都捶胸痛哭,说:"假如让田丰在这里,一定不至于失败。"袁绍对逄纪说:"留在冀州的众人听到我军失败,都会挂念我;只有田丰以前曾经劝谏阻止我出兵,与众人不同,我也感到心中有愧。"逄纪说:"田丰听说将军败退,拍手大笑,庆幸他的预言实现了。"袁绍于是对随员说:"我没有采纳田丰的计策,果然被他耻笑。"就杀掉了田丰。起初,曹操听说田丰没有随军出征,高兴地说:"袁绍一定会失败。"等到袁绍大败奔逃时,曹操又说:"假使袁绍采用他的别驾田丰的计策,胜败还难以预料呢。"

审配的两个儿子被曹军擒获。袁绍部将孟岱对袁绍说："审配位居高官,独揽大权,其家族颇具规模,兵力强盛,而且他的两个儿子在南方曹操手中,一定怀有背叛的想法。"郭图、辛评也以为是这样的。袁绍就任命孟岱做监军,代替审配镇守邺城。护军逢纪平常与审配不和睦,袁绍用这件事征询护军逢纪的意见,逢纪说:"审配天性刚烈正直,每每仰慕古人的节操,一定不会因为两个儿子在南方曹操手中而做出不义的事来。希望您不要怀疑他。"袁绍说:"你不厌恶他吗?"逢纪说:"先前我与他争论,是私人之间的交情不好;如今我所说的是国家大事啊。"袁绍说:"好!"于是,没有罢免审配。审配自此以后与逢纪的关系日益亲近。冀州属下一些背叛袁绍的城邑,被袁绍逐渐收复平定。

袁绍为人宽厚文雅,有气度,喜怒不形于色,但性情傲慢又刚愎自用,自视甚高,难于采纳别人的正确意见,因此最终导致失败。

赤壁之战

【汉纪五十七】献帝建安十三年(戊子,208年)

初,鲁肃闻刘表卒,言于孙权曰:"荆州与国邻接,江山险固,沃野万里,士民殷富,若据而有之,此帝王之资①也。今刘表新亡,二子不协②,军中诸将,各有彼此。刘备天下枭雄,与操有隙,寄寓于表,表恶其能而不能用也。若备与彼协心,上下齐同,则宜抚安,与结盟好;如有离违,宜别图之,以济大事。肃请得奉命吊表二子,并慰劳其军中用事者,及说备使抚表众,同心一意,共治③曹操,备必喜而从命。如其克谐④,天下可定也。今不速往,恐为操所先。"权即遣肃行。

到夏口，闻操已向荆州，晨夜兼道，比至⑤南郡，而琮已降，备南走，肃径迎之，与备会于当阳长坂。肃宣权旨，论天下事势，致殷勤之意。且问备曰："豫州今欲何至？"备曰："与苍梧太守吴巨有旧，欲往投之。"肃曰："孙讨虏聪明仁惠，敬贤礼士，江表英豪，咸归附之，已据有六郡，兵精粮多，足以立事。今为君计，莫若遣腹心自结于东，以共济世业。而欲投吴巨，巨是凡人，偏在远郡，行将为人所并，岂足托乎！"备甚悦。肃又谓诸葛亮曰："我，子瑜友也。"即共定交。子瑜者，亮兄瑾也，避乱江东，为孙权长史。备用肃计，进住鄂县之樊口。

曹操自江陵将顺江东下。诸葛亮谓刘备曰："事急矣，请奉命求救于孙将军。"遂与鲁肃俱诣孙权。亮见权于柴桑，说权曰："海内大乱，将军起兵江东，刘豫州收众汉南，与曹操并争天下。今操芟夷⑥大难，略已平矣，遂破荆州，威震四海。英雄无用武之地，故豫州遁逃至此，愿将军量力而处之！若能以吴、越之众与中国抗衡，不如早与之绝；若不能，何不按兵束甲，北面而事之！今将军外托服从之名而内怀犹豫之计，事急而不断，祸至无日矣。"权曰："苟如君言，刘豫州何不遂事之乎？"亮曰："田横，齐之壮士耳，犹守义不辱；况刘豫州王室之胄，英才盖世，众士慕仰，若水之归海。若事之不济，此乃天也，安能复为之下乎！"权勃然曰："吾不能举全吴之地，十万之众，受制于人。吾计决矣！非刘豫州莫可以当曹操者；然豫州新败之后，安能抗此难乎？"亮曰："豫州军虽败于长坂，今战士还者及关羽水军精甲万人，刘琦合江夏战士亦不下万人。曹操之众，远来疲敝，闻追豫州，轻骑一日一夜行三百余里，此所谓'强弩之末势不能穿鲁缟'者也。故《兵法》忌之，曰'必蹶上将军'。且北方之人，不习水战；又，荆州之民附操者，逼兵势耳，非心服也。今将军诚能命猛将统兵数万，与豫州协规同力，破操军必矣。操军破，必北还；如此，则荆、吴之势强，鼎足之形成矣。成败之机，在于今日！"权大悦，与其群下谋之。

是时，曹操遗⑦权书曰："近者奉辞伐罪，旄麾南指，刘琮束手。今治⑧水军八十万众，方与将军会猎于吴。"权以示臣下，莫不响震失色。长史张昭等曰："曹公，豺虎也，挟天子以征四方，动以朝廷为辞；今日拒之，事更不顺。且将军大势可以拒操者，长江也；今操得荆州，奄有其地，刘表治水军，蒙冲斗舰⑨乃以千数，操悉浮以沿江，兼有步兵，水陆俱下，此为长江之险已与我共之矣，而势力众寡又不可论。愚谓大计不如迎之。"鲁肃独不言。权起更衣⑩，肃追于宇下。权知其意，执肃手曰："卿欲何言？"肃曰："向察众人之议，专欲误将军，不足与图大事。今肃可迎⑪操耳，如将军不可也。何以言之？今肃迎操，操当以肃还付乡党，品其名位，犹不失下曹从事，乘犊车，从吏卒，交游士林，累官故不失州郡也。将军迎操，欲安所归乎？愿早定大计，莫用众人之议也！"权叹息曰："诸人持议，甚失孤望。今卿廓开大计，正与孤同。"

时周瑜受使至鄱阳，肃劝权召瑜还。瑜至，谓权曰："操虽托名汉相，其实汉贼也。将军以神武雄才，兼仗父兄之烈，割据江东，地方数千里，兵精足用，英雄乐业，当横行天下，为汉家除残去秽；况操自送死，而可迎之邪？请为将军筹之：今北土未平，马超、韩遂尚在关西，为操后患；而操舍鞍马，杖舟楫，与吴、越争衡；今又盛寒，马无藁草⑫，驱中国士众远涉江湖之间，不习水土，必生疾病。此数者用兵之患也，而操皆冒行之，将军禽⑬操，宜在今日。瑜请得精兵数万人，进住夏口，保为将军破之！"权曰："老贼欲废汉自立久矣，徒忌二袁、吕布、刘表与孤耳；今数雄已灭，惟孤尚存。孤与老贼势不两立，君言当击，甚与孤合，此天以君授孤也。"因拔刀斫前奏案曰："诸将吏敢复有言当迎操者，与此案同！"乃罢会。

是夜，瑜复见权曰："诸人徒见操书言水步八十万而各恐慑，不复料其虚实，便开此议，甚无谓也。今以实校之，彼所将中国人不过十五六万，且已久疲；所得表众亦极七八万耳，尚怀狐疑。夫以疲病之卒御狐疑之众，众数虽多，甚未足畏。瑜得精兵五万，自足制之，愿将军勿虑！"权抚其背曰："公瑾，卿言至此，甚合孤心。子布、元表诸人，各顾妻子⑭，挟持私虑，深失所望；独卿与子敬⑮与孤同耳，此天以卿二人赞孤也。五万兵难卒⑯合，已选三万人，船粮战具俱办。卿与子敬、程公便在前发，孤当续发人众，多载资粮，为卿后援。卿能办之者诚决，邂逅不如意，便还就孤，孤当与孟德决之。"遂以周瑜、程普为左右督，将兵与备并力逆操；以鲁肃为赞军校尉，助画方略⑰。

　　刘备在樊口，日遣逻吏于水次候望权军。吏望见瑜船，驰往白备，备遣人慰劳之。瑜曰："有军任，不可得委署⑱；傥能屈威，诚副其所望。"备乃乘单舸往见瑜问曰："今拒曹公，深为得计。战卒有几？"瑜曰："三万人。"备曰："恨少。"瑜曰："此自足用，豫州但观瑜破之。"备欲呼鲁肃等共会语，瑜曰："受命不得妄委署。若欲见子敬，可别过之。"备深愧喜。

　　进，与操遇于赤壁。

　　时操军众已有疾疫。初一交战，操军不利，引次江北。瑜等在南岸，瑜部将黄盖曰："今寇众我寡，难与持久。操军方连船舰，首尾相接，可烧而走也。"乃取蒙冲斗舰十艘，载燥荻、枯柴，灌油其中，裹以帷幕，上建旌旗，预备走舸，系于其尾。先以书遗操，诈云欲降。时东南风急，盖以十舰最著前，中江举帆，余船以次俱进。操军吏士皆出营立观，指言盖降。去北军二里余，同时发火，火烈风猛，船往如箭，烧尽北船，延及岸上营落。顷之，烟炎张天，人马烧溺死者甚众。瑜等率轻锐继其后，雷鼓大震，北军大坏。操引军从华容道步走，遇泥泞，道不通，天又大风，悉使羸兵负草填之，骑乃得过。羸兵为人马所蹈藉，陷泥中，死者甚众。刘备、周瑜水陆并进，追操至南郡。时操军兼以饥疫，死者太半。操乃留征南将军曹仁、横野将军徐晃守江陵，折冲将军乐进守襄阳，引军北还。

[注释]

①资：凭借的本钱，依托。②协：和睦。③治：对付。④克谐：办妥，办好。⑤比至：等到到了。⑥芟夷：消除，除去。⑦遗：读 wèi，给。⑧治：治理，管理。⑨蒙冲斗舰：战船。"蒙冲"即"艨艟"。⑩更衣：古时上厕所大小便的婉辞。⑪迎：逢迎，迎合，这里是投降的意思。⑫藁草：稻草。"藁"读 gǎo。⑬禽：通"擒"。⑭妻子：妻子儿女。⑮子敬：即鲁肃。⑯卒：读 cù，通"猝"。⑰助画方略：辅助谋划策略。⑱委署：擅离职守。

[译文]

当初，鲁肃听说刘表已死，就对孙权说："荆州与我国接壤，地理形势坚固险要，土地肥沃，方圆万里，人口众多，生活富裕，如果能占为己有，这是开创帝王大业的本钱啊。现在刘表刚死，他的两个儿子刘琦、刘琮又不和睦，军队中的那些将领，有的拥戴刘琦，有的跟随刘琮。刘备是天下枭雄，与曹操有仇隙，寄居在刘表那里，刘表妒忌他的才能而不肯重用他。如果刘备和刘表的部下们同心协力，上下一致，就应当安抚他们，与他们结盟友好；如果他们离心离德，就应当另做打算，以成就我们的大事。请让我能够奉命去慰问刘表的两个儿子，同时慰劳他们军中的掌权人物，并劝说刘备使他安抚刘表的部下，同心一意，共同对付曹操，刘备一定高兴而听从我们的意见。如果这件事能够成功，天下大势可以决定了。现在不赶快前去，恐怕就被曹操占了先。"孙权即刻派鲁肃出发。

鲁肃到了夏口，听说曹操已经率领大军向荆州进发，就日夜兼程，等到到了南郡，刘琮已投降曹操，刘备向南逃走，鲁肃径直迎上他,与刘备在当阳长坂相会。鲁肃转达孙权的旨意,与他讨论天下大事的发展趋势,表达了恳切慰问的心意。并且问刘备说:"刘豫州现在打算到哪里去呢?"刘备说:"我和苍梧太守吴巨有老交情,打算去投奔他。"鲁肃说:"孙讨虏为人聪明仁惠,敬重、礼待贤才,江南的英雄豪杰都归顺依附他,已经占据了六个郡,兵精粮足,足够用来成就一番大业。现在我替您筹划,不如派遣亲信主动去结好东吴,以共同建立世代相传的事业。但是您却打算投奔吴巨,吴巨是个平庸的人,又处在偏远的郡地,很快被人吞并,怎么能够依托呢!"刘备听后很高兴。鲁肃又对诸葛亮说:"我是子瑜的朋友。"两人随即结交为朋友。子瑜就是诸葛亮的哥哥诸葛瑾,在江东避乱,做了孙权的长史。刘备采纳了鲁肃的计谋,率兵进驻鄂县的樊口。

曹操将要从江陵顺江东下。诸葛亮对刘备说:"事情很危急,请让我奉命去向孙将军求救。"于是与鲁肃一起去拜访孙权。诸葛亮在柴桑见到了孙权,劝孙权说:"天下大乱,将军您在江东起兵,刘豫州在汉南招收兵马,与曹操共同争夺天下。现在曹操削平大乱,大致已稳定局面,接着攻破了荆州,威势震动天下。英雄没有施展本领的地方,所以刘豫州逃遁到这里,希望将军估量自己的实力来对付这个局面!如果您能凭借吴越地区的兵力同中原对抗,不如趁早同他决裂;如果不能,为什么不放下武器、捆起铠甲,向他面北朝拜称臣侍奉呢!现在将军表面上假托服从的名义,而内心里怀着犹豫不决的计策,局势危急而不能决断,大祸马上就要临头了!"孙权说:"假若像你所说的,刘豫州为什么不顺从地向曹操投降呢?"诸葛亮说:"田横,不过是齐国的一个壮士罢了,还能恪守节义不受屈辱;何况刘豫州是大汉王室的后代,英明才智超过天下的人,众人敬仰、倾慕他,就像水归大海一样。如果事情不能成功,这是天意,怎么能再回到曹操手下呢?"孙权勃然大怒说:"我不能拿全东吴的土地,十万将士,受别人控制,我的主意定了!除了刘豫州就没有谁能同我一起抵挡曹操的了;可是刘豫州在刚打了败仗之后,怎么能抗得住这个大难呢?"诸葛亮说:"刘豫州的军队虽然在长坂打了败仗,但是现在归来的士兵加上关羽率领的精锐水兵还有一万人,刘琦收拢江夏的战士也不少于一万人。曹操的军队远道而来且已疲惫不堪,听说追赶刘豫州,轻装的骑兵一天一夜跑三百多里,这就是所说的'强弓发出的箭到了尽头,连鲁国的薄绢也穿不透'啊。所以兵法上忌讳这样做,说'一定会使主帅遭到挫败'。况且北方人,不习惯在水上作战;还有,荆州的民众归附曹操的原因,不过是被他武力的威势所逼罢了,不是从心里顺服。现在将军如果能命令猛将统领几万大军,与刘豫州协同规划,共同努力,击溃曹操的军队那是一定的了。曹操的军队被击溃,一定会回到北方;如果是这样,那么荆州、吴国的势力就会强大,三国鼎立的局面就会形成。成败的关键,就在今天!"孙权听了非常高兴,就与他的部下谋划这件事。

这时,曹操送给孙权一封信说:"近来我奉圣上的旨意讨伐有罪的人,帅旗指向南方,刘琮投降。现在训练水军八十万,正要同将军在东吴会战。"孙权将这封信拿给部下的人看,没有一个不像听到巨响那样而失去了常态。长史张昭等人说:"曹操是豺狼猛虎,挟持着圣上来征讨天下,动不动以朝廷的名义为借口;现在抗拒他,事情更为不利。况且将军抗拒曹操的主要凭借是长江;现在曹操得到荆州,全部占有了那里的土地,刘表组建的水军,大小战船数以千计,曹操将这些战船全部沿江摆开,同时还有步兵,水陆一齐进攻,这样一来长江的险要地势已经同我们共同占有了。而实力的大小、强弱又不能相提并论。我以为最好的计策是不如投降他。"这时只有鲁肃沉默不语。孙权起身去厕所,鲁肃追到屋檐下。孙权知道他的用意,握着他的手说:"您要说什么?"鲁肃说:"刚才我察看众人的议论，都是专门想妨害将军，不值得与他们谋划大事。现在我鲁肃可以投降曹操，像将军您就不行。为什么这样说呢？现在我投降曹操，曹操会把我送还乡里，品评我的名位，还少不得让我做一个最低等的曹里从事小职，坐牛车，吏卒跟随，与士大夫交往，然后逐渐升官，仍然不低于州郡一类的职位。将军您投降曹操，想得到一个什么归宿呢？希望您早定大计，不要采纳那些人的意见！"孙权叹息说："这些人所持的议论，让我非常失望。现在你阐明大的计策，正与我的想法一样。"

当时，周瑜奉命到鄱阳去了，鲁肃劝孙权召周瑜回来。周瑜回来，对孙权说："曹操虽然托名是汉朝丞相，其实是汉朝的奸贼。将军凭着非常的武功和英雄的才略，加上有父兄的功业，占据着江东，土地方圆几千里，武器精良足以满足使用，英雄们愿意为国效力，应当横行天下，替汉朝除去残暴、邪恶之人；况且曹操是自来送死，怎么可以投降他呢！请允许我为将军谋划这件事：现在北方还没有平定，马超、韩遂还在函谷关以西，是曹操的后患；而曹操的军队放弃鞍马，依赖船只，与东吴争高低；现在又逢天气严寒，战马没有草料；曹操率领着中原的士兵长途跋涉在江南水乡，不服水土，一定会生病。这几项都是用兵的禁忌，而曹操却都贸然实行。将军捉拿曹操，应当正在今天。我周瑜请求率领几万精兵，进驻夏口，保证替将军打败他！"孙权说："曹操老贼想废除汉帝自立为王已经很久了，只是顾忌袁绍、袁术、吕布、刘表与我罢了；现在那几个雄杰已被消灭，只有我还存在。我和老贼势不两立，你说应当迎战，很合我的心意，这是苍天把你交给我啊。"于是拔刀砍断面前放奏章的桌子，说："各位文武官员，敢有再说应当投降曹操的，就和这个桌子一样！"于是散会。

这天夜里，周瑜再次拜见孙权说："众人只见曹操信上说水军、步兵八十万而个个害怕，不再考虑它的真假，便发出投降的议论，

汉纪　153

是很没道理的。现在按实际情况查核,他所率领的中原军队不过十五六万,而且早已疲惫;所得到的刘表的军队,最多七八万罢了,而且都三心二意。征用疲惫染病的士兵,控制三心二意的军队,人数虽多,也很不值得畏惧。我只要有精兵五万,已经足够制伏它,希望将军不要忧虑!"孙权抚摸着周瑜的脊背说:"公瑾,您说到这里,很合我的心意。子布、元表等人只顾及妻子儿女,夹杂着个人的打算,很让我失望;只有您和子敬与我一样,这是老天让你们两个人辅助我啊!五万兵难以在短时间内集合起来,已选好三万人,船只、粮草、战斗用具都已办齐。你与子敬、程公就先行出发,我会继续派出军队,多多装载物资、粮食,做您的后援。您能对付曹操就同他决战,倘若相遇战事不利,就撤回到我这里,我当和曹孟德决一死战。"于是任命周瑜、程普为左、右督,率兵与刘备同力迎战曹操;任命鲁肃为赞军校尉,协助制定计划作战的策略。

  刘备驻扎在樊口,天天派巡逻的士兵在江边等候盼望孙权的军队。士兵看到周瑜的船队,就立即驰马回营向刘备报告,刘备赶紧派人前去慰劳周瑜。周瑜对前来慰劳的人说:"我有军务在身,不能擅离职守,刘备如果能够屈尊前来会面,那实在是我所期望的。"刘备于是就乘一只小船去见周瑜,问道:"现在抗拒曹操,非常契合我心意。但不知道您这次带了多少军队?"周瑜说:"三万人。"刘备说:"很遗憾太少了。"周瑜说:"这已经足够用了,将军您就等着看我如何击溃曹军吧。"刘备想招呼鲁肃等人共同商量,周瑜说:"接受军令,不能随意妄自擅离职守。如果您要见鲁肃,可以另去拜访他。"说得刘备既感到惭愧,又感到高兴。

  孙、刘联军进军,与曹操的军队在赤壁相遇。

  这时曹操军中的士兵们已经有传染病,刚一交战,曹操的军队就失利,曹操率军退到江北驻扎。周瑜的军队驻扎在南岸,周瑜部将黄盖说:"现在敌众我寡,很难同他们持久对峙。曹操的军队正好把战船连接起来,首尾相连接,可用火烧来赶走他们。"于是调拨十只大小战船,装满干苇和枯柴,在里面灌上油,外面用帷帐包裹,上面树起旗帜,预备好轻快小船,系在战船的尾部。先送信给曹操,假称要投降。这时东南风来势很急,黄盖把十只战船排在最前头,到江中挂起船帆,其余船只都依次前进。曹操军中的将领、士兵都走出军营站在那里观看,指着说黄盖前来投降。距离曹操军队二里多远时,各船同时点起火来,火势很旺,风势很猛,船只像箭一样往前冲,把曹操的北方战船全部烧毁,并蔓延到岸上军营。霎时间,烟火满天,烧死的、淹死的人马很多。周瑜等率领着轻装的精兵跟在他们后面,擂鼓震天,曹操的军队彻底溃散了。曹操率领军队从华容道步行逃跑,遇上泥泞的道路,道路不能通行,天又刮起大风,就命令疲弱的士兵都去背草填路,骑兵才得以通过。疲弱的士兵被骑兵和步兵所践踏,陷在泥中,死的很多。刘备、周瑜水陆共同进军,追击曹操到了南郡。这时,曹操的军队又因饥饿、瘟疫交加,死了将近大半。曹操于是留下征南将军曹仁、横野将军徐晃把守江陵,折冲将军乐进把守襄阳,自己率领其余的军队回到北方。

二分荆州

【汉纪五十九】献帝建安二十年(乙未,215年)

初,刘备在荆州,周瑜、甘宁等数劝孙权取蜀。权遣使谓备曰:"刘璋不武,不能自守,若使曹操得蜀,则荆州危矣。今欲先攻取璋,次取张鲁,一统南方,虽有十操,无所忧也。"备报曰:"益州民富地险,刘璋虽弱,足以自守。今暴①师于蜀、汉,转运于万里,欲使战克攻取,举不失利,此孙、吴②所难也。议者见曹操失利于赤壁,谓其力屈,无复远念;今操三分天下已有其二,将欲饮马于沧海,观兵于吴会,何肯守此坐须老乎!而同盟无故自相攻伐,借枢③于操,使敌承其隙,非长计也。且备与璋托为宗室,冀凭威灵以匡汉朝。今璋得罪于左右,备独悚惧,非所敢闻,愿加宽贷④。"权不听,遣孙瑜率水军往夏口。备不听军过,谓瑜曰:"汝欲取蜀,吾当被发入山,不失信于天下也。"使关羽屯江陵,张飞屯秭归,诸葛亮据南郡,备自住孱陵,权不得已召瑜还。及备西攻刘璋,权曰:"猾虏,乃敢挟诈如此!"备留关羽守江陵,鲁肃与羽邻界;羽数生疑贰⑤,肃常以欢好抚之。

及备已得益州,权令中司马诸葛瑾以备求荆州诸郡。备不许,曰:"吾方图凉州,凉州定,乃尽以荆州相与耳。"权曰:"此假而不反⑥,乃欲以虚辞引岁⑦也。"遂置长沙、零陵、桂阳三郡长吏。关羽尽逐之。权大怒,遣吕蒙督兵二万以取三郡。

蒙移书⑧长沙、桂阳,皆望风归服,惟零陵太守郝普城守不降。刘备闻之,自蜀亲至公安,遣关羽争三郡。孙权进住陆口,为诸军节度;使鲁肃将万人屯益阳以拒羽;飞书召吕蒙,使舍零陵急还助肃。蒙得书,秘之,夜,召诸将授以方略;晨,当攻零陵,顾谓郝普故人南阳邓玄之曰:"郝子太⑨闻世间有忠义事,亦欲为之,而不知时也。今左将军在汉中为夏侯渊所围,关羽在南郡,至尊身自临之。彼方首尾倒县⑩,救死不给,岂有余力复营此哉!今吾计力度虑而以攻此,曾不移日⑪而城必破,城破之后,身死,何益于事,而令百岁老母戴白受诛,岂不痛哉!度此家不得外问,谓援可恃,故至于此耳。君可见之,为陈祸福。"玄之见普,具宣蒙意,普惧而出降。蒙迎,执其手与俱下船,语毕,出书示之,因拊手大笑。普见书,知备在公安而羽在益阳,惭恨入地。蒙留孙河,委以后事,即日引军赴益阳。

鲁肃欲与关羽会语,诸将疑恐有变,议不可往。肃曰:"今日之事，宜相开譬⑫。刘备负国，是非未决，羽亦何敢重欲干命！"乃邀羽相见，各驻兵马百步上，但诸将军单刀俱会。肃因责数羽以不返三郡，羽曰："乌林之役，左将军身在行间，戮力破敌，岂得徒劳，无一块土，而足下来欲收地邪！"肃曰："不然。始与豫州觊⑬于长阪，豫州之众不当一校⑭，计穷虑极，志势摧弱，图欲远窜，望不及此。主上矜愍⑮豫州之身无有处所，不爱土地士民之力，使有所庇荫以济其患；而豫州私独饰情，愆德堕好⑯。今已借手⑰于西州矣，又欲翦并⑱荆州之土，斯盖凡夫所不忍行，而况整领人物之主乎！"羽无以答。会闻魏公操将攻汉中，刘备惧失益州，使使求和于权。权令诸葛瑾报命，更寻盟好。遂分荆州，以湘水为界：长沙、江夏、桂阳以东属权，南郡、零陵、武陵以西属备。诸葛瑾每奉使至蜀，与其弟亮但公会相见，退无私面。

[注释]

①暴：读 pù，暴露，显露。②孙、吴：指古代的军事家孙武、吴起。③借枢：借机。④宽贷：宽容，从宽赦免。⑤疑贰：因猜忌而生异心。⑥假而不反：有借无还。假，借；反，通"返"。⑦虚辞引岁：指拖延时间。⑧移书：古代官署文书的一种，用于平行官署之间，此处用作动词。⑨子太：郝普的字。⑩倒县：即"倒悬"，比喻境况极度困苦危急。⑪移日：日移影动，言时间长久。⑫开譬：开导劝说。⑬觊：拜见。⑭校：古代军队的编制。⑮矜愍：怜悯，同情。⑯愆德堕好：违反道德，毁坏好的（关系）。愆，读 qiān，丧失，毁坏。⑰借手：借助，假手。⑱翦并：削弱，吞并。

[译文]

此前，刘备在荆州驻扎时，周瑜、甘宁等人数次规劝孙权夺取蜀地。孙权派遣使者对刘备说："刘璋无将帅之才，不能自我守护，如果曹操得到蜀地，那么荆州就危险了。现在我计划先攻打并占领刘璋的蜀地，再击败汉中的张鲁，统一南方，即使有十个曹操，我也没有什么可忧虑的了。"刘备回答说："益州民众富裕，地势险要，刘璋虽然无将帅之才，但还完全可以有力量保护自己。现在让军队餐风宿露在蜀、汉之间，转运给养在万里驿路上，要想在战争中取胜，攻打并占领，军事行动不失利，就是孙武和吴起也难以做到。参与议论的人见曹操在赤壁战败，认为他军力衰竭，不会再有长远打算；现在三分天下曹操已经占有其二，准备到沧海去饮马，到吴郡会稽来阅兵，怎么会愿意守着这个局面坐等年老呢！而现在抗击曹操的同盟内部却无故自相攻打讨伐，把机会给曹操，让敌人钻了我们的空子，这不是长久之计啊。况且我和刘璋都自托为汉朝宗室，希望凭借祖上的神灵匡扶汉朝。现在刘璋得罪了您，我独自感到害怕不安，不敢听从您的计划，希望您予以宽容。"孙权不听刘备的劝告，派孙瑜率领水军前往夏口。刘备不让孙权的军队通过，对孙瑜说："你们想要攻取蜀地，我就披头散发，隐遁山林之中，不能在天下人面前失去信誉。"便派关羽驻扎江陵，张飞屯兵秭归，诸葛亮占据南郡，刘备自己停留在孱陵。孙权不得已把孙瑜召回。等到刘备向西进攻刘璋时，孙权说："好奸狡的敌人，竟敢隐藏假装得如此之深！"刘备留下关羽防守江陵，鲁肃的辖区与关羽的辖区邻界；关羽多生怀疑，鲁肃则经常以友好的态度安抚他。

等到刘备已经占领益州后，孙权派中司马诸葛瑾向刘备索求荆州各郡。刘备没有答应，说："我正考虑夺取凉州，凉州稳定后，就把荆州全部还给你们。"孙权说："这是有借无还，就想用拖延时间作为借口罢了。"于是设置了长沙、零陵、桂阳三郡的长官。关羽全部加以驱逐。孙权大怒，派吕蒙率兵二万人来夺取三郡。

吕蒙向长沙、桂阳发送文书，二郡都望风归服，只有零陵太守郝普据城而守不投降。刘备听到这个消息后，亲自从蜀地抵达公安，派遣关羽率军争夺三郡。孙权把军队开进陆口并驻扎下来，指挥调度各军；派鲁肃率领一万人驻扎在益阳，抵御关羽；用箭系书射送传召吕蒙，让他放弃零陵快速返回去帮助鲁肃。吕蒙接到孙权的书信后，秘密藏了起来。深夜，吕蒙召集诸位将领，颁布了自己的作战方案；早晨，当向零陵发起进攻时，吕蒙回头对郝普的旧友南阳人邓玄之说："郝普听说世间有忠义之事，也想那样做，但他不识时务。现在左将军刘备在汉中被夏侯渊包围，关羽在南郡，主公孙权亲自来征讨，他们好像首尾倒悬，救命都来不及，哪有余力再救援零陵！现在我已考虑周全，将向零陵城发起攻击，不久一定攻进城去，城破之后，郝普自己死了，对整个事情有什么好处呢，而且令百岁白发老母被杀，难道不让人痛心吗！我推测郝普是不能得到外边的音讯，认为有外援可以依赖，所以造成现在这个局面。你应该去见他，为他陈述祸福利害关系。"邓玄之见到郝普后，把吕蒙的意思全都说出来。郝普因恐惧而出城投降。吕蒙亲自迎接，拉着他的手与他一起下船，谈话结束后，吕蒙把孙权的信拿出来给他看，并拍手大笑。郝普看到信，才知道刘备已在公安，而关羽在益阳，惭愧悔恨得要钻到地下。吕蒙留下孙河，委任他处理零陵的后续事务，当天率军奔赴益阳。

　　鲁肃想与关羽会面谈判，诸位将领疑心害怕发生变故，商量认为鲁肃不要去。鲁肃说："今天的事情，应当是相互开导、劝说。刘备辜负天下人，是非还没有最后的结论，关羽又如何敢再打算谋害我的性命！"于是，邀请关羽会面，各自在百步以外停住自己的兵马，只有诸位将领带佩刀相见。鲁肃趁机以刘备不返还三郡责备数落关羽，关羽说："乌林那次战役，左将军刘备身在行伍中直接参战，竭尽全力击溃了敌人，哪能徒劳而不能拥有一块土地吗？而您竟然要来收取土地了！"鲁肃说："不是这样。开始在长阪与刘备相见时，他的部众抵挡不了一校人马，计谋已经穷尽，意志和气势被摧毁而低落，打算远逃，那时想不到会有今天。我们主公孙权怜悯刘豫州无处安身，不吝惜土地和普通民众的劳役，使刘豫州有了可以被庇护之地，帮助他渡过难关。而刘豫州却为个人处境谋划，虚情假意，违反道德，损坏我们的友好关系。现在他已得到益州，有了力量，又要兼并荆州土地，这样的事连普通人都不忍心做，何况统领一邦的领袖呢！"关羽无话可答。正在这时，有人说魏公曹操将要进攻汉中，刘备恐怕失去益州，派使者向孙权求和。孙权命令诸葛瑾复命刘备，愿再次寻求结盟友好。于是双方分割了荆州，以湘水为界：长沙、江夏、桂阳以东归属孙权，南郡、零陵、武陵以西归属刘备。诸葛瑾每次作为使者到蜀国，和他的弟弟诸葛亮只在公开会晤上相见，退下后并不私自见面。

魏 纪

死诸葛走生仲达

【魏纪四】 明帝青龙二年（甲寅，234年）

司马懿与诸葛亮相守百余日，亮数挑战，懿不出。亮乃遗懿巾帼妇人之服；懿怒，上表请战，帝使卫尉辛毗①杖节②为军师以制之。护军姜维谓亮曰："辛佐治杖节而到，贼不复出矣。"亮曰："彼本无战情，所以固请战者，以示武于其众耳。将在军，君命有所不受，苟能制吾，岂千里而请战邪！"

亮遣使者至懿军，懿问其寝食及事之烦简③，不问戎事④。使者对曰："诸葛公夙兴夜寐，罚二十以上，皆亲览焉；所啖食不至数升。"懿告人曰："诸葛孔明食少事烦，其能久乎！"

亮病笃，汉使尚书仆射李福省侍，因谘以国家大计。福至，与亮语已，别去，数日复还。亮曰："孤知君还意，近日言语虽弥日，有所不尽，更来亦决耳。公所问者，公琰⑤其宜也。"福谢："前实失不咨请，如公百年后，谁可任大事者，故辄还耳。乞复请蒋琬之后，谁可任者？"亮曰："文伟⑥可以继之。"又问其次，亮不答。

是月，亮卒于军中。长史杨仪整军而出。百姓奔告司马懿，懿追之。姜维令仪反旗鸣鼓，若将向懿者，懿敛军退，不敢逼。于是仪结陈⑦而去，入谷然后发丧。百姓为之谚曰："死诸葛走生仲达。"懿闻之，笑曰："吾能料生，不能料死故也。"懿按行⑧亮之营垒处所，叹曰："天下奇才也！"追至赤岸，不及而还。

[注释]

①辛毗（？—235）：字佐治，颍川阳翟（今河南禹州）人，初从袁绍，后属魏。官至卫尉、颍乡侯。②杖节：执持符节。③烦简：多少。④戎事：战事，军事。⑤公琰：蒋琬的字。蒋琬初随刘备入蜀，后封大将军，辅佐刘禅治蜀。⑥文伟：蜀汉名相费祎的字。⑦结陈：指排列成整齐的队形。"陈"通"阵"。⑧按行：巡行，巡视。

[译文]

司马懿与诸葛亮相互对峙一百多天，诸葛亮数次挑战，司马懿坚守不出。诸葛亮就赠送给司马懿妇女的头巾、发饰和衣服；司马懿被激怒，上表请求出战。魏明帝派遣卫尉辛毗执持符节做军师来节制司马懿的行动。护军姜维对诸葛亮说："辛毗持符节来到，贼军不会再出战了。"诸葛亮说："司马懿本来就没有作战的想法，坚决请求作战的原因，是向他的部众展示敢于进行军事行动的决心罢了。将军在军中，君王的命令可以不接受，如果他能战胜我军，哪里用得着远隔千里而请求作战呢！"

诸葛亮派遣使者到司马懿军中，司马懿向使者询问诸葛亮的睡眠、饮食和处理杂事的多少，不询问军事上的情况，使者回答说："诸葛公早起晚睡，处罚二十杖以上的公文，他都亲自阅览；所吃的食物不到几升。"司马懿告诉人说："诸葛亮进食减少而事务繁杂，他还能活多久呢！"

诸葛亮病重，汉主派遣尚书仆射李福前来探望，借机询问国家大事。李福到后与诸葛亮谈话结束，辞别而去，数日后又返回。诸葛亮说："我知道您返回来的用意，近几天虽然整天谈话，有些事还没有交待，再来也可以做决定了。你所要问的事蒋琬最适合。"李福道歉说："此前确实疏忽不曾询问，如您百年以后，谁可以担此重任，所以就又返回。再请问蒋琬之后，谁可担此重任？"诸葛亮说："费祎可以继任。"又问费祎以后的事情，诸葛亮不回答。

此月，诸葛亮在军营中病逝。长史杨仪整顿军队而撤军。百姓跑着去告知司马懿，司马懿追赶汉军。姜维令杨仪调转战旗方向，擂响战鼓，好像是向司马懿进攻。司马懿收军撤退，不敢逼近。于是杨仪将军队布阵离去，进入斜谷之后才发丧。百姓为此事编了谚语说："死诸葛走生仲达。"司马懿听到这件事后，笑着说："这是我能够料到诸葛亮活着，不能料到诸葛亮已死的缘故啊。"司马懿到诸葛亮驻军营垒处巡视，感叹说："天下奇才啊！"追汉军到赤岸，没有追上就退兵而还。

嵇康、阮籍轻蔑礼法

【魏纪十】 元帝景元三年（壬午，262年）

谯郡嵇康，文辞壮丽，好言老、庄而尚奇任侠，与陈留阮籍、籍兄子咸、河内山涛、河南向秀、琅邪王戎、沛人刘伶特相友善，号竹林七贤。皆崇尚虚无，轻蔑礼法，纵酒昏酣，遗落世事。

阮籍为步兵校尉，其母卒，籍方与人围棋，对者求止，籍留与决赌。既而饮酒二斗，举声一号，吐血数升，毁瘠骨立。居丧[①]，饮酒无异平日。司隶校尉何曾恶之，面质籍于司马昭座曰："卿，纵情、背礼、败俗之人，今忠贤执政，综核名实，若卿之曹，不可长也！"因谓昭曰："公方以孝治天下，而听[②]阮籍以重哀饮酒食肉于公座，何以训人！宜摈[③]之四裔，无令污染华夏。"昭爱籍才，常拥护之。曾,夔之子也。

阮咸素幸姑婢;姑将婢去,咸方对④客,遽借客马而追之,累骑⑤而还。

刘伶嗜酒,常乘鹿车⑥,携一壶酒,使人荷锸⑦随之,曰:"死便埋我。"当时士大夫皆以为贤,争慕效之,谓之放达。

钟会方有宠于司马昭,闻嵇康名而造⑧之,康箕踞而锻⑨,不为之礼。会将去,康曰:"何所闻而来,何所见而去?"会曰:"闻所闻而来,见所见而去!"遂深衔之。

山涛为吏部郎,举康自代;康与涛书,自说不堪流俗,而非薄汤、武。昭闻而怒之。康与东平吕安亲善,安兄巽诬安不孝,康为证其不然。会因谮"康尝欲助毌丘俭⑩,且安、康有盛名于世,而言论放荡,害时乱教,宜因此除之",昭遂杀安及康。康尝诣隐者汲郡孙登,登曰:"子才多识寡,难乎免于今之世矣!"

[注释]

①居丧:居忧。父母死后,在家守丧,不治外事。②听:听任。③摈:排斥,抛弃。此处指流放。④对:此处指招待客人。⑤累骑:两人共骑一马。⑥鹿车:言其小仅可容鹿。⑦锸:读 chā,锹。⑧造:拜访。⑨锻:打铁。⑩毌(guàn)丘俭:依胡三省注,毌丘俭要造反,而嵇康欲助之。毌丘,复姓。

[译文]

谯郡人嵇康,文章写得气势宏壮、词藻清丽,喜好谈论《老子》《庄子》,并且崇尚出人意外和抑强扶弱的举动。他与陈留人阮籍、阮籍的侄子阮咸、河内人山涛、河南人向秀、琅邪人王戎、沛国人刘伶是彼此非常好的朋友,被人们称为竹林七贤。他们都尊崇道教的"虚无"论,藐视礼仪、法度,每天纵情饮酒喝得酩酊大醉,把日常事务放在一边。

阮籍担任步兵校尉时,他母亲病逝,阮籍正在与他人下围棋,与他对弈的人请求停下来,阮籍留下来与对方对决和打赌。下完棋后，喝了两斗酒，放声大哭，吐下鲜血数升，因居丧过哀而极度瘦弱，像骨架立在那里。居丧期间，饮酒与平常一样没有区别。司隶校尉何曾很厌恶他，在司马昭座位前当面质问阮籍说："你是个放纵情欲、违背礼法、败坏风俗的人，如今忠心、贤良之人执掌朝政，综合考核人的名与实，像你这类人，不可能受到重视！"于是就对司马昭说："您正在以孝道治理天下，却听任阮籍在重孝在身的居丧期间，在您的座位面前饮酒吃肉，以后用什么来教诲其他人？应该把他放逐到四方边远之地，不让他影响华夏的风气。"司马昭爱惜阮籍的才干，常常保护他。何曾是何夔之子。

阮咸平常亲近姑姑的婢女；姑姑带走婢女时，阮咸正好在招待客人，他匆忙借客人的马追赶他们，然后两人骑一匹马回来了。

刘伶饮酒贪杯过度，常常乘一辆小鹿车，携带着一壶酒出游，又让人扛着锹跟随着他，说："死了就把我埋掉。"当时士大夫都认为他是有德行的人，争相羡慕和仿效他的做法，说这是放达。

钟会正受到司马昭的宠爱，听说嵇康有名气就去拜访他，嵇康伸开双腿像簸箕一样两脚张开，两膝微曲地坐在那里打铁，不按礼节招待钟会。钟会将要离开，嵇康问："你听到了什么而来，见到了什么而去？"钟会说："听我所听到的而来，见我所见到的而去！"于是对嵇康怀恨在心。

山涛任吏部郎，举荐嵇康代替自己；嵇康给山涛写信，说自己不能忍受世俗的束缚，非议轻薄商汤和周武王。司马昭听到后对此事很生气。嵇康与东平人吕安是亲近友善的朋友，吕安之兄吕巽诬陷吕安不孝顺，嵇康给他作证说他不是这样。钟会趁机诬告他说："嵇康曾经想帮助造反的毌丘俭，而且吕安、嵇康在社会上享有很高的名望，但他们的言论随意放纵，危害时俗，扰乱教化，应当借此机会除掉他们。"司马昭就杀掉吕安和嵇康。嵇康曾去拜访隐士汲郡人孙登，孙登说："你很有才能，但见识不广，很难在当今之世免于被杀！"

晋 纪

王恺石崇比富

【晋纪三】武帝太康三年（壬寅，282年）

春，正月，丁丑朔①，帝亲祀南郊。礼毕，喟然②问司隶校尉刘毅曰："朕可方③汉之何帝？"对曰："桓、灵。"帝曰："何至于此？"对曰："桓、灵卖官钱入官库，陛下卖官钱入私门。以此言之，殆不如也。"帝大笑曰："桓、灵之世，不闻此言，今朕有直臣，固为胜之。"

毅为司隶，纠绳④豪贵，无所顾忌。皇太子鼓吹⑤入东掖门，毅劾奏之。中护军、散骑常侍羊琇，与帝有旧恩，典⑥禁兵，豫⑦机密十余年，恃宠骄侈，数犯法。毅劾奏琇罪当死；帝遣齐王攸私请琇于毅，毅许之。都官从事广平程卫径驰入护军营，收琇属吏，考问阴私，先奏琇所犯狼籍，然后言于毅。帝不得已，免琇官。未几，复使以白衣⑧领职。

琇，景献皇后之从父⑨弟也；后将军王恺，文明皇后之弟也；散骑常侍石崇，苞之子也。三人皆富于财，竞以奢侈相高⑩：恺以粕⑪澳⑫釜，崇以蜡代薪；恺作紫丝步障⑬四十里，崇作锦步障五十里；崇涂屋以椒，恺用赤石脂。帝每助恺，尝以珊瑚树赐之，高二尺许。恺以示崇，崇便以铁如意碎之；恺怒，以为疾己之宝。崇曰："不足多恨，今还卿！"乃命左右悉取其家珊瑚树，高三四尺者六七株，如恺比者甚众，恺恍然自失。

车骑司马傅咸上书曰："先王之治天下，食肉衣帛，皆有其制⑭，窃谓奢侈之费，甚于天灾。古者人稠地狭，而有储蓄，由于节⑮也。今者土旷人稀，而患不足，由于奢也。欲人崇俭，当诘⑯其奢，奢不见诘，转相高尚⑰，无有穷极矣！"

[注释]

①朔：农历每月初一日。②喟然：长叹息的样子。③方：比。④纠绳：揭发惩处。⑤鼓吹：演奏乐曲的乐队，此处指吹打着乐器。⑥典：掌管。⑦豫：通"与"，参与。⑧白衣：古代无功名的人的代称，此指平民。⑨从父：伯父或叔父。⑩高：尊重。⑪粕：用麦芽或谷芽制成的糖浆。⑫澳：擦，洗刷。⑬步障：用以遮蔽风尘或视线的一种屏障。⑭制：规章制度。⑮节：节俭。⑯诘：责问，禁止。⑰高尚：尊重，崇尚。

[译文]

春天，正月初一是丁丑日，晋武帝亲自到京城南面的郊外祭祀。典礼仪式完毕后，晋武帝感慨地询问司隶校尉刘毅说："我可以和汉朝的哪个帝王相比？"刘毅回答说："桓帝、灵帝。"晋武帝说："怎么到了这种地步？"刘毅说："桓帝、灵帝卖官的钱都缴纳给官府的仓库，陛下卖官的钱都进了您私人的住宅，按照这样来说，大概还不如桓帝、灵帝。"晋武帝大笑道："桓帝、灵帝的时代，不能听到这样的话，现在朕有正直的大臣，已经是超过桓帝、灵帝了。"

刘毅任司隶校尉，督察纠正豪门权贵，没有什么顾虑和惧怕。皇太子吹打着乐器进入东掖门，刘毅就上奏皇帝弹劾他。中护军、散骑常侍羊琇，曾有恩于晋武帝，他掌管皇帝的禁兵，参与朝廷机密要事十几年来，倚仗着皇帝的宠爱，骄纵奢侈，多次触犯刑律。刘毅向晋武帝检举羊琇的罪行，认为羊琇的罪行应当被处死，晋武帝派齐王司马攸私下里向刘毅为羊琇求情，刘毅应允了他。都官从事、广平人程卫，骑马直接进入护军营，拘捕了羊琇的下属官吏，拷打审问他暗中所做的隐秘不可告人之事。他先把羊琇所犯下的行为不检点的事上奏皇帝，然后告诉给刘毅。晋武帝无可奈何，免去羊琇的官。没有多久，又让他以平民的身份兼任职务。

羊琇是景献皇后的叔伯堂弟；后将军王恺，是文明王皇后的弟弟；散骑常侍石崇，是石苞的儿子。这三个人都拥有丰厚的家财，他们竞相用奢侈相比，谁最奢侈就最受尊重。王恺用糖浆刷锅，石崇就用蜂蜡代替柴烧；王恺用紫色的蚕丝作屏帐四十里，石崇就用织锦作屏帐五十里；石崇用花椒粉和泥涂房屋，王恺就用赤石脂和泥涂墙。晋武帝每每帮助王恺，曾经以珊瑚树赏赐给他，高达二尺多。王恺把珊瑚树拿来给石崇看，石崇就用铁如意将珊瑚树打碎了；王恺很气愤，认为石崇是嫉妒自己的宝贝。石崇说："不值得多遗憾，现在还你。"于是让手下人把家中的珊瑚树全部拿出来，其中高三四尺的有六七棵，与王恺珊瑚树相同的有很多，王恺茫然失意，手足无措。

车骑司马傅咸上书说："先王治理天下，对食肉、穿丝织的衣服，都有相应的规定。我私下认为奢侈所造成的浪费，比天灾还要严重。古代人多地少却有积蓄，是因为节俭的缘故。现在土地空旷，人口稀少，而忧虑物品不充足，是因为奢侈的缘故啊。想让人们崇尚节俭，应当禁止他们奢侈的习惯，奢侈不被禁止，反而互相攀比，那就没有穷尽了！"

"何不食肉糜？"

【晋纪五】孝惠皇帝元康九年（己未，299年）

帝①为人戆骏②，尝在华林园闻虾蟆③，谓左右曰："此鸣者，为官乎，为私乎？"时天下荒馑④，百姓饿死，帝闻之，曰："何不食肉糜⑤？"由是权在群下，政出多门，势位之家，更相荐托，有如互市⑥。贾、郭⑦恣横，货赂⑧公行。南阳鲁褒⑨作《钱神论》以讥之曰："钱之为体，有乾、坤⑩之象，亲之如兄，字曰孔方。无德而尊，无势而热，排金门⑪，入紫闼⑫，危可使安，死可使活，贵可使贱，生可使杀。是故忿争非钱不胜，幽滞⑬非钱不拨，怨仇非钱不解，令闻⑭非钱不发。洛中朱衣⑮、当涂⑯之士，爱我家兄，皆无已已⑰，执我之手，抱我终始，凡今之人，惟钱而已！"

[注释]

①帝：指晋惠帝。②戆骏：戆读 zhuàng，刚直，愚直；骏读 ái，痴呆，愚蠢。③虾蟆：即蛤蟆，青蛙和蟾蜍的通称。④荒馑：泛指灾荒。荒，歉收；馑，蔬菜歉收。⑤肉糜：肉粥。⑥互市：往来贸易。⑦贾、郭：指当时权门贵族贾谧和郭彰。⑧货赂：贿赂。⑨鲁褒：字元道，生卒不详。南阳（今属河南省）人。西晋文学家。好学多闻，以贫素自立。隐居不仕。⑩乾、坤：天地。⑪金门：汉代宫门名，又名金马门。此泛指宫廷之门。⑫闼：宫中的小门。⑬幽滞：被埋没，没有得到提拔、重用的人。⑭令闻：美好的名声。⑮朱衣：古代绯色的公服，因亦指这种公服的职位。⑯当涂：当权。⑰已已：休止。

[译文]

晋惠帝跟人交往时显得痴呆，曾经在华林园听到蛤蟆叫，就对随从说："这鸣叫的声音，是为公事呢，还是为私事呢？"当时天下闹灾荒，百姓很多都饿死了，惠帝听到后说："他们为什么不吃肉粥呢?"因为这个原因,权力由群臣掌控,政令由许多部门发出。拥有权势、地位的人家互相推举、提携,如同交易。贾氏、郭氏放纵专横,官场上贿赂公然盛行。南阳人鲁褒作《钱神论》以讥讽这种现象说:"钱的形象,如同天地一样有圆有方,人们亲近它如同兄弟,取名叫孔方。没有美德而被尊重,没有权势而显赫,出入官廷高门,危险可以转为平安,将死者可以使他复生,尊贵可以变为卑贱,活人可置于死地。因此忿怒相争时无钱不能取胜,未被擢用之士没有钱就不能得到提拔,怨恨仇视没有钱就不能得到化解,美名无钱不能传扬。洛中的王公贵族、当权者,喜爱我的兄长无休无止,握我的手,紧抱着我不放松。现在的人,心中只有钱罢了。"

祖逖击楫中流

【晋纪十】愍帝建兴元年(癸酉,313年)

初,范阳祖逖,少有大志,与刘琨①俱为司州主簿。同寝,中夜②闻鸡鸣,蹴③琨觉曰:"此非恶声也!"因起舞。及渡江,左丞相睿④以为军谘祭酒。逖居京口,纠合骁健⑤,言于睿曰:"晋室之乱,非上无道而下怨叛也,由宗室争权,自相鱼肉⑥,遂使戎狄乘隙,毒流中土。今遗民既遭残贼,人思自奋,大王诚能命将出师,使如逖者统之以复中原,郡国豪杰,必有望风响应者矣!"睿素无北伐之志,以逖为奋威将军、豫州刺史,给千人廪⑦,布三千匹,不给铠仗⑧,使自召募。逖将其部曲⑨百余家渡江,中流,击楫而誓曰:"祖逖不能清中原而复济者,有如大江!"遂屯淮阴,起冶铸兵,募得二千余人而后进。

[注释]

①刘琨(271—318):字越石,中山魏昌(今河北无极)人,西汉中山

靖王刘胜的后裔。善文学，通音律。②中夜：半夜。③蹴：踢。④睿：即司马睿，时任左丞相。⑤骁健：勇猛矫健。⑥自相鱼肉：自相欺压，残害。⑦廪：口粮。⑧铠仗：铠甲与兵器。⑨部曲：军队。

[译文]

当初，范阳人祖逖，年轻时就有远大志向，曾与刘琨一起做司州的主簿。祖逖与刘琨同寝共眠，半夜听到鸡叫，踢醒刘琨说："这不是讨厌人的声音。"就起床舞剑。等渡江后，左丞相司马睿让他任军谘祭酒。祖逖居住京口时，聚集起勇猛强健的勇士，对司马睿说："晋王室的内乱，不是皇上无道而使臣子怨恨叛乱，而是由于宗室之间相互争权，自相残害，于是让戎狄钻了空子，祸害扩散到中原地区。现在晋朝因动乱遗留下来的人民遭到伤害后，人人都想着自我奋发而欲有所为，大王您如果能够命令将领率兵征讨，使像我一样的人统领军队来收复中原，各郡国才智勇力出众的人，一定会有望风响应的！"司马睿向来没有北伐的志向，就让祖逖作奋威将军、豫州刺史，拨给千人的口粮，三千匹布，不给兵器，让他自己募集。祖逖率领自己的军队百余户人家渡过长江，船到长江中间，祖逖敲打着船桨说："祖逖如果不能廓清中原而再次渡江，就如同大江一样！"于是驻扎在淮阴，建造熔炉铸造兵器，又招募了二千多人后继续前进。

石虎畋猎无度

【晋纪十九】 成帝咸康八年（壬寅，342年）

虎畋猎①无度，晨出夜归，又多微行②，躬察③作役。侍中京兆韦謏谏曰："陛下忽天下之重，轻行斤斧④之间，猝有狂夫之变，虽有智勇，将安所施！又兴役无时，废民耘获，吁嗟盈路，殆非仁圣之所忍为也。"虎赐谀谷帛,而兴缮滋繁⑤,游察自若。

秦公韬有宠于虎,太子宣恶之。右仆射张离领五兵尚书,欲求媚于宣,说之曰:"今诸侯吏兵过限,宜渐裁省,以壮本根。"宣使离为奏:"秦、燕、义阳、乐平四公,听⑥置吏一百九十七人,帐下兵二百人。自是以下,三分置一,余兵五万,悉配东宫。"于是诸公咸怨,嫌衅益深矣。

青州上言:"济南平陵城北石虎一夕移于城东南,有狼狐千余迹随之,迹皆成蹊。"虎喜曰:"石虎者,朕也;自西北徙而东南者,天意欲使朕平荡江南也。其敕诸州兵明年悉集,朕当亲董⑦六师⑧,以奉天命。"群臣皆贺,上《皇德颂》者一百七人。制:"征士五人出车一乘,牛二头,米十五斛,绢十匹,调不办者斩。"民至鬻⑨子以供军须,犹不能给,自经⑩于道树者相望。

[注释]

①畋猎:打猎。②微行:帝王或高官隐藏身份改装而行。③躬察:亲自察看。④斤斧:本指砍伐的工具,此处指刑戮,喻处境险恶。⑤滋繁:更加繁多。⑥听:听凭,听任。⑦董:督察。⑧六师:即六军,泛指朝廷的军队。⑨鬻:卖。⑩自经:上吊自杀。

[译文]

后赵王石虎打猎没有节制,早出晚归,又多次微服出行,亲自察看役夫的劳作情况。侍中京兆人韦谀劝谏说:"陛下轻视天下的权力,随意地行走于危险之地,突然间有悖逆妄为的人发动变乱,即使有智勇的人辅佐,又将怎么办呢!况且随时征发徭役,荒废农民的耕耘和收获,吁嗟叹息之声充满了道路,恐怕不是仁德圣明之人所能忍心干的事。"石虎赏赐韦谀谷物钱帛,但兴利修葺更加频繁,游巡察看依然如故。

秦公石韬深受石虎的宠爱,太子石宣憎恶他。右仆射张离兼任五兵尚书,想讨好石宣,劝说石宣道:"现在诸侯的属吏、士兵都超出了限制,应当逐步裁减,来壮大朝廷的力量。"石宣让张离上奏章,说:"秦公、燕公、义阳公、乐平公四人,按规定允许设置吏员一百九十七人,帐下兵二百人。从此而下,依照等级按三分之一的比例设置吏员、士卒。余下的五万士卒,全部配备给东官。"因此各位王公都埋怨起来,矛盾更加深了。

青州地方官上报说:"济南平陵城北的石刻老虎,一夜间被迁移到城东南,有一千多只狼、狐的足印遗留,足迹都践踏成了小路。"石虎高兴地说:"所谓石虎,就是朕;自西北迁徙到东南,天意想让朕扫荡平定江南啊。那就敕令各州军队明年全部聚集,朕当亲自统领六师,以遵奉天命伐晋。"群臣都来祝贺,一百零七人呈上《皇德颂》。石虎颁发诏令:"被征调的士卒每五人出一辆车,两头牛,十五斛米,十匹绢,征调不能完成的斩首。"百姓甚至典卖子女供给军需,还不能满足,在路边树上上吊自杀的接连不断。

苻坚素有时誉

【晋纪二十二】穆帝升平元年(丁巳,357年)

东海王坚,素有时誉,与故姚襄参军薛赞、权翼善。赞、翼密说坚曰:"主上猜忍暴虐,中外离心,方今宜主秦祀①者,非殿下而谁!愿早为计,勿使它姓得之!"坚以问尚书吕婆楼,婆楼曰:"仆,刀镮上人②耳,不足以办大事。仆里舍有王猛者,其人谋略不世出③,殿下宜请而咨之。"坚因婆楼以招猛,一见如旧友,语及时事,坚大悦,自谓如刘玄德之遇诸葛孔明也。

六月,太史令康权言于秦主生曰:"昨夜三月并出,孛星④入太微⑤,连东井,自去月上旬,沉阴不雨,以至于今,将有下人谋上之祸。"生怒,以为妖言,扑杀⑥之。

特进、领御史中丞梁平老等谓坚曰:"主上失德,上下嗷嗷⑦,人怀异志,燕、晋二方,伺隙而动,恐祸发之日,家国俱亡。此殿下之事也,宜早图之!"坚心然之,畏生趫勇⑧,未敢发。

生夜对侍婢言曰:"阿法兄弟亦不可信,明当除之。"婢以告坚及坚兄清河王法。法与梁平老及特进光禄大夫强汪帅壮士数百潜入云龙门,坚与吕婆楼帅麾下三百人鼓噪继进,宿卫将士皆舍仗归坚。生犹醉寐,坚兵至,生惊问左右曰:"此辈何人?"左右曰:"贼也!"生曰:"何不拜之!"坚兵皆笑。生又大言:"何不速拜,不拜者斩之!"坚兵引生置别室,废为越王。寻杀之,谥曰厉王。

坚以位让法,法曰:"汝嫡嗣,且贤,宜立。"坚曰:"兄年长,宜立。"坚母苟氏泣谓群臣曰:"社稷重事,小儿自知不能。它日有悔,失在诸君。"群臣皆顿首请立坚。坚乃去皇帝之号,称大秦天王,即位于太极殿;诛生幸臣中书监董荣、左仆射赵韶等二十余人。大赦,改元永兴。追尊父雄为文桓皇帝,母苟氏为皇太后,妃苟氏为皇后,世子宏为皇太子,以清河王法为都督中外诸军事、丞相、录尚书事、东海公,诸王皆降爵为公。以从祖右光禄大夫、永安公侯为太尉,晋公柳为车骑大将军、尚书令。封弟融为阳平公,双为河南公,子丕为长乐公,晖为平原公,熙为广平公,睿为钜鹿公。以汉阳李威为左仆射,梁平老为右仆射,强汪为领军将军,吕婆楼为司隶校尉,王猛为中书侍郎。

融好文学,明辨过人,耳闻则诵,过目不忘;力敌百夫,善骑射击刺,少有令誉。坚爱重之,常与共议国事。融经综内外,刑政修明,荐才扬滞⑨,补益弘多。丕亦有文武才干,治民断狱,皆亚于融。

威,苟太后之姑子也,素与魏王雄友善。生屡欲杀坚,赖威营救得免。威得幸于苟太后,坚事之如父。威知王猛之贤,常劝坚以国事任之,坚谓猛曰:"李公知君,犹鲍叔牙之知管仲也。"猛以兄事之。

秦王坚以权翼为给事黄门侍郎，薛赞为中书侍郎，与王猛并掌机密。九月，追复太师鱼遵等官，以礼改葬，子孙存者皆随才擢叙⑩。

秦太后苟氏游宣明台，见东海公法之第门车马辐凑⑪，恐终不利于秦王坚，乃与李威谋，赐法死。坚与法诀于东堂，恸哭欧血；谥曰献哀公，封其子阳为东海公，敷为清河公。

秦王坚行至尚书，以文案不治⑫，免左丞程卓官，以王猛代之。坚举异才，修废职，课⑬农桑，恤困穷，礼百神，立学校，旌节义，继绝世⑭；秦民大悦。

[注释]

①主秦祀：主持秦国祭祀，即做秦国国君。②刀镬上人：即屠刀下的人。③不世出：不是每代都有，世所稀有。④孛星：星芒四出扫射的现象，因即以为彗星的别称。⑤太微：与下文的"井"同为星宿名。⑥扑杀：鞭挞至死。扑，鞭挞。⑦嗷嗷：哀怨或愁叹声。⑧趫勇：矫健、勇猛。⑨扬滞：指拔擢沉沦之士。扬，显扬。⑩擢叙：亦作"擢序"，提拔叙用。⑪辐凑：车的辐条集凑于车轴心，比喻人或物聚集在一起。⑫不治：没有管理好。此指凌乱。⑬课：劝勉。⑭绝世：绝禄的世家。古时卿大夫的封邑采地由子孙世世享有。绝世，即卿大夫子孙之失去世禄者。

[译文]

东海王苻坚，平素被当时人称誉，与过去姚襄的参军薛赞、权翼关系交好。薛赞、权翼悄悄地劝说苻坚说："主上猜忌残忍，行为暴虐，朝廷内外对他已经离心离德，现在适宜主持秦祭祀的人，除了殿下还有谁！希望早点为这件事谋划，不让大权为他姓人所得！"苻坚用这件事问尚书吕婆楼，吕婆楼说："我已经是屠刀下的人了，不足以办成大事。我同里中有位叫王猛的人，其人谋略世上少有，殿下应当延请并咨询他。"苻坚通过吕婆楼来召见王猛，两人一见如故。谈论到当时的大事，苻坚非常高兴，自认为如同刘备遇到了诸葛亮一样。

六月,太史令康权对秦主苻生说:"昨天晚上三个月亮同时出现,彗星进入太微星座,又向东连着井宿。从上月上旬以来,天空浓云密布不下雨,以至于今,将要有臣子谋害主上的灾祸了。"苻生非常气愤,认为这是妖言,把他鞭挞而死。

特进兼御史中丞梁平老等人对苻坚说:"主上有罪过,上下哀怨,人人各怀异志,燕、晋二国,伺机而动,恐怕灾祸降临之时,宗族、国家都要灭亡。这是殿下的大事,应该及早谋划!"苻坚内心同意,因畏惧苻生的矫捷勇猛,没敢有所表示。

苻生夜里对侍婢说:"苻法兄弟也不可信赖,明天应当除掉他们。"婢女把苻生的话告诉了苻坚以及苻坚的兄长清河王苻法。苻法和梁平老以及特进光禄大夫强汪,率领几百个勇士潜入云龙门,苻坚和吕婆楼率领部下三百人擂鼓呐喊相继进入,守卫王宫的将士们全都丢掉兵器归附苻坚。苻生这时还醉卧,苻坚的士兵到达后,苻生警觉地问手下人说:"这是些什么人?"手下人回答:"强盗!"苻生说:"为什么不叩拜!"苻坚的士兵都笑了。苻生又大声说:"为什么不赶快叩拜,不拜者杀头!"苻坚的士兵拉着苻生安置到别的房间,废黜他为越王,不久杀了他,赐谥号为厉王。

苻坚将王位让给苻法,苻法说:"你是嫡传嗣子,并且有德行,应该立为王。"苻坚说:"兄长年长,应该立为王。"苻坚的母亲苟氏哭着对群臣说:"事关社稷重大的事,我儿子自己知道没有才能胜任,将来有一天大家如有后悔,过错在诸位身上。"群臣都叩头请求立苻坚为王。苻坚于是去掉了皇帝的名号,称大秦天王,在太极殿即位;杀掉了苻生得宠的臣子中书监董荣、左仆射赵韶等二十多人。大赦天下,改年号为永兴。追尊父亲苻雄为文桓皇帝,尊母亲苟氏为皇太后,立妃苟氏为皇后,立长子苻宏为皇太子,让清河王苻法担任都督中外诸军事、丞相、录尚书事、东海公,诸王全都降爵为公。任命从祖右光禄大夫、永安公苻侯为太尉,晋公苻柳为车骑大将军、尚书令。封弟弟苻融为阳平公,苻双为河南公,儿子苻丕为长乐公,苻晖为平原公,苻熙为广平公,苻睿为钜鹿公。任命汉阳人李威为左仆射,梁平老为右仆射,强汪为领军将军,吕婆楼为司隶校尉,王猛为中书侍郎。

苻坚的弟弟苻融爱好文章经籍,分辨能力过人,听说过就能背诵,过目不忘;力量之大,以一敌百,擅长骑马射箭刺击,从小就有美好的名声。苻坚非常喜欢并看重他,经常和他共同谈论国家大事。苻融谋划治理朝廷内外,刑法政令,规范昌明,推荐贤才,提拔被积压的人才,对苻坚帮助特别多。苻坚的儿子苻丕也有文武才干,但治理民众、审理案件,都次于苻融。

李威是苟太后姑姑的儿子,平常和魏王苻雄关系友好,苻生多次想杀掉苻坚,全靠李威设法援救得以逃脱。李威得到苟太后的宠爱,苻坚侍奉李威像父亲一样。李威知道王猛的才能,经常劝苻坚以国家大事委任给他;苻坚对王猛说:"李公了解你,如同鲍叔牙了解管仲啊。"王猛像对待兄长一样侍奉他。

前秦王苻坚任命权翼为给事黄门侍郎,薛赞为中书侍郎,和王猛共同掌管朝廷的重要部门。九月,追认并恢复了太师鱼遵等人的官位,按照礼仪重新加以安葬,对他们在世的子孙,全都根据才能加以提拔任用。

秦太后苟氏游览宣明台,因为东海公苻法的宅第门前车水马龙,她担心这终究对前秦王苻坚不利,就与李威商量,赐苻法死。苻坚和苻法在东堂诀别,放声痛哭,口吐鲜血。苻法死后,谥号献哀公,封他的儿子苻阳为东海公,苻敷为清河公。

秦王苻坚巡视到了尚书省,因为文牍案卷没有整理,免去尚书左丞程卓的官职,任命王猛取代他。苻坚任用贤才,整治废弛的政事,劝勉农业生产,抚恤穷困的人,礼敬各种神灵,设立学校,表彰有节操与义行的人，延续断绝禄位的世家的世祀，前秦的民众十分高兴。

桓温上疏迁都洛阳

【晋纪二十三】哀帝隆和元年（壬戌，362年）

温上疏请迁都洛阳，自永嘉之乱播①流江表者，一切北徙，以实河南。朝廷畏温，不敢为异；而北土萧条，人情疑惧，虽并知不可，莫敢先谏。散骑常侍领著作郎孙绰上疏曰："昔中宗龙飞②，非惟信顺协于天人，实赖万里长江画而守③之耳。今自丧乱已来，六十余年，河、洛丘墟④，函夏⑤萧条。士民播流江表，已经数世，存者老子长孙，亡者丘陇⑥成行，虽北风之思⑦感其素心，目前之哀实为交切。若迁都旋轸⑧之日，中兴五陵，即复缅成遐域⑨。泰山之安，既难以理保⑩，烝烝⑪之思，岂不缠于圣心哉！温今此举，诚欲大览始终，为国远图；而百姓震骇，同怀危惧，岂不以反旧之乐赊⑫，而趋死之忧促⑬哉！何者？植根江外⑭，数十年矣，一朝顿⑮欲拔之，驱踧⑯于穷荒之地；提挈⑰万里，逾险浮深，离坟墓，弃生业，田宅不可复售，舟车无从而得，舍安乐之国，适习乱之乡，将顿仆道涂，飘溺江川，仅有达者。此仁者所宜哀矜，国家所宜深虑也！臣之愚计，以为且宜遣将帅有威名、资实者，先镇洛阳，扫平梁、许，清壹河南。运漕之路既通，开垦之积已丰，豺狼远窜，中夏⑱小康，然后可徐议迁徙耳。奈何舍百胜之长理，举天下而一掷哉！"绰，楚⑲之孙也。少慕高尚，尝著《遂初赋》以见志。温见绰表，不悦，曰："致意兴公⑳，何不寻君《遂初赋》，而知人家国事邪！"

时朝廷忧惧，将遣侍中止温，扬州刺史王述㉑曰："温欲以虚声威朝廷耳，非事实也；但从之，自无所至。"乃诏温曰："在昔丧乱，忽涉五纪，戎狄肆暴，继袭凶迹，眷言㉒西顾，慨叹盈怀。知欲躬帅三军，荡涤氛秽，廓清中畿，光复旧京；非夫外身徇国，孰能若此！诸所处分㉓，委之高算㉔。但河洛丘墟，所营者广，经始之勤，致劳怀也。"事果不行。

温又议移洛阳钟虡㉕。述曰："永嘉不竞，暂都江左，方当荡平区宇，旋轸旧京。若其不尔，宜改迁园陵，不应先事钟虡！"温乃止。

[注释]

①播：迁徙，流亡。②龙飞：比喻帝王将兴或即位。③画而守：划地而守。画，划分。④丘墟：也作"丘虚"，废墟，荒地。⑤函夏：指全中国。夏，华夏。⑥丘陇：坟墓。⑦北风之思：北风，北方的曲调，《左传·襄公十九年》："晋人闻有楚师，师旷曰：'不害。吾骤歌北风，又歌南风。南风不竞，多死声。楚必无功。'"北风之思指对北方故土的思念。⑧旋轸：驾车北还。旋，归，还；轸，车厢后面的横木。⑨复缅成遐域：又处在遥远的地域。缅，远，遥远。⑩泰山之安，既难以理保：依胡三省注，言以理观之，迁都于洛，难以保泰山之安也。⑪烝烝：淳厚，深厚。⑫赊：远，长。⑬促：急迫。⑭江外：江南。⑮顿：立刻，马上。⑯跋：通"蹴"，踢。⑰提挈：提携，带领。指拉家带口。⑱中夏：中原。下文中的"中畿"也指中原。⑲楚：即孙楚（约218—293）西晋诗人，字子荆。太原中都（今山西平遥）人，史称其"才藻卓绝，爽迈不群"。⑳兴公：孙绰的字。㉑王述：出身东晋豪门王氏家族，大器晚成。㉒眷言：亦作"睠言"，回顾貌。言，词尾。㉓处分：处置安排。㉔高算：深谋远虑。㉕钟虡：钟和钟架。虡，读jù，古代悬挂编钟、编磬木架上的立柱。

[译文]

桓温上疏请求迁都洛阳，把从永嘉之乱以来迁徙流落到江南的人，一律北迁，以充实黄河以南地区。朝廷畏惧桓温，没有人敢于提出不同的意见；当时北方地区政治经济环境萧条冷落，人们内心里都感到怀疑恐惧，虽然都知道桓温的建议不可行，但没有人敢于先出来进谏。散骑常侍兼著作郎孙绰上疏说："从前中宗（晋元帝）即位，不只是符合天意，顺应民心，实际上是有赖长江划地防守罢了。从永嘉之乱以来到如今，六十多年了，黄河、洛水一带变为废墟，中原地区一片萧条。士人和民众迁徙流落到江南，已经几代了，活着的人已经有了年岁大的儿子和长孙，死去的人坟墓排成行，虽然对北方故土的思念牵动着他们的夙愿，但眼前的悲痛实际上更为紧迫。如果迁都回车北返，中兴以来五座帝陵，就又处在遥远的地方了。泰山的稳定，既然难以保全，对先帝深厚的思念之情，怎能不萦绕于圣主心间！桓温现在的这一举动，确实是想通览天下局势，为国家作长远谋划；然而百姓却感到惊惧，全都心怀忧虑恐惧，这难道不是因为返回故土的欢乐迟缓，而走向死亡的忧虑紧迫吗！为什么呢？扎根在江南，有数十年了，一时马上就要迁徙他们，驱赶到贫穷荒远的地方；使他们拖家带口远行万里之遥，跨越要隘，涉过深水，远离祖宗的坟墓，抛弃资财，田地宅院不可能再次出卖，舟船车乘没有办法得到，抛弃安逸快乐的家园，到时常动荡的乡野，将死在路途，被洪水冲走淹没于江河，很少会有能到达的。这是仁义之人应该哀怜的，国家应该深深忧虑的！我私下里认为，暂时应该派遣有威望名声、有资历和才能的将帅，先镇守洛阳，扫平梁、许等地，清平一统黄河以南地区。运送粮食的漕路保证畅通，开垦荒地种植的粮食已经丰盈，胡人逃窜，中原逐步稳定，然后可以慢慢地讨论迁徙的问题。怎么能舍弃战无不胜的长远规划，拿整个天下而孤注一掷呢！"孙绰是孙楚的孙子。他年轻时就倾慕道德品质高雅的人，曾经著《遂初赋》来表明宏伟志向。桓温看到孙绰上奏的奏章，很不高兴，说："告诉孙绰，为什么不去重申你的《遂初赋》，而偏要过问别人的国家大事呢！"

当时朝廷忧愁恐惧桓温，打算派侍中劝阻桓温。扬州刺史王述说:"桓温是想用虚假的声势来威胁朝廷罢了,事情不是真的是这样的;只要依从他,他自己就不会去了。"就给桓温下诏说:"在过去发生的政局动乱,恍惚间已经历五十年,戎狄纵恣行凶,继续承袭他们行凶的劣迹,回首西望,感慨叹息充满胸怀。得知你打算亲率三军将士,清除战乱,廓清中土,光复旧京;如果不是有献身国家利益的雄心壮志,谁能像这样呢!各种决定,都依靠你的深谋远略。只是黄河、洛水一带的废墟,需要建设的地方很辽阔,开始营建时很辛苦,一定会让你心力交瘁。"迁都的事情终于没有施行。

桓温又提议迁徙洛阳皇宫中的钟和钟架,王述说:"永嘉之乱朝廷不胜,暂且建都江东,正应当扫荡平定天下,回车旧京。如果不能这样,应该改迁先帝的陵墓,不应先迁移钟和钟架!"桓温于是没有再去提议。

王猛嫉宠而谗慕容垂

【晋纪二十四】海西公太和五年(庚午,370年)

秦王猛遗燕荆州刺史武威王筑书曰:"国家今已塞成皋之险,杜盟津之路,大驾虎旅①百万,自轵关取邺都,金墉穷戍,外无救援,城下之师,将军所监②,岂三百弊卒所能支也!"筑惧,以洛阳降;猛陈师受之。燕卫大将军乐安王臧城新乐,破秦兵于石门,执秦将杨猛。

王猛之发长安也,请慕容令参其军事,以为乡导③。将行,造④慕容垂饮酒,从容谓垂曰:"今当远别,何以赠我?使我睹物思人。"垂脱佩刀赠之,猛至洛阳,赂垂所亲金熙,使诈为垂使者,谓令曰:"吾父子来此,以逃死也。今王猛疾人如仇,谗毁日深;秦王虽外相厚善,其心难知。丈夫逃死而卒不免,将为天下笑。吾闻东朝⑤比来⑥始更悔悟，主、后相尤⑦。吾今还东，故遣告汝；吾已行矣，便可速发。"令疑之，踌躇终日，又不可审覆⑧。乃将旧骑，诈为出猎，遂奔乐安王臧于石门。猛表令叛状，垂惧而出走，及蓝田，为追骑所获。秦王坚引见东堂，劳之曰："卿家国失和，委身投朕。贤子心不忘本，犹怀首丘⑨，亦各其志，不足深咎。然燕之将亡，非令所能存，惜其徒入虎口耳。且父子兄弟，罪不相及，卿何为过惧而狼狈如是乎！"待之如旧。燕人以令叛而复还，其父为秦所厚，疑令为反间，徙之沙城，在龙都东北六百里。

臣光曰：昔周得微子⑩而革商命，秦得由余⑪而霸西戎，吴得伍员⑫而克强楚，汉得陈平⑬而诛项籍，魏得许攸⑭而破袁绍；彼敌国之材臣，来为己用，进取之良资也。王猛知慕容垂之心久而难信，独不念燕尚未灭，垂以材高功盛，无罪见疑，穷困归秦，未有异心，遽以猜忌杀之，是助燕为无道而塞来者之门也，如何其可哉！故秦王坚礼之以收燕望，亲之以尽燕情，宠之以倾燕众，信之以结燕心，未为过矣。猛何汲汲⑮于杀垂，至乃为市井鬻卖之行，有如嫉其宠而谮之者，岂雅德君子所宜为哉！

[注释]

①虎旅：威武勇猛的军队。②监：此处是看的意思。③乡导：即向导。④造：拜访。⑤东朝：指鲜卑族建立的前燕，十六国之一。⑥比来：近来。⑦尤：抱怨，指责。⑧审覆：详查，细究。⑨首丘：传说狐狸死时头犹向着巢穴，后因称人死后归葬故乡为"归正首丘"，也用为怀念故乡之意。丘，狐穴所在之土丘。⑩微子：周朝宋国的始祖。殷商贵族，帝乙之子，纣王的庶兄。以纣王淫乱，商代将亡，屡次劝谏。王不听，遂出走。武王克商，他肉袒面缚乞降。后纣王子武庚作乱，被周公旦攻灭，即以他继承殷祀，封于宋。⑪由余：春秋时天水人。其祖先原为晋国人，因避乱逃到西戎。后来，由余奉命出使秦国。因秦穆公贤明大度而留在了秦国，被任为上卿，为秦穆公出谋划策，帮助秦国称霸西戎，使秦穆公位列春秋五霸。⑫伍员：即伍子胥，字员，春秋末期吴国大夫，军事家、谋略家，原为楚国人，因遭人陷害，父兄皆为楚王所

杀。逃到吴国后,向吴王举荐孙武为将,与孙武一起帮助吴国打败了楚国。⑬陈平:汉高祖刘邦的重要谋士,西汉的开国功臣。刘邦困守荥阳时,陈平建议捐金数万斤,离间项羽群臣,最后帮助刘邦打败了项羽。⑭许攸:年轻时与袁绍、曹操友善,后来成为袁绍的谋士,不被重用。官渡之战时,许攸因家人犯法被收治而投奔曹操,向曹操提供了重要情报,建议曹操偷袭乌巢,结果大获全胜。⑮汲汲:急切的样子。

[译文]

前秦王猛给前燕荆州刺史武威王慕容筑去信,说:"秦国如今已堵塞成皋关的要隘,封闭了盟津的通道,秦王勇猛的军队百万,从轵关征服邺都,金墉城计穷困守,外无援军,城下攻城的军队,将军也看到了,岂是你三百疲惫士卒所能应对的!"慕容筑惧怕前秦,以洛阳城投降了前秦,王猛陈列军队接受慕容筑投降。前燕卫大将军乐安王慕容臧守卫新乐城,在石门打败了前秦的军队,抓住了前秦将领杨猛。

王猛从长安发兵的时候,请慕容令参与他的军队事务,让他作为向导。将要出发时,慕容令造访慕容垂并在那里喝酒,不慌不忙地对慕容垂说:"今天就要远别了,您拿什么东西赠送给我呢?以让我睹物思人。"慕容垂解下佩刀赠送给了他。王猛到洛阳后,用财物买通慕容垂所亲近的人金熙,让他假装为慕容垂的使者,对慕容令说:"我父子来到这里,为要逃避致死的危险。现在王猛厌恶我们如寇仇,进谗毁谤变本加厉;秦王虽然外表与我们交情深厚,他的内心难以知晓。大丈夫逃避致死的危险最终却不能幸免,将被天下人耻笑。我听说燕朝近来开始后悔觉悟,国君、王后互相自责,我现在要返回燕国,所以派使者告诉你;我已经出发了,你也可以迅速出发。"慕容令怀疑这件事,犹豫了一整天,但又不能去审察。于是就率领过去骑马的侍从,诈称外出打猎,逃奔驻扎在石门的前燕乐安王慕容臧。王猛上表陈述慕容令叛逃的情况,慕容垂因害怕而出逃，逃至蓝田，被追赶的骑兵抓获。前秦王苻坚在东堂召见他，安慰他说："你家庭、朝廷不和睦，委身投靠我。有德行的儿子不忘根本，还怀念故乡，这也是人各有志，不值得过多指责。然而燕国即将灭亡，不是慕容令所能拯救的，可惜的只是他徒劳地进了虎口罢了。况且父子兄弟，罪不相及，你为什么过分惧怕而狼狈到这样呢！"待他如同从前那样。前燕人因为慕容令是叛逃后又返回，他的父亲被前秦所厚待，怀疑慕容令是奸细，把他迁徙到沙城，在龙都东北六百里。

臣司马光说：过去周武王得到了微子而革除商朝之命，秦穆公得到了由余而称霸西戎，吴王阖闾得到了伍子胥而战胜强大的楚国，汉刘邦得到了陈平而诛杀项籍，曹操得到了许攸而大破袁绍；这些人是敌国有才能的大臣，归顺过来后为己所用，这是力图有所作为的良好资本啊。王猛知道慕容垂的心态，时间一久就难以信任，单单没有想到燕国还没有灭亡，慕容垂因为才能高超、功勋显著，没有罪却被怀疑，走投无路的情况下归依秦国，并没有二心，匆忙因为猜忌想杀害他，这是帮助燕国施行暴虐之政而堵塞投奔者的大门啊，这怎么可以呢！因此秦王苻坚礼待慕容垂，用以收拢燕国人的期待，亲近慕容垂使他断绝对燕国的情义，宠爱慕容垂使燕国民众归附，信任慕容垂使燕国人心得到凝聚，这些都不算过分。王猛为什么急切想着杀慕容垂，甚至做出市井叫卖者的行为，犹如嫉妒他人得宠而诬陷他一样，难道是德行高尚的君子应该干的吗！

谢安举贤不避亲

【晋纪二十六】孝武帝太元二年（丁丑，377年）

初，中书郎郗超自以其父愔位遇应在谢安之右，而安入掌机权①，愔优游散地②，常愤邑③形于辞色，由是与谢氏有隙。是时朝廷方以秦寇为忧，诏求文武良将可以镇御北方者，谢安以兄子玄应诏。超闻之，叹曰："安之明，乃能违众举亲；玄之才，足以不负所举。"众咸以为不然。超曰："吾尝与玄共在桓公府，见其使才，虽履屐间④未尝不得其任，是以知之。"

[注释]

①机权：机智权谋。此指重要的职位。②优游散地：在自己的领地悠闲自得，喻不得重用。③愤邑：亦作"愤悒"，愤恨忧郁。④履屐间：比喻小事。履屐，鞋，也借指脚。

[译文]

当初，中书郎郗超自认为他的父亲郗愔的官位和待遇应该在谢安之上，谢安入朝掌握了权柄，郗愔却在闲散的职位上得不到重用，郗超的愤恨抑郁之情时常溢于言表，因此与谢氏产生了嫌隙。这时朝廷正对前秦的入侵而忧虑，下诏征求文武良将中可以镇守防御北方前秦的人，谢安让他兄长的儿子谢玄应诏。郗超听说这件事情后，慨叹道："谢安是贤明的人，才能够避开众人举荐他的亲人；谢玄的才能，完全可以不辜负谢安的推荐。"众人都认为不是这样。郗超说："我曾经与谢玄一起在桓温的府上，见他施展才能，即使是小事也未曾失职，所以我了解他。"

淝水之战

【晋纪二十七】孝武帝太元八年（癸未，383年）

秦王坚下诏大举入寇，民每十丁遣一兵；其良家子年二十已下，有材勇者，皆拜羽林郎①。又曰："其以司马昌明②为尚书左仆射，谢安③为吏部尚书，桓冲为侍中；势还不远④，可先为起第⑤。"

良家子至者三万余骑,拜秦州主簿,赵盛之为少年都统。是时,朝臣皆不欲坚行,独慕容垂、姚苌⑥及良家子劝之。阳平公融言于坚曰:"鲜卑、羌虏,我之仇雠,常思风尘⑦之变以逞其志,所陈策画,何可从也!良家少年皆富饶子弟,不闲⑧军旅,苟为谄谀之言以会陛下之意。今陛下信而用之,轻举大事,臣恐功既不成,仍有后患,悔无及也!"坚不听。

八月,戊午,坚遣阳平公融督张蚝、慕容垂等步骑二十五万为前锋;以兖州刺史姚苌为龙骧将军,督益、梁州诸军事。坚谓苌曰:"昔朕以龙骧建业⑨,未尝轻以授人,卿其勉之!"左将军窦冲曰:"王者无戏言,此不祥之征也!"坚默然。

慕容楷、慕容绍言于慕容垂曰:"主上骄矜已甚,叔父建中兴之业,在此行也!"垂曰:"然。非汝,谁与成之!"

甲子,坚发长安,戎卒六十余万,骑二十七万,旗鼓相望,前后千里。九月,坚至项城,凉州之兵始达咸阳,蜀、汉之兵方顺流而下,幽、冀之兵至于彭城,东西万里,水陆齐进,运漕万艘。阳平公融等兵三十万,先至颍口。

诏以尚书仆射谢石为征虏将军、征讨大都督,以徐、兖二州刺史谢玄为前锋都督,与辅国将军谢琰、西中郎将桓伊等众共八万拒之;使龙骧将军胡彬以水军五千援寿阳。琰,安之子也。

是时秦兵既盛,都下⑩震恐。谢玄入,问计于谢安,安夷然,答曰:"已别有旨。"既而寂然。玄不敢复言,乃令张玄重请。安遂命驾出游山墅,亲朋毕集,与玄围棋赌墅。安棋常劣于玄,是日,玄惧,便为敌手而又不胜。安遂游陟⑪,至夜乃还。桓冲深以根本为忧,遣精锐三千入援京师;谢安固却之,曰:"朝廷处分已定,兵甲无阙⑫,西藩宜留以为防。"冲对佐吏叹曰:"谢安石有庙堂之量⑬,不闲将略。今大敌垂至,方游谈不暇,遣诸不经事少年拒之,众又寡弱,天下事已可知,吾其左衽⑭矣!"

冬，十月，秦阳平公融等攻寿阳；癸酉，克之，执平虏将军徐元喜等。融以其参军河南郭褒为淮南太守。慕容垂拔郧城。胡彬闻寿阳陷，退保硖石，融进攻之。秦卫将军梁成等帅众五万屯于洛涧，栅淮以遏东兵。谢石、谢玄等去洛涧二十五里而军，惮成不敢进。胡彬粮尽，潜遣使告石等曰："今贼盛粮尽，恐不复见大军！"秦人获之，送于阳平公融。融驰使白秦王坚曰："贼少易擒，但恐逃去，宜速赴之！"坚乃留大军于项城，引轻骑八千，兼道就融于寿阳。遣尚书朱序来说谢石等，以为："强弱异势，不如速降。"序私谓石等曰："若秦百万之众尽至，诚难与为敌。今乘诸军未集，宜速击之；若败其前锋，则彼已夺气，可遂破也。"

石闻坚在寿阳，甚惧，欲不战以老⑮秦师。谢琰劝石从序言。十一月，谢玄遣广陵相刘牢之帅精兵五千人趣洛涧，未至十里，梁成阻涧为陈以待之。牢之直前渡水，击成，大破之，斩成及弋阳太守王咏；又分兵断其归津，秦步骑崩溃，争赴淮水，士卒死者万五千人。执秦扬州刺史王显等，尽收其器械军实。于是谢石等诸军，水陆继进。秦王坚与阳平公融登寿阳城望之，见晋兵部阵严肃整齐，又望见八公山上草木皆以为晋兵，顾谓融曰："此亦劲敌，何谓弱也！"怃然始有惧色。

秦兵逼肥水而陈，晋兵不得渡。谢玄遣使谓阳平公融曰："君悬军深入，而置陈逼水，此乃持久之计，非欲速战者也。若移陈小却，使晋兵得渡，以决胜负，不亦善乎！"秦诸将皆曰："我众彼寡，不如遏之，使不得上，可以万全。"坚曰："但引兵少却，使之半渡，我以铁骑蹙而杀之，蔑⑯不胜矣！"融亦以为然，遂麾兵使却。秦兵遂退，不可复止，谢玄、谢琰、桓伊等引兵渡水击之。融驰骑略陈⑰，欲以帅退者，马倒，为晋兵所杀，秦兵遂溃。玄等乘胜追击，至于青冈。秦兵大败，自相蹈藉而死者，蔽野塞川。其走者闻风声鹤唳，皆以为晋兵且至，昼夜不敢息，草行露宿，重以饥冻，死者什七八。初，秦兵小却，朱序在陈后呼曰："秦兵败矣！"众遂大奔。序因与张天锡、徐元喜皆来奔。获秦王坚所乘云母车⑱。复取寿阳，执其淮南太守郭褒。

坚中流矢，单骑走至淮北，饥甚，民有进壶飧、豚髀者，坚食之，赐帛十匹，绵十斤。辞曰："陛下厌苦安乐，自取危困。臣为陛下子，陛下为臣父，安有子饲其父而求报乎？"弗顾而去。坚谓张夫人曰："吾今复何面目治天下乎！"潸然流涕。

是时，诸军皆溃，惟慕容垂所将三万人独全，坚以千余骑赴之。世子⑲宝言于垂曰："家国倾覆，天命人心皆归至尊，但时运未至，故晦迹自藏耳。今秦主兵败，委身于我，是天借之便以复燕祚⑳，此时不可失也，愿不以意气微恩忘社稷之重！"垂曰："汝言是也。然彼以赤心投命于我，若之何害之！天苟弃之，何患不亡？不若保护其危以报德，徐俟其衅㉑而图之！既不负宿心，且可以义取天下。"奋威将军慕容德曰："秦强而并燕，秦弱而图之，此为报仇雪耻，非负宿心也；兄奈何得而不取，释数万之众以授人乎？"垂曰："吾昔为太傅所不容，置身无所，逃死于秦，秦主以国士遇我，恩礼备至。后复为王猛所卖，无以自明。秦主独能明之，此恩何可忘也！若氐运必穷，吾当怀集关东，以复先业耳，关西会非吾有也。"冠军行参军赵秋曰："明公当绍复㉒燕祚，著于图谶㉓。今天时已至，尚复何待！若杀秦主，据邺都鼓行而西，三秦亦非苻氏之有也！"垂亲党多劝垂杀坚，垂皆不从，悉以兵授坚。平南将军慕容暐屯郧城，闻坚败，弃其众遁去；至荥阳，慕容德复说暐起兵以复燕祚，暐不从。

谢安得驿书，知秦兵已败，时方与客围棋，摄书㉔置床上，了无喜色，围棋如故。客问之，徐答曰："小儿辈遂已破贼。"既罢，还内，过户限㉕，不觉屐齿之折。

[注释]

①羽林郎：汉代官名。皇帝卫军的长官。下文的都统为统率禁卫军羽林郎的官名。②司马昌明：即后来的晋孝武帝司马曜（361—396），字昌明，是东晋的第九个皇帝，372年至396年在位。他是晋简文帝的第三个儿子，晋安帝和晋恭帝的父亲。③谢安（320—385）：字安石，号东山，东晋名臣，祖籍陈郡阳夏（今河南太康）。死后追封太傅兼庐陵郡公。世称谢太傅、谢安石、谢公。下文的桓冲、谢玄、谢琰、桓伊、胡彬、张玄等为东晋将领。④势还不远：依胡三省注，谓以势言之，克晋之期，近在旦夕，还师不远也。⑤起第：从家中应征出来，授予官职。⑥慕容垂：后燕开国君主成武帝（326—396），鲜卑族。384—396年在位。姚苌：后秦开国君主武昭帝（330—393），羌族。384—393年在位。下文的慕容楷、慕容绍、张蚝、窦冲等时任前秦将军。⑦风尘：比喻战乱。⑧闲：通"娴"，熟悉。⑨龙骧建业：谓苻坚以龙骧将军杀苻生而得秦国。⑩都下：京都之下，京城。⑪游陟：指游山玩水。游，游览；陟，登，升。⑫无阙：不缺乏。⑬庙堂之量：身居朝廷的气量。⑭左衽：古代少数民族的服饰，前襟向左掩，不同于中原地区的右衽。后也用左衽为外族统治的代称。⑮老：使……老，拖垮。⑯蔑：没有，不。⑰略陈：略，巡行、巡视。陈，通"阵"。⑱云母车：东晋南渡以后，江南的牛多，刺激了牛车的发展。一般王侯乘坐的车叫"云母车"，因这些车都用云母来装饰，且带有屏蔽。当时乘坐云母车是身份地位的象征。⑲世子：帝王和诸侯的嫡长子，也叫太子。⑳燕祚：燕国的国统。祚，皇位，国统。㉑衅：事端，祸端。㉒绍复：继承复兴。㉓图谶：符命占验之书。谶，读chèn。㉔摄书：拿着信。㉕户限：门槛。

[译文]

前秦王苻坚下诏大举入侵东晋，令百姓中每十个成年人差遣一人当兵；良家子中年龄在二十岁以下，有才能而且勇武的，全都官拜羽林郎。有人说："晋朝任命司马昌明为尚书左仆射，谢安为吏部尚书，桓冲为侍中；从当前趋势看，灭晋返回的时间不会太远，可以让百姓先行建立府第。"良家子弟应征而到的有三万多骑兵，苻坚任命秦州主簿赵盛之为少年都统。这时，朝臣都不希望苻坚出征，只有慕容垂、姚苌及那些良家子劝他出征。阳平公苻融对苻坚说："鲜卑、羌族的降服者，是我们的仇敌，常常想着趁战乱发生来达到他们不可告人的目的，他们所陈述的策略和计谋，哪里可以听从呢！良家子的年轻人都是富豪子弟，不熟悉军队，勉强说一些阿谀奉承的话来迎合陛下的想法。现在陛下信任他们并任用他们，轻率地兴起大规模军事行动，我担心既不能成功，仍然留有后患，后悔也来不及了！"苻坚没有听从。

八月戊午日，苻坚派遣阳平公苻融统领张蚝、慕容垂等人的步兵、骑兵二十五万人作为前锋，以兖州刺史姚苌为龙骧将军，督察益州、梁州诸路军事。苻坚对姚苌说："过去朕凭借龙骧将军的职位建立了大业，未曾轻易地以此官位授予别人，你努力干吧！"左将军窦冲说："君王无戏言，这是不祥之兆！"苻坚沉默不语。

慕容楷、慕容绍对慕容垂说："主上的骄傲自负已经太过分，叔父创立中兴大业，在此一举！"慕容垂说："对。没有你们，谁能与我一起成就大业呢！"

甲子日，苻坚从长安出发，有六十多万将士，二十七万骑兵，旌旗和战鼓相望于道，前后绵延千里。九月，苻坚抵达项城，而凉州的军队才到咸阳，蜀、汉的军队正在沿长江顺流而下，幽州、冀州的军队到了彭城，东西长达万里，水陆两路齐头并进，运输军粮的漕船多达万艘。阳平公苻融等人的部队三十万人，最先到达颍口。

东晋孝武帝下诏以尚书仆射谢石为征虏将军、征讨大都督，以徐州、兖州二州的刺史谢玄为前锋都督，与辅国将军谢琰、西中郎将桓伊等人的军队共八万人抵抗前秦；派遣龙骧将军胡彬以五千水军援助寿阳。谢琰是谢安的儿子。

这时，前秦的军队已经非常强盛，京师建康城内的人震惊恐惧。谢玄入朝，向谢安询问对策，谢安一副平静镇定的样子，回答说："朝廷已经另有主意。"紧接着肃静下来。谢玄不敢再问，就让张玄重新请求。谢安于是就命令驾车在山间别墅间巡游，亲戚朋友云集，谢安与谢玄在别墅玩围棋赌博。谢安的下棋水平平常不如谢玄，这一天，谢玄因内心恐惧，就势均力敌而不能获胜。谢安于是就漫游开来，到晚上才返回。桓冲对国家安全的根本大业深以为忧，派精锐部队三千人进入京城援助。谢安坚决地阻拦他，说："朝廷的安排已经决定，士兵武器都不缺乏，你们应该留在西部边境作防备。"桓冲对佐史叹息说："谢安有身居朝廷的才能，但不熟悉带兵的方法。如今大敌将至，还游玩、高谈不止，仅派遣那些未经战事的年轻人抵抗前秦军，再加上人数少，力量弱，朝廷对前秦的战争结局已经可以知道了，我们将要被氐族统治了！"

　　冬天到了十月，前秦阳平公苻融等进攻寿阳。癸酉日，攻占了寿阳，抓获了东晋平虏将军徐元喜等人。苻融让他的参军河南人郭褒任淮南太守。慕容垂攻取了郧城。胡彬听说寿阳失陷，后退保卫硖石，苻融进军攻打他。前秦卫将军梁成等率领五万军队驻扎在洛涧，沿淮河设置栅栏以遏制东晋的部队。谢石、谢玄等在距离洛涧二十五里的地方驻扎，惧怕梁成而不敢前进。胡彬的粮食耗尽，悄悄地派遣使者告诉谢石等人说："如今贼寇军事力量强盛而我的粮食已经耗尽，恐怕不能再见到大军了！"前秦人抓获了胡彬，把他送给阳平公苻融。苻融派使者飞速向前秦王苻坚报告说："贼寇兵力少容易擒获，只是担心他们逃离，应该快速率兵前来。"苻坚于是将大部分军队留在项城，带领八千轻装骑兵，日夜兼程往寿阳靠近苻融。苻坚派尚书朱序来劝说谢石等人，认为："形势强弱悬殊，不如迅速投降。"朱序私下里对谢石等人说："如果秦国的百万大军全部抵达，确实难以与他们抗衡。如今乘着各路军队没有全部集结，应该迅速攻击他们；如果能击败他的前锋部队，那他们就已经被挫伤锐气，最终就可以攻破他们。"

谢石听说苻坚军队进至寿阳，非常害怕，想采取不交战的办法拖垮前秦的军队。谢琰劝说谢石听从朱序的建议。十一月，谢玄派遣广陵相刘牢之率领五千人的精锐部队逼近洛涧，在距洛涧十里的地方，梁成凭借山涧为险要，布阵以抵御刘牢之。刘牢之竟然向前渡河，攻击梁成，打败梁成，斩杀了梁成以及弋阳太守王咏；又分派部队截断他们退兵的渡口，前秦的步兵、骑兵全都瓦解溃散，争相逃向淮水，士兵死亡的有一万五千人，抓获了前秦扬州刺史王显等人，全部收缴了他们的武器以及军用器械和粮饷。于是谢石等诸路大军，从水路、陆路两路继续前进。前秦王苻坚与阳平公苻融登上寿阳城观望，看见东晋军队部署得军阵严整，又望见八公山上的草木，都把它们看成是东晋的军队，苻坚回头对苻融说："这也是强敌，怎么能说他们军事力量软弱呢！"惊愕东晋军队数量庞大，脸上开始有了恐惧的神色。

前秦的军队迫近淝水摆开阵势，东晋的军队不能渡过。谢玄派使者对阳平公苻融说："您孤军深入，却接近淝水布置军阵，这是长期对峙的策略，不是想迅速作战的办法。如果能变动布阵稍微退却，让晋朝的军队能够渡过淝水，以决胜负，不也是很容易的事情吗！"前秦诸位将领都说："我方军队人数众多而对方军队人数少，不如阻击他们，使他们不能上岸，可以做到万无一失。"苻坚说："只率领军队稍微后撤，让他们渡过一半人，我用铁骑踩踏并且杀掉他们，没有不能获胜的道理！"苻融也认为是这样，于是就指挥军队让他们后退。前秦的军队就开始后退，一退不能再停止。谢玄、谢琰、桓伊等率领军队渡过淝水攻打他们。苻融驱马疾行巡视阵地，想来统率败退的军队，结果战马倒地，被东晋的士兵所杀，前秦的军队于是就散乱了。谢玄等人乘胜追击，达到青冈；前秦的军队大败，相互践踏而死的人，遮蔽田野堵塞河流。那些逃跑的人听到刮风的声音和鹤的鸣叫，都以为是东晋的追兵将至，昼夜不敢停息,在草野中行走在野外住宿,再加上挨饿受冻,死亡的人十有七八。当初,前秦的军队稍微后撤时,朱序在秦军阵后面高声呼喊:"秦军失败了!"秦军士兵于是大范围逃跑。朱序乘机与张天锡、徐元喜都来投奔东晋。缴获了前秦王苻坚所乘坐的云母车。又攻占了寿阳,抓获了前秦的淮南太守郭褒。

苻坚被流箭射中,独自骑马逃奔淮河以北,非常饥饿,有的民众送来了用壶盛的汤饭熟食、猪大腿,苻坚吃了下去,赏赐给他们十匹布帛,十斤绵。这些人推辞说:"陛下把安乐视为讨厌和痛苦的事,自己招致了危急困穷。臣是陛下的儿子,陛下是臣的父亲,哪里有儿子拿食物给父亲吃还求回报的呢!"他们连头也没回就离开了。苻坚对张夫人说:"我现在还有什么面目去治理天下呢!"便潸然泪下。

这时,前秦的各路军队全都溃散,只有慕容垂所统领的三万人得以保全,苻坚带领一千多骑兵投奔他。长子慕容宝对慕容垂说:"国家覆灭,天命和人心都归附于至高无上的您,只是当时的运数还没有来到,所以隐居匿迹自我躲藏起来罢了。现在秦主作战失败,托身于我们,这是上天借给我们这个机会来恢复燕国的国统,这个时机不可以失去,希望您不要因为恩义小惠而忘掉了国家的重任!"慕容垂说:"你说得对。然而他以赤诚的心亡命投靠我,像这样为什么要伤害他!上天如果要抛弃他,为什么担心他不灭亡?不如保护他于危难之中以报答他的恩德,慢慢地等待他的祸端再图谋对付他!这样既没有背弃向来的心愿,而且能够用道义夺得天下。"奋威将军慕容德说:"秦国在强大时吞并了燕国,秦国在软弱时图谋他,这是报仇雪耻,不是背弃向来的心愿;兄长你为什么得到了却不取他性命,舍弃数万人马而将它给予别人呢?"慕容垂说:"我过去被燕太傅慕容评所不容纳,藏身没有地方,为了逃脱死亡到了秦国,秦主苻坚用对待国士的礼节礼遇我,恩义礼遇非常周到。后来我又被王猛所出卖,无法自我表白,秦主单单就能明察这件事,这样的恩情怎么能忘呢!如果氐族人的运数将要穷尽,我应当怀柔安集关东的民众,来光复先帝的大业,关西之地应当不会归我所有!"冠军兼参军赵秋说:"明公应当继承复兴燕国的国统,已经明示在图谶上。现在天命已经到了,还要等什么!如果杀掉秦主苻坚,占据邺都后击鼓向西进攻,三秦大地也不是苻氏所有了!"慕容垂的亲信党与大多数人劝他杀掉苻坚,慕容垂都没有听从,把军队全部交给苻坚。平南将军慕容㬱驻扎在郧城,听说苻坚失败后,抛弃了他的军队逃走;慕容㬱逃到荥阳后,慕容德又劝说慕容㬱起兵以复兴前燕的国统,慕容㬱没有听从。

　　谢安接到了经驿站递送的文书,知道前秦的军队已经溃败,当时他正在与客人下围棋,把文书折叠起来放到坐床上,全无欣喜的神色,像过去一样下棋。客人问他是什么事,他缓缓地说:"年轻人已经击溃了贼寇。"下完棋后,返回屋里,过门槛时,高兴得没有感觉到屐齿被折断。

刘裕勇健有大志

【晋纪三十三】安皇帝隆安三年(己亥,399年)

　　初,彭城刘裕,生而母死,父翘侨居京口,家贫,将弃之。同郡刘怀敬之母,裕之从母也,生怀敬未期①,走往救之,断怀敬乳而乳之。及长,勇健有大志。仅识文字,以卖履为业,好樗蒲②,为乡闾所贱。刘牢之③击孙恩④,引裕参军事,使将数十人觇贼。遇贼数千人,即迎击之,从者皆死,裕坠岸下。贼临岸欲下,裕奋长刀仰斫杀数人,乃得登岸,仍大呼逐之,贼皆走,裕所杀伤甚众。刘敬宣⑤怪裕久不返,引兵寻之,见裕独驱数千人,咸共叹息。

因进击贼,大破之,斩获千余人。

[注释]

①期:读jī,满一年。②樗蒲:一种赌博游戏名,类似于后代的掷色子。③刘牢之(? —402):东晋名将。字道坚,彭城(今江苏徐州)人。出身将门,面紫赤色,有神力,骁勇善战。④孙恩(? —402):为东晋五斗米道道士起义军首领。字灵秀。祖籍琅琊(今山东胶南),是永嘉南渡世族。⑤刘敬宣:刘牢之之子。

[译文]

当初,彭城人刘裕,生下来母亲就死了。他的父亲刘翘寄居在京口,因家庭贫穷,打算扔掉他。同郡人刘怀敬的母亲是刘裕的姑母,生下刘怀敬没有一年,跑着赶往刘裕家救下他,断了刘怀敬的奶来哺育刘裕。刘裕长大后,勇敢强健并且有远大的志向。他仅仅认识几个字,依靠贩卖鞋子为职业,喜好樗蒲游戏,被同乡轻视。刘牢之进攻孙恩乱军,收纳刘裕任参军事,让他带领几十个人去侦察乱军的情况。遇上一支数千人的乱军,就迎上去攻击,跟随他的人全部都战死,刘裕跌到岸下。乱军的士兵靠近河岸准备下去,刘裕扬起长刀仰面砍杀了多名敌人,才能够登上岸来,仍然大声喊叫着追赶敌人,敌人都逃走了。刘裕杀死杀伤的敌人非常多。刘敬宣奇怪刘裕长时间没有返回,带着兵去寻找他,看见刘裕一人追逐数千人,都一起感叹。于是向前一起攻打乱军,将他们打得大败,斩杀和抓获一千多人。

魏主纳谏躬耕安民

【晋纪三十九】安帝义熙十一年(乙卯,415年)

魏比岁霜旱①,云、代之民多饥死。太史令王亮、苏坦言于魏主嗣②曰："按谶书，魏当都邺，可得丰乐。"嗣以问群臣，博士祭酒崔浩、特进京兆周澹曰："迁都于邺，可以救今年之饥，非久长之计也。山东之人，以国家居广汉之地，谓其民畜无涯，号曰'牛毛之众'。今留兵守旧都，分家南徙，不能满诸州之地，参居郡县，情见事露，恐四方皆有轻侮之心；且百姓不便水土，疾疫死伤者必多。又，旧都守兵既少，屈丐、柔然③将有窥觎④之心，举国而来，云中、平城必危，朝廷隔恒、代千里之险，难以赴救，此则声实俱损也。今居北方，假令山东有变，我轻骑南下，布濩⑤林薄⑥之间，孰能知其多少！百姓望尘慑服，此国家所以威制诸夏也。来春草生，渾酪⑦将出，兼以菜果，得及秋熟，则事济矣。"嗣曰："今仓廪空竭，既无以待来秋，若来秋又饥，将若之何？"对曰："宜简⑧饥贫之户，使就食山东⑨；若来秋复饥，当更图之，但方今不可迁都耳。"嗣悦曰："唯二人与朕意同。"乃简国人尤贫者诣山东三州就食，遣左部尚书代人周几帅众镇鲁口以安集之。嗣躬耕藉田⑩，且命有司劝课农桑；明年，大熟，民遂富安。

[注释]

①霜旱：霜灾和旱灾。②嗣：即北魏明元帝拓跋嗣，409—423年在位。③屈丐、柔然：公元4世纪末至6世纪中叶，活动于我国大漠南北和西北地区的古代民族。④窥觎：亦作"窥逾"，觊觎。⑤布濩：散布。濩，读 huò。⑥林薄：草木丛生之处，泛指山野。⑦渾酪：奶酪。渾，读 dòng。⑧简：挑选。⑨山东：此指太行山以东的定、相、冀三州。⑩藉田：即籍田。古代帝王亲自耕作的小块农田。

[译文]

北魏连年发生霜灾和旱灾，云中、代郡一带的民众很多都因饥饿而死了。太史令王亮、苏坦向北魏明元帝拓跋嗣说："查验谶书，魏应当迁都邺城，才可以得到富饶安乐。"拓跋嗣拿这件事询问群臣，博士祭酒崔浩、特进京兆人周澹说："迁都到邺城，可以缓解今年的饥荒，不是长久的办法。崤山以东的人，认为国家处在广大空旷的地区，以为民众和牲畜多得没有尽头，号称是'牛毛之众'。现在留下军队戍守旧都，分出一部分人向南迁徙，不可能住满各州的土地，间杂居住各郡各县，人少的情势就会暴露，恐怕四方的邻国都会有轻蔑侮辱我们的想法；况且我们的百姓不适应水土，因疫病而死伤的人一定增加。再者，旧都的守兵减少之后，屈丐、柔然等部落就会有篡逆的想法，而用全国的军队来进攻，云中、平城一定会发生危机，朝廷由于有恒山、代郡千里险阻的阻隔，很难前往救援，这就会名声和实际利益都受到损害。现在我们处在北方，如果崤山以东有变乱，我们派遣轻装骑兵南下，把部队布散在草木生长茂密中，谁能知道我们有多少军队！老百姓看见我们军队扬起的尘土就会因恐惧而屈服，这就是我们国家用武力制伏汉人的真正原因。到了明年春天，杂草生长起来，牛奶乳酪即将出产，再加上蔬菜水果，能够维持到庄稼秋天成熟，那么饥荒的问题就解决了。"拓跋嗣说："现在贮藏米谷的仓库空尽了，已经没有什么可以拿来等到来年秋天，如果来年秋天又饥荒，将怎么办呢？"崔浩等回答说："应该挑选那些最饥馁贫穷的民户，让他们到太行山以东的地区去谋生；如果来年再饥荒，应当再考虑它，但是现在不可以迁都。"拓跋嗣高兴地说："只有你们两个人与朕的想法一致。"于是挑选鲜卑百姓中最贫穷的人前往太行山以东的三个州去谋生，派遣左部尚书代郡人周几统率军队镇守鲁口，来安顿他们。拓跋嗣也亲自耕种藉田，又命令有关官吏劝勉督促鲜卑百姓从事农业生产；第二年，庄稼丰收，鲜卑百姓于是富足安定。

宋 纪

社稷之臣古弼

【宋纪六】文帝元嘉二十一年（甲申，444年）

古弼为人，忠慎质直；尝以上谷苑囿太广，乞减太半以赐贫民，入见魏主①，欲奏其事。帝方与给事中刘树围棋，志不在弼；弼侍坐良久，不获陈闻。忽起，捽②树头，掣下床，搏其耳，殴其背，曰："朝廷不治，实尔之罪！"帝失容，舍棋曰："不听奏事，朕之过也，树何罪！置之！"弼具以状闻，帝皆可其奏。弼曰："为人臣无礼至此，其罪大矣。"出诣公车，免冠徒跣请罪。帝召入，谓曰："吾闻筑社③之役，蹇蹶④而筑之，端冕而事之，神降之福。然则卿有何罪！其冠履就职。苟有可以利社稷，便百姓者，竭力为之，勿顾虑也。"

八月，乙丑，魏主畋于河西，尚书令古弼留守。诏以肥马给猎骑，弼悉以弱者给之。帝大怒曰："笔头⑤奴敢裁量⑥朕！朕还台，先斩此奴！"弼头锐，故帝常以笔目之。弼官属惶怖，恐并坐诛。弼曰："吾为人臣，不使人主盘于游畋，其罪小；不备不虞⑦，乏军国之用，其罪大。今蠕蠕⑧方强，南寇未灭，吾以肥马供军，弱马供猎，为国远虑，虽死何伤！且吾自为之，非诸君之忧也。"帝闻之，叹曰："有臣如此，国之宝也！"赐衣一袭，马二匹，鹿十头。

它日，魏主复畋于山北，获麋鹿数千头。诏尚书发车五百乘以运之。诏使已去，魏主谓左右曰："笔公必不与我，汝辈不如自以马运之。"遂还。行百余里，得弼表曰："今秋谷悬黄⑨，麻菽布野，猪鹿窃食，鸟雁侵费，风雨所耗，朝夕三倍。乞赐矜缓⑩，使得收载⑪。"帝曰："果如吾言，笔公可谓社稷之臣矣！"

[注释]

①魏主：指魏太武帝拓跋焘，424—452年在位。②捽：读zuó，揪、抓。③筑社：建造社坛。社，祭祀土地神的地方。④蹇蹶：跛脚，走路不稳，跌跌撞撞的样子。⑤笔头：笔尖。⑥裁量：削减、估量、衡量。指不按旨令去做。⑦不备不虞：没有准备。备、虞，准备、戒备。⑧蠕蠕：古代北方少数民族的名字。⑨悬黄：指谷子成熟时的金黄颜色。⑩矜缓：谨慎地推迟、延缓运送麋鹿。⑪收载：收割运送。

[译文]

古弼与人交往忠诚谨慎、朴实正直；曾经因为上谷苑囿面积太大，请求减掉一大半的面积赐给平民百姓，入宫拜见魏太武帝，打算进言陈请这件事。太武帝正在与给事中刘树下围棋，心思没在古弼身上；古弼陪坐了很久，没有获得陈述上闻的机会。他忽然跳起来，揪住刘树的头发，拉下坐床，抓住他的耳朵，殴打他的后背，说："朝廷没有管理好，就是你的过错！"太武帝改变神色，放下棋子说："不听你陈述事情，是朕的过错，刘树有什么过错！放下他！"古弼将实际情况全部上奏给魏太武帝，太武帝完全赞同他的奏请。古弼说："作为臣子我缺乏对陛下的尊重到这种程度，罪过太大了。"说完出宫前往公车署，脱帽、光脚主动承认过错并请求处罚。太武帝召他入宫，对他说："我听说过修建社坛的事，困顿颠蹶地去修建，穿着玄衣和戴着大冠去祭祀，神灵就降福于他。既然这样，你有什么罪过呢！戴上帽子穿上鞋履行你的职责吧。如果是可以有利国家、方便百姓的事，尽全力去做，不要有任何顾忌忧虑。"

八月乙丑日，太武帝在河西狩猎，尚书令古弼留守京城。太武帝下诏将肥壮的马送给随猎的骑兵，古弼把瘦弱的马全部供给他们。太武帝非常气愤地说："笔头奴才胆敢制裁我。我返回皇宫后，先斩了这个奴才！"古弼的头长得很尖，所以太武帝经常用笔尖称他的头。古弼的属吏恐惧，害怕受牵连一起被杀。古弼说："我作为臣子，不让帝王盘旋于出游打猎之中，这个罪过是小的；如果不准备防止意料不到的事情，使统军治国缺少所用的物资，这个罪过是大的。现在蠕蠕正在强大，南方贼寇没有消灭，我把肥壮的马匹供给军队，瘦弱的马匹供皇帝打猎，为国家长远考虑，即使被处死又有什么损害呢！况且是我自己做的，不是你们要担心的。"太武帝听说后，感叹说："有这样的臣子，是国家之宝呀。"赏赐给古弼一套礼服、两匹马和十头鹿。

又一天，太武帝再次在山北打猎，捕获了麋鹿几千头。太武帝下令给尚书派出五百辆车来运送麋鹿。皇帝派出的特使已经离去，太武帝对随从说："笔头公一定不会给我车，你们不如各自用马来运送麋鹿。"于是返回。刚走了一百多里，太武帝收到古弼的奏表说："今年秋谷刚熟，桑麻、大豆遍布田野，野猪和鹿偷吃，飞鸟和大雁啄食，风吹雨打的损耗，早晚会相差三倍。乞请哀怜宽缓运送麋鹿，使能够收获运载完毕。"太武帝说："果然如我说的那样，笔头公可称得上是社稷忠臣啊！"

诤臣高允

【宋纪十】 孝武皇帝大明二年（戊戌，458年）

丙辰，魏高宗还平城，起太华殿。是时，给事中郭善明，性倾巧，说帝大起宫室，中书侍郎高允谏曰："太祖始建都邑，其所营立，必因农隙。况建国已久，永安前殿足以朝会，西堂、温室足以宴息，紫楼足以临望；纵有修广①，亦宜驯致②，不可仓猝。今计所当役凡二万人，老弱供饷又当倍之，期半年可毕。一夫不耕，或受之饥，况四万人之劳费，可胜道乎！此陛下所宜留心也。"帝纳之。

允好切谏，朝廷事有不便，允辄求见，帝常屏左右以待之。或自朝至暮，或连日不出；群臣莫知其所言。语或痛切，帝所不忍闻，命左右扶出，然终善遇之。时有上事为激讦③者，帝省之，谓群臣曰："君、父一也。父有过，子何不作书于众中谏之？而于私室屏处谏者，岂非不欲其父之恶彰于外邪！至于事君，何独不然？君有得失，不能面陈，而上表显谏，欲以彰君之短，明己之直，此岂忠臣所为乎！如高允者，乃忠臣也。朕有过，未尝不面言，至有朕所不堪闻者，允皆无所避。朕知其过而天下不知，可不谓忠乎！"

允所与同征者游雅等皆至大官，封侯，部下吏至刺史、二千石者亦数十百人，而允为郎二十七年不徙官。帝谓群臣曰："汝等虽执弓刀在朕左右，徒立耳，未尝有一言规正；唯伺朕喜悦之际，祈官乞爵，今皆无功而至王公。允执笔佐我国家数十年，为益不少，不过为郎，汝等不自愧乎！"乃拜允中书令。

时魏百官无禄，允常使诸子樵采④以自给。司徒陆丽言于帝曰："高允虽蒙宠待，而家贫，妻子不立。"帝曰："公何不先言，今见朕用之，乃言其贫乎！"即日，至允第，惟草屋数间，布被，缊袍⑤，厨中盐菜而已。帝叹息，赐帛五百匹，粟千斛，拜长子悦为长乐太守。允固辞，不许。帝重允，常呼为令公而不名。

游雅常曰："前史称卓子康、刘文饶之为人，褊心⑥者或不之信。余与高子游处四十年，未尝见其喜愠之色，乃知古人为不诬⑦耳。高子内文明而外柔顺，其言呐呐⑧不能出口。昔崔司徒尝谓余云：'高生丰才博学，一代佳士，所乏者，矫矫⑨风节耳。'余亦以为然。及司徒得罪，起于纤微⑩，诏指临责，司徒声嘶股栗，殆不能言；宗钦⑪已下，伏地流汗，皆无人色。高子独敷陈事理，申释是非，辞义清辩，音韵高亮。人主为之动容，听者无不神耸，此非所谓矫矫者乎！宗爱⑫方用事，威振四海。尝召百官于都坐，王公已下皆趋庭望拜，高子独升阶长揖。由此观之，汲长孺可以卧见卫青⑬，何抗礼⑭之有！此非所谓风节者乎！夫人固未易知；吾既失之于心，崔又漏之于外，此乃管仲所以致恸于鲍叔⑮也。"

[注释]

①修广：扩大建设工程。修，兴建，建造。②驯致：慢慢地进行。驯，渐进之意。③激讦：以直言揭发别人缺失或阴私。④樵采：打柴。⑤缊袍：以乱麻为絮的袍子。⑥褊心：心胸狭小。⑦不诬：不是假的。诬，虚假，欺骗。⑧呐呐：口吃，说话艰难。⑨矫矫：威武的样子。⑩纤微：极细微的小事。⑪宗钦（？—450）：北魏名臣，生年不详，少而好学，有儒者之风，博综群书，声著河右。⑫宗爱：北魏大宦官，官至大司马、大将军、太子太师，封冯翊王。⑬汲长孺可以卧见卫青：汲长孺即汲黯。汉武帝对卫青的尊崇宠信超过了任何一位朝臣，三公、九卿及以下官员都对卫青卑身奉承，唯独汲黯用平等的礼节对待卫青。有人劝汲黯说："皇上想让群臣全都居于大将军之下，大将军地位尊贵，您不可以不下拜。"汲黯说："以大将军身份而有长揖不拜的平辈客人，大将军反而不尊贵了吗？"卫青得知，越发觉得汲黯贤明，多次向汲黯请教国家和朝廷的疑难大事，对待他比平日更为尊重。⑭抗礼：以平等的礼节相待。⑮管仲所以致恸于鲍叔：依胡三省注，管仲曰："生我者父母，知我

者鲍子也。"致恸，尽感其知己之深。

[译文]

丙辰日，北魏文成帝返回平城，兴建太华殿。此时，给事中郭善明本性狡诈，他劝说文成帝大规模建造宫殿。中书侍郎高允劝谏说："太祖开始兴建京城，在建造过程中，一定要利用农闲时节。况且国家已经建立很久了，永安前殿足以用来朝会，西堂、温室足以用来宴请、歇息，紫楼足以用来登高远眺；纵然要修建、扩大，也应该逐步实现，不能匆忙急迫行事。现在估算应当役使共二万人，而老、病供给差粮的又应当增加一倍，预料半年可以完工。一个农夫不耕种，有的人就挨饿，何况是四万人耗费人力、财力，可以尽说吗！这是陛下应当留心的事。"文成帝接受了他的劝谏。

高允喜欢直言极谏，朝廷的事情有做得不合适的，他就请求晋见，文成帝常常屏退近臣来接待他。有时从早到晚相谈，有时连续几天都不出来；群臣没有人知道他们所谈的内容。有时高允说话有切肤之痛，文成帝难以听下去，就命令近臣把高允挽扶出去，但是始终善加礼遇他。当时有人所上的奏章激烈而率直地批评朝政，文成帝读完奏章后，对群臣说："君王和父亲是相同的。父亲有过错，儿子为什么不写在纸上在众人面前劝谏，而在家中隐蔽之处劝谏，这难道不是不想让他父亲不好的地方暴露在外吗？至于说侍奉君王，为什么单单不是这样？君王有了过失，不能够当面陈述，却上奏章公开谏诤，想要以此暴露君主的短处，显示自己的公正，这难道是忠臣所应当做的吗！像高允这样的人，才是忠臣啊。我有了过错，没有不当面说的，甚至有的朕也忍受不了，高允都没有回避。我知道了自己的过错但天下人不知道，这能说不是忠心吗！"

与高允同时被征召的游雅等人都做了大官，被封侯，中书吏而曾经跟随高允的人官至刺史、二千石的也有几十人甚至超过百人了，而高允任郎官二十七年没有变动。文成帝对群臣说："你们这些人虽然手持刀箭在朕周围，只是站着罢了，未曾有一句话规劝匡正；只有观察朕高兴时，祈求官爵，现在都没有功劳而官至王公。高允持笔写文章辅佐我治理国家几十年了，作贡献不少，不过是个郎官，你们这些人不感到内心惭愧吗！"于是授高允中书令的官。

当时，北魏百官没有俸禄，高允常让他的儿子们打柴以满足生活需要。司徒陆丽对文成帝说："高允虽然蒙受您的恩遇，但是他家庭贫穷，妻子和孩子无法生存。"文成帝说："你为什么不早说？现在看见朕重用高允，才说他家庭贫穷！"当天，文成帝来到高允住宅，只有草房几间，粗布做的被褥和乱麻为絮做的袍子，厨房里只有咸菜罢了。文成帝赞叹他，赏赐五百匹绢帛，一千斛粟米，授高允的长子高悦为长乐太守。高允再次推辞，文成帝没有答应。文成帝敬重高允，常称他为令公而不叫名字。

游雅曾经说："从前史籍称赞汉代卓子康、刘文饶与人交往，心地狭窄的人有的不相信这些记载。我和高允来往四十年，未曾看见他喜怒的表情，才知道古人是不作假的。高允内心文德辉耀而外表温柔和顺，他说话迟钝好像话不能出口一样。过去司徒崔浩曾经对我说：'高允多才博学，是才学优良的人，所缺乏的只是刚毅的风骨节操罢了。'我也认为是这样。等到司徒崔浩因为一些细微小事获罪，下诏斥责甚至皇帝驾临诘问，崔浩吓得声音嘶哑，两腿发抖，几乎说不出话来；宗钦以下的官员，吓得趴在地上流汗，都面无人色。只有高允详尽地陈述事情的道理，说明解释是非曲直，表达得清晰明了，和谐的声调高亢、洪亮，连皇上听了都为他的陈述显露出被感动的表情，听的人没有不心惊，这不是英勇威武吗？宗爱正当权，使人敬畏的气势在天下显扬。宗爱曾经召集文武百官到议论事的朝堂，王公以下的官员，都慢步接近朝堂远远望见即行叩拜，高允独自走上台阶，只对宗爱行拱手礼。从这件事来看，汉代汲黯可以躺在床上会见卫青，哪里有什么对等的礼节？这不就是所说的高风亮节吗！人本来不容易了解，我们已经错过了对高允的内心文德的了解，崔浩又看漏了他的外在气质，这就是管仲对鲍叔牙的死感到极其悲痛的真正原因！"

齐 纪

范缜盛称无佛

【齐纪二】祖武帝永明二年（甲子，484年）

子良①笃好释氏②，招致名僧，讲论佛法，道俗之盛，江左③未有。或亲为众僧赋食、行水④，世颇以为失宰相体。

范缜盛称无佛。子良曰："君不信因果，何得有富贵、贫贱？"缜曰："人生如树花同发，随风而散：或拂帘幌坠茵席之上，或关篱墙落粪溷之中。坠茵席者，殿下是也；落粪溷者，下官是也。贵贱虽复殊途，因果竟在何处！"子良无以难。缜又著《神灭论》，以为："形者神之质，神者形之用⑤也。神之于形，犹利⑥之于刀；未闻刀没而利存，岂容形亡而神在哉！"此论出，朝野喧哗，难之终不能屈。太原王琰著论讥缜曰："呜呼范子！曾不知其先祖神灵所在！"欲以杜缜后对。缜对曰："呜呼王子！知其先祖神灵所在而不能杀身以从之！"子良使王融谓之曰："以卿才美，何患不至中书郎；而故乖剌⑦为此论，甚可惜也！宜急毁弃之。"缜大笑曰："使范缜卖论取官，已至令、仆矣，何但中书郎邪！"

[注释]

①子良：指齐竟陵王萧子良。②释氏：佛教创始人释迦牟尼的省称，后泛指佛教。③江左：长江下游以南地区。④赋食、行水：端饭送水。⑤用：功用。此处指表现。⑥利：锐利，锋利。此处指刀刃。⑦乖刺：违逆，不合。

[译文]

萧子良十分爱好佛教，他招来各地名僧讲谈论议佛法，出家之人和世俗之人的众多，江南一带还从来没有过。有时萧子良还亲自给众僧们布散饮食，用水洁身以祈佛，世人都认为他有失宰相的身份。

范缜极力声称没有佛。萧子良说："你不相信因果报应，哪里能够谈得上富贵、贫贱呢？"范缜说："人生就像树上的花朵同时开放又随风飘散：有的掠过帘幕落到褥垫上，有的经过篱笆墙落在粪坑里。落到褥垫上的好比是殿下，落到粪坑里的就是下官了。我们之间即使贵贱不同，因果报应究竟在什么地方呢？"萧子良没有办法诘难范缜。范缜又著《神灭论》，认为："身体是精神的本质，精神则是身体的表现。精神对于身体来说，好像刀刃与刀，没有听说过刀没了而刃还在，怎么会有身体消亡了而精神还存在的事情呢！"此论发布后，朝廷上下一片哗然，诘难他的人最终不能使范缜屈服。太原人王琰，写文章讥讽范缜说："哎呀！范缜竟然不知道他祖先的神灵在什么地方！"想以此堵住范缜使他没法回答。范缜回答说："哎呀！王琰知道他祖先的神灵在什么地方却不肯杀身追随！"萧子良派王融对范缜说："凭借你的才华，不必担心不能官至中书郎；却故意发表这种违逆的言论，太可惜了！你应该尽快抛弃这种看法。"范缜大笑说："假如我出卖主张换取官职，早已做到尚书令、仆射了，何止只是中书郎！"

魏主迁都洛阳

【齐纪四】 武帝永明十一年（癸酉，493年）

魏主以平城地寒，六月雨雪，风沙常起，将迁都洛阳；恐群臣不从，乃议大举伐齐，欲以胁众。斋于明堂左①个，使太常卿王谌筮之，遇《革》，帝曰："'汤、武革命，顺乎天而应乎人。'吉孰大焉！"群臣莫敢言。尚书任城王澄曰："陛下奕叶②重光，帝有中土③；今出师以征未服，而得汤、武革命之象，未为全吉也。"帝厉声曰："繇云：'大人虎变'④，何言不吉！"澄曰："陛下龙兴⑤已久，何得今乃虎变！"帝作色曰："社稷我之社稷，任城欲沮众邪！"澄曰："社稷虽为陛下之有，臣为社稷之臣，安可知危而不言！"帝久之乃解⑥，曰："各言其志，夫亦何伤！"

既还宫，召澄入见，逆⑦谓之曰："向者'革卦'，今当更与卿论之。明堂之忿，恐人人竞言，沮我大计，故以声色怖文武耳。想识朕意。"因屏人，谓澄曰："今日之举，诚为不易。但国家兴自朔土，徙居平城；此乃用武之地，非可文治。今将移风易俗，其道诚难，朕欲因此迁宅中原，卿以为何如？"澄曰："陛下欲卜宅⑧中土，以经略⑨四海，此周、汉⑩之所以兴隆也。"帝曰："北人习常恋故，必将惊扰，奈何？"澄曰："非常之事，故非常人之所及。陛下断自圣心，彼亦何所能为！"帝曰："任城，吾之子房也！"

魏主自发平城至洛阳，霖雨不止。丙子，诏诸军前发。丁丑，帝戎服，执鞭乘马而出。群臣稽颡⑪于马前。帝曰："庙算⑫已定，大军将进，诸公更欲何云？"尚书李冲等曰："今者之举，天下所不愿，唯陛下欲之；臣不知陛下独行，竟何之也！臣等有其意而无其辞，敢以死请！"帝大怒曰："吾方经营天下，期于混壹⑬，而卿等儒牛,屡疑大计;斧钺⑭有常,卿勿复言!"策马将出,于是安定王休等并殷勤⑮泣谏。帝乃谕群臣曰:"今者兴发不小,动而无成,何以示后!朕世居幽朔,欲南迁中土;苟不南伐,当迁都于此,王公以为何如?欲迁者左,不欲者右。"南安王桢进曰:"'成大功者不谋于众。'今陛下苟辍⑯南伐之谋,迁都洛邑,此臣等之愿,苍生之幸也。"群臣皆呼万岁。时旧人⑰虽不愿内徙,而惮于南伐,无敢言者;遂定迁都之计。

[注释]

①左:地理上以东为左。②弈叶:累世。③中土:中原。④虎变:虎皮的花纹斑斓多彩。比喻因时制宜,革新创制。⑤龙兴:喻王者兴起。⑥解:松懈,缓和。⑦逆:迎着。⑧卜宅:选择都城。⑨经略:规划治理,经营谋划。⑩周、汉:指周成王、汉武帝。⑪稽颡:古代的一种跪拜礼。两膝盖跪地,两手拱至地,头亦至地。⑫庙算:战前朝廷确定的谋略。⑬混壹:即"混一",统一。⑭斧钺:本为两种兵器,也泛指刑罚杀戮。⑮殷勤:情意深厚。⑯苟辍:如果放弃。⑰旧人:指与北魏同起于北荒之子孙,即鲜卑族人。

[译文]

北魏孝文帝因为平城一带气候寒冷,六月下雪,大风及沙尘常常出现,准备迁都洛阳;他担心群臣不同意,就商议大规模讨伐南齐,打算以此胁迫群臣。在明堂东边的偏室斋戒后,让太常卿王谌占卦,得到《革》卦,孝文帝说:"'商汤和周武王革命,上顺应天命,下顺于民心。'没有比这更吉利的了!"群臣没有人敢议论。尚书任城王拓跋澄说:"陛下几代人盛德相承,占有中原;现在出兵征讨没有臣服的人,而得到了商汤和周武王革命的卦象,并不全是吉利啊。"孝文帝高声说:"繇辞说:'大人物往往因时制宜,革新创制',为什么说不吉利呢!"拓跋澄说:"陛下兴起已经很长时间了,为什么现在才推行变革!"孝文帝脸色大变发怒说:"国家是我的国家,任城王想阻止大家吗!"拓跋澄说:"国家虽然是陛下的国家，而我是国家的臣子，怎么能够明知有危险而不说呢？"孝文帝很长时间才缓和了气色，说："每个人说出自己的看法，这有什么妨碍！"

孝文帝回到皇官，召拓跋澄入宫朝见，迎面就说："刚才'革卦'的事，现在应当与你讨论它。明堂的发怒，是担心每个人都争着发言，阻止我重大的决策，所以用疾言厉色以吓唬文武官员罢了。想着你会知道我的用心的。"于是命令侍从退下，对拓跋澄说："今天的举动，确实是不容易。只是国家是从北方兴起，迁都到平城；这里是用武力开疆拓土的地方，不适宜用教化来治理。现在，我将改变风俗习惯，这种改革确实困难，朕想借助这个机会迁都中原，你认为怎么样啊？"拓跋澄说："陛下打算迁都中原，谋划夺取天下，这是周成王和汉武帝兴盛的原因。"孝文帝说："北方人已经习惯留恋故土，如果迁都，他们一定惊恐骚动，怎么办？"拓跋澄回答说："不平凡的事，本来就不是平凡的人所能做得了的。陛下的决断出自圣明的心，他们能做什么呢！"孝文帝说："任城王真是我的张良呀！"

孝文帝从平城出发到洛阳的行程中，大雨没有停止，丙子日，孝文帝诏令各路大军向南进发。到了丁丑日，孝文帝身穿战服，手持马鞭，骑马出发。群臣在马头前叩拜。孝文帝说："朝廷的作战计划已经决定，各路大军将出发，你们还想说什么呢？"尚书李冲等人说："现在的举动，天下人都不愿意，只有陛下想实现它；我不知道陛下独自出发，到底要去哪里！我们有报国效忠皇上的心愿却难以表达，愿意冒死请求。"孝文帝非常恼怒，说："我现在正要规划营治国家，期望天下统一，可你们儒生，多次怀疑这一重大决策；斧钺有它们使用的地方，你们不要再说！"说完赶马准备出发，在这个时候，安定王拓跋休等人情真意切地流泪劝谏。孝文帝于是告诉群臣说："现在出动军队的规模不小，出动却没有结果，如何给后人看！朕世代居住在幽僻偏远的北方，打算南迁到中原；如果不再向南征讨，应该迁都到这里，你们认为怎么样？同意迁都的站左边，不同意迁都的人站右边。"南安王拓跋桢靠近孝文帝说："'干成大事业的人不与众人商量。'现在陛下如果放弃向南征伐的计划，迁都洛阳，这正是我们所希望的，是老百姓的幸运啊。"文武百官都高呼万岁。当时，鲜卑族人虽然不愿意内迁，又害怕向南征伐，没有人敢说什么；于是就定下了迁都大计。

梁 纪

临川王货贿①巨万

【梁纪四】祖武帝天监十七年（戊戌，518年）

临川王宏妾弟吴法寿杀人而匿于宏府中，上敕宏出之，即日伏辜②。南司奏免宏官，上注曰："爱宏者兄弟私亲，免宏者王者正法；所奏可。"五月戊寅，司徒、骠骑大将军、扬州刺史临川王宏免。

宏自洛口之败，常怀愧愤，都下③每有窃发，辄以宏为名，屡为有司所奏，上每赦之。上幸光宅寺，有盗伏于骠骑航④，待上夜出；上将行，心动，乃于朱雀航过。事发，称为宏所使，上泣谓宏曰："我人才胜汝百倍，当此犹恐不堪，汝何为者？我非不能为汉文帝⑤，念汝愚耳！"宏顿首称无之，故因匿法寿免宏官。

宏奢僭⑥过度，殖货⑦无厌。库屋垂⑧百间，在内堂之后，关籥⑨甚严，有疑是铠仗者，密以闻。上于友爱甚厚，殊不悦。他日，送盛馔与宏爱妾江氏曰："当来就汝欢宴。"独携故人射声校尉丘佗卿往，与宏及江大饮，半醉后，谓曰："我今欲履行汝后房。"即呼舆径往堂后,宏恐上见其货贿,颜色怖惧。上意益疑之,于是屋屋检视,每钱百万为一聚,黄榜标之,千万为一库,悬一紫标,如此三十余间。上与佗卿屈指计,见钱三亿余万,余屋贮布绢丝绵漆蜜纻蜡等杂货,但见满库,不知多少。上始知非仗,大悦,谓曰:"阿六,汝生计大可!"乃更剧饮至夜,举烛而还。兄弟方更敦睦。

宏都下有数十邸,出悬钱⑩立券,每以田宅邸店悬上文契,期讫⑪,便驱券主,夺其宅。都下、东土⑫百姓,失业非一。上后知之,制悬券不得复驱夺,自此始。

[注释]

①货贿:财物。②伏辜:服罪。③都下:京城。④骠骑航:以萧宏的官名——骠骑大将军命名的浮桥。航,连船而成的浮桥。⑤为汉文帝:汉文帝时,淮南王刘长废先帝法,不听天子诏,擅为法令,欲以危宗庙社稷,被文帝废黜至蜀严道、邛都,途中自杀。后追谥为厉王。⑥奢僭:奢侈到超越自己的名分的地步。⑦殖货:即"货殖",经商盈利,此指贪敛钱财。⑧垂:几乎达到。⑨关籥:门闩和锁钥,本指锁门的工具,此指看管。籥,读yuè。⑩悬钱:债务。⑪期讫:到了规定的期限。⑫东土:东晋、南朝时特指今苏南、浙江一带。

[译文]

临川王萧宏小妾的弟弟吴法寿杀人后藏在萧宏府上,梁武帝命令萧宏交出他,当天吴法寿服罪。御史中丞奏请免去萧宏的官职,梁武帝在奏折上批示:"怜惜萧宏是兄弟的偏爱和亲情,免除萧宏的官职是帝王法度;同意御史中丞的奏请。"五月戊寅日,司徒、骠骑大将军、扬州刺史临川王萧宏被免职。

萧宏自从兵败洛口之后,常常怀着羞愧、愤慨之情,京城中每当有造反作乱,都打着萧宏的名号,因此多次被官吏参奏,梁武帝每每赦免他。梁武帝临幸光宅寺,有强盗埋伏在浮桥骠骑航上,等待梁武帝夜晚出行;梁武帝刚要出行,突然感到心中不安,就从另一座浮桥朱雀航上过。事情暴露后,强盗声称是萧宏指使,梁武帝哭着对萧宏说："我的才能超过你一百倍,处在皇位上还担心不胜任,你想干什么?我不是不能像汉文帝诛杀淮南王刘长那样把你杀掉,只是哀怜你愚蠢啊!"萧宏叩头说没有这回事,终于因为藏匿吴法寿被免官。

  萧宏奢侈逾礼,不合法度,增殖财货,没有满足。他有库房将近一百间,位于内进正房的后面,看守得非常严密,有人怀疑内藏兵器,秘报给梁武帝。梁武帝很重兄弟情谊,极不高兴。有一天,梁武帝送给萧宏爱妾江氏丰盛的饭食,并说:"我要来你家欢聚。"他只带了老部下射声校尉丘佗卿前去,和萧宏以及江氏开怀畅饮。半醉之后,梁武帝对萧宏说:"我现在想巡视你的后房。"就吩咐轿夫抬轿径直来到后堂,萧宏担心梁武帝看到他的财物,脸色十分恐惧。梁武帝心中更加怀疑他,于是每间屋子都检查了一遍,看到每一百万钱为一堆,用黄色木片作为标志,每一千万钱存为一间库房,挂一个紫色标志,像这样的库房有三十多间。梁武帝和丘佗卿屈指计算,算出共有三亿多万钱,其他的房间贮存着布、绢、丝、绵、漆、蜜、麻、蜡等杂货,只见满库都是,不知有多少。梁武帝才知道不是兵器,非常高兴,说:"阿六,你的资财太可以了!"于是再行痛饮到半夜,举着蜡烛回宫。兄弟俩才更加亲善和睦。

  萧宏在京城里有数十处府第,他放债立债券时,常常让借债者把自己的田地、住宅、店铺作为抵押写在契约上,期限一到,就驱赶借债者,夺取他们的住宅,京城和东土一带百姓,失去产业的不止一人。梁武帝后来知道了这种情况,下令以物抵押贷款的文券不能驱逐掠夺欠债者的产业,这一规定就是从此时开始的。

昭明太子葬母

【梁纪十一】 武帝中大通三年（辛亥，531年）

初，昭明太子葬其母丁贵嫔，遣人求墓地之吉者。或赂宦者俞三副求卖地，云若得钱三百万，以百万与之。三副密启上，言"太子所得地不如今地于上为吉"。上年老多忌，即命市之。葬毕，有道士云："此地不利长子，若厌①之，或可申延②。"乃为蜡鹅③及诸物埋于墓侧长子位。宫监鲍邈之、魏雅初皆有宠于太子，邈之晚见疏于雅，乃密启上云："雅为太子厌祷④。"上遣检掘，果得鹅物，大惊，将穷其事，徐勉固谏而止，但诛道士。由是太子终身惭愤，不能自明。及卒，上征其长子南徐州刺史华容公欢至建康，欲立以为嗣，衔其前事，犹豫久之，卒不立，庚寅，遣还镇。

臣光曰：君子之于正道，不可少顷离也，不可跬步失也。以昭明太子之仁孝，武帝之慈爱，一染嫌疑之迹，身以忧死，罪及后昆⑤，求吉得凶，不可湔涤⑥，可不戒哉！是以诡诞之士，奇邪之术，君子远之。

[注释]

①厌：通"压"，压住，抑制。②申延：宽延。③蜡鹅：用蜜蜡制的鹅形物品，是殉葬的厌禳物。而鹅在中国文化习俗里有"我"的隐喻义，且鹅与鸡、鸭的区别特征是"长项"，长项者，长辈也。④厌祷：以巫术祈祷鬼神。⑤后昆：后代子孙。⑥湔涤：洗涤，洗刷。

[译文]

当初，梁昭明太子萧统埋葬母亲丁贵嫔时，曾派人寻找风水好的墓地。有人贿赂宦官俞三副请求卖地，声称如果得到三百万钱，以其中的一百万送给俞三副。俞三副秘密启奏梁武帝，说："太子所得的地不如现在这块地对皇上更有利。"武帝年纪大了多猜忌，便命人买下这块地。葬礼结束后，有个道士说："这块地不利于长子，但如果压一压，或许还可以延长一些。"于是将蜡鹅及其他物品埋在丁贵嫔墓侧的长子之位。宫监鲍邈之、魏雅当初都受昭明太子宠幸，鲍邈之后来被魏雅疏远，于是便秘密向武帝启奏说："魏雅用巫术给太子祈祷鬼神。"梁武帝派人查验挖掘，果然挖到了蜡鹅等物，很是吃惊，要彻底追查这件事，徐勉极力劝谏梁武帝才作罢，只杀了那位道士。因为这件事，太子终生羞愧愤恨，难以自我证明。等到太子死后，梁武帝征召太子的长子南徐州刺史华容公萧欢到建康，打算立萧欢为昭明太子的继承人，仍记恨以前那件事，犹豫了很久，最终没有立萧欢，庚寅日，派遣他回到了南徐州。

臣司马光说：君子对于真理的追求，不可以有片刻偏离，也不可以有半步过失。以昭明太子的仁爱孝顺，凭借梁武帝的仁慈而爱人，一旦有了猜疑，太子因忧愤而死，祸害延及后代子孙，昭明太子为求吉反而得凶，以致无法洗雪自己的冤屈，能不引以为戒吗！因此对于那些怪异荒诞之徒，诡诈邪佞之术，君子要远离啊。

高洋拥兵建北齐

【梁纪十九】 简文帝大宝元年（庚午，550年）

东魏齐王洋之为开府也，勃海高德政为管记，由是亲昵，言无不尽。金紫光禄大夫丹杨徐之才、北平太守广宗宋景业，皆善图谶①，以为太岁在午②，当有革命，因德政以白洋，劝之受禅。洋以告娄太妃，太妃曰："汝父如龙，兄如虎，犹以天位不可妄据，终身北面，汝独何人，欲行舜、禹之事乎！"洋以告之才，之才曰："正为不及父兄，故宜早升尊位耳。"洋铸像卜之而成，乃使开府仪同三司段韶问肆州刺史斛律金，金来见洋，固言不可，以宋景业首陈符命，请杀之。洋与诸贵议于太妃前，太妃曰："吾儿懦直，必无此心，高德政乐祸，教之耳。"洋以人心不壹，遣高德政如邺察公卿之意，未还；洋拥兵而东，至平都城，召诸勋贵议之，莫敢对。长史杜弼曰："关西[③]，国之劲敌，若受魏禅，恐彼挟天子，自称义兵而东向，王何以待之！"徐之才曰："今与王争天下者，彼亦欲为王所为。纵其屈强，不过随我称帝耳。"弼无以应。高德政至邺，讽公卿，莫有应者。司马子如逆洋于辽阳，固言未可。洋欲还，仓丞李集曰："王来为何事，而今欲还？"洋伪使于东门杀之，而别令赐绢十匹，遂还晋阳。自是居常不悦。徐之才、宋景业等日陈阴阳杂占，云宜早受命。高德政亦敦劝不已。洋使术士李密卜之，遇"大横"，曰："汉文之卦也。"又使宋景业筮之，遇"乾"之"鼎"，曰："'乾'，君也。'鼎'，五月卦也。宜以仲夏受禅。"或曰："五月不可入官，犯之，终于其位。"景业曰："王为天子，无复下期，岂得不终于其位乎！"洋大悦，乃发晋阳。

高德政录在邺诸事，条进于洋，洋令左右陈山提驰驿赍事[④]条并密书与杨愔。是月，山提至邺，杨愔即召太常卿邢劭议造仪注[⑤]，秘书监魏收草九锡[⑥]、禅让、劝进诸文；引魏宗室诸王入北宫，留于东斋。甲寅，东魏进洋位相国，总百揆[⑦]，备九锡。洋行至前亭，所乘马忽倒，意甚恶之，至平都城，不复肯进。高德政、徐之才苦请曰："山提先去，恐其漏泄。"即命司马子如、杜弼驰驿续入，观察物情。子如等至邺，众人以事势已决，无敢异言。洋至邺，召夫赍筑具[⑧]集城南。高隆之请曰："用此何为？"洋作色曰："我自有事，君何问为！欲族灭邪！"隆之谢而退。于是作圜丘[⑨]，备法物[⑩]。

丙辰，司空潘乐、侍中张亮、黄门郎赵彦深等求入启事，东魏孝静帝在昭阳殿见之。亮曰："五行递运[⑪]，有始有终。齐王圣德钦明,万方归仰,愿陛下远法尧、舜。"帝敛容曰:"此事推挹⑫已久,谨当逊避。"又曰:"若尔,须作制书。"中书郎崔劼、裴让之曰:"制已作讫。"使侍中杨愔进之。东魏主既署,曰:"居朕何所?"愔对曰:"北城别有馆宇。"乃下御坐,步就东廊,咏范蔚宗⑬《后汉书·赞》曰:"献坐不辰,身播国屯,终我四百,永作虞宾。"所司请发,帝曰:"古人念遗簪弊履,朕欲与六宫别,可乎?"高隆之曰:"今日天下犹陛下之天下,况在六宫。"帝步入,与妃嫔已下别,举宫皆哭。赵国李嫔诵陈思王⑭诗云:"王其爱玉体,俱享黄发期。"直长赵道德以车一乘候于东阁,帝登车,道德超上抱之,帝叱之曰:"朕自畏天顺人,何物奴敢逼人如此!"道德犹不下。出云龙门,王公百僚拜辞,高隆之洒泣。遂入北城,居司马子如南宅,遣太尉彭城王韶等奉玺绶,禅位于齐。

[注释]

①图谶:符命占验之书。②太岁在午:太岁,旧历纪年值岁干支的别名。如逢甲子年,甲子就是太岁;乙丑年,乙丑就是太岁;依此类推,至癸亥年止。迷信的说法,太岁在午,天下不太平,当有大事发生。③关西:指宇文氏。④赍事:携带着高德政进呈的事条。⑤仪注:礼节。⑥九锡:古代帝王赐给有大功或有权势的诸侯大臣的九种物品。⑦百揆:百官。⑧赍筑具:带着建筑工具。⑨圜丘:古代帝王为祭天所筑的圆形高坛。⑩法物:指宗庙乐器、车驾、卤簿等器物,帝王登基所用。⑪五行递运:金、木、水、火、土五行互相递代地运行。⑫推挹:推重,推崇。⑬范蔚宗:指范晔(398—445),字蔚宗,南朝宋人,著名史学家。范晔撰写了被后人称之为前四史之一的《后汉书》。⑭陈思王:指曹植(192—232)。他是曹操与武宣卞皇后所生第三子。曹植在文、明二帝的12年中,曾被迁封过多次,最后的封地在陈郡,曹植死后谥号曰思,故后人称之为"陈王"或"陈思王"。

[译文]

东魏时期,齐王高洋在成立府署、选置僚属的时候,任命勃海人高德政为管记,从此两人很亲密,言无不尽。金紫光禄大夫丹杨人徐之才、北平太守广宗人宋景业，都通晓图谶占验之术。他们认为太岁星在午，应当有改朝换代的事情发生，就利用高德政来告诉高洋，劝他接受禅让。高洋把这件事报告给娄太妃，娄太妃说："你父亲像龙一样，兄长似虎一样，还认为皇位不可以非分地占有，一生北面称臣，你难道是什么人，想效法舜、禹禅让的事吗！"高洋把娄太妃的话告诉徐之才，徐之才说："正因为赶不上您的父兄，所以才应该早点升上尊位罢了！"高洋通过铸铜像进行占卜表明可以成功，于是让开府仪同三司段韶询问肆州刺史斛律金，斛律金来拜见高洋，坚决认为禅代之事不可以，并因为宋景业首先述说符命，请求高洋杀了他。高洋和各位权贵在娄太妃面前商议此事，娄太妃说："我儿子懦弱率直，一定没有这种想法，高德政喜欢祸乱，这是他指点的！"高洋认为各位权贵的想法不一样，就派遣高德政去邺城明辨公卿大臣们的想法，还没有返回；高洋就聚集军队向东出发，到达平都城，召集诸位功臣权贵商议禅代之事，没有人敢应对。长史杜弼说："关西宇文氏是国家的强敌，如果您接受魏的禅让，恐怕宇文氏挟持天子，自称义兵而向东进攻，大王拿什么来抵御他呢！"徐之才说："现在与大王争夺天下的人，他也是想做大王所做的事，即使他倔强，不过按照我们的做法称帝罢了。"杜弼无从应答。高德政到了邺城，委婉地劝告公卿大臣，没有人应对。司马子如到辽阳迎候高洋，坚决主张不可以。高洋打算返回，仓丞李集说："大王来此为了什么事，现在打算返回？"高洋假装派人在东门杀掉他，另外命令赏赐他十匹绢，于是返回晋阳。从此以后，高洋平常总是不高兴。徐之才、宋景业等人每天述说阴阳之理、占卜术的事理，说应该早点接受天命。高德政也不停地敦促劝说。高洋让术士李密占卜禅代之事，得到大横卦。李密说："这是汉文帝得过的卦呀。"高洋又让宋景业用筮草占卦，得到乾卦的鼎卦。宋景业说："乾卦，君主之象。鼎卦，五月的卦。应当在仲夏受禅。"有的人说:"五月不可以做当官治民之职,触犯了它,会死在他的官位。"宋景业说:"大王做天子,不再有下台的期限,哪能不命终在皇位呢!"高洋非常高兴,于是又从晋阳向东进发了。

高德政记录了在邺城察访到的各种情况,逐条呈进给高洋。高洋命令近臣陈山提驾乘驿马疾行,带着高德政进呈的事条和密信给杨愔。当月,陈山提到达邺城,杨愔就召集太常卿邢邵商议撰写礼仪制度,秘书监魏收起草九锡、禅让、劝进等礼节的文告;并延请东魏宗室诸王进入北宫,留在东斋。甲寅日,东魏晋升高洋为相国,总领百官,加九锡。高洋将要到前亭时,他所骑的马忽然倒下,内心很厌恶这件事,到达平都城后,不再愿意前进了。高德政、徐之才极力请求说:"陈山提先去邺城了,担心他泄漏消息。"高洋听了,就命令司马子如、杜弼驾乘驿马疾行继续进入邺城,以观察人心动向。司马子如等人到达邺城后,众人以为形势已定,无人敢有异议。高洋到达邺城后,召集民夫带着工具聚集在城南。高隆之问道:"召集民夫做什么?"高洋勃然大怒,说:"我自然有事,你问这干什么!想被灭族吗!"高隆之谢罪而退。于是民夫开始修筑圜丘,准备法器物事。

丙辰日,司空潘乐、侍中张亮、黄门郎赵彦深等要求入宫陈述事情,东魏孝静帝在昭阳殿召见他们。张亮说:"金、木、水、火、土五行互相递代运行,王朝的运数有始有终,齐王高洋拥有至高无上的道德,敬肃明察,四方归附仰仗,希望陛下向上效法尧、舜禅让。"孝静帝收敛笑容说:"这件事推辞揖让已经很久了,理当逊位禅让。"又说:"如果这样,须制作诏书。"中书郎崔劼、裴让之说:"诏书已经制作完毕。"让侍中杨愔把禅让的诏书进呈。东魏孝静帝签署后,说:"安排朕在什么地方?"杨愔回答说:"北城另有馆舍。"孝静帝走下御座,步行走向东廊,长吟着范晔《后汉书·赞》的一段话:"献帝因生不得其时,身体被迁徙,国又困顿,大汉四百年运数到我终结了,让我永远做虞的宾客尧的儿子丹朱的角色吧!"主管禅让事务的官吏请求孝静帝出发,孝静帝说:"古人有留恋遗簪敝屣的情感,我想和六宫的妃嫔告别,可以吗?"高隆之说:"今天天下还是陛下的天下,何况是六宫。"孝静帝步行入后宫,与妃嫔及其以下告别,整个后宫都哭了。赵国人李嫔诵读陈思王曹植的诗:"王其爱玉体,俱享黄发期。"直长赵道德用一辆车等候在东阁门,孝静帝登上车,赵道德跳上车抱住他,孝静帝呵斥他说:"我自己畏天命,顺人心,你是什么东西敢这样威逼我!"赵道德还不下车。孝静帝出了云龙门,王公百官行拜礼辞别,高隆之流泪哭泣。孝静帝进入北城,住在司马子如的南宅,派太尉彭城王韶等人捧着玉玺印绶,禅位给齐。

荒淫无道之北齐文宣帝

【梁纪二十二】敬帝太平元年(丙子,556年)

齐显祖之初立也,留心政术,务存简靖①,坦于任使,人得尽力。又能以法驭下,或有违犯,不容勋戚,内外莫不肃然。至于军国机策,独决怀抱;每临行阵,亲当矢石,所向有功。数年之后,渐以功业自矜,遂嗜酒淫泆,肆行狂暴;或身自歌舞,尽日通宵;或散发胡服,杂衣锦彩;或袒露形体,涂傅粉黛;或乘驴、牛、橐驼、白象,不施鞍勒;或令崔季舒、刘桃枝负之而行,担胡鼓拍之;勋戚之第,朝夕临幸,游行市里,街坐巷宿;或盛夏日中暴身,或隆冬去衣驰走;从者不堪,帝居之自若。三台构木②高二十七丈,两栋相距二百余尺,工匠危怯,皆系绳自防,帝登脊疾走,殊无怖畏;时复雅舞,折旋中节,傍人见者莫不寒心。尝于道上问妇人曰:"天子何如?"曰:"颠颠痴痴,何成天子!"帝杀之。

娄太后以帝酒狂，举杖击之曰："如此父生如此儿！"帝曰："即当嫁此老母与胡。"太后大怒，遂不言笑。帝欲太后笑，自匍匐以身举床，坠太后于地，颇有所伤。既醒，大惭恨，使积柴炽火，欲入其中。太后惊惧，亲自持挽，强为之笑，曰："向汝醉耳！"帝乃设地席，命平秦王归彦执杖，口自责数，脱背就罚，谓归彦曰："杖不出血，当斩汝。"太后前自抱之，帝流涕苦请，乃笞脚五十，然后衣冠拜谢，悲不自胜。因是戒酒，一旬，又复如初。

帝幸李后家，以鸣镝射后母崔氏，骂曰："吾醉时尚不识太后，老婢何事！"马鞭乱击一百有余。虽以杨愔为宰相，使进厕筹③，以马鞭鞭其背，流血浃袍。尝欲以小刀剺其腹，崔季舒托俳言曰："老小公子恶戏。"因掣刀去之。又置愔于棺中，载以辒车④。又尝持槊走马，以拟左丞相斛律金之胸者三，金立不动，乃赐帛千段。

高氏妇女，不问亲疏，多与之乱，或以赐左右，又多方苦辱之。彭城王浟太妃尔朱氏，魏敬宗之后也，帝欲烝⑤之，不从；手刃杀之。故魏乐安王元昂，李后之姊婿也，其妻有色，帝数幸之，欲纳为昭仪。召昂，令伏，以鸣镝射之百余下，凝血垂将一石，竟至于死。后啼不食，乞让位于姊，太后又以为言，帝乃止。

开府参军裴谓之上书极谏，帝谓杨愔曰："此愚人，何敢如是！"对曰："彼欲陛下杀之，以成名于后世耳。"帝曰："小人，我且不杀，尔焉得名！"帝与左右饮酒，曰："乐哉！"都督王纮曰："有大乐，亦有大苦。"帝曰："何谓也？"对曰："长夜之饮，不寤国亡身殒，所谓大苦！"帝缚纮，欲斩之，思其有救世宗之功，乃舍之。

帝游宴东山，以关、陇⑥未平，投杯震怒，召魏收于前，立为诏书，宣示远近，将事西行。魏人震恐，常为度陇之计。然实未行。一日，泣谓群臣曰："黑獭不受我命，奈何？"都督刘桃枝曰：

"臣得三千骑,请就长安擒之以来。"帝壮之,赐帛千匹。赵道德进曰:"东西两国,强弱力均,彼可擒之以来,此亦可擒之以往。桃枝妄言应诛,陛下奈何滥赏!"帝曰:"道德言是。"回绢赐之。帝乘马欲下峻岸入于漳,道德揽辔回之;帝怒,将斩之。道德曰:"臣死不恨,当于地下启先帝,论此儿酗酗颠狂,不可教训。"帝默然而止。它日,帝谓道德曰:"我饮酒过,须痛杖我。"道德抶之,帝走。道德逐之曰:"何物人,为此举止!"

典御丞李集面谏,比帝于桀、纣。帝令缚置流中,沉没久之,复令引出,谓曰:"吾何如桀、纣?"集曰:"向来弥不及矣!"帝又令沉之,引出,更问,如此数四⑦,集对如初。帝大笑曰:"天下有如此痴人,方知龙逢、比干未是俊物!"遂释之。顷之,又被引入见,似有所谏,帝令将出要斩。其或斩或赦,莫能测焉。

[注释]

①简靖:简约、清静、稳定。②构木:此指梁柱。构,搭架,构筑。③厕筹:大便后用来拭秽的木条、竹条或篾片。④辒车:即"辒车",丧车。辒,读ér。⑤蒸:指下与上通奸。⑥关、陇:指西北地区的关山、陇山,自古为兵家必争之地。⑦数四:三四次。

[译文]

北齐显祖文宣帝高洋即位之初,注意为政方略,力求简便稳定,坦诚地对待委用的人,使人人能为国尽力。又能够用法令来统治臣下,倘若有人违犯,元勋贵戚也不宽容,朝廷内外秩序良好。至于军国机密、决策,则独自进行决断;文宣帝每次驾临前线,亲自冒着乱箭和飞石,军队所指向的地方都建立了功勋。几年以后,文宣帝渐渐地凭借功业妄自尊大,于是纵酒、淫逸,恣意妄为,猖狂暴戾;有时从早到晚独自唱歌跳舞;有时披散头发,穿着胡服以及不搭配的丝织品;有时裸露着形体,面部涂抹着白粉眉毛画着黛墨;有时骑着不用鞍和勒绳的驴、牛、骆驼、白象;有时让崔季舒、刘桃枝背着他出行,背着胡鼓拍击;元勋和贵戚的官邸,不分早晚驾临,穿行市场,坐在街头,留宿里巷;有时盛夏天光着身子晒太阳,有时隆冬时节脱衣奔跑;跟从他的人不能忍受,文宣帝却一如既往。三台宫殿的梁柱高达二十七丈,两柱之间相距二百多尺,工匠上去都感到忧惧害怕,都系着绳子自我防护,而文宣帝登上三台宫殿屋脊快步走,一点也不害怕;不时又有标准的舞蹈动作,弯下身子旋转符合节拍,旁边的人看到没有不感到担心的。他曾在路上问一个妇女说:"天子怎么样呢?"这妇女回答说:"疯癫痴呆,如何能做天子!"文宣帝把她杀了。

娄太后因文宣帝撒酒疯,举起手杖打他,说:"像这样英雄的父亲竟生出这样混账的儿子!"文宣帝说:"应当把这个老母亲嫁给胡人了。"娄太后非常恼怒,就不再说话和微笑。文宣帝想让娄太后笑,自己趴下用身子把坐床抬起,将太后摔在地下,太后多处受伤。酒醒之后,高洋感到非常羞愧忿恨,让人堆柴点火,想跳进去烧死。娄太后惊慌恐惧,亲自扶起拉出高洋,勉强笑着说:"刚才你喝醉了!"文宣帝就让在地上铺席,命令平秦王高归彦手执棍棒,自己嘴里数落着罪过,脱衣露背接受鞭挞。文宣帝对高归彦说:"打不出血来,就杀了你。"娄太后上前抱住他,文宣帝痛哭流涕苦苦哀求,于是在脚上打了五十下,然后穿衣、戴帽向娄太后叩拜表示歉意,悲不自胜。因这件事开始戒酒。十天后,又嗜酒如故。

文宣帝到李后的家,用响箭射李后的母亲崔氏,骂道:"我醉酒时尚且不认识太后,你这老奴算什么!"还用马鞭乱打了一百多下。文宣帝虽然以杨愔为宰相,但让他(在自己大便时)往厕所递送拭秽的篾片,用马鞭打他的背部,血流浸透了长袍。曾想用小刀子在他的小腹上划痕,崔季舒假托说笑话:"这是年龄稍长的年轻人的恶作剧啊!"趁势拿刀离开。文宣帝又曾把杨愔放在棺材中,用丧车运着出殡。文宣帝还曾手持长矛骑马奔驰,三次用长矛做向左丞相斛律金胸口刺去的动作，斛律金站着不动，文宣帝就赏赐他一千段帛。

高氏家族中的妇女不管血缘关系的远近，文宣帝多与她们淫乱，有时拿她们赏赐给随从，又用多种办法侮辱她们。彭城王高浟的太妃尔朱氏，本是魏敬宗的皇后，文宣帝想与她淫乱，她不从；文宣帝亲手杀了她。原东魏乐安王元昂是李后的姐夫，他的妻子很漂亮，文宣帝多次奸淫她，想把她纳入后宫做昭仪。文宣帝召元昂入宫，令他趴下，用响箭射他一百多下，凝结的血块将近一石，终于被射死。李后为此啼哭不进食，请求让皇后位给姐姐，娄太后又认为不合适，文宣帝才没这样做。

开府参军裴谓之上书极力劝谏文宣帝，文宣帝对杨愔说："这个蠢货，怎敢这样做！"杨愔回答说："他是想让陛下杀了他，以便在后世成名吧！"文宣帝说："小人！我就不杀你，你怎么能出名！"文宣帝和近臣饮酒，说："真快乐呀！"都督王纮说："有非常快乐，也有非常痛苦。"文宣帝问道："什么意思？"王纮回答说："沉湎长夜之饮，没有醒过来已国亡身死，这就是所说的大痛苦！"文宣帝把王纮捆起来，准备杀掉他，想起他有救世宗的功劳，就放了他。

文宣帝在东山嬉游宴饮，因为想到关山、陇山一带还没有平定，把杯子一摔，大怒，把魏收叫到跟前，站着写下诏书，向远近宣告将向西行动。西魏人因此惊恐，宇文泰曾有翻越陇山以躲避的计划。但宇文泰实际上并没有西行的举动。有一天，文宣帝流着泪对群臣说："黑獭（宇文泰）不听我的命令，怎么办呢？"都督刘桃枝说："给我三千骑兵，我请求到长安去把他捉拿回来。"文宣帝赞许他，赏赐给他一千匹帛。赵道德走上前说："北齐和西魏是东西方相邻的两国，强弱力量均等。对方的人可以擒拿归来，这一方也可以被擒拿过去。刘桃枝胡说应该处死，陛下怎么滥施奖赏呢！"

文宣帝说:"道德说得对。"收回给刘桃枝的绢帛赐给赵道德。文宣帝想骑马从陡峭的河岸跳到漳河里,赵道德挽住辔绳把他拽回来。文宣帝大怒,准备处死赵道德。赵道德说:"我死没有遗憾,当到地下启奏先帝,弹劾这个儿子酗饮酗酒,疯癫狂乱,不可以教育和训导。"文宣帝沉默不语,不杀赵道德了。另一天,文宣帝对赵道德说:"我喝酒过量时,必须痛打我。"赵道德动手打他,文宣帝逃跑。赵道德追着说:"你是个什么人,做出这种举动!"

典御史李集当面劝谏,将文宣帝比作夏桀、商纣。文宣帝下令将李集捆起来放到流水中,让他淹没很久,再下令拉出水面,对他说:"我比夏桀、商纣怎么样?"李集回答说:"后来的远远赶不上他们呢!"文宣帝又下令沉他入水,拉出来又问,这样反复三四次,李集的回答像开始一样。文宣帝大笑说:"天下有如此呆痴的人,我这才知道龙逢、比干还不算杰出人物呢!"于是释放了他。一会儿,李集又被拉入宫见文宣帝,他似乎有所进谏,文宣帝下令带出去腰斩。文宣帝要杀人还是赦免,没有人能猜想得到。

陈 纪

纳谏至孝之孝昭帝

【陈纪二】文帝天嘉元年（庚辰，560年）

帝谓王晞曰："卿何为自同外客，略①不可见？自今假非局司，但有所怀，随宜作一牒②，候少隙，即径进也。"因敕与尚书阳休之、鸿胪卿崔劼等三人，每日职务罢，并入东廊，共举录历代礼乐、职官及田市、征税，或不便于时而相承施用，或自古为利而于今废坠，或道德高俊，久在沉沦，或巧言眩俗，妖邪害政者，悉令详思，以渐条奏。朝晡③给御食，毕景④听还⑤。

帝识度沉敏，少居台阁⑥，明习吏事，即位尤自勤励，大革显祖之弊，时人服其明而讥其细。尝问舍人裴泽，在外议论得失。泽率尔对曰："陛下聪明至公，自可远侔⑦古昔；而有识之士，咸言伤细，帝王之度，颇为未弘。"帝笑曰："诚如卿言。朕初临万机，虑不周悉，故致尔耳。此事安可久行，恐后又嫌疏漏。"泽由是被宠遇。

库狄显安侍坐，帝曰："显安，我姑之子；今序家人礼，除⑧君臣之敬，可言我之不逮⑨。"显安曰："陛下多妄言。"帝曰："何故？"对曰："陛下昔见文宣以马鞭挞人，常以为非；今自行之，非妄言邪？"帝握其手谢之。又使直言，对曰："陛下太细，天子乃更似吏。"帝曰："朕甚知之。然无法日久，将整之以至无为耳。"又问王晞，晞曰："显安言是也。"显安，干之子也。群臣进言，帝皆从容受纳。

性至孝，太后不豫⑩，帝行不能正履，容色贬悴⑪，衣不解带，殆将四旬。太后疾小增，即寝伏阁外，食饮药物，皆手亲之。太后尝心痛不自堪，帝立侍帷前，以爪掐掌代痛，血流出袖。友爱诸弟，无君臣之隔。

[注释]

①略：大体上，常常。②牒：简札，文书。③晡：申时，午后三时至五时。④毕景：天黑以后。毕，结束。⑤听还：允许回家。听，听凭，允许。⑥台阁：东汉时以尚书辅佐皇帝，直接处理政务，三公之权渐轻。因尚书台在宫廷建筑之内，故台阁指尚书。此处指宫廷。⑦侔：读 móu，与……相等、相齐。⑧除：去掉，清除。⑨不逮：不足之处。⑩不豫：生病。⑪贬悴：憔悴。

[译文]

北齐孝昭帝对王晞说："你为什么把自己混同外来的客人一样，常常见不到面？从今以后，有所进言不必通过官衙的主事人员，只要心中有所想，随即写成简札，等一有机会就径直送进来。"于是敕令王晞与尚书阳休之、鸿胪卿崔劼等三人，在每天按规定所担任的工作结束后，一起进到东廊，一起列举抄录历代礼乐、职官以及田市、赋税等方面的情况，有的不适宜时代却递相沿袭使用，有的自古以来便利而到现在却衰落了，有的道德高尚的俊杰却长久不被重用，有的用花言巧语迷惑世人，成为妖邪危害政治的人，对上述情况全部让他们详细地分析，逐条奏报上来。早晚都供给御食，天黑后才让他们回家。

孝昭帝见识敏锐，气度稳重，年轻时就居住在皇宫，明了熟悉行政事务，即位后尤其勤勉，大范围革除文宣帝时代的弊政，当时人们佩服他的开明而讥笑他亲为小事。孝昭帝曾经询问舍人裴泽，外边议论他施政得失的情况。裴泽直率地回答说："陛下聪慧明了，极为公正，自然可以与上古的圣君相比；而有识之士，都议论您亲为小事，作为一个帝王，气度有些不够宏大。"孝昭帝笑着说："确实如你说的。我刚刚登临皇位，担心考虑不全面，所以才造成这种状况。这种处事的作风哪里可以持久呢，恐怕以后又会嫌我疏漏了。"裴泽从此深受孝昭帝的宠爱。

库狄显安有一次侍坐在孝昭帝身边，孝昭帝说："显安，你是我姑姑的儿子；今天序以家里人的礼节，免去君臣之间的恭敬之礼，可以指出我不足的地方。"库狄显安说："陛下多说谎话。"孝昭帝问："为什么这样说呢？"库狄显安回答说："陛下过去看到文宣帝用马鞭子打人，常常认为是不对的；现在自己用马鞭子打人，难道不是谎话吗？"孝昭帝握住他的手表示道歉。又让他进一步直言，库狄显安说："陛下做事太琐碎，身为天子却更像具体办事的小官吏。"孝昭帝解释说："我很知道这一点。然而国家没有法规时间太久了，我将要整顿国家达到无为的地步罢了。"孝昭帝又去问王晞，王晞说："库狄显安说得对。"库狄显安是库狄干的儿子。群臣向孝昭帝提意见，他都从容地采纳了。

孝昭帝天性十分孝顺，太后不舒服，他走路不能够直走，脸上现出憔悴色，睡觉时不敢脱衣服，几乎将近四十天。太后病情稍微加重，孝昭帝就睡在门外，食物饮水汤药，都亲手侍候。太后曾经心痛不能忍受，孝昭帝站立侍奉在帷帐之前，以指甲掐自己的手掌，想替太后减轻痛苦，手掌被掐破，血流到衣袖外。他对几个弟弟也很友爱，没有君臣之间的隔膜。

弄臣和士开

【陈纪四】宣帝太建元年/太建二年（己丑/庚寅，569年/570年）

初，侍中、尚书右仆射和士开，为世祖所亲狎，出入卧内，无复期度①，遂得幸于胡后。及世祖殂，齐主以士开受顾托，深委任之，威权益盛；与娄定远及录尚书事赵彦深、侍中尚书左仆射元文遥、开府仪同三司唐邕、领军綦连猛、高阿那肱、度支尚书胡长粲俱用事，时号"八贵"。太尉赵郡王叡、大司马冯翊王润、安德王延宗与娄定远、元文遥皆言于齐主，请出②士开为外任。会胡太后饯朝贵于前殿，叡面陈士开罪失云："士开先帝弄臣，城狐社鼠③，受纳货赂，秽乱宫掖④。臣等义无杜口，冒死陈之。"太后曰："先帝在时，王等何不言！今日欲欺孤寡邪？且饮酒，勿多言！"叡等词色愈厉。仪同三司安吐根曰："臣本商胡，得在诸贵行末，既受厚恩，岂敢惜死！不出士开，朝野不定。"太后曰："异日论之，王等且散！"叡等或投冠于地，或拂衣而起。明日，叡等复诣云龙门，令文遥入奏之，三返，太后不听。左丞相段韶使胡长粲传太后言曰："梓宫⑤在殡，事太忽忽，欲王等更思之！"叡等遂皆拜谢。长粲复命，太后曰："成妹母子家者，兄之力也。"厚赐叡等，罢之。

太后及齐主召问士开，对曰："先帝于群臣之中，待臣最厚。陛下谅闇⑥始尔，大臣皆有觊觎⑦。今若出臣，正是剪陛下羽翼。宜谓叡云：'文遥与臣，俱受先帝任用，岂可一去一留！并可用为州，且出纳如旧。待过山陵⑧，然后遣之。'叡等谓臣真出，心必喜之。"帝及太后然之，告叡等如其言。乃以士开为兖州刺史，文遥为西兖州刺史。葬毕，叡等促士开就路。太后欲留士开过百日，叡不许,数日之内,太后数以为言。有中人⑨知太后密旨者,谓叡曰:"太后意既如此,殿下何宜苦违!"叡曰:"吾受委不轻。今嗣主幼冲⑩,岂可使邪臣在侧!不守之以死,何面戴天!"遂更见太后,苦言之。太后令酌酒赐叡,叡正色曰:"今论国家大事,非为卮酒!"言讫,遽出。

士开载美女珠帘诣娄定远,谢曰:"诸贵欲杀士开,蒙王力,特全其命,用为方伯⑪。今当奉别,谨上二女子,一珠帘。"定远喜,谓士开曰:"欲还入不?"士开曰:"在内久不自安,今得出,实遂本志,不愿更入。但乞王保护,长为大州刺史足矣。"定远信之。送至门,士开曰:"今当远出,愿得一辞觐⑫二宫⑬。"定远许之。士开由是得见太后及帝,进说曰:"先帝一旦登遐⑭,臣愧不能自死。观朝贵意势,欲以陛下为乾明。臣出之后,必有大变,臣何面目见先帝于地下!"因恸哭。帝、太后皆泣,问:"计安出?"士开曰:"臣已得入,复何所虑,正须数行诏书耳。"于是诏出定远为青州刺史,责赵郡王叡以不臣⑮之罪。

旦日,叡将复入谏,妻子咸止之,叡曰:"社稷事重,吾宁死事先皇,不忍见朝廷颠沛。"至殿门,又有人谓曰:"殿下勿入,恐有变。"叡曰:"吾上不负天,死亦无恨。"入,见太后,太后复以为言,叡执之弥固。出,至永巷,遇兵,执送华林园雀离佛院,令刘桃枝拉杀之。叡久典朝政,清正自守,朝野冤惜之。复以士开为侍中、尚书左仆射。定远归士开所遗,加以余珍赂之。

士开威权日盛,朝士不知廉耻者,或为之假子,与富商大贾同在伯仲之列。尝有一人士参⑯士开疾,值医云:"王伤寒极重,应服黄龙汤⑰。"士开有难色。人士曰:"此物甚易服,王不须疑,请为王先尝之。"一举而尽。士开感其意,为之强服,遂得愈。

[注释]

①期度:一定的法度、限度。②出:京官外调。③城狐社鼠:比喻依势

为奸的人。④宫掖：掖即掖庭，宫中的旁舍，嫔妃所居之处，因称宫中为宫掖。⑤梓宫：皇帝或皇后的棺材。⑥谅闇：帝王居丧。闇，读ān。⑦觊觎：非分的希望或企图。⑧山陵：帝王的坟墓。⑨中人：宦官。⑩幼冲：幼小，年轻。⑪方伯：泛指地方长官。⑫觐：拜见，会见。⑬二宫：指太后和皇上。⑭登遐：等于说仙逝，人死的一种委婉说法。⑮不臣：指做官的人不尽臣职或对君主没有礼貌，即犯上作乱。⑯参：依胡三省注，候问其疾。⑰黄龙汤：陈年粪汁。

[译文]

起初，侍中、尚书右仆射和士开，被世祖武成帝狎昵，出入于武成帝的卧室，不再有什么限度，因此得到了胡后的宠幸。等到武成帝死后，齐后主高纬因为和士开曾经受武成帝的临终遗命，对他委以重任，所以和士开的威势和权力更加强盛；他与娄定远、录尚书事赵彦深、侍中及尚书左仆射元文遥、开府仪同三司唐邕、领军綦连猛、高阿那肱、度支尚书胡长粲都在朝廷当权，时人称为"八贵"。太尉赵郡王高叡、大司马冯翊王高润、安德王高延宗和娄定远、元文遥都对齐后主说，请把和士开赶出朝廷去外地任职。适逢胡太后在前殿请朝中权贵饮酒，高叡当面陈述和士开的罪失说："和士开是先帝时的亲近狎玩之臣，属于城狐社鼠一类的仗势作恶小人，他接受贿赂，淫乱宫廷。臣等出于正义不能闭口不说，冒死陈述他的罪行。"胡太后说："先帝在世时，诸位大王为什么不说！今天想欺侮我们孤儿寡母吗？暂且饮酒，不要多说！"高叡等人的言辞和面色更加严厉。仪同三司安吐根说："臣出身于经商的胡人家庭，得以位列在众多亲贵之末，既然蒙受深厚的皇恩，怎能怕死！不赶走和士开，朝廷和民间不能安定。"胡太后说："择日讨论这件事，诸位大王暂且散了吧！"高叡等人有的把帽子扔在地上，有的拂袖而去以示不满。第二天，高叡等人再次来到云龙门，派元文遥进宫弹劾和士开，反复三次，胡太后还是不听。左丞相段韶派胡长粲传胡太后的话说:"先皇的灵柩还没有出葬,这件事因为时间太匆忙了,望诸位大王再考虑!"高叡等人于是都表示感谢。胡长粲回宫复命,胡太后说:"成全妹妹我母子全家的,是哥哥你的力量。"又给高叡等人优厚的赏赐,事情暂时作罢。

　　胡太后和齐后主召见和士开询问,和士开回答说:"先帝在群臣当中,对待臣下最优厚。陛下刚居丧开始,大臣们都怀有非分的企图。现在如果赶走微臣,正好比剪掉陛下的羽翼。应该对高叡说:'元文遥与和士开,都受先帝信任和重用,怎能去一个留一个!都可以用作州官,暂时还是担任出纳王命的官职,等先皇的陵寝完工,然后派出去。'高叡等人认为臣下真的调出,心里一定很高兴。"齐后主和太后认为很对,按和士开所说的那样告诉高叡。于是任命和士开为兖州刺史,元文遥为西兖州刺史。葬礼结束,高叡等人就催促和士开上路。胡太后打算留和士开过了先皇百日祭再走,高叡不答应;几天之内,胡太后说了好几次。有个知道胡太后秘密谕旨的宦官,对高叡说:"太后的意思既然这样,殿下何必苦苦反对!"高叡说:"我受委托的责任不轻。现在继位的君王年龄幼小,岂可以让奸邪之臣在君王之侧!不用生命来守卫他,有什么面目与邪恶之臣共顶一片蓝天呢!"便再次拜见胡太后,苦苦劝说她。胡太后叫人斟酒赐给高叡,高叡严肃地说:"今天所谈论的是国家大事,并不是为了一杯酒!"说完,马上离开了。

　　和士开用车载着美女、珍珠帘子送给娄定远,表示感谢说:"诸位贵戚想杀我和士开,承蒙大王的努力,特地保全了我的性命,被任用为地方官。现在应当告别,特意送上两个女子、一张珠帘。"娄定远很高兴,对和士开说:"你想返回来入朝不?"和士开答道:"在朝廷内时间长了没有自身安全,现在能够外派出去,确实顺应了我本人的意愿,不愿意再入朝了。只请求大王护卫我使不受损害,长久做大州的刺史就足够了。"娄定远相信了。送他到门口,和士开说:"现在我要远行了,希望能够拜见太后和皇上作一辞别。"娄定远答应了他。和士开因此能够见到胡太后和后主,向他们进言道:"先帝在短时间内去世,臣下惭愧自己没能跟着去死。观察朝廷权贵的意图和架势,想把陛下当做乾明年间的济南王。臣离开朝廷以后,一定有大的变化,臣有什么脸面见先帝于九泉之下!"于是放声大哭起来,后主、胡太后都流下眼泪,问他:"有什么计策?"和士开说:"臣已经能够入朝,还有什么顾虑,只需得到几行字的诏书罢了。"于是后主下诏把娄定远赶出任青州刺史,斥责赵郡王高叡有犯上作乱的罪过。

　　第二天,高叡打算再次进宫劝谏,妻儿们都阻止他,高叡说:"国家的事情重要,我宁愿死而侍奉先皇,不忍心活着见到朝廷遭受磨难。"他到了殿门,又有人对他说:"殿下不要入宫,恐怕有变故。"高叡说:"我上不负天,死也没有遗憾。"入宫后,见到胡太后,太后重申了自己的话,高叡更加固执坚持自己的意见。出宫后,走到永巷,遇到士兵,被拘捕送到华林园的雀离佛院,太后命令刘桃枝用杖击杀了他。高叡长期主持朝政,清廉公正,自坚其操守,朝廷和民间都为他感到冤枉和痛惜。朝廷又任命和士开为侍中、尚书左仆射。娄定远归还和士开所送给他的东西,并添加其他珍宝贿赂他。

　　和士开的威势和权力日益兴盛,朝廷官员中不知廉耻的人,有的做了他的干儿子,和富商大贾们没有差别。曾经有个官员去探视和士开的疾病,碰上医生说:"大王的伤寒病非常严重,应当服用黄龙汤。"和士开面露为难的表情。那个人说:"黄龙汤非常容易服下,大王不必疑虑,请让我替您先尝尝。"于是将黄龙汤一举饮完。和士开感激他的好意,勉强服用了黄龙汤,便痊愈了。

斛律光正直遭人陷害

【陈纪五】宣帝太建四年（壬辰，572年）

齐尚书右仆射祖珽，势倾朝野。左丞相咸阳王斛律光恶之，遥见，辄骂曰："多事乞索①小人，欲行何计！"又尝谓诸将曰："兵马处分②，赵令③恒与吾辈参论。盲人④掌机密以来，全不与吾辈语，正恐误国家事耳。"光尝在朝堂垂帘坐，珽不知，乘马过其前，光怒曰："小人乃敢尔！"后珽在内省，言声高慢⑤，光适过，闻之，又怒。珽觉之，私赂光从奴问之，奴曰："自公用事⑥，相王每夜抱膝叹曰：'盲人入，国必破矣！'"

穆提婆求娶光庶女，不许。齐王赐提婆晋阳田，光言于朝曰："此田，神武帝以来常种禾，饲马数千匹，以拟⑦寇敌。今赐提婆，无乃阙⑧军务也！"由是祖、穆皆怨之。

斛律后无宠，珽因而间之。光弟羡，为都督、幽州刺史、行台尚书令，亦善治兵，士马精强，鄣候⑨严整，突厥畏之，谓之"南可汗"。光长子武都，为开府仪同三司，梁、兖二州刺史。

光虽贵极人臣，性节俭，不好声色，罕接宾客，杜绝馈饷，不贪权势。每朝廷会议，常独后言，言辄合理。或有表疏，令人执笔，口占之，务从省实。行兵仿其父金之法，营舍未定，终不入幕；或竟日不坐，身不脱介胄⑩，常为士卒先。士卒有罪，唯大杖挞背，未尝妄杀，众皆争为之死。自结发⑪从军，未尝败北，深为邻敌所惮。周勋州刺史韦孝宽密为谣言曰："百升飞上天，明月照长安。"又曰："高山不推自崩，槲木不扶自举。"令谍人传之于邺，邺中小儿歌之于路。珽因续之曰："盲老公背受大斧，饶舌老母不得语。"使其妻兄郑道盖奏之。帝以问珽，珽与陆令萱皆曰："实闻有之。"琎因解之曰:"百升者,斛也。盲老公,谓臣也,与国同忧。饶舌老母,似谓女侍中陆氏也。且斛律累世大将,明月⑫声震关西,丰乐威行突厥,女为皇后,男尚⑬公主,谣言甚可畏也。"帝以问韩长鸾,长鸾以为不可,事遂寝。

琎又见帝,请间,唯何洪珍在侧。帝曰:"前得公启,即欲施行,长鸾以为无此理。"琎未对,洪珍进曰:"若本无意则可;既有此意而不决行,万一泄露,如何?"帝曰:"洪珍言是也。"然犹未决。会丞相府佐封士让密启云:"光前西讨还,敕令散兵,光引兵逼帝城,将行不轨⑭,事不果而止。家藏弩甲,奴僮千数,每遣使往丰乐、武都所,阴谋往来。若不早图,恐事不可测。"帝遂信之,谓何洪珍曰:"人心亦大灵,我前疑其欲反,果然。"帝性怯,恐即有变,令洪珍驰召祖琎告之:"欲召光,恐其不从命。"琎请:"遣使赐以骏马,语云:'明日将游东山,王可乘此同行。'光必入谢,因而执之。"帝如其言。

六月,戊辰,光入,至凉风堂,刘桃枝自后扑之,不仆。顾曰:"桃枝常为如此事。我不负国家。"桃枝与三力士以弓弦罥⑮其颈,拉而杀之,血流于地,划⑯之,迹终不灭。于是下诏称其谋反,并杀其子开府仪同三司世雄、仪同三司恒伽。

[注释]

①乞索:求取,乞丐,也说"乞索儿",此处指贪得无厌的小人。②处分:处置。③赵令:指尚书令赵彦深,此以其官职称之。④盲人:瞎子,这是斛律光对祖珽的蔑称。⑤言声高慢:指说话的声音高而且语速慢。⑥用事:执掌政权。⑦拟:打算。⑧阙:过失,错误。使动用法,使……出现错误、过失。⑨鄣候:指军事屏障。"鄣"通"障",阻塞,障碍。⑩介胄:铠甲和头盔。⑪结发:古代自成童开始束发,因指童年或年轻为结发。⑫明月:斛律光的字。下文的"丰乐"是斛律羡的字。⑬尚:匹配,多指高攀婚姻。⑭不轨:超越常规,不合法度。此指篡权。⑮罥:读juàn,挂碍,缠挂。⑯划:读chǎn,铲除,铲平。

[译文]

北齐尚书右仆射祖珽,权势倾动朝廷和民间。左丞相咸阳王斛律光讨厌他,远远看见祖珽,总是骂道:"多事的、贪得无厌的小人,打算用什么计谋!"又曾对诸位将领说:"兵马的调度指挥,尚书令赵彦深常和我们一起参与讨论。盲人祖珽掌管机要大事以来,完全不与我们说,真担心误了国家大事。"斛律光曾在朝堂上垂下帘子而坐后,祖珽不知道,骑马经过他的面前,斛律光恼怒地说:"小人竟敢这样!"后来祖珽在门下省,说话声调高而慢,斛律光恰巧经过,听到后,又大怒。祖珽发觉后,私下赠送财物给斛律光的随从奴仆询问原因,奴仆说:"自从您掌权以来,相王每晚抱膝叹气说:'盲人入朝,国家必破亡!'"

穆提婆请求娶斛律光的庶女,斛律光没有应允。齐王赐给穆提婆晋阳的土地,斛律光在朝上说:"这些土地,从神武帝以来常常种植谷物,饲养马几千匹,以准备对付侵犯的外敌。现在赏赐给穆提婆,岂不是使军务出现过错!"从此祖珽、穆提婆都怨恨斛律光。

斛律皇后不被皇帝宠爱,祖珽趁机离间他们的关系。斛律光的弟弟斛律羡是都督、幽州刺史、行台尚书令,也善于治军,军队精悍强壮,战略要塞严密规整,突厥人害怕他,称他"南可汗"。斛律光的长子斛律武都是开府仪同三司,梁州、兖州二州的刺史。

斛律光虽然尊贵位极人臣,但本性节俭,不喜欢声色,很少接待宾客,拒绝馈赠,不贪婪权势。每次朝廷集会讨论,常常独自最后发言,说的总是符合情理。有时上表或奏疏,让他人执笔,自己口授,务必遵从清楚真实。用兵仿照他父亲斛律金的方法,军营没有确定,终究不进篷帐;有时整天不坐,身上不脱铠甲和头盔,作战常常身先士卒。士兵有罪,只用大棒敲打背部,未曾随意杀人,士兵争着为他卖命。自年轻时参军,未曾打过败仗,很为邻敌所惧。北周的勋州刺史韦孝宽悄悄地制造谣言说:"百升飞上天,明月照长安。"又说:"高山不推自崩,槲木不扶自举。"派间谍在邺城传播谣言,邺城的小孩在路上歌唱。祖珽趁机接续谣言说:"盲老公背受大斧,饶舌老母不得语。"让他的妻兄郑道盖上奏皇上。皇帝拿此事询问祖珽,祖珽与陆令萱都说:"确实听说有这件事。"祖珽趁机解释谣言说:"百升,是斛。盲老公,是说臣,与国家同忧愁。饶舌老母,似乎说女侍中陆令萱。况且斛律氏数代做大将,斛律光声震关西,斛律羡威行突厥,女儿是皇后,儿子娶公主,谣言很可怕呀。"皇帝拿这件事询问韩长鸾,韩长鸾认为谣言不可信,这件事才搁置下来。

祖珽又拜见皇帝,请求在空闲时陈说,只有何洪珍在旁边。皇帝说:"以前接到你的启奏,就打算实施,韩长鸾认为没有这种道理。"祖珽没有应答,何洪珍进言说:"如果本来没有这种(清除斛律氏家族)想法就算了;既然有这种想法而不决定实施,万一泄露出去,怎么办?"皇帝说:"何洪珍的话是对的。"然而还没有决定。适逢丞相府佐封士让悄悄地启奏说:"斛律光此前向西讨伐返回,诏令解散军队,斛律光率领军队迫近都城,准备实施篡权,事情没有实行就停止了。他家里私藏弓弩和铠甲,奴婢和僮仆数以千计,屡次派使者去斛律羡、斛律武都的住所,暗中谋划往来不绝。如果不早点设法对付,恐怕事情不可预测。"皇帝于是相信这件事,对何洪珍说:"人的想法也非常神奇,我以前怀疑他准备造反,当真这样。"皇帝生性懦弱,担心就要发生变故,叫何洪珍飞马召祖珽告诉他说:"我打算召斛律光入宫,恐怕他不服从命令。"祖珽请求说:"派使者赐给他骏马,告诉他说:'明天将要游览东山,大王可以骑这匹马同行。'斛律光一定入宫道谢,趁此机会抓获他。"皇帝就按照他所说的去做。

六月戊辰日,斛律光入宫,到凉风堂,刘桃枝从背后打他,没有打倒。斛律光回头说:"刘桃枝常做这样的事。我没有辜负国家。"刘桃枝与三个力士用弓弦缠住他的颈部,用力拉而杀死他,鲜血流在地上,想除去血迹,血迹始终没有除尽。皇帝因此下诏说斛律光谋反,一并杀死他的儿子开府仪同三司斛律世雄、仪同三司斛律恒伽。

"无愁天子"

【陈纪六】宣帝太建七年(乙未,575年)

齐主言语涩呐①,不喜见朝士,自非宠私昵狎,未尝交语。性懦,不堪人视,虽三公、令、录奏事,莫得仰视,皆略陈大指,惊走而出。承世祖奢泰②之余,以为帝王当然,后宫皆宝衣玉食,一裙之费,至直万匹;竞为新巧,朝衣夕弊。盛修宫苑,穷极壮丽;所好不常,数毁又复。百工③土木,无时休息,夜则然④火照作,寒则以汤为泥。凿晋阳西山为大像,一夜然油万盆,光照宫中。每有灾异寇盗,不自贬损,唯多设斋,以为修德。好自弹琵琶,为《无愁》之曲,近侍和之者以百数,民间谓之"无愁天子"。于华林园立贫儿村,帝自衣蓝缕⑤之服,行乞其间以为乐。又写筑⑥西鄙诸城,使人衣黑衣攻之,帝自帅内参⑦拒斗。

[注释]

①涩呐:也写作"涩讷",说话迟钝,不流利。②奢泰:奢侈过度。③百工:从事各种工艺生产的人。④然:通"燃",燃烧。⑤蓝缕:衣裳破烂。⑥写筑:摹画出西鄙诸城的形状而建造出模型。写,描摹,摹画。⑦内参:宦官。

[译文]

北齐后主说话迟钝,不喜欢接见朝廷的官员,倘若不是宠爱、亲昵的人,不与交谈。他生性懦弱,忍受不了别人看他,即使是三公、尚书令、录尚书事等奏事，也不能抬头看，都是简要地陈述基本的意思，就惊恐地快步离开。他继承武成帝奢侈的风气，认为帝王理所应当这样，妃嫔都穿着贵重的衣服、食用珍贵的饮食，一条裙子的花费，竟值一万匹绢帛的价钱；妃嫔竞相制作新奇精巧的服饰，早晨的新衣晚上就当做旧衣。大规模修建宫室苑囿，极尽壮观华丽；所喜好的东西不固定，多次毁坏又修复。各种工匠兴建土木建筑，没有时间休养生息，夜晚点燃火把照明修建，天冷就用热水和泥。开凿晋阳西山修建巨大的佛像，一晚上燃烧的油达万盆之多，灯光照亮宫中。每当发生自然灾害或有异常的自然现象和侵扰劫掠事情，不自我贬低，只是多设斋饭，认为是行善积德。喜欢自己弹琵琶，谱《无愁》乐曲，跟着唱和的侍从多到上百人，民间百姓叫他"无愁天子"。在华林园建立贫儿村，后主自己穿破烂的衣服，在村中行乞以为笑乐。又仿建西部边境一些城池，派人穿了黑衣攻城，后主自己率领宦官假装据守作战。

苏威正直亲民

【陈纪九】宣帝太建十三年（辛丑，581年）

美阳公苏威，绰①之子也，少有令名，周晋公护强以女妻之。威见护专权，恐祸及己，屏居山寺，以讽读②为娱。周高祖闻其贤，除车骑大将军、仪同三司，又除稍伯下大夫，皆辞疾不拜；宣帝就除开府仪同大将军。隋主为丞相，高颎③荐之，隋主召见，与语，大悦；居月余，闻将受禅，遁归田里。颎请追之，隋主曰："此不欲预吾事耳，置之。"及受禅，征拜太子少保，追封其父为邳公，以威袭爵。

初，苏绰在西魏，以国用④不足，制征税法颇重，既而叹曰：

"今所为者，譬如张弓，非平世法也。后之君子，谁能弛⑤之！"威闻其言，每以为己任。至是，奏减赋役，务从轻简，隋主悉从之，渐见亲重，与高颎参掌朝政。帝尝怒一人，将杀之；威入阁进谏，帝不纳，将自出斩之，威当帝前不去；帝避之而出，威又遮⑥止。帝拂衣而入，良久，乃召威谢曰："公能若是，吾无忧矣。"赐马二匹，钱十余万。寻复兼大理卿、京兆尹、御史大夫，本官悉如故。

治书侍御史安定梁毗，以威兼领五职，安繁恋剧⑦，无举贤自代之心，抗表劾威，帝曰："苏威朝夕孜孜⑧，志存远大，何遽⑨迫之！"因谓朝臣曰："苏威不值我，无以措其言；我不得苏威，何以行其道？杨素⑩才辩无双，至于斟酌⑪古今，助我宣化，非威之匹也。威若逢乱世，南山四皓⑫，岂易屈哉！"威尝言于帝曰："臣先人每戒臣云：'唯读《孝经》一卷，足以立身治国，何用多为！'"帝深然之。

高颎深避权势，上表逊位，让于苏威，帝欲成其美，听⑬解仆射。数日，帝曰："苏威高蹈⑭前朝，颎能推举。吾闻进贤受上赏，宁可使之去官！"命颎复位。颎、威同心协赞，政刑大小，帝无不与之谋议，然后行之。故革命⑮数年，天下称平。

[注释]

①绰：依胡三省注，苏绰佐宇文泰以兴周。②讽读：诵读。③高颎(541—607)：字昭玄，渤海蓨（今河北景县）人，隋朝杰出的政治家、军事家。④国用：国家的费用或经费。⑤弛：放松。⑥遮：拦住。⑦安繁恋剧：安于繁碎，眷恋于繁杂。⑧孜孜：勤勉努力的样子。⑨遽：突然。⑩杨素(544—606)：字处道，弘农华阴（今陕西华阴）人，隋朝名臣、诗人、杰出的军事家。⑪斟酌：反复衡量，考虑取舍。⑫四皓：秦末四位皓首银须老人，因逃避焚书坑儒来到商山（今陕西丹凤）。当汉高祖刘邦要废掉太子刘盈，另立赵王如意时，盈母吕后经张良策划，约请四皓出山。四皓一席话，改变了刘邦废太子的初衷，终使刘盈做了汉惠帝，而四皓却功高身退，重返商山，终老山林。⑬听：听任，允许。⑭高蹈：隐居不仕。⑮革命：古代以王者受命于

天,故称王者易姓,改朝换代为"革命"。

[译文]

美阳公苏威是苏绰的儿子,年轻时有好名声,北周晋公宇文护强行要把女儿嫁给他。苏威见宇文护独揽大权,恐怕灾祸殃及自己,于是退隐山寺中,以诵读诗书作为娱乐。北周高祖听说他的才能,拜官车骑大将军、仪同三司,又拜官稍伯下大夫,苏威都称病不接受任命;北周宣帝时拜官开府仪同大将军。隋文帝选任丞相,高颎推荐苏威,隋文帝召见并与他交谈,非常高兴。苏威住了一个多月,听说隋文帝将受禅,逃归乡间。高颎请求追还苏威,隋文帝说:"他这是不打算参与我的事,先放一边。"等到受禅后,隋文帝就征拜苏威太子少保,追封他的父亲为邳公,让苏威继承爵位。

当初,苏绰在西魏时,因为国家经费不足,制定的征税法使百姓负担很重。不久苏绰感叹道:"今天制定的重税法,好比张满的弓,不是太平清明时代的做法。后世的君子,谁能减税呢?"苏威听了父亲的话,常以这件事作为自己的任务。到这个时候,他奏请减轻赋税徭役,必须从轻从简,隋文帝全部听从了他的建议。他逐渐被隋文帝亲近器重,与高颎参与掌管朝政。隋文帝曾经恼恨一个人,将要杀死他;苏威入殿进谏,文帝不接受,准备亲自出去杀掉那个人,苏威挡在文帝面前不离开;文帝打算避开他出去,苏威又拦住他。文帝甩衣袖回到宫中,很久,文帝才召苏威向他道歉说:"你能够这样做,我就不用担忧了。"并赏赐给他两匹马,十多万钱。不久,苏威又兼任大理寺卿、京兆尹、御史大夫,原任的官职全部如故。

治书侍御史安定人梁毗认为苏威兼任五个职位,安心于杂乱的事情,眷恋于繁忙的任务,没有举荐贤才代替自己的想法,上表章弹劾他,隋文帝说:"苏威早晚勤勉地工作,志向远大,为何突然逼迫他!"于是对百官朝臣说:"苏威没有遇到我,无法施行他的主张;我没有得到苏威,凭什么来推行我的政治主张?杨素才智机辩举世无双,全十说借助古今之事,帮助我宣扬教化,不能和苏威相匹敌。苏威如果遭逢乱世,会像汉初南山四皓避世,岂能轻易屈抑呢!"苏威曾经对隋文帝说:"我的父亲常常告诫我说:'只要熟读《孝经》一书,就完全可以安身立命,治理国家,哪里用得着其他!'"隋文帝很赞同他的话。

高颎很想避开权力和势力,上表放弃高官显职,让位于苏威。隋文帝想成全他让贤的美名,听任解除仆射之职。几天后,隋文帝又说:"苏威在前朝隐居,高颎能够推举他。我听说举荐有才能的人应该受到最高的奖赏,怎能让他去官离职呢?"命令高颎官复原职。高颎和苏威齐心辅佐,政令和刑罚无论大小,文帝没有不与他们谋划的,然后才实行。所以隋朝建立几年间,天下称得上太平。

贵妃乱政

【陈纪十】长城公至德二年(甲辰,584年)

上自居临春阁,张贵妃居结绮阁,龚、孔二贵嫔居望仙阁,并复道交相往来。又有王、李二美人①,张、薛二淑媛,袁昭仪、何婕妤、江修容,并有宠,迭游其上。以宫人有文学者袁大舍等为女学士。仆射江总虽为宰辅,不亲政务,日与都官尚书孔范、散骑常侍王瑳等文士十余人,侍上游宴后庭,无复尊卑之序,谓之"狎客"②。上每饮酒,使诸妃、嫔及女学士与狎客共赋诗,互相赠答,采其尤艳丽者,被以新声,选宫女千余人习而歌之,分部迭进。其曲有《玉树后庭花》、《临春乐》等,大略皆美诸妃嫔之容色。君臣酣歌,自夕达旦,以此为常。

张贵妃名丽华,本兵家女,为龚贵嫔侍儿。上见而悦之,得幸,生太子深。贵妃发长七尺,其光可鉴,性敏慧,有神彩,进止详华③,每瞻视眄睐④,光采溢目,照映左右。善候人主颜色,引荐诸宫女;后宫咸德之,竞言其善。又有厌魅⑤之术,常置淫祀⑥于宫中,聚女巫鼓舞。上怠于政事,百司启奏,并因宦者蔡脱儿、李善度进请;上倚隐囊⑦,置张贵妃于膝上,共决之。李、蔡所不能记者,贵妃并为条疏,无所遗脱。因参访外事,人间有一言一事,贵妃必先知白之;由是益加宠异,冠绝后庭。宦官近习,内外连结,援引宗戚,纵横不法,卖官鬻狱,货赂公行;赏罚之命,不出于外⑧。大臣有不从者,因而谮之。于是孔、张之权熏灼⑨四方,大臣执政皆从风谄附。

孔范与孔贵嫔结为兄妹;上恶闻过失,每有恶事,孔范必曲为文饰⑩,称扬赞美,由是宠遇优渥⑪,言听计从。群臣有谏者,辄以罪斥之。中书舍人施文庆,颇涉书史,尝事上于东宫,聪敏强记,明闲吏职,心算口占,应时条理,由是大被亲幸。又荐所善吴兴沈客卿、阳惠朗、徐哲、暨慧景等,云有吏能,上皆擢用之;以客卿为中书舍人。客卿有口辩,颇知朝廷典故,兼掌金帛局。旧制:军人、士人并无关市⑫之税。上盛修宫室,穷极耳目,府库空虚,有所兴造,恒苦不给。客卿奏请不问士庶并责关市之征,而又增重其旧。于是以阳惠朗为太市令,暨慧景为尚书金、仓都令史,二人家本小吏,考校⑬簿领⑭,纤毫不差;然皆不达大体,督责苛碎,聚敛无厌,士民嗟怨。客卿总督之,每岁所入,过于常格数十倍。上大悦,益以施文庆为知人,尤见亲重,小大众事,无不委任。转相汲引,珥貂蝉者⑮五十人。

孔范自谓文武才能,举朝莫及,从容白上曰:"外间诸将,起自行伍,匹夫敌耳。深见远虑,岂其所知!"上以问施文庆,文庆畏范,亦以为然;司马申⑯复赞之。自是将帅微有过失,即夺其兵,分配文吏;夺任忠部曲⑰以配范及蔡徵。由是文武解体,以至覆灭。

[注释]

①美人：汉代以后妃嫔中一个等级的别称。下文中淑媛、昭仪、婕妤、修容也属嫔妃的等级。②狎客：指关系亲昵、常在一起嬉游饮宴的人。③详华：周密审慎而华丽。④眄睐：斜视。此处指凝视。⑤厌魅：古代方术，谓以诅咒、祈祷魅惑人。厌，读 yā。⑥淫祀：不合礼制规定的祭祀。⑦隐囊：坐榻上供人倚凭的软囊。隐，读 yìn。⑧不出于外：意思是说政令不是从中书令发出，而是出自后宫。⑨熏灼：比喻气焰逼人。⑩文饰：文过饰非，掩饰不好的事情。⑪优渥：丰足，优厚。⑫关市：关塞和集市。指设在交通要道的集市，也指边境互市市场。此处指前一个义项。⑬考校：考试。⑭簿领：官府记事的簿册或文书。⑮珥貂蝉：疑为"珥貂"，指插貂尾。汉代侍中、中常侍之冠插貂尾等为装饰。后泛指贵近之臣。⑯司马申：南北朝时名臣，历仕多朝，时任中书通事舍人。⑰部曲：军队。

[译文]

陈后主自己居住在临春阁，张贵妃居住在结绮阁，龚、孔二贵嫔居住在望仙阁，并且通过楼阁间的复道互相往来。另外，后宫里还有王、李二位美人，张、薛二位淑媛，袁昭仪、何婕妤、江修容等，一并受到陈后主的宠爱，屡次到楼阁上游玩宴乐。陈后主任用宫女中有文才的袁大舍等人为女学士。尚书仆射江总虽然担任宰相，并不亲自处理政务，每天与都官尚书孔范、散骑常侍王瑳等文人十几个人，侍奉后主在皇宫后庭游乐宴饮，不再有君臣之间的尊卑次序，被称为"狎客"。陈后主每次宴饮，就让诸位妃、嫔、女学士与狎客一起赋诗，彼此赠诗酬答，挑选其中特别文辞华美的诗作，谱上新颖美妙的乐曲，再挑选一千多宫女练习歌唱，分部轮番演出。其歌曲有《玉树后庭花》、《临春乐》等，内容大致都是赞美诸位妃、嫔的美貌。君臣沉湎于饮酒歌舞，从夜晚到清晨，以此作为常事。

张贵妃名张丽华，本是兵家的女儿，是龚贵嫔的侍女。陈后主看见后就喜欢她，她受宠幸后，生下皇太子陈深。张贵妃的秀发长七尺,光亮得可以照见人,生性聪明,表情富有神采,举止端详而有丰采,每当她顾盼流连时,更显得光彩满目,照耀辉映周围。张贵妃善于观察陈后主的脸色,向后主推荐宫女;后宫的女性都感激她,竞相在陈后主面前称赞她的好处。她又用祈祷鬼神的妇人媚道方术以迷惑陈后主,经常在后宫中陈设各种不合礼制规定的祭祀,聚集女巫伴敲鼓跳舞。陈后主懈怠于处理朝政大事,百官大臣有所启奏,全都通过宦官蔡脱儿、李善度进奏并请示;陈后主斜靠着松软的靠垫,将张贵妃放在膝盖上,共同裁决奏章。蔡脱儿、李善度所没有能够记住的,张贵妃一起条奏,没有遗漏的地方。张贵妃于是访查皇宫外面的事情,民间出现的一言一事,张贵妃一定事先知道并报告陈后主。因此陈后主更多地给予张贵妃以特殊的宠爱,远远超过后宫诸位妃、嫔。陈后主身旁的宦官与宠爱亲信的人,内外勾结,依附皇室亲族的权势,放纵横行不遵从法令,出卖官爵,枉法断狱,收受贿赂,公开用金钱、财物收买别人进行不正当的活动;就连朝廷奖赏和处罚的命令,也出于后宫。大臣中有不顺从的,顺势就加以陷害。因此孔贵嫔、张贵妃的权力威势波及四方,大臣执掌朝政的都竞相闻风谄媚依附。

都官尚书孔范与孔贵嫔结拜为兄妹;陈后主讨厌听说自己过失的话,每当做了丑事,孔范一定设法为他掩饰,称许赞扬他,因此陈后主给孔范的恩遇优厚,对他的话言听计从。群臣有敢于直言进谏的,孔范总是用治罪来排斥他。中书舍人施文庆广泛涉猎经史之类书籍,曾在东宫侍奉时为皇太子的陈后主,他聪明敏锐且记忆力强,通晓熟习官吏的职责,能用心计算随口而成,按时把事情处理得很有条理,因此深受陈后主的亲近和宠幸。施文庆又向陈后主推荐了他所交好的吴兴人沈客卿、阳惠朗、徐哲、暨慧景等人,说他们有为政的才能,陈后主全部提拔重用他们;让沈客卿担任中书舍人。沈客卿有能言善辩之才,非常明了朝廷的典制和成例,兼管中书省金帛局。按照旧制：军人、士人都不征收入市关税。陈后主由于大规模修建官室，极尽视听之豪华，导致国库空虚，要有所施工建造，常常苦于不能供给。沈客卿上奏请求不管士族和庶族都要缴纳入市关税，并且还加重原有的征收数额。因此陈后主让阳惠朗任太市令，暨慧景为尚书金、仓都令史。阳、暨二人出身小吏，官吏政绩考核，丝毫不差；但都不明白为政大体，督促责备苛刻烦琐，课重税来搜刮财富从不满足，使得士大夫和百姓嗟叹怨恨。沈客卿总管负责这件事，每年所得收入，超过正常数额几十倍。陈后主非常高兴，越发认为施文庆能鉴察人的品行、才能，对他特别亲信倚重，把朝廷大小事情都交给他处理。施文庆一伙人转而相互提携，成为达官显贵的多达五十人。

　　孔范自以为在文才和武略方面的禀赋，整个朝廷官员中无人能赶上他，神色自若地对陈后主说："外界的将帅都是行伍出身，只有匹夫之勇。至于深谋远虑，哪里是他们所能知道的！"陈后主以此询问施文庆，施文庆害怕孔范，也认为是这样；司马申也称赞孔范。自此以后，将帅如果稍有过失，就裁夺他们的士兵，分配给文职官吏；曾经夺取领军将军任忠的士兵分配给孔范和蔡徵。因此文臣武将都人心离散，直到最终倾覆灭亡。

隋 纪

贺若弼"有三太猛"

【隋纪三】 文帝开皇二十年（庚申，600 年）

贺若弼复坐事下狱，上数之曰："公有三太猛①：嫉妒心太猛，自是、非人心太猛，无上心太猛。"既而释之。他日，上谓侍臣曰："弼将伐陈，谓高颎曰：'陈叔宝可平也。不作高鸟尽、良弓藏邪？'颎云：'必不然。'及平陈，遽索内史，又索仆射。我语颎曰：'功臣正宜授勋官，不可预朝政。'弼后语颎：'皇太子于己，出口入耳，无所不尽。公终久何必不得弼力，何脉脉②邪！'意图广陵，又图荆州，皆作乱之地，意终不改也。"

[注释]

①猛：厉害，过分。②脉脉：依胡三省注，有言不得吐之意。

[译文]

贺若弼又因犯罪而被捕入狱。隋文帝指责他说："你有三方面太过分：嫉妒心太过分；自以为是、责备别人太过分；目无皇上太过分。"不久隋文帝释放了他。一天，文帝对侍臣说："贺若弼将要讨伐陈朝时,对高颎说:'陈叔宝可以被平灭了。皇帝不会做飞鸟灭绝、良弓收藏起来的事情吗?'高颎说:'一定不会这样的。'等到平定陈朝后,贺若弼急忙索要内史令,又索要仆射等官职。我对高颎说:'功臣应当授以勋官,但是不可以干预朝政。'贺若弼后来对高颎说:'皇太子和我之间,无所不言,言无不尽。您终究为什么不来依靠我的势力,为什么不说真话呢?'贺若弼想谋取广陵,还想谋取荆州,这两地都是适于作乱的地方。这个主意一直没有改变。"

杨勇失宠

【隋纪三】文帝开皇二十年(庚申,600年)

初,上使太子勇参决军国政事,时有损益;上皆纳之。勇性宽厚,率意任情①,无矫饰②之行。上性节俭,勇尝文饰蜀铠③,上见而不悦,戒之曰:"自古帝王未有好奢侈而能久长者。汝为储后④,当以俭约为先,乃能奉承⑤宗庙。吾昔日衣服,各留一物,时复观之以自警戒。恐汝以今日皇太子之心忘昔时之事,故赐汝以我旧所带刀一枚,并菹醢⑥一合,汝昔作上士时常所食也。若存记前事,应知我心。"

后遇冬至,百官皆诣勇,勇张乐⑦受贺。上知之,问朝臣曰:"近闻至日内外百官相帅⑧朝东宫,此何礼也?"太常少卿辛亶对曰:"于东宫,乃贺也,不得言朝。"上曰:"贺者正可三数十人,随情各去,何乃有司征召,一时普集?太子法服⑨设乐以待之,可乎?"因下诏曰:"礼有等差,君臣不杂。皇太子虽居上嗣,义兼臣子,而诸方岳牧⑩正冬朝贺,任土作贡,别上东宫;事非典则,宜悉停断。"自是恩宠始衰,渐生猜阻⑪。

勇多内宠,昭训⑫云氏尤幸。其妃元氏无宠,遇心疾,二日而薨,独孤后意有他故,甚责望⑬勇。自是云昭训专内政,生长宁王俨、平原王裕、安成王筠;高良娣生安平王嶷、襄城王恪;王良媛生高阳王该、建安王韶;成姬生颍川王煚;后宫生孝实、孝范。后弥不平,颇遣人伺察,求勇过恶。

晋王广弥自矫饰,唯与萧妃居处,后庭有子皆不育,后由是数称广贤。大臣用事者,广皆倾心与交。上及后每遣左右至广所,无贵贱,广必与萧妃迎门接引,为设美馔,申⑭以厚礼;婢仆往来者,无不称其仁孝。上与后尝幸其第,广悉屏匿美姬于别室,唯留老丑者,衣以缦彩,给事⑮左右;屏帐改用缣素;故绝乐器之弦,不令拂去尘埃。上见之,以为不好声色,还宫,以语侍臣,意甚喜。侍臣皆称庆,由是爱之特异诸子。

上密令善相者来和遍视诸子,对曰:"晋王眉上双骨隆起,贵不可言。"上又问上仪同三司韦鼎:"我诸儿谁得嗣位?"对曰:"至尊、皇后所最爱者当与之,非臣敢预知也。"上笑曰:"卿不肯显言邪!"

晋王广美姿仪,性敏慧,沉深严重⑯;好学,善属文;敬接朝士,礼极卑屈;由是声名籍甚,冠于诸王。

广为扬州总管,入朝,将还镇,入宫辞后,伏地流涕,后亦泫然⑰泣下。广曰:"臣性识愚下,常守平生昆弟之意,不知何罪失爱东宫,恒蓄盛怒,欲加屠陷。每恐谗谮生于投杼⑱,鸩毒遇于杯勺,是以勤忧积念,惧履危亡。"后忿然曰:"睍地伐⑲渐不可耐,我为之娶元氏女,竟不以夫妇礼待之,专宠阿云,使有如许豚犬。前新妇遇毒而夭,我亦不能穷治,何故复于汝发如此意!我在尚尔,我死后,当鱼肉汝乎!每思东宫竟无正嫡,至尊千秋万岁之后,遣汝等兄弟向阿云儿前再拜问讯,此是几许苦痛邪!"广又拜,呜咽不能止,后亦悲不自胜。自是后决意欲废勇立广矣。

[注释]

①任情：任意，尽情。②矫饰：文饰，掩盖真相。③蜀铠：蜀地出的铠甲，以精美华丽著称。④储后：太子。后，君。⑤奉承：接受，传承。⑥菹醢：读 zū hǎi，肉酱。⑦张乐：排列乐队。张，排列，摆设。⑧相帅：相从，相随。⑨法服：古代礼法规定的服饰。⑩岳牧：古代传说中的四岳和十二州牧的合称。后用来指州府大吏。⑪猜阻：猜疑。⑫昭训：与下文中的良娣、良媛、咸姬同为太子嫔妃的等级。⑬责望：责怪怨恨。⑭申：加上。⑮给事：供职，服务。给，读 jǐ。⑯严重：严谨、稳重。⑰泫然：伤心流泪的样子。⑱投杼：《战国策·秦策二》载，"昔者曾子处费，费人有与曾子同名族者而杀人，人告曾子母曰：'曾参杀人。'曾子之母曰：'吾子不杀人。'织自若。有顷焉，人又曰：'曾参杀人。'其母尚织自若也。顷之，一人又告之曰：'曾参杀人。'其母惧，投杼逾墙而走"。后因以"投杼"比喻谣言众多，动摇了最亲近者的信心。杼，读 zhù。⑲睍地伐：杨勇年少时的字。睍，读 xiàn。

[译文]

当初，隋文帝让太子杨勇参与决断统军治国的政务，不时有所兴革；隋文帝都采纳了他的建议。杨勇性情宽容厚道，率真任意，没有掩盖真相的行为。隋文帝本性崇尚节俭，杨勇曾经装饰蜀地出产的铠甲，文帝看到后很不高兴，告诫杨勇说："自古以来帝王没有喜好奢侈而能长久的，你作为太子，应当把勤俭节约放在首位，这样才能传承宗庙社稷。我过去的旧衣服，各留一件，时常取出看一看来自我警示和告诫。我担心你因为今日皇太子的心态而忘记了过去的事情，所以把我先前所佩带的刀赐给你，还有一盒肉酱，这是你以前做上士时常常吃的。如果还能记得以前的事，你就应该懂得我的良苦用心。"

后来到了冬至日，百官都晋谒杨勇，杨勇排列乐队奏乐接受祝贺。文帝知道了这件事，就问朝中大臣说："最近听说冬至日朝廷内外百官一个接一个朝见太子，这是什么礼节啊？"太常少卿辛亶回答说："在东宫太子那里，是祝贺，不能说是朝见。"文帝说："祝贺的人应该三五十人，随意各自去，怎能由有关官员召集，一个时间全部集合去？太子身穿礼服奏乐来接待百官，这样做可以吗？"于是下诏说："礼有等级差别，君臣不相混杂。皇太子虽然位居皇帝的继承人地位，从名分上讲也兼有臣子的身份，而各地官员在冬至节来朝贺，进贡辖地的土产，另给皇太子进贡；这件事不合典章规则，应该全部停止。"从此，文帝对杨勇的恩宠开始减退，渐渐因猜忌而有隔阂。

杨勇有很多姬妾，云昭训尤其受到宠幸。杨勇的嫡妃元氏没有被宠爱，得心痛病后两天就死了。独孤皇后怀疑有别的原因，责备和怨恨杨勇。从此以后，云昭训专断东宫的内部事务，她生了长宁王杨俨、平原王杨裕、安成王杨筠；高良娣生了安平王杨嶷、襄城王杨恪；王良媛生了高阳王杨该、建安王杨韶；成姬生了颍川王杨煚；其他的嫔妃生了杨孝实、杨孝范。独孤皇后更加不满，就派人来侦查，寻找杨勇的罪过。

晋王杨广更加注重自我造作夸饰，他只和萧妃在一起生活，对宫女所生子女都不去抚养（以显示没有私宠），独孤皇后因此多次称道杨广有德行。大臣中掌权的，杨广都尽心与他们结交。隋文帝和独孤皇后每次派近臣到杨广的住所，无论身份贵贱，杨广一定与萧妃共同到门口迎接，为来人准备精美的食物，再厚赠重礼；奴婢仆人与他交往的，没有人不称颂杨广为人仁爱孝顺。文帝与独孤皇后曾经临幸杨广的府第，杨广将美貌的姬妾全都藏匿于其他的房间，只留下年老貌丑之人，让她们身着没有花纹的丝绸衣服，在周围服侍；屏帐都改用白色的缣素缝制，故意弄断乐器的丝弦，不让拂去上面的灰尘。文帝看到这些现象，认为杨广不喜好淫声与女色，返回皇宫后，将这些说给近臣听，表情非常欢喜，近臣都向文帝道贺。从此之后，文帝喜爱杨广明显好于别的皇子。

文帝秘密地命令善于看相的来和，把他的儿子都看了一遍，来和答说："晋王杨广眉毛上部有双骨隆起，贵有帝王之相不可言说。"

文帝又询问上仪同三司韦鼎："我这些儿子谁能够继承皇位？"韦鼎回答说："陛下、皇后最喜爱的皇子应当传给他，不是臣敢预先知道的。"文帝笑道："你不愿意明言呀！"

晋王杨广有漂亮的容貌，生性聪明，表情深沉严肃稳重；喜欢学习，擅长撰写文章，与朝臣恭敬地结交，礼仪极尽卑躬屈膝；因此他的名声很好，位居文帝诸位王子之首。

杨广担任扬州总管，入朝见文帝，准备返回方镇，入皇宫辞别独孤皇后，伏在地上伤心流泪，独孤皇后也伤心地潸然流泪。杨广说："我本性见识愚昧卑下，常常信守平时兄弟的情义，不知什么地方犯了错，失去了太子的爱怜，他常常满心狂怒，想对我罗织罪名，加以杀害。我每每担心谗言诬陷出现在亲人之口，毒害遭遇于酒杯餐具中，因此我常常忧虑，刻骨相思，惧怕经历灭亡的危难。"独孤皇后生气地说："杨勇越来越不可忍受了。我给他娶了元氏家族之女，他竟然不拿夫妇之礼对待元氏，专门宠爱阿云，使阿云有那样多的猪狗一般的儿子。此前，新娶的儿媳元氏遭遇毒害而死，我也不能彻底查办此事。为什么他对你又生出这样的想法？我活着尚且这样，我死后，他将把你当成鱼肉了！我常常想到太子竟然没有正妃嫡室，皇上百年之后，让你们兄弟向阿云的儿子再拜问候，这是何等痛苦啊！"杨广又跪在地上，呜咽不能停止，独孤皇后也悲伤得自己不能承受。从这以后独孤皇后下决心要废掉杨勇而立杨广。

薛道衡负才忤旧

【隋纪五】炀帝大业五年（己巳，609年）

初，内史侍郎薛道衡以才学有盛名，久当枢要①，高祖末，出为襄州总管；帝即位，自番州刺史召之，欲用为秘书监。道衡既至,上《高祖文皇帝颂》,帝览之,不悦,顾谓苏威曰:"道衡致美先朝,此《鱼藻》②之义也。"拜司隶大夫,将置之罪。司隶刺史房彦谦③劝道衡杜绝宾客,卑辞下气,道衡不能用。会议新令,久不决,道衡谓朝士曰:"向使高颎不死,令决当久行。"有人奏之,帝怒曰:"汝忆高颎邪!"付执法者推之。裴蕴奏:"道衡负才恃旧,有无君之心,推恶于国,妄造祸端。论其罪名,似如隐昧;原其情意,深为悖逆。"帝曰:"然。我少时与之行役④,轻我童稚,与高颎、贺若弼等外擅威权;及我即位,怀不自安,赖天下无事,未得反耳。公论其逆,妙体本心。"道衡自以所坐非大过,促宪司早断,冀奏日帝必赦之,敕家人具馔,以备宾客来候者。及奏,帝令自尽,道衡殊不意,未能引决。宪司重奏,缢⑤而杀之,妻子徙且末。天下冤之。

[注释]

①枢要:指中央政府中机要的部门或官职。②《鱼藻》:《诗经·小雅》中的一篇:"鱼在在藻,有颁其首。王在在镐,岂乐饮酒。鱼在在藻,有莘其尾。王在在镐,饮酒乐岂。鱼在在藻,依于其蒲。王在在镐,有那其居。"此诗通过歌颂周武王而讥讽周幽王。③房彦谦:唐初名臣房玄龄之父。④行役:因服劳役、兵役或公务在外奔波。此指讨伐陈朝。⑤缢:吊死或勒死。

[译文]

当初,内史侍郎薛道衡凭借才能和学问而享有盛名,长期担当朝中要职,隋文帝末年外出担任襄州总管;炀帝即位后,从番州刺史任上召回薛道衡,打算用他担任秘书监。薛道衡回来以后,奉上《高祖文皇帝颂》,炀帝浏览颂文,不高兴,回头对苏威说:"薛道衡极力美化前朝,这里有点像《鱼藻》的用意啊。"炀帝授官薛道衡为司隶大夫,准备罗织他的罪名。司隶刺史房彦谦劝薛道衡断绝与宾客来往,言辞谦恭,薛道衡不能够采纳。适逢讨论新的律令,很久不能确定,薛道衡对朝臣说:"假使当初高颎不死,新律令应当早就确定并施行了。"有人将这件事报告了炀帝,炀帝发怒说:"你不忘高颎啊!"将薛道衡交给执行法令的官吏审问他。裴蕴上奏说:"薛道衡仗恃才学,凭借文帝的信任,有无视皇上之心,将坏事推托给国家,妄图制造灾祸的开端。评定他的罪名好像是暗昧不明,但推究他的本意,确实是重大的忤逆之罪。"炀帝说:"好。我年轻的时候与他讨伐陈朝,他轻视我年轻,与高颎、贺若弼等人在外独揽威势和权力;等到我即位后,他心中不甘心情愿,幸亏天下没有变故,没来得及谋反。你评定他忤逆,恰好体察我的意图。"薛道衡自以为犯的不是大罪过,就催促御史早些判决,希望上奏时炀帝会赦免他,还让家里人备好饭菜,以招待来问候的宾客。等上奏后,炀帝下令薛道衡自尽。薛道衡竟然不放在心上,未能自杀。御史重新奏报,炀帝派人将薛道衡勒死,他的妻子儿女被流放到且末。天下人都认为薛道衡是冤屈的。

李密、翟让①起兵

【隋纪七】炀帝大业十二年(丙子,616年)

　　李密之亡也,往依郝孝德②,孝德不礼之;又入王薄,薄亦不之奇也。密困乏,至削树皮而食之,匿于淮阳村舍,变姓名,聚徒教授。郡县疑而捕之,密亡去,抵其妹夫雍丘令丘君明。君明不敢舍,转寄密于游侠王秀才家,秀才以女妻之。君明从侄怀义告其事,帝令怀义自赍③敕书与梁郡通守杨汪相知收捕。汪遣兵围秀才宅,适值密出外,由是获免,君明、秀才皆死。

　　韦城翟让为东都法曹,坐事当斩。狱吏黄君汉奇其骁勇,夜中潜谓让曰:"翟法司,天时人事,抑亦可知,岂能守死狱中乎!"让惊喜曰:"让,圈牢之豕,死生唯黄曹主所命。"君汉即破械出之。

让再拜曰:"让蒙再生之恩则幸矣,奈黄曹主何!"因泣下。君汉怒曰:"本以公为大丈夫,可救生民之命,故不顾其死以奉脱,奈何反效儿女子涕泣相谢乎!君但努力自免,勿忧吾也!"让遂亡命于瓦岗为群盗,同郡单雄信,骁健,善用马槊,聚少年往从之。离狐徐世勣家于卫南,年十七,有勇略,说让曰:"东郡于公与勣皆为乡里,人多相识,不宜侵掠。荥阳、梁郡,汴水所经,剽行舟,掠商旅,足以自资。"让然之,引众入二郡界,掠公私船,资用丰给,附者益众,聚徒至万余人。

时又有外黄王当仁、济阳王伯当、韦城周文举、雍丘李公逸等皆拥众为盗。李密自雍州亡命,往来诸帅间,说以取天下之策,始皆不信。久之,稍以为然,相谓曰:"斯人公卿子弟,志气若是。今人人皆云杨氏将灭,李氏将兴。吾闻王者不死。斯人再三获济,岂非其人乎?"由是渐敬密。

密察诸帅唯翟让最强,乃因王伯当以见让,为让画策,往说诸小盗,皆下之。让悦,稍亲近密,与之计事,密因说让曰:"刘、项皆起布衣为帝王。今主昏于上,民怨于下,锐兵尽于辽东,和亲绝于突厥,方乃巡游扬、越,委弃东都,此亦刘、项奋起之会也。以足下雄才大略,士马精锐,席卷二京,诛灭暴虐,隋氏不足亡也!"让谢曰:"吾侪群盗,旦夕偷生草间,君之言者,非吾所及也。"

会有李玄英者,自东都逃来,经历诸贼,求访李密,云"斯人当代隋家"。人问其故,玄英言:"比来民间谣歌有《桃李章》曰:'桃李子,皇后绕扬州,宛转花园里。勿浪语,谁道许!''桃李子',谓逃亡者李氏之子也;皇与后,皆君也;'宛转花园里',谓天子在扬州无还日,将转于沟壑也;'莫浪语,谁道许'者,密也。"既与密遇,遂委身事之。前宋城尉齐郡房彦藻,自负其才,恨不为时用,预④于杨玄感⑤之谋。变姓名亡命,遇密于梁、宋之间，遂与之俱游汉、沔，遍入诸贼，说其豪杰；还曰，从者数百人，仍为游客，处于让营。让见密为豪杰所归，欲从其计，犹豫未决。

有贾雄者，晓阴阳占候，为让军师，言无不用。密深结于雄，使之托术数⑥以说让；雄许诺，怀之未发。会让召雄，告以密所言，问其可否，对曰："吉不可言。"又曰："公自立恐未必成，若立斯人，事无不济。"让曰："如卿言，蒲山公⑦当自立，何来从我？"对曰："事有相因。所以来者，将军姓翟，翟者，泽也，蒲非泽不生，故须将军也。"让然之，与密情好日笃。

密因说让曰："今四海糜沸⑧，不得耕耘，公士众虽多，食无仓廪，唯资野掠，常苦不给。若旷日持久，加以大敌临之，必涣然离散。未若先取荥阳，休兵馆谷⑨，待士马肥充，然后与人争利。"让从之，于是破金堤关，攻荥阳诸县，多下之。

荥阳太守郇王庆，弘⑩之子也，不能讨，帝徙张须陀为荥阳通守以讨之。庚戌，须陀引兵击让，让曩数为须陀所败，闻其来，大惧，将避之。密曰："须陀勇而无谋，兵又骤胜，既骄且狠，可一战擒也。公但列陈以待，密保为公破之。"让不得已，勒兵将战，密分兵千余人伏于大海寺北林间。须陀素轻让，方陈而前，让与战，不利，须陀乘之，逐北十余里；密发伏掩⑪之，须陀兵败。密与让及徐世勣、王伯当合军围之，须陀溃围⑫出；左右不能尽出，须陀跃马复入救之，来往数四⑬，遂战死。所部兵昼夜号哭，数日不止，河南郡县为之丧气。鹰扬郎将河东贾务本为须陀之副，亦被伤，帅余众五千余人奔梁郡，务本寻卒。诏以光禄大夫裴仁基为河南讨捕大使，代领其众，徙镇虎牢。

让乃令密建牙⑭，别统所部，号蒲山公营。密部分严整，凡号令士卒，虽盛夏，皆如背负霜雪。躬服俭素，所得金宝，悉颁赐麾下，由是人为之用。麾下士卒多为让士卒所陵辱，以威约⑮有素，不敢报也。让谓密曰:"今资粮粗足,意欲还向瓦岗,公若不往,唯公所适,让从此别矣。"让帅辎重东引,密亦西行至康城,说下数城,大获资储。让寻悔,复引兵从密。

[注释]

①李密(582—619):隋末农民起义中瓦岗军后期首领。613年参与杨玄感起兵反隋。翟让(?—617),隋末农民起义中瓦岗军前期首领,后被李密所杀。②郝孝德:隋末农民军首领。平原(今山东平原)人。613年聚众多达数万人。后被隋将张须陀击败。下文中的王薄(?—622),隋末农民军首领,邹平(今山东邹平)人。王薄在山东活动多年,后为隋将张须陀击败。③赍:把东西送给人。④预:参与。⑤杨玄感(?—613):隋末最先起兵反隋炀帝杨广的贵族首领。弘农华阴(今陕西华阴)人。父杨素,曾协助炀帝夺取皇位与平定汉王谅的叛乱,位至司徒。玄感以父功为柱国、礼部尚书,自以为家世显贵,朝臣中多其父故吏,又见朝政紊乱,炀帝猜忌大臣,他内心不安,遂和诸弟阴谋推翻炀帝的统治。⑥术数:指以占候、卜筮、星命等办法推知人事吉凶福祸的迷信行为。⑦蒲山公:指李密。李密的父亲李宽,骁勇善战,干略过人,自此周及隋,数经将领,至柱国、蒲山郡公,号为名将。开皇中,袭父爵蒲山公,乃散家产,周赡亲故,养客礼贤,无所爱吝。⑧糜沸:动荡不安,混乱。⑨馆谷:居其馆食其谷。此处谓让士兵得到修整。⑩弘:隋高祖从祖弟也,封河间王。⑪掩:乘其不备进攻,袭击。⑫溃围:突围。⑬数四:三四个,指数量不多。⑭建牙:古时出征树立军旗,叫做"建牙"。后来亦谓武将出镇为"建牙"。⑮咸约:严格管束。

[译文]

李密逃亡后,前去投奔郝孝德。郝孝德没有按照礼节对待李密;李密又投靠王薄,王薄也不觉得他有奇特之处。李密物资贫乏,甚至到了剥树皮吃的境地。他藏匿在淮阳郡的乡下,改名换姓,招收学生教书为生。郡县的官员怀疑他并派人抓捕他,李密逃走,到达他的妹夫雍丘县令丘君明家。丘君明不敢安置他,转而使李密寄居在游侠王秀才家，王秀才把女儿嫁给李密。丘君明的堂侄丘怀义告发了这件事，隋炀帝命令丘怀义亲自携带敕书给梁郡通守杨汪，让他主持抓捕李密等人。杨汪派军包围了王秀才住宅，正好遇到李密外出，因此他得以避免，丘君明、王秀才都因此而死。

韦城人翟让任东都的法曹，因为犯罪应当被处斩。狱吏黄君汉赏识翟让的勇猛，夜间悄悄对翟让说："翟法司，天命和人情是可以明了的，你怎能在监狱里等死呢？"翟让惊喜地说："翟让是关在圈里的猪，生死只能听凭黄曹主的差遣了。"黄君汉就打开枷锁释放翟让，翟让再三拜谢说："我蒙受再生之恩能够幸免，黄曹主怎么办呢？"于是流下眼泪。黄君汉气愤地说："我本以为你是个大丈夫，可以拯救民众的生命，所以不顾生死来保全您逃脱，怎么反而效法儿女子弟流泪表示感谢呢！你只管努力设法求得脱身，不要担心我！"翟让于是逃亡到瓦岗做了强盗。与他同郡的单雄信是勇猛强健之士，擅长在马上使用长矛，他聚集年轻人前往追随翟让。离狐人徐世勣家居卫南，十七岁，勇敢而有谋略，他劝翟让说："东郡对您和我都是家乡，百姓大部分都认识，不应该侵犯掠夺。荥阳、梁郡，是汴水流经的地方，抢劫行船，掳掠来往的商人，足以自给。"翟让认为他是对的，就率领部下进入荥阳、梁郡的境界，掳掠公私船只，因此钱财费用丰裕富足，归附的人日益增多，汇聚的部众达一万多人。

当时还有外黄人王当仁、济阳人王伯当、韦城人周文举、雍丘人李公逸等都聚众为强盗。李密从雍州逃命后，穿梭于各首领之间，用夺取天下的策略游说他们。他们开始都不相信，时间一久，慢慢地认同了他的说法，互相说道："此人是公卿子弟，志气这样高远。现在人人都说杨氏将要灭亡，李氏即将兴盛。我听说能成就王业的人不会轻易死，这个人能多次得到救助，难道不是这个人吗？"因此逐渐敬重李密。

李密观察各位统帅只有翟让势力最强，于是通过王伯当来拜见翟让，为翟让谋划策略，前往游说劝导各个势力弱小的强盗，都使他们归附翟让。翟让很高兴，逐渐信任李密，与他计议大事。李密趁机劝翟让说："刘邦、项羽都起自平民而做了帝王，如今皇帝昏聩于上，百姓怨愤于下，精锐军队在辽东丧失殆尽了，与突厥断绝了和亲关系，反而还巡游扬州、吴越一带，丢弃了东都，这也是刘邦、项羽奋起的机会。凭借您的雄才大略，军队战斗力强，足以席卷东西二京，诛灭凶暴残虐君王，隋氏政权都不够你灭的！"翟让推辞说："我们这些人身为强盗，早晚都在草丛之间偷生，你所说的，不是我辈所能做的。"

适逢有个叫李玄英的人从东都逃出来，经过众多强盗活动的区域，寻求探访李密，并说"此人当取代隋朝"。有人问他原因，李玄英说："近来民间有一首歌谣《桃李章》唱道：'桃李子，皇后绕扬州，宛转花园里。勿浪语，谁道许！''桃李子'，是说逃亡的人是李氏之子；皇与后都是君主；'宛转花园里'是说天子在扬州没有返回的日期，将弃尸在沟壑中；'莫浪语，谁道许'是保守秘密的意思。"不久与李密相遇，于是就跟随李密并侍奉他。此前宋城县尉齐郡人房彦藻，凭借自己的才学，怨恨不能被皇上任用，参与过杨玄感的叛乱。（杨玄感败亡后）改变姓名逃亡，在梁、宋之间遇到了李密，于是与李密遍游汉水、沔水流域，拜访各路强盗，劝说其中的杰出人物；返回的时候，跟随的有几百人，他们仍作为散兵游勇，留在翟让的营寨内。翟让看见豪杰都归附李密，想听从李密的建议，但犹豫不决。

有个叫贾雄的人，精通阴阳占卜之术，是翟让的军师，他的话翟让没有不听从的。李密与贾雄结为深交，让贾雄假托占卜之术劝说翟让；贾雄答应了，主意已定却没说出来。恰好翟让召见贾雄，把李密的建议告诉贾雄，询问他李密的建议是否可行，贾雄回答：

"吉不可言。"又说:"您自立为王恐怕不一定能成功,如果拥立此人,事情没有办不成的。"翟让说:"像你说的那样,蒲山公李密应当自立,为什么又来追随我呢?"贾雄回答:"事情发展都是彼此互为因由的。李密投靠你的原因,是因为将军姓翟,翟是泽的意思。蒲草没有水泽就不会生长,所以李密需要将军呀。"翟让认为贾雄的话是正确的,与李密的交情日益加深。

李密趁机劝翟让说:"现在四海之内动荡不安,不能够进行农业生产,您的士兵虽然众多,但没有存储粮食可吃,只是凭借外出抢掠,常常苦于物资匮乏。若是旷日持久延续下去,加上强敌突然降临,部下一定会离散。不如先攻取荥阳,让部下得到修整,驻军食粮,待军事力量恢复之后,然后再与其他人争夺利益。"翟让遵从了他的意见,因此突破金堤关,进攻荥阳郡各县,攻占了许多县城。

荥阳太守郇王杨庆是河间王杨弘的儿子,不能够率军讨伐翟让,隋炀帝调动张须陀为荥阳通守去讨伐翟让。庚戌日,张须陀率领军队攻击翟让,翟让过去多次被张须陀击败,听到张须陀率军进攻,非常恐惧,打算避开张须陀。李密说:"张须陀勇敢却没有谋略,他的军队又屡次取胜,既骄傲又凶狠,可以用一仗活捉张须陀。您只须摆好阵势防备,我保证为您打败他。"翟让无可奈何,率领军队准备作战,李密分出一千余士兵埋伏在大海寺以北的丛林中。张须陀一向轻视翟让,将军队列成方阵向前推进。翟让与张须陀交战,不能取胜,张须陀追击翟让,追剿翟让的败兵十多里;李密发动伏兵袭击追兵,张须陀兵败。李密与翟让以及徐世勣、王伯当等联合军队包围了张须陀,张须陀突破了重围冲出;他的随从没有能够全部冲出,张须陀跃马再次冲入包围圈营救他们,如此来回三四次,于是战死。他所统率的士兵昼夜号哭,几天都没有停下来,黄河以南的郡县都因为这件事而情绪低落。鹰扬郎将河东人贾务本是张须陀的副将,也遭受创伤,他率领剩下的军士五千多人逃到梁郡,不久也死了。隋炀帝下诏任命光禄大夫裴仁基为河南讨捕大使,代替张须陀统领他的军队,迁到虎牢关镇守。

　　翟让于是命李密建立自己的军营,单独统率自己的部下,号称蒲山公营。李密部署军队严肃整齐,大凡传呼命令给士卒,即使是盛夏,都好像有着霜雪似的寒意。李密所穿的衣服俭省朴素,所缴获的金银财宝,全都赏赐给了部下,因此人人都愿为他所用。李密部下的士卒很多人被翟让的士卒欺凌侮辱,因为李密平时严格管束,没有人敢报复。翟让对李密说:"现在钱粮略微充足,我打算返回瓦岗,您如果不去,那就随便您去哪里,我从此与您分手了。"翟让带着辎重向东而去,李密也向西行到达康城,劝降了几座城池,获得了大量的积蓄财物。翟让不久后悔了,又率领军队跟随李密。

唐 纪

窦建德李世民武牢之战

【唐纪五】高祖武德四年（辛巳，621年）

窦建德陷管州，杀刺史郭士安；又陷荥阳、阳翟等县，水陆并进，泛舟运粮，溯河西上。王世充①之弟徐州行台世辩遣其将郭士衡将兵数千会之，合十余万，号三十万，军于成皋之东原，筑宫板渚②，遣使与王世充相闻。

先是，建德遗秦王世民书，请退军潼关，返郑侵地，复修前好。世民集将佐议之，皆请避其锋，郭孝恪③曰："世充穷蹙④，垂将面缚，建德远来助之，此天意欲两亡之也。宜据武牢之险以拒之，伺间而动，破之必矣。"记室薛收曰："世充保据东都，府库充实，所将之兵，皆江、淮精锐，即日之患，但乏粮食耳。以是之故，为我所持，求战不得，守则难久。建德亲帅大众，远来赴援，亦当极其精锐。若纵之至此，两寇合从，转河北之粟以馈洛阳，则战争方始，偃兵无日，混一之期，殊未有涯也。今宜分兵守洛阳，深沟高垒，世充出兵，慎勿与战，大王亲帅骁锐，先据成皋，厉兵训士,以待其至,以逸待劳,决可克也。建德既破,世充自下,不过二旬,两主就缚矣!"世民善之。收,道衡之子也。萧瑀、屈突通、封德彝皆曰:"吾兵疲老,世充凭守坚城,未易猝拔,建德席胜而来,锋锐气盛,吾腹背受敌,非完策也,不若退保新安,以承其弊。"世民曰:"世充兵摧食尽,上下离心,不烦力攻,可以坐克。建德新破海公⑤,将骄卒惰,吾据武牢,扼其咽喉。彼若冒险争锋,吾取之甚易。若狐疑不战,旬月之间,世充自溃。城破兵强,气势自倍,一举两克,在此行矣。若不速进,贼入武牢,诸城新附,必不能守;两贼并力,其势必强,何弊之承?吾计决矣!"通等又请解围据险以观其变,世民不许。中分麾下,使通等副⑥齐王元吉围守东都,世民将骁勇三千五百人东趣武牢。时正昼出兵,历北邙,抵河阳,趋巩而去。王世充登城望见,莫之测也,竟不敢出。

癸未,世民入武牢;甲申,将骁骑五百,出武牢东二十馀里,觇建德之营。缘道分留从骑,使李世勣、程知节、秦叔宝分将之,伏于道旁,才馀四骑,与之偕进。世民谓尉迟敬德曰:"吾执弓矢,公执槊相随,虽百万众若我何!"又曰:"贼见我而还,上策也。"去建德营三里所,建德游兵遇之,以为斥候⑦也。世民大呼曰:"我秦王也。"引弓射之,毙其一将。建德军中大惊,出五六千骑逐之,从者咸失色。世民曰:"汝弟前行,吾自与敬德为殿。"于是按辔徐行,追骑将至,则引弓射之,辄毙一人。追者惧而止,止而复来,如是再三,每来必有毙者,世民前后射杀数人,敬德杀十许人,追者不敢复逼。世民逡巡稍却以诱之,入于伏内,世勣等奋击,大破之,斩首三百馀级,获其骁将殷秋、石瓒以归。乃为书报建德,谕以"赵魏之地,久为我有,为足下所侵夺。但以淮安见礼,公主得归⑧,故相与坦怀释怨。世充顷与足下修好,已尝反覆⑨,今亡在朝夕,更饰辞相诱,足下乃以三军之众,仰哺⑩他人,千金之资,

唐纪 263

坐供外费，良非上策。今前茅相遇，彼遽崩摧，郊劳⑪未通，能无怀愧？故抑止锋锐，冀闻择善，若不获命，恐虽悔难追"。

窦建德迫于武牢不得进，留屯累月，战数不利，将士思归。丁巳，秦王世民遣王君廓将轻骑千馀抄其粮运，又破之，获其大将军张青特。

凌敬⑫言于建德曰："大王悉兵济河，攻取怀州、河阳，使重将守之，更鸣鼓建旗，逾太行，入上党，徇⑬汾、晋，趣蒲津，如此有三利：一则蹈无人之境，取胜可以万全；二则拓地收众，形势益强；三则关中震骇，郑围自解。为今之策，无以易此。"建德将从之，而王世充遣使告急相继于道，王琬、长孙安世朝夕涕泣，请救洛阳，又阴以金玉啖⑭建德诸将，以挠其谋。诸将皆曰："凌敬书生，安知战事？其言岂可用也？"建德乃谢敬曰："今众心甚锐，天赞我也，因之决战，必将大捷，不得从公言。"敬固争之，建德怒，令扶出。其妻曹氏谓建德曰："祭酒⑮之言不可违也。今大王自滏口乘唐国之虚，连营渐进以取山北，又因突厥西抄关中，唐必还师自救，郑围何忧不解？若顿兵于此，老师费财⑯，欲求成功，在于何日？"建德曰："此非女子所知！吾来救郑，郑今倒悬⑰，亡在朝夕，吾乃舍之而去，是畏敌而弃信也，不可。"

谍者告曰："建德伺唐军刍尽，牧马于河北，将袭武牢。"五月，戊午，秦王世民北济河，南临广武，察敌形势，因留马千馀匹，牧于河渚以诱之，夕还武牢。己未，建德果悉众而至，自板渚出牛口置陈，北距大河，西薄汜水，南属⑱鹊山，亘二十里，鼓行而进。诸将皆惧，世民将数骑升高丘以望之，谓诸将曰："贼起山东，未尝见大敌，今度险而嚣，是无纪律，逼城而陈，有轻我心；我按甲不出，彼勇气自衰，陈久卒饥，势将自退，追而击之，无不克者。与公等约，甫⑲过日中，必破之矣！"建德意轻唐军，遣三百骑涉汜水，距唐营一里所止。遣使与世民相闻曰："请选锐士数百与之剧㉑。"世民遣王君廓将长槊二百以应之，相与交战，乍进乍退㉒，两无胜负，各引还。王琬乘隋炀帝骢马，铠仗甚鲜，迥㉒出陈前以夸众。世民曰："彼所乘真良马也！"尉迟敬德请往取之，世民止之曰："岂可以一马丧猛士。"敬德不从，与高甑生、梁建方三骑直入其陈，擒琬，引其马驰归，众无敢当者。世民使召河北马，待其至乃出战。

建德列陈，自辰至午，士卒饥倦，皆坐列，又争饮水，逡巡㉓欲退。世民命宇文士及㉔将三百骑经建德陈西，驰而南上，戒之曰："贼若不动，尔宜引归，动则引兵东出。"士及至陈前，陈果动，世民曰："可击矣！"时河渚马亦至，乃命出战。世民帅轻骑先进，大军继之，东涉汜水，直薄其陈。建德群臣方朝谒，唐骑猝来，朝臣趋就建德，建德召骑兵使拒唐兵，骑兵阻朝臣不得过，建德挥朝臣令却，进退之间，唐兵已至，建德窘迫，退依东陂。窦抗引兵击之，战小不利。世民帅骑赴之，所向皆靡。淮阳王道玄挺身陷陈，直出其后，复突陈而归，再入再出，飞矢集其身如猬㉕毛，勇气不衰，射人，皆应弦而仆。世民给以副㉖马，使从己。于是诸军大战，尘埃涨天。世民帅史大奈、程知节、秦叔宝、宇文歆等卷旆㉗而入，出其陈后，张唐旗帜，建德将士顾见之，大溃，追奔三十里，斩首三千馀级。建德中槊，窜匿于牛口渚。车骑将军白士让、杨武威逐之，建德坠马，士让援槊欲刺之，建德曰："勿杀我，我夏王也，能富贵汝。"武威下擒之，载以从马，来见世民。世民让之曰："我自讨王世充，何预汝事，而来越境，犯我兵锋！"建德曰："今不自来，恐烦远取。"建德将士皆溃去，所俘获五万人，世民即日散遣之，使还乡里。

[注释]

①王世充（？—621）：字行满，隋末起义军首领之一，后败于李世民，贬谪遇仇而死。②板渚：即板城渚口，古代黄河中段的重要渡口。③郭孝恪：

唐初将领。许州阳翟（今河南禹州）人，少有志节。④穷蹙：也写作"穷蹴"，走投无路。⑤海公：即孟海公（？—621），曹州济阴（今山东定陶西）人，隋末农民起义首领之一。⑥副：辅助。⑦斥候：侦察，候望。也指侦察敌情的士兵。⑧淮安见礼，公主得归：依胡三省注，武德二年，窦建德尽取赵、魏，虏淮安王神通及同安公主，待淮安以客礼，次年八月，遣公主归。⑨世充顷与足下修好，已尝反覆：依胡三省注，武德二年，王世充、窦建德修好，世充篡，建德绝之，寻有疆场之争。⑩仰哺：听命于人。仰，依靠。⑪郊劳：到郊外迎接并慰劳。⑫凌敬，郑州（今河南荣阳）人，隋末为窦建德国子祭酒，后归唐，有诗名。⑬徇：掠取地盘。⑭哕：利诱。⑮祭酒：指凌敬，他曾做过窦建德的国子祭酒。⑯老师费财：磨灭士气，消耗财力。⑰倒悬：比喻处境困苦危急。⑱属：连接。⑲甫：始，才，刚刚。⑳剧：游戏。㉑乍进乍退：忽进忽退，一进一退。㉒迥：远远地。㉓逡巡：迟疑徘徊、欲行又止的样子。㉔宇文士及：字仁人，京兆长安（今陕西西安）人。先仕隋，后仕唐，随李世民征讨王世充、窦建德有功，封郢国公。㉕猬：刺猬。㉖副：备用的。㉗旆：旌旗。

[译文]

　　窦建德攻克管州，杀了管州刺史郭士安；又攻克荣阳、阳翟等县，水陆并进，用船运粮，向西逆黄河而上。王世充的弟弟徐州行台王世辩派遣他的将领郭士衡率领几千士兵与窦建德会合，共十余万人，号称三十万，在成皋东原驻扎，在板渚搭建宫室，派人和王世充互通消息。

　　在此之前，窦建德给秦王李世民写信，请唐军退到潼关，退还侵占的原属郑国的土地，重修旧好。李世民召集将领们商议这件事，将领们都请求避开窦建德军队的锋芒，郭孝恪说："王世充穷途末路，即将成为阶下囚，窦建德远道而来救助他，这是老天要郑、夏两诸侯灭亡啊。我们应当占据武牢关的天险来抗拒窦建德，伺机而动，一定能打败他们！"记室薛收说："王世充占据东都，仓库充足，所率领的军队，都是江淮一带的精锐，近日忧虑的事情，只是缺粮食罢了。因为这方面的原因，被我们挟制，求战不能，退守就更难以持久。窦建德亲自率领大军，远道而来救援，也会倾尽其精锐。如果听任他的军队到这里，两股敌人兵合一处，转运黄河北的粮食输送给洛阳，那么战争才刚开始，结束战争不知到什么时候，统一天下的日子，几乎没有期限了。现在应分出兵力防守洛阳，挖深沟筑高墙，王世充若出兵，小心不要和他交战，大王亲自率领骁将精锐，先占据成皋，秣马厉兵，训练将士，等他们到来，以逸待劳，一定可以取胜。打败窦建德后，王世充自然就会败亡，不过二十天，两个首领就会被捉的！"李世民认为他的计策好。薛收是薛道衡的儿子。萧瑀、屈突通、封德彝都说："我军困倦劳顿，王世充凭借坚固的城池把守，不能轻易地攻克，窦建德凭借胜利的有利形势而来，锐不可当，士气高涨，我们腹背受敌，不是万全之策，不如退守新安，来等他困乏疲惫。"李世民说："王世充军队被挫败，粮食吃光，上层的军官和下层的士兵离心离德，不烦劳我们花气力攻打，可以不战而胜。窦建德刚刚打败孟海公，将领骄纵，士卒懈怠，我们占据武牢关，扼住了他的咽喉。他若冒险争夺胜负，我们打败他很容易。他若犹豫不决，不来交战，十天至一个月，王世充的军队就会自我溃散。破城后兵力增强，军队的士气自然倍增，一次战争挫败两个敌人，就在此一仗了。如果不快速推进，窦建德攻入武牢关，周围各城新近归附，一定不能坚守；两股敌人合在一起，势力一定增强，哪里会有机可乘呢？我的计策定了！"屈突通等人又请求解除东都之围，凭借险要地势来观察形势变化，李世民没有答应。把军队平分为两部分，派遣屈突通等人辅佐齐王李元吉围困东都，李世民带领三千五百名勇敢善战的将士向东奔赴武牢关。正午时分出发，过北邙，到河阳，奔赴巩县而去。王世充登上洛阳城看见了，弄不清唐军意图，最终不敢出城。

癸未日，李世民到达武牢关；甲申日，率领五百骁勇的骑兵，出武牢关到了城东二十多里的地方，侦察窦建德的军营。沿路分别留下随行的骑兵，让李世勣、程知节、秦叔宝分别率领，埋伏在路边，只剩下四名骑兵，与他并肩往前走。李世民对尉迟敬德说："我拿着弓箭，你手握长矛跟着，即使百万人又能奈我何！"又说："敌人看见我们就返回，是上策。"距离窦建德军营三里的地方，窦建德的散兵游勇遇到他们，以为是侦察敌情的士兵。李世民大喊："我是秦王。"拉开弓箭射向他们，射死其中一员将领。窦建德军中非常惊惶恐惧，出动五六千骑兵追赶他们；李世民的随从都吓得脸色大变。李世民说："你们按照次序往前走，我和尉迟敬德殿后。"于是勒住缰绳慢慢走，追赶的骑兵快赶上时，就拉弓射击他们，立刻射杀一人。追兵害怕就停了下来，停了一会儿再次追赶，像这样三番五次，每次来一定有人毙命，李世民先后射杀了几个人，尉迟敬德杀十几人，追兵不敢再逼近。李世民故意徘徊或稍稍后退引诱追兵进入埋伏圈后，李世勣等人奋力击敌，把敌人打得大败，杀了三百多人，俘获窦建德的勇猛将领殷秋、石瓒而归。李世民于是写信告知窦建德，说："赵、魏之地长时间以来为我所有，被您侵占，只因为淮安王受到您的礼遇，又蒙您送回同安公主，所以彼此真诚相待尽释前嫌。王世充最近与您结成友好关系，已有多次反复，现在他的灭亡是早晚的事，又用虚浮不实之词引诱您，您就率领三军将士，听命于他人，数量庞大的军费，无缘无故为别人消耗，确实不是上策。现在与您的先头部队相遇，他们一下子就被摧毁，郊外的犒劳您还没做，心中能不有愧吗！我所以挫败您的锐气，是希望您能听从选择善言；如果不能够获得应允，恐怕日后会后悔莫及。"

窦建德被困武牢关不能前进，驻军屯田几个月，作战多次都没有取胜，将士思归。丁巳日，秦王李世民派遣王君廓率领一千多轻骑兵抢掠窦建德的运粮车，又一次打败了他，俘获他的大将军张青特。

凌敬对窦建德说："大王出动全部兵力渡过黄河，攻占怀州、河阳，派重兵把守，又敲响战鼓，竖起战旗，越过太行山，进入上党，掠取汾州、晋州，奔赴蒲津，这样做有三点便利：一是进入无人之境，取胜可以说是万全之策；二是拓展地盘收拢民众，军事力量更加强盛；三是关中震动惊惧，郑国之围自然会解除。当今之计，没有能取代这三点好处的。"窦建德准备听从凌敬的建议，但王世充接连不断派遣使节来告急，王琬、长孙安世早晚哭泣，请求援救洛阳，又悄悄地用金玉收买窦建德的诸位将领，以阻挠凌敬的计划。诸位将领都说："凌敬是个书生，哪里知道作战的事？他的话怎么能采用呢？"窦建德于是向凌敬道歉说："现在众人士气很盛，这是上天在辅佐我，趁此机会与李世民决战，一定能大获全胜，不能听从您的建议。"凌敬固执地争辩，窦建德发怒了，命人把他架出去。窦建德的妻子曹氏对他说："凌敬的话不能不听。现在大王趁唐国空虚，从滏口扎营相连，逐渐推进，夺取山北之地，又借助突厥的力量向西包抄关中，唐军一定回师自救，郑国之围还用担心不能解除吗？若在此按兵不动，使军队疲惫不堪又浪费了财力，要想成功，在哪一天呢？"窦建德说："这不是女人所能明白的！我前来救郑，郑现在处境危急，灭亡就在早晚之间，我如果舍弃郑而离去，这是畏惧敌人并背信弃义，不可以这样做。"

密探报告说："窦建德等待唐军草料用完，在黄河北放马之时，将要袭击武牢关。"五月，戊午日，秦王李世民向北渡过黄河，从南面靠近广武，察看敌军阵势，趁机留下一千多匹战马，在黄河边放牧以引诱敌人，晚上李世民返回武牢。己未日，窦建德果然尽其所有军队而至，从板渚到牛口摆开阵势，北靠黄河，西临汜水，南连鹊山，绵亘二十里，擂响战鼓进攻。唐军诸位将领都感到惧怕，李世民率领几名骑兵登上高山来观察敌情，对诸位将领说："敌人从崤山东面起兵，未曾遇到强大的对手，现在身处险境却很嚣张，这是没有军纪的表现，逼近城池而摆列阵势，有看轻我们的意思；我们按兵不动，他们士兵毫不畏惧的气概自然就会衰退，列阵时间长了士卒就会饥饿，一定会自行撤退，我们追上去攻击他们，没有不取胜的。我和你们约定，一过正午，一定会打败他们！"窦建德内心轻视唐军，派遣三百骑兵渡过汜水，在距离唐朝军营一里的地方停下来，派遣使臣向李世民通报说："请挑选几百名精锐士兵和我们玩玩。"李世民派遣王君廓率领二百名长矛手应战，双方交战，忽进忽退，不分胜负，各自率兵回营。王琬骑着隋炀帝青白色相杂的马，拿着非常新的铠甲兵器，跳到阵前向众人夸耀。李世民说："他骑的真是匹好马呀！"尉迟敬德请求前往去夺马，李世民制止他说："岂可因为一匹马失去一员猛将呢。"尉迟敬德不听，和高甑生、梁建方三人骑马直冲入敌阵，擒获王琬，骑着他的马飞奔返回，众人没有敢阻拦他们的。李世民让他召回黄河北的马，等他回来再出战。

窦建德摆好战阵，从辰时到午时，士卒们饥饿疲倦，都排列而坐没有斗志，又争着喝水，迟疑徘徊准备撤退。李世民命令宇文士及率领三百骑兵经过窦建德军阵西边，飞奔向南边高地，告诫他说："敌人如果不动，你应当领兵返回，敌军动了就领兵向东跑。"宇文士及到了窦建德军阵前，窦建德军阵果然动起来，李世民说："可以攻打了！"这时黄河边上的牧马也回来了，于是下令出击。李世民率领轻骑兵率先出发，大军紧随其后，向东渡过了汜水，径直迫近窦建德阵营，窦建德群臣正在参拜他，唐朝骑兵突然降临，朝臣疾步跑向窦建德，窦建德召集骑兵让他们抵抗唐朝军队，骑兵隔着朝臣不能过去，窦建德挥手下令朝臣退到一边，进退之间，唐军已经到了，窦建德处境危急，退而倚仗东面的山坡抵抗。窦抗领兵攻打窦建德，交战后稍有不利。李世民带领骑兵前往支援，所到之处敌军都望风披靡。淮阳王李道玄挺身冲入敌阵，一直冲到敌阵后方，再次突破敌方阵地返回，几进几出，飞速而来的箭头聚集在身上就像刺猬的刺一样，勇气不减，用箭射人，都应弦声而倒。李世民把备用的战马送给他，让他跟着自己，于是各路军队都参与了战斗，尘土飞扬弥漫天空。李世民率领史大奈、程知节、秦叔宝、宇文歆等人卷起战旗冲进去，出现在窦建德军阵之后，扬起唐军旗帜，窦建德的士兵回头看见唐军旗帜，全面溃败，唐军追击逃敌三十里，斩杀三千多人。窦建德被长矛刺中，逃窜到牛口渚隐藏起来。唐车骑将军白士让、杨武威追赶窦建德，窦建德落马，白士让拿着长枪准备刺他，窦建德说："别杀我，我是夏王，能使你富贵。"杨武威下马擒获窦建德，用备用马匹驮着窦建德，来见李世民。李世民责备窦建德说："我自己讨伐王世充，关你什么事，你竟越过领地，来冒犯我的军队！"窦建德说："现在我不自己来，恐怕将来还得劳烦您远道去攻取。"窦建德的将士都逃散了，被俘虏了五万人，李世民当天就遣散了俘虏，让他们返回家乡。

秦王受诬见疏

【唐纪六】高祖武德五年（壬午，622年）

上之起兵晋阳也，皆秦王世民之谋，上谓世民曰："若事成，则天下皆汝所致，当以汝为太子。"世民拜且辞。及为唐王，将佐亦请以世民为世子，上将立之，世民固辞而止。太子建成，性宽简，喜酒色游畋[①]；齐王元吉，多过失；皆无宠于上。世民功名日盛，上常有意以代建成，建成内不自安，乃与元吉协谋，共倾世民，各引树党友。

上晚年多内宠，小王且二十人，其母竞交结诸长子以自固。建成与元吉曲意事诸妃嫔，谄谀赂遗，无所不至，以求媚于上。或言蒸②于张婕妤、尹德妃，宫禁深秘，莫能明也。是时，东宫、诸王公、妃主之家及后宫亲戚横长安中，恣为非法，有司不敢诘。世民居承乾殿，元吉居武德殿后院，与上台、东宫昼夜通行，无复禁限。太子、二王出入上台，皆乘马、携弓刀杂物，相遇如家人礼。太子令，秦、齐王教与诏敕并行，有司莫知所从，唯据得之先后为定。世民独不奉事诸妃嫔，诸妃嫔争誉建成、元吉而短世民。

世民平洛阳，上使贵妃等数人诣洛阳选阅隋宫人及收府库珍物。贵妃等私从世民求宝货及为其亲属求官，世民曰："宝货皆已籍奏③，官当授贤才有功者。"皆不许，由是益怨。世民以淮安王神通有功，给田数十顷。张婕妤之父因婕妤求之于上，上手敕赐之，神通以教④给在先，不与。婕妤诉于上曰："敕赐妾父田，秦王夺之以与神通。"上遂发怒，责世民曰："我手敕不如汝教邪！"他日，谓左仆射裴寂曰："此儿久典兵在外，为书生所教，非复昔日子也。"尹德妃父阿鼠骄横，秦王府属杜如晦过其门，阿鼠家童数人曳如晦坠马，殴之，折一指，曰："汝何人，敢过我门而不下马？"阿鼠恐世民诉于上，先使德妃奏云："秦王左右陵暴妾家。"上复怒责世民曰："我妃嫔家犹为汝左右所陵，况小民乎！"世民深自辩析⑤，上终不信。

世民每侍宴宫中，对诸妃嫔，思太穆皇后⑥早终，不得见上有天下，或歔欷流涕，上顾之不乐。诸妃嫔因密共谮世民曰："海内幸无事，陛下春秋高，唯宜相娱乐，而秦王每独涕泣，正是憎疾妾等，陛下万岁后，妾母子必不为秦王所容，无孑遗矣！"因相与泣，且曰："皇太子仁孝，陛下以妾母子属之，必能保全。"上为之怆然。由是无易太子意，待世民浸疏，而建成、元吉日亲矣。

[注释]

①游畋：出游打猎。②蒸：疑是"蒸报"，指与不同辈亲属淫乱。③籍奏：登记上报。④教：诸侯王公的文告。⑤辩析：辩解。⑥太穆皇后：李世民

的生母。

[译文]

唐高祖在晋阳起兵,都是秦王李世民出的谋略,高祖对李世民说:"如果事情成了,那么天下都是因为你得到的,应当立你为太子。"李世民拜谢并推辞。等到高祖做了唐王,将领们也请求立李世民为太子,高祖将要立他为太子,李世民坚决推辞才作罢。太子李建成生性不苛求,喜欢饮酒,贪恋女色,爱好打猎;齐王李元吉,有很多过错。他们都不被高祖宠爱。李世民功劳名声一天高过一天,高祖常常有心让他代李建成做太子,李建成内心不安,就与李元吉共同谋划,一起排挤李世民,各自收纳培养朋党势力。

高祖晚年有很多宠幸的妃嫔,小王子将近二十位,他们的母亲竞相勾结诸位年长的王子来巩固自身的地位。李建成和李元吉委曲己意侍奉诸位妃嫔,奉承、献媚、贿赂、馈赠,无所不为,来求得皇上的喜爱。也有人说他们与张婕妤、尹德妃淫乱,宫禁深邃隐密,无人能说得清楚。这个时候,东宫、诸王公、妃子、公主之家以及后宫的亲属,在长安城中横行霸道,恣意干一些违法的勾当,有关官署不敢查办。李世民住在承乾殿,李元吉住在武德殿后院,与宫廷、东宫之间日夜往来,不再有所限制。太子与秦、齐二王出入宫廷,都可以乘马、携带弓箭、刀等杂物,彼此相遇行家人礼。太子的令,秦、齐二王的文告与皇帝的诏令并行,有关官署不知听哪一个的,只得按照收到的先后来决定。只有李世民不侍奉诸位妃嫔,诸位嫔妃争相赞美李建成、李元吉而诋毁李世民。

李世民平定洛阳,高祖让贵妃等几个人到洛阳挑选隋朝宫女以及接收仓库里的珍贵宝物。贵妃等人悄悄向李世民索要金银财宝以及给她们的亲戚求官,李世民说:"金银财宝都已登记上报了,官位应当授予有才能和有功劳的人。"都没有应允她们的请求,贵妃等人因此更加怨恨他。李世民因为淮安王李神通有功,赏赐他田地几十顷。张婕妤的父亲通过她向高祖要这些田地，高祖下手诏把这些田地赐给她，李神通因为秦王的文告在先，不让出田地。张婕妤向高祖求助说："敕赐给妾父亲的土地，秦王夺去给了李神通。"高祖因此很生气，责备李世民说："我的手诏比不上你的文告吗！"另一天，高祖对左仆射裴寂说："这个儿子长时间在外统领军队，被书生教导，不再是过去的那个儿子了。"尹德妃的父亲尹阿鼠傲慢专横，秦王府属官杜如晦经过他的门前，尹阿鼠的几名家童把杜如晦拽下马，殴打他并折断他一根手指，说道："你是什么人，敢过我家的门而不下马？"尹阿鼠怕李世民向皇上告状，先让尹德妃对皇上奏言："秦王的手下轻侮我的家人。"高祖又生气地责备李世民说："我妃嫔的家人还被你的手下凌辱，何况是黎民百姓！"李世民很为自己辩解，高祖始终不相信他。

李世民每次在宫中侍奉宴饮，对着诸位妃嫔，想起太穆皇后早早死去，没有能够看到高祖取得天下，有时叹气流泪，高祖回头看到后不高兴。诸位妃嫔借机偷偷在一起诬陷李世民说："天下幸亏没有事端，陛下年纪大了，只适合相互娱乐，而秦王常常独自流泪，主要是憎恨我们这些人，陛下百年后，我们母子一定不被秦王所包容，没有残存者了！"因此共同流泪，并且说："皇太子仁慈孝敬，陛下把我们母子托付给太子，一定能保全性命。"高祖为此很悲伤。从此高祖没有了换太子的想法，对待李世民渐渐疏远，对李建成、李元吉却日益亲近了。

诸王内斗（一）

【唐纪七】高祖武德七年（甲申，624年）

或说上曰："突厥所以屡寇关中者，以子女玉帛①皆在长安故也。若焚长安而不都，则胡寇自息矣。"上以为然，遣中书侍郎宇文士及逾南山至樊、邓，行可居之地，将徙都之。太子建成、齐王元吉、裴寂皆赞成其策，萧瑀等虽知其不可而不敢谏。秦王世民谏曰："戎狄为患，自古有之。陛下以圣武龙兴②，光宅③中夏，精兵百万，所征无敌，奈何以胡寇扰边，遽迁都以避之，贻四海之羞，为百世之笑乎！彼霍去病汉廷一将，犹志灭匈奴；况臣忝备④藩维⑤，愿假数年之期，请系颉利⑥之颈，致之阙下。若其不效，迁都未晚。"上曰："善。"建成曰："昔樊哙欲以十万众横行匈奴中⑦，秦王之言得无⑧似之！"世民曰："形势各异，用兵不同，樊哙小竖，何足道乎！不出十年，必定漠北，非虚言也！"上乃止。建成与妃嫔因共谮世民曰："突厥虽屡为边患，得赂则退。秦王外托御寇之名，内欲总兵权，成其篡夺之谋耳！"

上校猎⑨城南，太子、秦、齐王皆从，上命三子驰射角胜。建成有胡马，肥壮而喜蹶⑩，以授世民曰："此马甚骏，能超数丈涧，弟善骑，试乘之。"世民乘以逐鹿，马蹶，世民跃立于数步之外，马起，复乘之，如是者三，顾谓宇文士及曰："彼欲以此见杀，死生有命，庸⑪何伤乎？"建成闻之，因令妃嫔谮之于上曰："秦王自言'我有天命，方为天下主，岂有浪死'⑫！"上大怒，先召建成、元吉，然后召世民入，责之曰："天子自有天命，非智力可求；汝求之一何⑬急邪！"世民免冠顿首，请下法司案验。上怒不解，会有司奏突厥入寇，上乃改容劳勉⑭世民，命之冠带，与谋突厥。闰月，己未，诏世民、元吉将兵出幽州以御突厥，上饯之于兰池。上每有寇盗，辄命世民讨之，事平之后，猜嫌益甚。

【注释】

①子女玉帛：指人口和财富。②龙兴：比喻王业的创立。③光宅：广居，广有。④忝备：忝列于。⑤藩维：也写作"藩维"，藩国，藩镇。⑥颉利：即东突厥的颉利可汗（620—634年在位）。⑦樊哙欲以十万众横行匈奴中：事出

自《史记·栾布季布列传》,指樊哙为了讨已经掌权的吕后的欢心故意说的大话。⑧得无:莫不是,该不会。⑨校猎:用木栏遮阻,猎取禽兽。校,读jiào。⑩尥蹶:尥蹶子。⑪庸:犹"岂",怎么,难道。⑫浪死:白白地死。⑬一何:多么。⑭劳勉:慰问勉励。

[译文]

　　有人劝皇上说:"突厥多次侵犯关中的原因,是因为我们的美女和财物都在长安的缘故罢了。如果烧毁长安,不把它作为都城,那么胡人的侵犯自然会平息。"皇上也认为是这样的,派遣中书侍郎宇文士及翻过终南山,到樊州、邓州,巡视可以居住之地,准备迁都到那里。太子李建成、齐王李元吉和裴寂都赞成这个计略,萧瑀等人虽然知道迁都不可以但不敢劝谏。秦王李世民劝谏说:"戎狄为患作乱,自古就有这种现象。陛下凭着圣明英武而兴起,建都中原地区,拥有百万精兵,所征讨的地方难以有人能够抵挡,怎能因有胡人搅扰边境,仓促迁都来躲避他们,给天下留下羞辱,被后人讥笑呢!那霍去病是汉朝的一员大将,尚且立志消灭匈奴,何况我忝列藩王之位。希望陛下给我几年的期限,请允许我把绳索套在颉利可汗的脖子上,把他送到您面前。如果不能成功,迁都不晚。"皇上说:"说得好。"李建成说:"过去樊哙准备用十万军队纵横驰骋在匈奴之中,秦王的话该恐怕与樊哙相似吧!"李世民说:"情况不同,用兵的方法不相同。樊哙小子有什么值得称道呢!不出十年,我一定能平定漠北地区,这不是空话!"皇上就停止迁都。李建成和嫔妃趁此机会一起诋毁李世民说:"突厥虽然多次侵扰边境地区,但他们得到财物就会撤退。秦王对外假托抵御敌寇的名义,内心打算总揽兵权,完成他篡夺皇位的阴谋罢了!"

　　皇上在京城南面打猎,太子李建成、秦王李世民和齐王李元吉都跟随打猎,皇上让三个儿子骑马射箭,角逐胜负。李建成有一匹胡马,膘肥体壮,但是喜欢尥蹶子,李建成把它交给李世民说:

"这匹胡马跑得非常快,能跳过几丈宽的水沟,贤弟善于骑马,试着骑一下。"李世民骑上胡马来追逐野鹿,胡马尥蹶子,李世民跃身跳到几步外站定,胡马立起后,再次骑到马上,像这样连续几次,李世民回过头来对宇文士及说:"他打算借助这匹胡马杀了我,人的生死是有天命的,难道它能伤害我吗?"李建成听到这话,通过嫔妃向皇上中伤李世民说:"秦王自己说'我有天命,将要成为天下的主人,怎会白白死去呢'!"皇上大怒,先征召李建成、李元吉,然后征召李世民入宫,责备他说:"天子自然有天命,不是人的智慧和力量所能谋求的;你谋求帝位多么急切啊!"李世民摘帽叩头,请求把自己交给司法刑狱的官署查询验证。皇上怒火难以消解,适逢有关官署上奏突厥来入侵,皇上才缓和了脸色,慰问勉励李世民,让他戴上帽子,系好腰带,与他谋划对付突厥的策略。闰月,己未日,诏命李世民与李元吉率领军队由幽州出兵,来抵抗突厥,皇上在兰池为他们饯行。皇上每遇到盗贼,总是命令李世民去讨伐,但事情平定后,猜忌嫌怨更加严重。

诸王内斗(二)

【唐纪七】高祖武德九年(丙戌,626年)

秦王世民既与太子建成、齐王元吉有隙,以洛阳形胜①之地,恐一朝有变,欲出保之,乃以行台工部尚书温大雅镇洛阳,遣秦府车骑将军荥阳张亮将左右王保等千馀人之洛阳,阴结纳山东豪杰以俟变,多出金帛,恣其所用。元吉告亮谋不轨,下吏考验②;亮终无言,乃释之,使还洛阳。

建成夜召世民,饮酒而鸩之,世民暴心痛,吐血数升,淮安王神通扶之还西宫。上幸西宫,问世民疾,敕建成曰:"秦王素不能饮，自今无得复夜饮！"因谓世民曰："首建大谋，削平海内，皆汝之功。吾欲立汝为嗣，汝固辞；且建成年长，为嗣日久，吾不忍夺也。观汝兄弟似不相容，同处京邑，必有纷竞，当遣汝还行台，居洛阳，自陕以东皆主之。仍命汝建天子旌旗，如汉梁孝王故事③。"世民涕泣，辞以不欲远离膝下。上曰："天下一家，东、西两都，道路甚迩。吾思汝即往，毋烦悲也。"将行，建成、元吉相与谋曰："秦王若至洛阳，有土地甲兵，不可复制；不如留之长安，则一匹夫耳，取之易矣。"乃密令数人上封事④，言："秦王左右闻往洛阳，无不喜跃，观其志趣，恐不复来。"又遣近幸之臣以利害说上。上意遂移，事复中止。

建成、元吉与后宫日夜潛诉世民于上，上信之，将罪世民。陈叔达谏曰："秦王有大功于天下，不可黜也。且性刚烈，若加挫抑，恐不胜忧愤，或有不测之疾，陛下悔之何及！"上乃止。元吉密请杀秦王，上曰："彼有定天下之功，罪状未著，何以为辞！"元吉曰："秦王初平东都，顾望不还，散钱帛以树私恩，又违敕命，非反而何！但应速杀，何患无辞！"上不应。

秦府僚属皆忧惧不知所出。行台考功郎中房玄龄谓比部郎中长孙无忌曰："今嫌隙已成，一旦祸机窃发，岂惟府朝涂地，乃实社稷之忧；莫若劝王行周公之事以安家国。存亡之机，间不容发，正在今日！"无忌曰："吾怀此久矣，不敢发口；今吾子所言，正合吾心，谨当白之。"乃入言世民。世民召玄龄谋之，玄龄曰："大王功盖天地，当承大业；今日忧危，乃天赞也，愿大王勿疑。"乃与府属杜如晦共劝世民诛建成、元吉。

建成、元吉以秦府多骁将，欲诱之使为己用，密以金银器一车赠左二副护军尉迟敬德，并以书招之曰："愿迂⑤长者之眷，以敦⑥布衣之交⑦。"敬德辞曰："敬德，蓬户瓮牖⑧之人，遭隋末乱离，久沦逆地，罪不容诛。秦王赐以更生之恩，今又策名⑨藩邸，唯当杀身以为报；于殿下无功，不敢谬当⑩重赐。若私交殿下，乃是贰心，徇利⑪忘忠，殿下亦何所用！"建成怒，遂与之绝。敬德以告世民，世民曰："公心如山岳，虽积金至斗，知公不移。相遗但受，何所嫌也！且得以知其阴计，岂非良策！不然，祸将及公。"既而元吉使壮士夜刺敬德，敬德知之，洞开重门，安卧不动，刺客屡至其庭，终不敢入。元吉乃譖敬德于上，下诏狱讯治，将杀之。世民固请，得免。又譖左一马军总管程知节，出为康州刺史。知节谓世民曰："大王股肱羽翼尽矣，身何能久！知节以死不去，愿早决计。"又以金帛诱右二护军段志玄，志玄不从。建成谓元吉曰："秦府智略之士，可惮者独房玄龄、杜如晦耳。"皆譖之于上而逐之。

世民腹心唯长孙无忌尚在府中，与其舅雍州治中高士廉、右候车骑将军三水侯君集及尉迟敬德等，日夜劝世民诛建成、元吉。世民犹豫未决，问于灵州大都督李靖，靖辞；问于行军总管李世勣，世勣辞。世民由是重二人。

会突厥郁射设将数万骑屯河南，入塞，围乌城，建成荐元吉代世民督诸军北征，上从之，命元吉督右武卫大将军李艺、天纪将军张瑾等救乌城。元吉请尉迟敬德、程知节、段志玄及秦府右三统军秦叔宝等与之偕行，简阅⑫秦王帐下精锐之士以益元吉军。率更丞王晊密告世民曰："太子语齐王：'今汝得秦王骁将精兵，拥数万之众，吾与秦王饯汝于昆明池，使壮士拉杀之于幕下，奏云暴卒，主上宜无不信。吾当使人进说，令授吾国事。敬德等既入汝手，宜悉坑之，孰敢不服！'"世民以晊言告长孙无忌等，无忌等劝世民先事图之。世民叹曰："骨肉相残，古今大恶。吾诚知祸在朝夕，欲俟其发，然后以义讨之，不亦可乎？"敬德曰："人情谁不爱⑬其死！今众人以死奉王，乃天授也。祸机垂发，而王犹晏然不以为忧，大王纵自轻，如宗庙社稷何！大王不用敬德之言，敬德将窜身草泽，不能留居大王左右，交手受戮也！"无忌曰："不从敬德之言，事今败矣。敬德等必不为王有,无忌亦当相随而去,不能复事大王矣!"世民曰:"吾所言亦未可全弃,公更图之。"敬德曰:"王今处事有疑,非智也;临难不决,非勇也。且大王素所畜养勇士八百馀人,在外者今已入宫,擐甲执兵⑭,事势已成,大王安得已乎?"

世民访之府僚,皆曰:"齐王凶戾,终不肯事其兄。比闻护军薛实尝谓齐王曰:'大王之名,合之成"唐"字,大王终主唐祀⑮。'齐王喜曰:'但除秦王,取东宫如反掌耳。'彼与太子谋乱未成,已有取太子之心。乱心无厌,何所不为?若使二人得志,恐天下非复唐有。以大王之贤,取二人如拾地芥耳,奈何徇⑯匹夫之节,忘社稷之计乎?"世民犹未决,众曰:"大王以舜为何如人?"曰:"圣人也。"众曰:"使舜浚井不出,则为井中之泥;涂廪不下,则为廪上之灰,安能泽被天下,法施后世乎?是以小杖则受,大杖则走,盖所存者大故也。"⑰世民命卜之,幕僚张公谨自外来,取龟投地,曰:"卜以决疑;今事在不疑,尚何卜乎!卜而不吉,庸得已乎!"于是定计。

世民令无忌密召房玄龄等,曰:"敕旨不听⑱复事王;今若私谒,必坐死,不敢奉教。"世民怒,谓敬德曰:"玄龄、如晦岂叛我邪?"取所佩刀授敬德曰:"公往观之,若无来心,可断其首以来。"敬德往,与无忌共谕之曰:"王已决计,公宜速入共谋之。吾属四人,不可群行道中。"乃令玄龄、如晦著道士服,与无忌俱入,敬德自他道亦至。

己未,太白复经天⑲。傅奕密奏:"太白见秦分,秦王当有天下。"上以其状授世民。于是世民密奏建成、元吉淫乱后宫,且曰:"臣于兄弟无丝毫负,今欲杀臣,似为世充、建德报仇。臣今枉死,永违君亲,魂归地下,实耻见诸贼!"上省之,愕然,报曰:"明当鞫问⑳,汝宜早参。"

庚申,世民帅长孙无忌等入,伏兵于玄武门。张婕妤窃知世民表意，驰语建成。建成召元吉谋之，元吉曰："宜勒宫府兵，托疾不朝，以观形势。"建成曰："兵备已严，当与弟入参，自问消息。"乃俱入，趣玄武门。上时已召裴寂、萧瑀、陈叔达等，欲按[21]其事。

建成、元吉至临湖殿，觉变，即跋马东归宫府。世民从而呼之，元吉张弓射世民，再三不彀[22]，世民射建成，杀之。尉迟敬德将七十骑继至，左右射元吉坠马。世民马逸入林下，为木枝所绁，坠不能起。元吉遽至，夺弓将扼之，敬德跃马叱之。元吉步欲趣武德殿，敬德追射，杀之。翊卫车骑将军冯翊冯立闻建成死，叹曰："岂有生受其恩而死逃其难乎！"乃与副护军薛万彻、屈咥直府左车骑万年谢叔方帅东宫、齐府精兵二千驰趣玄武门。张公谨多力，独闭关以拒之，不得入。云麾将军敬君弘掌宿卫兵，屯玄武门，挺身出战，所亲止之曰："事未可知，且徐观变，俟兵集，成列而战，未晚也。"君弘不从，与中郎将吕世衡大呼而进，皆死之。君弘，显儁之曾孙也。守门兵与万彻等力战良久，万彻鼓噪欲攻秦府，将士大惧；尉迟敬德持建成、元吉首示之，宫府兵遂溃。万彻与数十骑亡入终南山。冯立既杀敬君弘，谓其徒曰："亦足以少报太子矣！"遂解兵，逃于野。

上方泛舟海池，世民使尉迟敬德入宿卫，敬德擐甲持矛，直至上所。上大惊，问曰："今日乱者谁邪？卿来此何为？"对曰："秦王以太子、齐王作乱，举兵诛之，恐惊动陛下，遣臣宿卫。"上谓裴寂等曰："不图今日乃见此事，当如之何？"萧瑀、陈叔达曰："建成、元吉本不预义谋，又无功于天下，疾秦王功高望重，共为奸谋。今秦王已讨而诛之，秦王功盖宇宙，率土归心，陛下若处以元良[23]，委之国事，无复事矣！"上曰："善！此吾之夙心也。"时宿卫及秦府兵与二宫左右战犹未已，敬德请降手敕，令诸军并受秦王处分[24]，上从之。天策府司马宇文士及自东上阁门出宣敕，众然后定。上又使黄门侍郎裴矩至东宫晓谕诸将卒，皆罢散。上乃召世民，抚之曰："近日以来，几有投杼之惑。"世民跪而吮上乳，号恸久之。

建成子安陆王承道、河东王承德、武安王承训、汝南王承明、钜鹿王承义，元吉子梁郡王承业、渔阳王承鸾、普安王承奖、江夏王承裕、义阳王承度皆坐诛，仍绝属籍。

初，建成许元吉以正位之后，立为太弟，故元吉为之尽死。诸将欲尽诛建成、元吉左右百余人，籍没㉕其家，尉迟敬德固争曰："罪在二凶，既伏其诛；若及支党，非所以求安也！"乃止。是日，下诏赦天下。凶逆之罪，止于建成、元吉，自余党与，一无所问。其僧、尼、道士、女冠㉖并宜依旧。国家庶事㉗，皆取秦王处分。

[注释]

①形胜：地理形势优越。②考验：考查验证。③汉梁孝王故事：梁孝王深受母亲窦太后的宠爱，被赏赐的财物不可胜数。他每次出行游猎，随从千乘万骑，仪仗比照天子，外出要清道，沿途行人要回避。④封事：古代臣下奏事，用袋封缄以防泄露。⑤迁：得到。⑥敦：加深。⑦布衣之交：贫贱之交，亦指不拘地位高低平等相处的朋友。⑧蓬户甕牖：编蓬为户，用破瓮做窗户，比喻贫陋之室。⑨策名：在竹简上书写自己的姓名，以示为人之臣。⑩谬当：错误地接受。⑪徇利：谋求财利。⑫简阅：挑选考察检阅。⑬爱：爱惜，怜惜。⑭擐甲执兵：穿戴铠甲，拿着兵器。擐读 huàn。⑮祀：祭祀。⑯徇：遵从，遵循。⑰虞舜的故事见《史记·五帝本纪》。⑱听：允许。⑲太白复经天：太白星，也就是太白金星。经天是古天文学术语，意为"昼见"。太白星又一次在白天出现。迷信的说法一般会将此与一些奇异的天象联系。此处用以象征秦王将继承大唐天下。⑳鞫问：审讯，讯问。㉑按：查验。㉒不彀：没有拉满弓。彀，拉满弓，张弓。胡三省注，盖元吉仓皇失措也。㉓元良：太子的代称。㉔处分：处理，节制。㉕籍没：登记财物加以没收。㉖女冠：女道士。㉗庶事：各种事物。庶，众多。

[译文]

秦王李世民已经与太子李建成、齐王李元吉产生嫌隙，认为洛阳是地势优越的地方，恐怕一旦发生变故，想离开京城保有此地，就让行台工部尚书温大雅驻守洛阳，派遣秦王府车骑将军荥阳人张亮率领身边跟随的人王保等一千多人去洛阳，暗中结纳崤山以东才智勇力出众的人，来等待局势的变化，拿出更多的金银财物，听任他们使用。李元吉告发张亮图谋叛乱，把他交付有关官员考查验证。因张亮始终没有招认，就释放了他，让他返回洛阳。

李建成晚上召见李世民，与他饮酒并用毒酒毒害他，李世民突然心绞痛，吐血几升，淮安王李神通搀扶着他返回西宫。皇上临幸西宫，询问李世民的病情，诏令李建成说："秦王平时不能饮酒，从今以后不能再和他晚上饮酒。"皇上趁势对李世民说："首先提出反隋建国的谋略，平定天下的，都是你的功劳。我想立你为继承人，你坚决推辞；而且建成年龄大，做继承人时间长了，我不忍心剥夺他的权位啊。我看你们兄弟好像不能相容，你们同住京城，一定会纷起竞进，应当打发你返回行台，留居洛阳，陕州以东都归你管辖。我仍然让你设置天子的旌旗，就像汉梁孝王的先例那样。"李世民哭泣着，以不愿意远离皇上膝下为由来推辞。皇上说："天下是一家。东、西两都之间，路程很近。我想你了，就动身前去，你不要烦恼悲伤。"李世民将要出发时，李建成和李元吉共同商量说："秦王如果到达洛阳，拥有土地和军队，就不能再控制了；不如把他留在长安，那么只是一介匹夫罢了，捉拿他就容易了。"于是他们暗地里命令几个人以密封的奏章上奏说："秦王手下的人听说秦王去洛阳后，无不喜悦欢跳，观察秦王的志向意趣，恐怕他不会再回来了。"他们还指使皇上宠信的近臣以秦王去留的利弊来劝说皇上，皇上就改变了主意，事情再次中途停止下来。

李建成、李元吉与后宫日夜向皇上谗毁攻讦李世民，皇上就相信了，将要治李世民的罪。陈叔达劝谏说："秦王对国家来说是立了大功的，不可以废黜。而且他生性刚烈，如果加以抑制，恐怕他经受不住忧虑悲愤，一旦染上难以预测的疾病，陛下后悔都来不及！"皇上于是停止处罚。李元吉悄悄地请求杀掉秦王，皇上说："他有平定天下的功劳，犯罪的事实不明显，拿什么作借口？"李元吉说："秦王刚平定东都时，犹豫观望不肯返回，分发钱财布帛，来树立个人的恩惠，又违背敕令，不是造反是什么！只管赶快杀掉他，哪里用得着担心没有话说呢！"皇上没有答应他。

  秦王府所属官员都忧虑害怕，不知道该怎么办。行台考功郎中房玄龄对比部郎中长孙无忌说："现在因猜忌和不满所产生的怨恨已经形成，一旦隐伏待发的祸患不知不觉地产生，不只是秦王府会彻底毁坏而不可收拾，实际上也是国家的祸患；不如劝秦王采取周公平定管叔与蔡叔的做法，来安定王室与国家。生死存亡之际，形势危急到了极点，就在今天！"长孙无忌说："我有这种想法很久了，只是不敢讲出来；现在你所说的话，正合于我的心愿。请让我禀告秦王。"于是进入秦王府告诉李世民。李世民召见房玄龄谋划此事，房玄龄说："大王的功劳覆盖天地，应当继承天下。现在忧患危难，是上天在帮助大王啊，希望大王不要犹豫。"于是，房玄龄与秦府属官杜如晦一起劝说李世民杀掉李建成与李元吉。

  李建成和李元吉认为秦府拥有众多的猛将，想引诱他们为己所用，就悄悄地把一车金银器物赠送给左二副护军尉迟敬德，并写了一封书信引诱他说："希望得到长者的顾念，来加深我们拥有平民之间的交情。"尉迟敬德推辞说："我本是出身贫苦人家的草民，遭遇隋末战乱而流离失所，长期流落在叛贼泛滥的地方，罪不容诛。秦王赐给我重生的大恩，现在我又在秦府中做官，只当用死来作为回报；我对殿下没有功劳，不敢错误地领受丰厚的赏赐。如果私自与殿下交往，就是怀有二心，贪图小利忘掉忠义，殿下要这种人有什么用呢！"李建成发怒了，就与他断绝了来往。尉迟敬德把这件事告诉给李世民，李世民说："您的心就像山岳一样巍峨，即使送给您的金子堆积到挨着了北斗星,我知道您也是不会动摇的。他赠给您只管接受,这又有什么可怀疑的呢!而且能够知道他的阴谋,难道不是个好计策吗?不这样,灾祸就会殃及到您身上了。"不久,李元吉指派刺客晚上行刺尉迟敬德,尉迟敬德得知后,把一重一重的门全部打开,平躺着不动,刺客多次来到他的庭院,终究没敢进入卧室。李元吉就向皇上诬陷尉迟敬德,把尉迟敬德投进诏狱审讯治罪,准备杀掉他,李世民坚决请求保全他,才得幸免。李元吉又陷害左一马军总管程知节,皇上把程赶出朝廷为康州刺史。程知节对李世民说:"大王的左膀右臂辅佐之臣快光了,大王自身如何能长久呢?我誓死不离开京城,希望大王早定计策。"李元吉又用金银布帛引诱右二护军段志玄,段志玄没有依从。李建成对李元吉说:"秦王府有智慧谋略的人物中,值得敬畏的只有房玄龄和杜如晦罢了。"李建成与李元吉都向皇上诬陷他们,使他们遭到放逐。

李世民的心腹只剩下长孙无忌还留在秦王府中,他与他的舅舅雍州治中高士廉、右候车骑将军三水人侯君集以及尉迟敬德等人,天天劝说李世民杀掉李建成和李元吉。李世民犹豫不决,向灵州大都督李靖询问对策,李靖推辞了;又向行军总管李世勣问计,李世勣推辞了。李世民从此器重他们二人。

正赶上突厥郁射设率领几万骑兵驻扎在黄河南,进入边塞,包围了乌城,李建成举荐李元吉代替李世民统领诸路大军北征。皇上听从了李建成的建议,下令李元吉统领右武卫大将军李艺、天纪将军张瑾等人援助乌城。李元吉请求尉迟敬德、程知节、段志玄以及秦王府右三统军秦叔宝等人与自己一同前往,简选秦府军中的精锐士兵来壮大李元吉的军队。太子的率更丞王晊悄悄地告诉李世民说:"太子对齐王说:'现在你已经掌握秦王的猛将和精兵,拥有几万人的军队,我与秦王在昆明池为你饯行,让勇士就在帐幕里用杖击杀秦王,上奏说他暴病身亡,皇上该不会不相信。我立即让人向皇上进谏，让皇上把国事交给我。尉迟敬德等人已经掌握在你的手里，应该全部活埋了他们，谁敢不服气！'"李世民把王晊的话告诉长孙无忌等人，长孙无忌等人劝李世民在事前设法对付。李世民叹息着说："骨肉相互残杀，是古往今来的大罪过。我确实知道祸事就在眼前，我想等祸事发生后，然后凭借正义讨伐他们，不也可行吗？"尉迟敬德说："人之常情，有谁不怜惜自己的生死！现在众人以死拥戴大王，这是上天授予的事情。祸事即将发生，大王仍旧泰然自若，不以为忧。大王即使把自己看得很轻，又把宗庙社稷放在哪里呢！大王不采纳我的建言，我将逃身荒野，我不能留在您身边，拱手受戮！"长孙无忌说："不听尉迟敬德的话，事情现在将失败了。尉迟敬德等人一定不会再被大王所有，我也应跟着他们离开，不能再侍奉大王了！"李世民说："我说的话也不是完全没有道理，你们再想一想吧。"尉迟敬德说："大王现在处事犹豫，是不明智的；面临危难，不作决断，是不勇敢的。而且大王平常培养的八百多名勇士，凡是在外的现在已经进入宫中，穿好了铠甲，手握着兵器，事情发展的趋势已经到今天的地步，大王哪里能够制止得了呢？"

李世民拿这件事询问秦王府的幕僚，都说："齐王凶残暴戾，终究不肯侍奉自己兄长。近来听说齐王府护军薛实曾对齐王说：'大王的名字，合起来成为"唐"字，大王最终要主持大唐祭祀的。'齐王高兴地说：'只要除掉秦王，捉拿太子易如反掌。'他和太子阴谋作乱还没成功，已经有了捉拿太子的念头。作乱的心思没有限制，什么事情做不出来呢？如果让他们二人的欲望得到满足，恐怕天下就不再为唐所有。凭着大王的才华，收拾这两个人如拾草芥一样，怎么能为了遵守一般人的节操，而忘了国家的重大事情呢？"李世民还是犹豫不决。众人说："大王认为舜是怎样的人呢？"李世民说："是圣人。"众人说："假如舜在挖水井时没有逃出来，那他就化为井中的泥土了；假如他在涂饰粮仓时不跳下来，那他就化为粮仓上的灰烬了，怎么能恩泽天下百姓，法度流传后世呢？所以，小棍棒笞打时就忍住，大棍棒笞打时就逃走，这大概是因为舜心存善良的缘故。"李世民让人占卜这件事，秦王府的幕僚张公谨从外面来，拿龟甲扔在地上说："占卜是为了裁决疑难问题；现在事情不存在疑难，还占什么卜呢？如果占卜不吉利，难道就停止行动吗？"于是定下了行动计划。

李世民让长孙无忌悄悄地把房玄龄等人叫来，房玄龄等人说："圣旨不允许我们再侍奉秦王；现在如果私下拜谒秦王，一定会获罪致死，不敢接受秦王的告谕！"李世民心中恼怒，对尉迟敬德说："房玄龄、杜如晦难道要背叛我吗？"他取下佩刀交给尉迟敬德说："你去观察他们，如果没有来的想法，可以砍掉他们的头颅带来。"尉迟敬德去和长孙无忌一起告诫房玄龄等人说："秦王已经定下计策，你们应该快速入秦王府共商大事。我们四个人，不能一起在路上走。"就让房玄龄、杜如晦穿上道士的衣服，与长孙无忌一起进入秦府，尉迟敬德从别的路也到了秦府。

己未日，太白金星又一次白天出现在空中。傅奕向皇上密奏说："太白金星出现在秦地的分野处，秦王应当拥有天下。"皇上把傅奕的密奏交给李世民。因此李世民密奏李建成、李元吉与后宫淫乱，并且说："我对于兄长、弟弟没有一丁点儿的对不起，现在想杀我，似乎是为王世充、窦建德报仇。我现在受冤枉而死，永远离开父皇，灵魂回归地下，实在为见到各个叛贼感到羞耻！"皇上反省这件事，很吃惊，回答说："明天当审讯此事，你应该及早来参拜。"

庚申日，李世民率领长孙无忌等人入朝，在玄武门埋下伏兵。张婕妤私下里得知了李世民表奏的意思，立即告诉李建成。李建成把李元吉叫来商量这件事，李元吉说："应当部署好东宫与齐王府的军队,声称有病不入宫朝觐,来观察事态的变化。"李建成说:"军队防守已很严密了,我和你应该入朝参见,亲自打探消息。"于是一起入朝,趋向玄武门。皇上当时已把裴寂、萧瑀、陈叔达等人召集来,想查验这件事。

李建成和李元吉到临湖殿时,察觉出了变故,立即调转马头,向东返回东宫和齐王府。李世民追赶着并呼喊他们,李元吉张弓搭箭射李世民,一连几次都没有把弓拉满。李世民用箭射李建成,射杀了他。尉迟敬德率领七十个骑兵相继赶到,他手下的将士把李元吉射下马来。李世民的马跑进树林,被树枝绊住,倒地不起。李元吉迅速赶到,夺过弓来,想掐死李世民,尉迟敬德策马驰骋腾跃奔来呵斥他。李元吉想快速趋向武德殿,尉迟敬德追着射他,把他杀死。翊卫车骑将军冯翊人冯立听说李建成死的消息,叹息说:"哪里有太子活着时蒙受太子的恩惠,太子一死就逃避祸难的呢?"就与副护军薛万彻、屈咥直府左车骑万年人谢叔方率领东宫、齐王府的两千精兵快速奔向玄武门。张公谨力大无比,他独自关闭城门来阻挡冯立等人,冯立等人不能进入。云麾将军敬君弘掌管着宿卫兵,驻守在玄武门。他挺身出战,他所亲近的人拦住他说:"事情不知道怎样,姑且慢慢观察变化,等到军队集合起来,摆好阵势再出战也不晚啊。"敬君弘没有听从,与中郎将吕世衡大声呼喊着向前出击,全部战死。敬君弘是敬显㒞的曾孙。把守玄武门的士兵与薛万彻等人努力奋战很久,薛万彻擂着鼓,呼喊着,打算进攻秦王府,将士们很害怕;尉迟敬德提着李建成和李元吉的头给他们看,东宫和齐王府的军队就溃散了。薛万彻与几十名骑兵逃入终南山。冯立杀死敬君弘后,对他的随从说:"这也足够稍稍报答太子了。"于是,他扔掉兵器,逃向荒野。

皇上正在海池泛舟。李世民派遣尉迟敬德入宫担任警卫,尉迟敬德身披铠甲,手持长矛,径直来到皇上身边。皇上非常吃惊,问他说:"今天作乱的人是谁啊?你来这里干什么?"尉迟敬德回答说:"秦王因为太子、齐王作乱,带兵诛杀了他们,担心惊动陛下,派遣臣担任警卫。"皇上对裴寂等人说:"没有想到今天竟会出现这种事情,应该怎么办?"萧瑀和陈叔达说:"李建成、李元吉本来就没有参与起兵反隋的谋划,又没有给国家立下功劳,嫉妒秦王功勋大、威望高,共同策划奸邪的计谋。现在,秦王已经讨伐并诛杀了他们,秦王功盖天下,普天之下的百姓都归向他。陛下如果能立他为太子,把国事交给他,就不会再生事端了。"皇上说:"好!这是我的夙愿啊。"当时,宿卫兵以及秦王府的军队与东官和齐王府的手下交战还没有结束,尉迟敬德请求皇上颁布敕令,下令各路军队一律接受秦王的节制,高祖听从了他们的建议。天策府司马宇文士及从东上阁门出来宣布敕令,众人这才安定下来。皇上又让黄门侍郎裴矩到东宫告知诸位将士,将士们都被遣散。皇上就传召李世民,安抚他说:"近来,我几乎有曾母误听曾参杀人而丢开机杼逃走的疑惑。"李世民跪下来,把头贴在高祖的胸前,放声痛哭很久。

李建成的儿子安陆王李承道、河东王李承德、武安王李承训、汝南王李承明、钜鹿王李承义,李元吉的儿子梁郡王李承业、渔阳王李承鸾、普安王李承奖、江夏王李承裕、义阳王李承度等人都因此获罪被杀,又除去了他们的宗室谱籍。

当初,李建成应允李元吉在即位后,立他为太弟,所以李元吉为李建成拼尽死力。诸位将领想杀掉李建成、李元吉的手下全部一百多人,把他们的家产登记并没收,尉迟敬德固执地争辩说:"罪责在两个元凶身上,他们已被处死;如果殃及他们的党羽,不是用来谋求安定的做法!"这件事才停了下来。当天,皇上颁布诏书大赦天下。叛逆的罪名只给李建成、李元吉,对其余的党羽,一概不过问。那些僧人、尼姑和男女道士都依照原先诏令处理。国家的各项事务,全部听候秦王处理。

唐太宗以史为鉴

【唐纪八】太宗贞观元年/贞观二年（丁亥/戊子，627/628年）

或上言秦府旧兵，宜尽除武职，追入宿卫。上谓之曰："朕以天下为家，惟贤是与，岂旧兵之外皆无可信者乎！汝之此意，非所以广朕德于天下也。"

上谓公卿曰："昔禹凿山治水而民无谤讟①者，与人同利故也。秦始皇营宫室而民怨叛者，病人②以利己故也。夫靡丽珍奇，固人之所欲，若纵之不已，则危亡立至。朕欲营一殿，材用已具，鉴秦而止。王公已下，宜体朕此意。"由是二十年间，风俗素朴，衣无锦绣，公私富给。

上谓黄门侍郎王珪曰："国家本置中书、门下以相检察③，中书诏敕或有差失，则门下当行驳正。人心所见，互有不同，苟论难往来，务求至当，舍己从人，亦复何伤！比来或护己之短，遂成怨隙；或苟避私怨，知非不正，顺一人之颜情，为兆民之深患，此乃亡国之政也。炀帝之世，内外庶官，务相顺从，当是之时，皆自谓有智，祸不及身。及天下大乱，家国两亡，虽其间万一有得免者，亦为时论所贬，终古不磨。卿曹各当徇公忘私，勿雷同也！"

上谓侍臣曰："吾闻西域贾胡得美珠，剖身以藏之，有诸？"侍臣曰："有之。"上曰："人皆知彼之爱珠而不爱其身也；吏受赇④抵法，与帝王徇奢欲而亡国者，何以异于彼胡之可笑邪？"魏征曰："昔鲁哀公谓孔子曰：'人有好忘者，徙宅而忘其妻。'孔子曰：'又有甚者，桀、纣乃忘其身。'亦犹是也。"上曰："然。朕与公辈宜戮力相辅，庶⑤免为人所笑也！"

上问魏征曰："人主何为而明，何为而暗？"对曰："兼听则明，偏信则暗。昔尧清问下民，故有苗之恶得以上闻；舜明四目[6]，达四聪[7]，故共、鲧、驩兜[8]不能蔽也。秦二世偏信赵高，以成望夷之祸[9]；梁武帝偏信朱异，以取台城之辱；隋炀帝偏信虞世基，以致彭城阁之变。是故人君兼听广纳，则贵臣不得拥蔽，而下情得以上通也。"上曰："善！"

上谓侍臣曰："人言天子至尊，无所畏惮。朕则不然，上畏皇天之监临，下惮群臣之瞻仰，兢兢业业，犹恐不合天意，未副人望。"魏征曰："此诚致治之要，愿陛下慎终如始，则善矣。"

上谓房玄龄等曰："为政莫若至公。昔诸葛亮窜廖立、李严于南夷，亮卒而立、严皆悲泣，有死者[10]，非至公能如是乎？又高颎为隋相，公平识治体，隋之兴亡，系颎之存没。朕既慕前世之明君，卿等不可不法前世之贤相也。"

上谓侍臣曰："朕观《隋炀帝集》，文辞奥博，亦知是尧、舜而非桀、纣，然行事何其反也？"魏征对曰："人君虽圣哲，犹当虚己以受人，故智者献其谋，勇者竭其力。炀帝恃其俊才，骄矜自用，故口诵尧、舜之言而身为桀、纣之行，曾不自知以至覆亡也。"上曰："前事不远，吾属之师也！"

[注释]

①谤讟：诽谤，怨言。②病人：损害百姓。③检察：监督检查。④受赇：贪赃受贿。⑤庶：但愿，表示希望。⑥四目：使视觉达于四方。⑦四聪：广开四方视听。⑧共、鲧、驩兜：上古时期的部落首领，人们连同上古时的古族三苗合称为"四罪"。⑨望夷之祸：指的是秦二世偏信赵高，在望夷宫被赵高所杀的典故。下文的"台城之辱"、"彭城阁之变"都是因偏听偏信导致亡国的典型案例。⑩有死者：指李严。

[译文]

有人上书主张秦王府的旧兵应全部授予武官，加入皇宫的警卫。太宗对他说："朕把天下当成家，选用贤才，难道旧兵之外就

唐纪 291

没有可信赖的人了吗？你的这个想法，不是弘扬朕的恩德于天下啊。"

太宗对公卿说："过去大禹凿山治水而百姓没有怨谤之言，是他与百姓利益一致的缘故。秦始皇修建宫室而百姓怨恨反叛，是秦始皇损人利己的缘故。精美华丽、珍贵奇异的物品，本是人们想得到的东西，如果放纵自己没有停止，那么危亡就会立刻降临。朕想造一个宫殿，材料已经具备，鉴于秦朝灭亡的教训而停了下来。亲王公卿以下，应当体察我的心意。"从此以后二十年间，民风习俗朴实无华，衣服没有用锦绣的，官府与百姓都富裕自给。

太宗对黄门侍郎王珪说："国家原本设置中书省、门下省，来相互监督检查，中书省起草诏书敕令，有时出现差错，那么门下省应当予以纠正错误。人的见解互不相同，如果互相辩论诘难，必须求得最恰当的，放弃个人见解顺从别人，也还是没有妨害呢！近来有人掩盖自己的短处，就形成嫌隙；有人苟且回避私人恩怨，知道是错误的也不予纠正，顺从一个人的颜面感情，造成亿万百姓深重的灾难，这是灭亡国家的为政措施啊。隋炀帝时，宫廷内外的百官务必相互顺从，当这个时候，人们都自认为有智谋，祸患不会殃及自身。等到天下大乱，家庭、国家双双灭亡，即使他们中间有人得以幸免灾难，也被当时舆论所贬损，永远不能磨灭。你们每一个人都应当公而忘私，不要和他们一样啊！"

太宗对侍臣说："我听说有个西域胡商获得一颗宝珠，割开身上的肉来把宝珠藏在里面，有这回事吗？"侍臣回答说："有这回事。"太宗说："人们都知道那个人爱珍珠而不爱惜他的身体啊；官吏贪赃受贿触犯刑法，和帝王追求奢侈的欲望而亡国的，与胡族商人的可笑举动有什么差异呢？"魏征说："过去鲁哀公对孔子说：'有人特别健忘，搬家却忘记他的妻子。'孔子说：'还有比这更严重的，夏桀、商纣竟然忘记自身。'也像这样。"太宗说："是这样。

我与你们应该齐心协力，相互辅助，但愿不被人耻笑啊！"

太宗问魏征："君主做什么可称作明，做什么可称作暗？"魏征回答："兼听则明，偏听则暗。过去尧帝清审详问百姓疾苦，所以有苗的恶行能够被上传让他知道；舜帝目明能远视四方，耳聪能远听四方，所以共工、鲧、驩兜的罪过不能遮掩。秦二世偏信赵高，造成望夷宫的灾祸；梁武帝偏信朱异，招致台城的耻辱；隋炀帝偏信虞世基，导致彭城阁的变故。因此君主如多方听取、广泛采纳各方意见，那么显贵的大臣就不能够堵塞言路，下情就能够上达。"太宗说："好！"

太宗对侍臣说："人们常说天子最为尊贵，无所畏惧。我则不是这样，向上怕上天的监督，向下惧怕群臣恭敬地观看，兢兢业业，还担心不合乎上天的旨意，不符合民众的愿望。"魏征说："这确实是使国家在政治上安定清平的要旨，希望陛下能慎始慎终，那就好了。"

太宗对房玄龄等人说："管理政事没有比大公无私更重要的了。过去诸葛亮流放廖立、李严到南方荒蛮之地，诸葛亮死时，廖立、李严都悲伤地流泪，李严哀伤而死，没有大公无私能这样吗？再如高颎做隋朝宰相，公正无私懂得治国之本，隋朝的兴亡，系于高颎的生死。朕既然仰慕前朝的明君，你们不能不效法前朝的贤相啊！"

太宗对侍臣说："我观览《隋炀帝集》，发现隋炀帝文章深奥而广博，他也知道赞同尧、舜而非议桀、纣，但是他做事为什么与文中说的相反呢？"魏征回答："君主即使是具有超凡品德、才智的人，也应当虚心地接受别人的意见，所以智慧的人奉献他的谋略，勇武之人竭尽他的勇力。隋炀帝仗着自己的才华，骄傲自负自以为是，所以他口中念诵着尧、舜的名言而身体干着桀、纣的恶行，竟然没有认清自己，以至于落到覆灭的境地。"太宗说："前朝发生的事情不算远，是我们君臣应该借鉴的啊！"

魏征苦谏死佳鹞

【唐纪九】 太宗贞观二年（戊子，628年）

征状貌不逾中人，而有胆略，善回人主意，每犯颜苦谏；或逢上怒甚，征神色不移，上亦为霁威①。尝谒告②上冢，还，言于上曰："人言陛下欲幸南山，外皆严装已毕，而竟不行，何也？"上笑曰："初实有此心，畏卿嗔，故中辍耳。"上尝得佳鹞，自臂之，望见征来，匿怀中；征奏事固久不已，鹞竟死怀中。

[注释]

①霁威：收敛严威；息怒。②谒告：告假。

[译文]

魏征相貌没有超过中等水平，却很有胆识谋略，善于让皇帝改变主意，常常敢于冒犯君主的威严当面直言规劝；有时碰上太宗非常生气，魏征面不改色，太宗也为之收敛盛怒。他曾告假去祭扫祖墓，回来后，对太宗说："人们都说陛下要临幸南山，外面都已严阵整装就绪，而您最后没去，为什么？"太宗笑着说："开始确实有这个想法，害怕你怪罪，所以中途停止了。"太宗曾得到一只品相颇好的鹞鹰，把它放在臂膀上，望见魏征走来，就藏在怀里；魏征上奏国事执意陈述很久不停，鹞鹰最后死在太宗怀里。

"隋文帝何如主也？"

【唐纪九】 太宗贞观四年（庚寅，630年）

乙丑，上问房玄龄、萧瑀①曰："隋文帝何如主也？"对曰：

"文帝勤于为治,每临朝,或至日昃,五品已上,引坐论事,卫士传餐而食;虽性非仁厚,亦励精之主也。"上曰:"公得其一,未知其二。文帝不明而喜察;不明则照有不通,喜察则多疑于物。事皆自决,不任群臣。天下至广,一日万机,虽复劳神苦形,岂能一一中理?群臣既知主意,唯取决受成②,虽有愆违③,莫敢谏争,此所以二世而亡也。朕则不然。择天下贤才,寘之百官,使思天下之事,关由宰相,审熟便安,然后奏闻。有功则赏,有罪则刑,谁敢不竭心力以修职业,何忧天下之不治乎?"因敕百司:"自今诏敕行下有未便者,皆应执奏,毋得阿从,不尽己意。"

[注释]

①萧瑀(575—648):字时文,其祖父是后梁宣帝萧察,隋炀帝皇后萧氏是他亲姐姐。萧瑀自幼以孝行闻名天下,且善学能书,骨鲠正直,仕后梁、隋、唐三朝,深得唐高宗、太宗器重,有令誉。②受成:接受已定的谋划。③愆违:过错,失误。

[译文]

乙丑日,皇上问房玄龄、萧瑀:"隋文帝是个什么样的君主呢?"房、萧回答说:"文帝勤于治理朝政,常常临朝,有时到太阳偏西,五品以上官员,延引坐下,谈论国事,卫士把饭菜送来让他们吃;虽然品性不算仁爱宽厚,也算是励精图治的君主。"皇上说:"你们只知其一,不知其二。文帝不贤明而喜欢苛察;不贤明,那么察看事物就有不通达的地方,喜欢苛察,就多怀疑他人。事情都是自己决定,不信任群臣。天下这么大,日理万机,即使劳心费神,怎能每一件事都符合情理?群臣既已知晓皇上意旨,只有接受已定的谋划,即使出现失误,没人敢劝谏争辩,这是隋朝到了第二代就灭亡的原因。朕则不是这样。选拔天下贤才,放在百官的位置上,让他们考虑天下大事,汇总到宰相处,深思熟虑就确定下来,然后上奏给我。有功就奖赏,有罪就处罚,谁敢不尽心竭力来做好自己分内的事,何愁天下不太平呢?"于是敕令百官:"今后诏令敕书颁布后有不便之处,都应执意上奏,不能阿谀顺从,不详尽表达自己的意见。"

魏征直言进谏

【唐纪十】 太宗贞观六年(壬辰,632年)

长乐公主将出降①,上以公主,皇后所生,特爱之,敕有司资送倍于永嘉长公主。魏征谏曰:"昔汉明帝欲封皇子,曰:'我子岂得与先帝子比!'皆令半楚、淮阳。今资送公主,倍于长主,得无异于明帝之意乎!"上然其言,入告皇后。后叹曰:"妾亟②闻陛下称重魏征,不知其故,今观其引礼义以抑人主之情,乃知真社稷之臣也!妾与陛下结发为夫妇,曲承恩礼,每言必先候颜色③,不敢轻犯威严;况以人臣之疏远,乃能抗言如是,陛下不可不从。"因请遣中使赍钱四百缗、绢四百匹以赐征,且语之曰:"闻公正直,乃今见之,故以相赏。公宜常秉此心,勿转移也。"

上尝罢朝,怒曰:"会须④杀此田舍翁。"后问为谁,上曰:"魏征每廷辱我。"后退,具朝服立于庭,上惊问其故。后曰:"妾闻主明臣直;今魏征直,由陛下之明故也,妾敢不贺?"上乃悦。

[注释]

①出降:公主下嫁。②亟:读 qì,屡次。③颜色:指皇帝的脸色。④会须:适逢需要。

[译文]

长乐公主将要出嫁,皇上因为公主是皇后亲生,特别宠爱她,敕令有关部门所给的陪嫁要超过永嘉长公主一倍。魏征劝谏说:

"过去汉明帝打算分封皇子,说:'我的儿子哪里能和先帝的儿子相比呢!'都让分得楚王、淮阳王封地的一半。现在给长乐公主的陪嫁,是长公主的一倍,恐怕与汉明帝的意思不相同吧!"皇上认为他说得对,回去告诉皇后。皇后感叹说:"妾多次听到陛下称赞看重魏征,不知原因,现在看见魏征引用礼义来抑制君王的私情,才知道他真是国家的栋梁之才呀!妾与陛下是结发夫妻,多蒙恩宠礼遇,每次说话还都要看您的脸色,不敢轻易冒犯您的威严;何况大臣与陛下较为疏远,还能像这样直言进谏,陛下不能不听他的意见。"于是请求派宦官携带四百缗钱、四百匹绢赏赐给魏征,并且告诉他说:"听说您公正坦率,今日才得以亲见,所以赏赐这些。您应该经常持此忠心,不要有所改变。"

皇上一次散朝,生气地说:"找机会一定杀掉这个年老的庄稼汉。"皇后问是谁,太宗说:"魏征每每在朝廷上羞辱我。"皇后退下,穿上朝服站在庭院,皇上惊奇地问怎么回事。皇后说:"我听说君主开明臣下就正直,如今魏征正直,是因为陛下开明的缘故,我怎能不祝贺呢?"皇上于是高兴起来。

太宗猎苑故事

【唐纪十一】太宗贞观十一年(丁酉,637年)

上猎于洛阳苑,有群豕突出林中,上引弓四发,殪①四豕。有豕突前,及马镫;民部尚书唐俭投马搏之,上拔剑斩豕,顾笑曰:"天策长史不见上将击贼邪,何惧之甚?"对曰:"汉高祖以马上得之,不以马上治之;陛下以神武定四方,岂复逞雄心于一兽?"上悦,为之罢猎,寻加光禄大夫。

安州都督吴王恪数出畋猎,颇损居人;侍御史柳范奏弹之。丁丑，恪坐免官，削户三百。上曰："长史权万纪事吾儿，不能匡正，罪当死。"柳范曰："房玄龄事陛下，犹不能止畋猎，岂得独罪万纪？"上大怒，拂衣而入。久之，独引范谓曰："何面折我？"对曰："陛下仁明，臣不敢不尽愚直。"上悦。

[注释]

①殪：读 yì，杀死。

[译文]

皇上在洛阳苑打猎，有一群野猪跑出丛林，皇上搭弓连发四箭，射死了四头野猪。有一头野猪冲在前面，触到了马镫；民部尚书唐俭下马与野猪搏斗，皇上拔剑砍死野猪，回头笑着说："天策长史没看见我就要杀死野猪，为什么这样害怕呢？"唐俭回答道："汉高祖凭借马上（征战）取得天下，不用马上（征战）治理天下；陛下凭借神明和威武平定天下，怎能对一头野兽再逞威风呢？"皇上听后很高兴，为此停止打猎，不久加封唐俭为光禄大夫。

安州都督吴王李恪多次出外打猎，对当地百姓造成很多危害；侍御史柳范上奏章弹劾他。丁丑日，李恪因此被免官，削减了三百户。皇上说："长史权万纪侍奉我儿子，不能尽心辅佐，罪当处死。"柳范说："房玄龄侍奉陛下，还不能阻止陛下打猎，哪能只怪罪权万纪呢？"皇上非常恼怒，拂袖回宫。过了很久，皇上单独拉着柳范说："为什么当面羞辱我？"柳范说："陛下仁惠英明，我不敢不说出诚恳耿直之言。"皇上听了很高兴。

尉迟敬德富不易妻

【唐纪十一】太宗贞观十三年（己亥，639 年）

上尝谓敬德曰："人或言卿反，何也？"对曰："臣反是实！臣从陛下征伐四方,身经百战,今之存者,皆锋镝之馀也。天下已定,乃更疑臣反乎?"因解衣投地,出其瘢痍①。上为之流涕,曰:"卿复服,朕不疑卿,故语卿,何更恨邪?"

上又尝谓敬德曰:"朕欲以女妻卿,何如?"敬德叩头谢曰:"臣妻虽鄙陋,相与共贫贱久矣。臣虽不学,闻古人富不易妻,此非臣所愿也。"上乃止。

[注释]

①瘢痍:伤疤,疤痕。

[译文]

皇上曾对尉迟敬德说:"有人说你谋反,怎么回事?"尉迟敬德回答说:"我谋反是事实!我跟随陛下四方征战,身经百战,身上留下的都是刀锋箭头的伤疤。天下已经安定,就又怀疑我谋反吗?"趁势脱下衣服扔在地上,露出身上的疮疤。皇上为他流泪,说:"你穿上衣服,朕不怀疑你,朕是故意跟你这么说的,何必这么怨恨呢?"

皇上又曾对尉迟敬德说:"朕想把女儿嫁给你,怎么样?"尉迟敬德叩头辞谢说:"我的妻子虽庸俗浅薄,但我们同甘共苦很多年了。我虽才疏学浅,听说古人富贵了不换妻子,您说的事不是我希望的呀。"皇上这才作罢。

太宗纳谏宽恕侯君集

【唐纪十一】太宗贞观十四年(庚子,640年)

君集之破高昌也,私取其珍宝;将士知之,竞为盗窃,君集不能禁,为有司所劾,诏下君集等狱。中书侍郎岑文本上疏,以为:"高昌昏迷①,陛下命君集等讨而克之,不逾旬日,并付大理。虽君集等自挂网罗，恐海内之人疑陛下唯录其过而遗其功也。臣闻命将出师，主于克敌，苟能克敌，虽贪可赏；若其败绩，虽廉可诛。是以汉之李广利、陈汤，晋之王濬，隋之韩擒虎，皆负罪谴，人主以其有功，咸受封赏。由是观之，将帅之臣，廉慎者寡，贪求者众。是以黄石公《军势》曰：'使智，使勇，使贪，使愚，故智者乐立其功，勇者好行其志，贪者急趋其利，愚者不计其死。'伏愿录其微劳，忘其大过，使君集重升朝列，复备驱驰，虽非清贞之臣，犹得贪愚之将，斯则陛下虽屈法而德弥显，君集等虽蒙宥而过更彰矣。"上乃释之。

[注释]

①昏迷：昏庸无道，糊涂妄为。

[译文]

侯君集攻克高昌后，私自占有其中的珍宝；将士知道后，争相偷盗，侯君集制止不了，被有关部门弹劾，皇上诏令把侯君集等人投进监狱。中书侍郎岑文本上奏疏，认为："高昌王昏庸无道，糊涂妄为，陛下命侯君集等人讨伐并攻克他们，不过十天，一并交付大理寺。即使君集等人自己触犯了法律，恐怕天下人怀疑陛下只记录他的过错，而遗忘了他的功劳。我听说命令将领率兵征讨，主要是能克敌制胜，如果能战胜敌人，即使贪婪一点儿也可受到赏赐；如果战败，即使清廉也应受惩罚。所以汉代的李广利、陈汤，晋代的王濬，隋朝的韩擒虎，都是身负罪过，君主认为他们有功劳，都受到封赏。由此看来，将帅之类的大臣，清廉谨慎的是少数，贪婪索取的是多数。所以黄石公《军势》中说：'使用有智慧、有勇气、贪婪、愚钝的人，有智慧的人乐于建功立业，有勇气的人喜欢实现理想，贪婪的人急于得到利益，愚钝的人不考虑生死。'我希望陛下记住他微薄的功劳，忘记他大的罪过，使侯君集重回到朝臣中，再次备列驱使武将之中，即使不是清廉忠贞的大臣，也算能位列贪蒌愚钝的将领,这就是陛下即使有亏于法度却使德政更加彰显,侯君集等人即使承蒙宽宥而过失更加明显了。"皇上就释放了侯君集等人。

文成公主如吐蕃

【唐纪十二】太宗贞观十五年(辛丑,641年)

春,正月,甲戌,以吐蕃禄东赞为右卫大将军。上嘉禄东赞善应对,以琅邪公主外孙段氏妻之;辞曰:"臣国中自有妇,父母所聘,不可弃也。且赞普未得谒公主,陪臣何敢先娶?"上益贤之,然欲抚以厚恩,竟不从其志。

丁丑,命礼部尚书江夏王道宗持节①送文成公主于吐蕃。赞普大喜,见道宗,尽子婿礼,慕中国衣服、仪卫之美,为公主别筑城郭宫室而处之,自服纨绮以见公主。其国人皆以赭涂面,公主恶之,赞普下令禁之;亦渐革其猜暴之性,遣子弟入国学②,受《诗》、《书》。

[注释]

①持节:古代使臣出行,持符节以为凭证。②国学:亦叫"国子监"。封建王朝的教育管理机构和最高学府。

[译文]

春天,正月,甲戌日,朝廷任命吐蕃禄东赞为右卫大将军。皇上称赞禄东赞擅长答对,把琅邪公主的外孙女段氏嫁给他为妻;禄东赞推辞说:"我在国内有妻子,父母为我聘娶的,不可以抛弃。况且赞普还未能拜谒公主(指娶公主为妻),陪臣我怎敢在他之先娶呢?"皇上更加器重他,只是想用大恩来安抚他,他最终没有顺从皇上的意志。

丁丑日，朝廷命礼部尚书、江夏王李道宗拿着符节护送文成公主到吐蕃去。赞普非常高兴，拜见李道宗，完全行女婿的礼节，他倾慕中原的服饰和仪仗的壮美，给公主另外修造了城郭、宫殿而让她住在里面，自己穿着精美的丝绸服装来拜见公主。他的国人都在脸上涂上红褐色，公主厌恶这样做，赞普就下令禁止涂面习俗；并逐步改变了他的猜忌凶暴的性格，派子弟进入国子监，学习《诗经》《尚书》。

"不知何罪而责，亦何罪而谢也"

【唐纪十二】太宗贞观十五年（辛丑，641年）

上问魏征："比来①朝臣何殊不论事？"对曰："陛下虚心采纳，必有言者。凡臣徇国②者寡，爱身者多，彼畏罪，故不言耳。"上曰："然。人臣关说③忤旨，动及刑诛，与夫蹈汤火冒白刃者亦何异哉？是以禹拜昌言④，良为此也。"

房玄龄、高士廉遇少府少监窦德素于路，问："北门近何营缮？"德素奏之。上怒，让玄龄等曰："君但知南牙⑤政事，北门小营缮，何预君事？"玄龄等拜谢。魏征进曰："臣不知陛下何以责玄龄等，而玄龄等亦何所谢！玄龄等为陛下股肱⑥耳目，于中外事岂有不应知者！使所营为是，当助陛下成之；为非，当请陛下罢之。问于有司，理则宜然。不知何罪而责，亦何罪而谢也！"上甚愧之。

上尝临朝谓侍臣曰："朕为人主，常兼将相之事。"给事中张行成退而上书，以为："禹不矜伐⑦而天下莫与之争。陛下拨乱反正，群臣诚不足望清光⑧；然不必临朝言之。以万乘之尊，乃与群臣校功争能，臣窃为陛下不取。"上甚善之。

[注释]

①比来：近来。②徇国：以身为国。徇，通"殉"。③关说：此指谏阻，劝说。④昌言：善言。引申为直言无讳。⑤牙：古代官署之称。胡三省认为，"南牙谓宰相，北门谓羽林诸将"。⑥股肱：大腿和胳膊。比喻辅助帝王的臣子。⑦矜伐：矜夸和居功。即夸耀自己的才能、功绩和恩惠。⑧清光：清雅的风采。

[译文]

皇上问魏征："近来朝中大臣为什么竟然不议论政事呢？"魏征回答说："陛下如果虚心接受，一定会有谈论政事的人。普通的大臣愿意为国家利益献出生命的人少，爱惜自己生命的人多，他们害怕因言论获罪，所以不敢谈论国事。"皇上说："说得对。大臣们禀告和劝说的话触犯了圣上的旨意，动不动触及刑律被杀，这与那些赴汤蹈火冒着寒光凛凛的刀锋之士又有什么区别呢？所以大禹拜谢直言进谏的人，的确是为了能让人直言不讳啊。"

房玄龄、高士廉在路上碰到少府少监窦德素，问道："北门近来在修缮什么？"窦德素将此事上奏皇上。皇上很生气，指责房玄龄等人说："你们只管执掌南衙政务，北门小小的修缮，关你们什么事？"房玄龄等跪拜请罪。魏征进谏说："臣不知道陛下凭借什么指责房玄龄等人，房玄龄等人也何必要谢罪！房玄龄等人是陛下的辅臣和耳目，对宫廷内外的事哪里有不该知道的！如果修缮是正确的，一定会帮助陛下完成这件事；如果做得不对，应当请求陛下停下来。他们询问有关官员，道理上就应当这样。他们不知因什么罪而受到指责，又因什么罪而谢罪呢！"皇上对这件事感到非常惭愧。

皇上曾亲临朝廷处理政事，对近臣说："朕作为君主，常常要兼管大将宰相的事。"给事中张行成退朝后上书，认为："大禹不恃才夸功而天下没有人和他争功名。陛下拨乱反正，群臣确实不能仰望到圣上清雅的风采；然而不一定在处理政事时谈论到这件事。凭借皇上尊贵,与群臣较量功名能耐,臣私下认为陛下不该这么做。"皇上认为他说得非常好。

魏征之死

【唐纪十二】 太宗贞观十七年(癸卯,643年)

郑文贞公魏征寝疾①,上遣使者问讯,赐以药饵,相望于道。又遣中郎将李安俨宿其第,动静以闻。上复与太子同至其第,指衡山公主欲以妻其子叔玉。戊辰,征薨,命百官九品以上皆赴丧,给羽葆②鼓吹,陪葬昭陵。其妻裴氏曰:"征平生俭素,今葬以一品羽仪③,非亡者之志。"悉辞不受,以布车载柩而葬。上登苑西楼,望哭尽哀。上自制碑文,并为书石④。上思征不已,谓侍臣曰:"人以铜为镜,可以正衣冠;以古为镜,可以见兴替;以人为镜,可以知得失。魏征没⑤,朕亡一镜矣!"

[注释]

①寝疾:卧病。②羽葆:即羽盖。古时用鸟羽装饰的车盖。③羽仪:羽饰。后以羽仪喻被人尊重,可作为表率。④书石:用朱笔在碑石上写字,以待镌刻。也叫"书丹"。⑤没:死亡,寿终。

[译文]

郑文贞公魏征病重卧床,皇上派遣使者前去问候,赐给他药物,送药的人络绎不绝。又派遣中郎将李安俨住在魏征的府第,一有消息就报告皇上。皇上又和太子一同到他的府第,示意将衡山公主嫁给魏征的儿子魏叔玉。戊辰日,魏征去世,皇上命令官员中九品以上的都去奔丧,给他的灵车上插满羽毛,安排乐队,让他陪葬昭陵。魏征的妻子裴氏说:"魏征一生俭朴,如今用一品官的礼仪安葬,不符合亡者的遗愿。"全部推辞不接受,用布罩住车子拉着棺材去埋葬。皇上登上苑西楼，望着魏征的灵车痛哭竭尽哀思。皇上亲自撰写碑文，并书写墓碑。皇上思念魏征不能自已，对近臣说："人用铜做镜子，可以用来整理衣帽；把历史当做镜子，可以看到朝代的兴衰更替；把人当做镜子，可以知道自己的得失。魏征去了，我失掉了一面镜子啊！"

太宗自言"五事"过古人

【唐纪十四】太宗贞观二十一年（丁未，647年）

上御翠微殿，问侍臣曰："自古帝王虽平定中夏，不能服戎、狄。朕才不逮①古人而成功过之，自不谕②其故，诸公各率意③以实言之。"群臣皆称："陛下功德如天地，万物不得而名言。"上曰："不然。朕所以能及此者，止由五事耳。自古帝王多疾胜己者，朕见人之善，若己有之。人之行能，不能兼备，朕常弃其所短，取其所长。人主往往进贤则欲寘诸怀，退不肖则欲推诸壑。朕见贤者则敬之，不肖者则怜之，贤不肖各得其所。人主多恶正直，阴诛显戮，无代无之，朕践祚以来，正直之士，比肩于朝，未尝黜责一人。自古皆贵中华，贱夷、狄，朕独爱之如一，故其种落④皆依朕如父母。此五者，朕所以成今日之功也。"顾谓褚遂良⑤曰："公尝为史官，如朕言，得其实乎？"对曰："陛下盛德不可胜载，独以此五者自与，盖谦谦⑥之志耳。"

[注释]

①不逮：不及，比不上。②谕：明白。③率意：悉意，尽意。④种落：种族部落。⑤褚遂良：唐书法家。与欧阳询、虞世南、薛稷并称"初唐四大书家"。以善书由魏征推荐给太宗，受到赏识。⑥谦谦：谦逊的样子。

[译文]

皇上临幸翠微殿，问近臣说："自古以来帝王即使平定了中原，也不能制服戎、狄。朕的才能赶不上古人而成就的功业超过了他们，我自己不明白其中的原因，你们各位将全部实话说出。"群臣都说："陛下的功业与德行像天地一样广大，把世间万物加在一起也难说清。"皇上说："不是这样。朕能成就如此功业的原因，只是因为五件事。自古帝王大多嫉妒那些超过自己的人，朕看见别人的优点，就像是自己拥有了这样的优点。人的品行与才能，不可能同时具备，朕常常舍弃他的短处，取他的长处。君王常常招进那些有才能的人就想着放置在怀里，抛弃那些没有才能的就想把他们推向沟壑。朕看见有才能的人就敬重他，遇见无才能者就怜悯他，有才能与无才能的人都得到了恰当的安排。君王多讨厌公正刚直的人，或秘密杀害，或明目张胆地杀戮，没有哪一个朝代不是这样，朕自即位以来，公正刚直的大臣在朝中一个挨一个，朕未曾贬黜责罚过一个人。自古以来帝王都以中原为尊贵，以夷、狄为卑贱，只有朕把他们一视同仁，所以他们各个部落都依附朕如同依附父母一样。这五个方面是朕成就今日功业的原因。"皇上回头对褚遂良说："你做过史官，像朕的话，说到问题的实质了吗？"褚遂良回答说："陛下崇高的品德不可能全部记载，只拿这五个方面说自己，这是多么谦虚的胸怀啊。"

房玄龄之死

【唐纪十五】太宗贞观二十二年（戊申，648年）

司空梁文昭公房玄龄留守京师，疾笃，上征赴玉华宫，肩舆[①]入殿，至御座侧乃下，相对流涕，因留宫下，闻其小愈则喜形于色；加剧则忧悴。玄龄谓诸子曰："吾受主上厚恩，今天下无事，唯东征未已，群臣莫敢谏，吾知而不言，死有馀责。"乃上表谏，以为："《老子》曰：'知足不辱，知止不殆。'陛下功名威德亦可足矣，拓地开疆亦可止矣，且陛下每决一重囚，必令三覆五奏，进素膳，止音乐者，重人命也。今驱无罪之士卒，委之锋刃之下，使肝脑涂地，独不足愍乎？向使高丽违失臣节，诛之可也；侵扰百姓，灭之可也；他日能为中国患，除之可也。今无此三条而坐烦②中国，内为前代雪耻，外为新罗报仇，岂非所存者小，所损者太乎？愿陛下许高丽自新，焚陵波③之船，罢应募之众，自然华、夷庆赖，远肃迩安。臣旦夕入地，傥蒙录此哀鸣，死且不朽！"玄龄子遗爱尚④上女高阳公主，上谓公主曰："彼病笃如此，尚能忧我国家。"上自临视，握手与诀，悲不自胜。癸卯，薨。

[注释]

①肩舆：轿子，此指坐轿。②坐烦：徒然劳烦。③陵波：驾凌水波。④尚：匹配，多指高攀婚姻。

[译文]

司空梁文昭公房玄龄在京城留守，病势沉重，皇上征召他到玉华宫，他被人用轿抬入殿内，到皇上御座的旁边下轿，二人相对流泪，皇上就把他留在宫中，听说他病情稍有起色就喜形于色；病情加重就忧伤。房玄龄对他的儿子们说："我蒙受皇上大恩，现在天下没有战事，只有东征没有结束，群臣没有人敢劝谏，我知道却不说，死有余辜。"于是上表章劝谏，认为："《老子》说：'知道满足不会遭到困辱，知道停止不会遇到危险。'陛下的功绩和名位、威势和德政也可以说是很充足了，开拓疆土也可以停下来，而且陛下每次处决一个犯有重罪的囚犯，一定要三次复审五次上奏，进用素食，停止演奏音乐，这是看重人命啊。现在驱使那些无罪的士兵，把他们放置在锋利的刀口下，让他们肝脑涂地，他们独独不值得怜悯吗？假使高丽国违背和失去做人臣的节操，谴责惩罚他们是可以的；假使欺凌和骚扰百姓，灭掉他们是可以的；假使日后可能成为中原祸患,除掉他们是可以的。现在高丽没有这三条罪过却徒然烦劳中原百姓,对内称给前代雪耻,对外称给新罗国报仇,这难道不是心志所在的太少,失去的太多了吗?希望陛下允许高丽国自己改正错误,焚毁准备渡海用的船只,遣散招募的百姓,当然华夏和东夷会庆幸得到依靠,远方恭顺而近处安定。臣早晚要死去,倘若承蒙陛下接受将死之人悲哀的呼唤,我死而不朽。"房玄龄的儿子房遗爱娶的是皇上的女儿高阳公主,皇上对公主说:"他病势沉重得这样,还能忧虑我的国家。"皇上亲自去探视,握着房玄龄的手与他诀别,悲痛不已。癸卯日,房玄龄去世。

武氏为后

【唐纪十五、十六】高宗永徽六年(乙卯,655年)

六月,武昭仪诬王后与其母魏国夫人柳氏为厌胜①,敕禁后母柳氏不得入宫。秋,七月,戊寅,贬吏部尚书柳奭为遂州刺史。奭行至扶风,岐州长史于承素希旨②奏奭漏泄禁中语,复贬荣州刺史。

唐因隋制,后宫有贵妃、淑妃、德妃、贤妃皆视一品。上欲特置宸妃,以武昭仪为之,韩瑗、来济谏,以为故事无之,乃止。

中书舍人饶阳李义府为长孙无忌所恶,左迁壁州司马。敕未至门下,义府密知之,问计于中书舍人幽州王德俭,德俭曰:"上欲立武昭仪为后,犹豫未决者,直恐宰臣③异议耳。君能建策④立之,则转祸为福矣。"义府然之,是日,代德俭直宿,叩阁上表,请废皇后王氏,立武昭仪,以厌⑤兆庶⑥之心。上悦,召见,与语,赐珠一斗,留居旧职。昭仪又密遣使劳勉之,寻超拜中书侍郎。于是卫尉卿许敬宗、御史大夫崔义玄、中丞袁公瑜皆潜布腹心于武昭仪矣。

长安令裴行俭闻将立武昭仪为后，以国家之祸必自此始，与长孙无忌、褚遂良私议其事。袁公瑜闻之，以告昭仪母杨氏，行俭坐左迁西州都督府长史。行俭，仁基之子也。

上一日退朝，召长孙无忌、李勣、于志宁、褚遂良入内殿。遂良曰："今日之召，多为中宫⑦，上意既决，逆之必死。太尉元舅⑧，司空功臣，不可使上有杀元舅及功臣之名。遂良起于草茅，无汗马之劳，致位至此，且受顾托，不以死争之，何以下见先帝？"勣称疾不入。无忌等至内殿，上顾谓无忌曰："皇后无子，武昭仪有子，今欲立昭仪为后，何如？"遂良对曰："皇后名家，先帝为陛下所娶。先帝临崩，执陛下手谓臣曰：'朕佳儿佳妇，今以付卿。'此陛下所闻，言犹在耳。皇后未闻有过，岂可轻废！臣不敢曲从陛下，上违先帝之命！"上不悦而罢。明日又言之，遂良曰："陛下必欲易皇后，伏请妙择天下令族，何必武氏。武氏经事先帝，众所具知，天下耳目，安可蔽也。万代之后，谓陛下为如何！愿留三思！臣今忤陛下，罪当死。"因置笏于殿阶，解巾叩头流血曰："还陛下笏，乞放归田里。"上大怒，命引出。昭仪在帘中大言曰："何不扑杀此獠？"无忌曰："遂良受先朝顾命，有罪不可加刑。"于志宁不敢言。

韩瑗因间奏事，涕泣极谏，上不纳。明日又谏，悲不自胜，上命引出。瑗又上疏谏曰："匹夫匹妇，犹相选择，况天子乎！皇后母仪万国，善恶由之，故嫄母辅佐黄帝，妲己倾覆殷王，《诗》云：'赫赫宗周，褒姒灭之。'每览前古，常兴叹息，不谓今日尘黩⑨圣代。作而不法，后嗣何观！愿陛下详之，无为后人所笑！使臣有以益国，菹醢之戮，臣之分也！昔吴王不用子胥之言而麋鹿游于姑苏。臣恐海内失望，棘荆生于阙庭，宗庙不血食⑩，期有日矣！"来济上表谏曰："王者立后，上法乾坤，必择礼教名家，幽闲令淑⑪，副四海之望，称神祇⑫之意。是故周文造舟以迎太姒，而兴《关雎》之化，百姓蒙祚⑬；孝成纵欲，以婢为后，使皇统亡绝，社稷倾沦。有周之隆既如彼，大汉之祸又如此，惟陛下详察！"上皆不纳。

他日，李勣入见，上问之曰："朕欲立武昭仪为后，遂良固执以为不可。遂良既顾命大臣，事当且已乎？"对曰："此陛下家事，何必更问外人？"上意遂决。许敬宗宣言于朝曰："田舍翁多收十斛麦，尚欲易妇；况天子欲立后，何豫诸人事而妄生异议乎？"昭仪令左右以闻。庚午，贬遂良为潭州都督。

冬，十月，己酉，下诏称："王皇后、萧淑妃谋行鸩毒，废为庶人，母及兄弟，并除名，流岭南。"许敬宗奏："故特进赠司空王仁祐告身⑭尚存，使逆乱馀孽犹得为荫，并请除削。"从之。

乙卯，百官上表请立中宫，乃下诏曰："武氏门著勋庸，地华缨黻⑮，往以才行选入后庭，誉重椒闱⑯，德光兰掖⑰。朕昔在储贰⑱，特荷先慈，常得侍从，弗离朝夕，宫壶⑲之内，恒自饬躬，嫔嫱之间，未尝迕目，圣情鉴悉，每垂赏叹，遂以武氏赐朕，事同政君，可立为皇后。"

十一月，丁卯朔，临轩命司空李勣赍玺绶册⑳皇后武氏。是日，百官朝皇后于肃义门。

故后王氏、故淑妃萧氏，并囚于别院，上尝念之，间行至其所，见其室封闭极密，惟窍壁以通食器，恻然伤之，呼曰："皇后、淑妃安在？"王氏泣对曰："妾等得罪为宫婢，何得更有尊称？"又曰："至尊若念畴昔，使妾等再见日月，乞名此院为回心院。"上曰："朕即有处置。"武后闻之，大怒，遣人杖王氏及萧氏各一百，断去手足，捉酒瓮中，曰："令二妪骨醉！"数日而死，又斩之。王氏初闻宣敕㉑，再拜曰："愿大家万岁！昭仪承恩，死自吾分。"淑妃骂曰："阿武妖猾，乃至于此！愿他生我为猫，阿武为鼠，生生扼其喉。"由是宫中不畜猫。寻又改王氏姓为蟒氏，萧氏为枭氏。

武后数见王、萧为祟②,被发沥血如死时状。后徙居蓬莱宫,复见之,故多在洛阳,终身不归长安。

[注释]

①厌胜:古代方士的一种巫术,谓能以诅咒制服人或物。厌,读 yā。②希旨:迎合皇上的意旨。③宰臣:指宰相。④建策:出谋献策,制定策略。⑤厌:满足。⑥兆庶:众百姓。⑦中宫:皇后居住之处,以别于东西二宫。为皇后的代称。⑧元舅:长舅,此指长孙无忌(约597—659),字辅机,河南洛阳人。原为北魏皇族支系,后改为长孙氏。是唐太宗李世民的内兄,文德顺圣皇后的哥哥。⑨尘黩:玷污。⑩血食:享受后代的牺牲祭祀。⑪幽闲令淑:幽雅娴静,贤淑美好。⑫神祇:天地神灵。⑬蒙祚:承受福祚。⑭告身:委任官职的凭证,类似后代的委任状。⑮地华缨黻:冠带与印绶。亦借指官位。⑯誉重椒闱:在宫内后妃居处声誉很好。椒闱,后妃居处。⑰德光兰掖:德行光照后宫。兰掖,后宫嫔妃所居之地。⑱储贰:储副,太子。⑲宫壶:御酒,此借指宫廷。⑳贲玺绶册:册封。㉑宣敕:诏书,或发布诏书。㉒为祟:作恶。

[译文]

六月,武昭仪诬陷王皇后与她的母亲魏国夫人柳氏施行巫术,皇上诏令禁止王皇后的母亲柳氏进入后宫。秋天,七月,戊寅日,把吏部尚书柳奭贬为遂州刺史。柳奭走到扶风,岐州长史于承素迎合皇上的意旨上奏说柳奭泄漏宫禁中的话,皇上又把他贬为荣州刺史。

唐朝沿袭隋朝旧制,后宫有贵妃、淑妃、德妃、贤妃,都被看做正一品。皇上想特别设置宸妃,让武昭仪做宸妃,韩瑗、来济劝谏,认为没有这样的先例,皇上才作罢。

中书舍人饶阳人李义府为长孙无忌所厌恶,被贬为壁州司马。敕令还没有下到门下省,李义府已秘密知晓,向中书舍人幽州人王德俭询问对策,王德俭说:"圣上打算立武昭仪为皇后,犹豫不决的原因,只担心宰相会有不同意见。你要是能献计献策立昭仪为后,就能转祸为福。"李义府认为他说得对。这一天,他代替王德俭值班，到内阁上奏表章，请求废黜王皇后，立武昭仪为皇后，来满足众百姓的心愿。皇上很高兴，召见李义府，与他谈话，赏赐他一斗珍珠，留任原来职务。武昭仪又秘密派遣使节慰劳勉励他，不久破格提拔他为中书侍郎。因此卫尉卿许敬宗、御史大夫崔义玄、御史中丞袁公瑜都暗中派遣亲信向武昭仪表示效忠。

　　长安令裴行俭听说皇上要立武昭仪为皇后，认为国家的祸患一定从此开始，与长孙无忌、褚遂良私下议论这件事。袁公瑜听说这件事后，把三人商议的事告诉武昭仪之母杨氏，裴行俭因此获罪被贬为西州都督府长史。裴行俭是裴仁基的儿子。

　　皇上在一天退朝后，召见长孙无忌、李勣、于志宁、褚遂良进入内殿。褚遂良说："今天的召见，多为了皇后的事，皇上的主意已定，违抗他一定是死罪。太尉是元舅，司空是功臣，不能让皇上承担斩杀元舅与功臣的坏名声。我褚遂良从平民起家，没有立下汗马功劳，达到今天这个位置，而且接受先帝遗诏，不因此拼命谏诤，如何到地下去见先帝？"李勣称病没有去。长孙无忌等人进入内殿，皇上回头对长孙无忌说："王皇后没有儿子，武昭仪有儿子，现在我想立昭仪为皇后，怎么样？"褚遂良回答说："皇后出身名门，是先帝为陛下所娶的妻子。先帝临终时，拉着陛下的手对臣说：'朕的好儿子好儿媳，现在将他们交付给你了。'这是陛下听到的话，先帝的话还在耳边回旋。皇后没有听说有过错，哪能够轻易废黜呢？臣不敢委曲顺从陛下，向上违背了先帝的诏令！"皇上不高兴而作罢。第二天又说这件事，褚遂良说："陛下一定打算改立皇后，臣请求精心选择天下的望族之女，何必一定是武氏？武氏已侍奉过先帝，人们全部知道，天下人的耳目，哪里可以遮蔽呢？千秋万代之后，人们认为陛下是什么人呢？希望陛下全面思考这一问题！我今天触犯陛下，论罪当死。"就把朝笏放在大殿的台阶上，解下头巾磕头，血流满面，说："还给陛下朝笏，乞求放我回归乡里。"皇上非常恼怒，命人将他拉出去。武昭仪在帘子后高声说："为什么不击杀了这个獠子？"长孙无忌说："褚遂良是接受先朝遗诏的大臣，有罪不可以施以刑罚。"于志宁不敢于进直言。

韩瑗趁机会上奏章言事，流着眼泪极力劝谏，皇上不予采纳。第二天又劝谏，悲伤得难以控制自己的情绪，皇上命人把他拉出去。韩瑗又上奏疏劝谏说："平民男女之间婚嫁，还要相互挑选，何况天子呢！皇后是天下人母的仪范，善恶都由她而生，所以说嫫母协助黄帝治理国家，妲己覆灭了殷王朝，《诗经》说：'赫赫有名的宗周，褒姒灭了它。'每次观览古代的史实，常会生发感叹，不料今天盛世也会受到玷污。做事不合法度，后世将怎样看这件事呢！希望陛下审察这件事，不要被后人耻笑！如果臣有用来补益国家的地方，即使受到被剁成肉酱的刑罚，也是我本分的事情！过去吴王不采纳伍子胥的建议而让麋鹿在破败的都城姑苏出没。我担心天下人（对陛下）丧失信心，宫廷长满荆棘，宗庙不能继续进行祭祀，料想不会多远了！"来济上表章劝谏说："君王册立皇后，最好取法天地阴阳之理，一定从礼仪教化良好的名门之女中选择，安详文雅，德行善美，符合天下人的期待，符合神灵的意图。所以说周文王造船来迎娶太姒，就盛行《关雎》的教化，百姓承受福祚；汉成帝放纵私欲，让婢女做皇后，使帝系断绝，社稷倾覆沦丧。周代的兴盛已经像那样，汉代的祸患又像这样，希望陛下仔细考察！"皇上都不采纳。

又一天，李勣进宫拜见，皇上问他说："朕想立武昭仪为皇后，褚遂良坚持己见认为不可以。褚遂良是顾命大臣，事情就该停下来吗？"李勣回答说："这是陛下家庭内的事情，何必又去问外人呢？"皇上的主意就定了下来。许敬宗在朝中扬言说："老农民多收了十斛麦子，还想着换个妻子呢；何况天子打算另立皇后，何必参与那么多事而乱发奇怪的议论呢？"武昭仪让身边的人把此话说给皇上听。庚午日，皇上把褚遂良贬为潭州都督。

冬天，十月，己酉日，皇上下诏书说："王皇后、萧淑妃阴谋用毒酒害人，废黜为庶人，其母亲和兄弟一并除去名籍，流放到岭南。"许敬宗上奏："故特进赠司空王仁祐的委任状还在，使得他的余孽还得到圣上的荫庇，一并请求消除。"皇上听从了他。

乙卯日，百官上表章请求册封皇后。皇上就下诏书："武昭仪出身门第显著，先辈功勋卓著，她曾凭借才干和品行入选后宫，在后妃居处声誉很好，德行光照后宫。朕过去做太子时，特别承受先皇慈爱，经常能够陪侍在先皇身边，早晚不离，发现武昭仪在宫中常常正身行事，妃嫔之间不曾反目，父皇完全了解她的情况，常常奖赏赞叹，于是把武昭仪赐予我，事情像汉元帝的皇后王政君一样，可以册立为皇后。"

十一月，丁卯日是初一，皇上坐在前殿命司空李勣携带皇后的印玺册封武昭仪为皇后。这一天，百官在肃义门朝拜武皇后。

废皇后王氏、废淑妃萧氏，共同关押在另一个院子里，皇上曾经想起她们，从小路走到了她们的住所，看见她们的房间封闭很严，只在墙上留有洞口用以送食物，便哀痛忧伤地叫道："皇后、淑妃在哪儿啊？"王氏哭着回答："妾等因罪而成宫女了，怎能配得上尊贵的称呼？"又说："皇上若念及过去的情分，让妾等重见日月，乞求将这院子命名为回心院。"皇上说："我就去办。"武后听说后大怒，派人杖打王氏、萧氏各一百棍，砍断她们的手和足，把她们扔进酒瓮里，说："让这两个女人的骨头也醉了。"几天后两个人死去，武后又对二人予以砍头。王氏刚开始听说要颁布诏书，就拜了两拜说："希望主人万岁！武昭仪蒙受恩惠，死才是我的本分。"淑妃骂道："武昭仪淫邪狡猾，我才到这个地步！愿下辈子我托生做猫，武昭仪托生做鼠，我一辈子都要扼着她的喉咙。"自此宫里不再养猫。不久，又改王氏的姓为蟒氏，萧氏为枭氏。武后眼前多次出现王氏、萧氏变为鬼神的样子,临死时披头散发血流遍地的情景。后来,武后迁居到蓬莱宫,又出现了前面的情况,所以武后多数时间住在洛阳,一辈子都没有再回长安。

李敬业之乱

【唐纪十九】则天后光宅元年(甲申,684年)

时诸武用事,唐宗室人人自危,众心愤惋。会眉州刺史英公李敬业及弟盩厔令敬猷、给事中唐之奇、长安主簿骆宾王、詹事司直杜求仁皆坐事①,敬业贬柳州司马,敬猷免官,之奇贬栝苍令,宾王贬临海丞,求仁贬黟令。求仁,正伦之侄也。盩厔尉魏思温尝为御史,复被黜。皆会于扬州,各自以失职怨望,乃谋作乱,以匡复庐陵王②为辞。

思温为之谋主,使其党监察御史薛仲璋求奉使江都,令雍州人韦超诣仲璋告变,云"扬州长史陈敬之谋反"。仲璋收敬之系狱。居数日,敬业乘传③而至,矫称扬州司马来之官,云"奉密旨,以高州酋长冯子猷谋反,发兵讨之"。于是开府库,令士曹参军李宗臣就钱坊,驱囚徒、工匠授以甲。斩敬之于系所;录事参军孙处行拒之,亦斩以徇,僚吏无敢动者。遂起一州之兵,复称嗣圣元年。开三府:一曰匡复府,二曰英公府,三曰扬州大都督府。敬业自称匡复府上将,领扬州大都督。以之奇、求仁为左、右长史,宗臣、仲璋为左、右司马,思温为军师,宾王为记室,旬日间得胜兵十余万。

移檄④州县,略曰:"伪临朝⑤武氏者,人非温顺,地实寒微。昔充太宗下陈⑥,尝以更衣⑦入侍,洎⑧乎晚节,秽乱春宫⑨。密隐先帝之私,阴图后庭之嬖,践元后⑩于翚翟⑪,陷吾君于聚麀⑫。"

又曰："杀姊屠兄，弑君鸩母，人神之所同嫉，天地之所不容。"又曰："包藏祸心，窃窥神器。君之爱子，幽之于别宫；贼之宗盟，委之以重任。"又曰："一抔之土未干，六尺之孤安在⑬？"又曰："试观今日之域中，竟是谁家之天下！"太后见檄，问曰："谁所为？"或对曰："骆宾王。"太后曰："宰相之过也。人有如此才，而使之流落不偶⑭乎！"

敬业求得人貌类故太子贤者，绐众云："贤不死，亡在此城中，令吾属举兵。"因奉以号令。

楚州司马李崇福帅所部三县应敬业。盱眙人刘行举独据县不从，敬业遣其将尉迟昭攻盱眙。诏以行举为游击将军，以其弟行实为楚州刺史。

甲申，以左玉钤卫大将军李孝逸为扬州道大总管，将兵三十万，以将军李知十、马敬臣为之副，以讨李敬业。

武承嗣与从父弟右卫将军三思以韩王元嘉、鲁王灵夔属尊位重，屡劝太后因事诛之。太后谋于执政，刘祎之、韦思谦皆无言；内史裴炎独固争，太后愈不悦。三思，元庆之子也。

及李敬业举兵，薛仲璋，炎之甥也，炎欲示闲暇，不汲汲⑮议诛讨。太后问计于炎，对曰："皇帝年长，不亲政事，故竖子得以为辞。若太后返政，则不讨自平矣。"监察御史蓝田崔詧闻之，上言："炎受顾托⑯，大权在己，若无异图，何故请太后归政？"太后命左肃政大夫金城骞味道、侍御史栎阳鱼承晔鞫之，收炎下狱。炎被收，辞气不屈。或劝炎逊辞以免，炎曰："宰相下狱，安有全理？"

凤阁舍人李景谌证炎必反。刘景先及凤阁侍郎义阳胡元范皆曰："炎社稷元臣⑰，有功于国，悉心奉上，天下所知，臣敢明其不反。"太后曰："炎反有端，顾卿不知耳。"对曰："若裴炎为反，则臣等亦反也。"太后曰："朕知裴炎反，知卿等不反。"文武间证炎不反者甚众，太后皆不听。俄并景先、元范下狱。丁亥，以骞味道检校内史同凤阁鸾台三品，李景谌同凤阁鸾台平章事。

魏思温说李敬业曰："明公⑱以匡复为辞，宜帅大众鼓行而进，直指洛阳，则天下知公志在勤王，四面响应矣。"薛仲璋曰："金陵有王气，且大江天险，足以为固，不如先取常、润，为定霸之基，然后北向以图中原，进无不利，退有所归，此良策也！"思温曰："山东豪杰以武氏专制，愤惋不平，闻公举事，皆自蒸麦饭为粮，伸锄为兵，以俟南军之至。不乘此势以立大功，乃更蓄缩自谋巢穴，远近闻之，其谁不解体！"敬业不从，使唐之奇守江都，将兵渡江攻润州。思温谓杜求仁曰："兵势合则强，分则弱，敬业不并力渡淮，收山东之众以取洛阳，败在眼中矣！"

壬辰，敬业陷润州，执刺史李思文，以李宗臣代之。思文，敬业之叔父也，知敬业之谋，先遣使间道上变⑲，为敬业所攻，拒守久之，力屈而陷。思温请斩以徇，敬业不许，谓思文曰："叔党于武氏，宜改姓武。"润州司马刘延嗣不降，敬业将斩之，思温救之，得免，与思文皆囚于狱。刘延嗣，审礼从父弟也。曲阿令河间尹元贞引兵救润州，战败，为敬业所擒，临以白刃，不屈而死。

丙申，斩裴炎于都亭。炎将死，顾兄弟曰："兄弟官皆自致，炎无分毫之力，今坐炎流窜，不亦悲乎？"籍没⑳其家，无甔石㉑之储。刘景先贬普州刺史，又贬辰州刺史，胡元范流琼州而死。裴炎弟子太仆寺丞伷先，年十七，上封事请见言事。太后召见，诘之曰："汝伯父谋反，尚何言？"伷先曰："臣为陛下画计耳，安敢诉冤？陛下为李氏妇，先帝弃天下，遽揽朝政，变易嗣子㉒，疏斥李氏，封崇诸武。臣伯父忠于社稷，反诬以罪，戮及子孙。陛下所为如是，臣实惜之！陛下早宜复子明辟㉓，高枕深居，则宗族可全；不然，天下一变，不可复救矣！"太后怒曰："胡白，小子敢发此言！"命引出。伷先反顾曰："今用臣言，犹未晚！"如是者三。太后命于朝堂杖之一百，长流瀼州。

炎之下狱也，郎将姜嗣宗使至长安，刘仁轨问以东都事，嗣宗曰："嗣宗觉裴炎有异于常久矣。"仁轨曰："使人觉之邪？"嗣宗曰："然。"仁轨曰："仁轨有奏事，愿附使人以闻。"嗣宗曰："诺。"明日，受仁轨表而还，表言："嗣宗知裴炎反不言。"太后览之，命拉嗣宗于殿庭，绞于都亭。

丁酉，追削李敬业祖考官爵，发冢斫棺，复姓徐氏。

[注释]

①坐事：因事获罪。②庐陵王：即唐中宗李显（656—710），原名李哲，唐高宗李治第七子，武则天第三子。③乘传：驿站用四匹马拉的车。④移檄：发布檄文。⑤临朝：天子或太后上朝处理国政。⑥下陈：古人宾主相互馈赠礼物、陈列在堂下，称为"下陈"。因而，古代统治者充实于府库、内宫的财物、妻婢，也叫"下陈"。此指武则天曾充当过唐太宗的才人。⑦更衣：换衣服。古人在宴会时以此作为离席休息或入厕的借口。⑧洎：及，到了。⑨春宫：东宫，太子所居。后借指太子。⑩元后：帝王的嫡妻。⑪翚翟：后妃的礼服。⑫聚麀：几头公的与同一母的交配，喻两辈人之间的乱伦关系。⑬一抔之土：语出《史记·张释之传》："假令愚民取长陵（汉高祖陵）一抔土，陛下将何法以加之乎？"这里借指皇帝的陵墓。六尺之孤：指继承皇位的新君。⑭不偶：不遇，不合。⑮汲汲：急急忙忙。⑯顾托：即"顾命"，帝王临终前的遗诏。⑰元臣：重臣，老臣。⑱明公：对有名位者的尊称。⑲上变：向朝廷告发紧急事变。⑳籍没：登记财物加以没收。㉑甔石："甔"通"儋"，读dān，口小腹大的瓦器。甔容一石，故称甔石。㉒嗣子：嫡长子为继承人者，即太子。㉓明辟：还政于君。

[译文]

当时，武氏家族的人把持朝政，李唐宗室人人自危，众人心怀愤恨。适逢眉州刺史英公李敬业和他的弟弟盩厔县令李敬猷、给事中唐之奇、长安县主簿骆宾王、詹事司直杜求仁都因事获罪，李敬业被贬为柳州司马，李敬猷被免官，唐之奇被贬为栝苍县令，骆宾王被贬为临海县丞，杜求仁被贬为黟县令。杜求仁是杜正伦的侄子。盩厔县尉魏思温曾做过御史，再次被罢退。他们都在扬州会合，各自以丢失官位而怨恼愤恨，于是图谋发动叛乱，以挽救复兴庐陵王的帝位为借口。

魏思温是他们出谋划策的主要人物，派其同伙监察御史薛仲璋请求奉命出使江都，让雍州人韦超到薛仲璋处报告发生变故，说"扬州长史陈敬之谋反"。薛仲璋拘捕陈敬之囚禁于牢狱。停了几天，李敬业乘驿车而来，诈称扬州司马来赴任，说"奉有密旨，因为高州酋长冯子猷谋反，要出兵讨伐他"。因此打开仓库，让士曹参军李宗臣进入铸钱作坊，迫使囚徒、工匠并交给他们铠甲。把陈敬之杀死在关押的场所；录事参军孙处行拒绝他，也被斩首示众，属官们都不敢乱动。于是征发一州的男子组建军队，再次称嗣圣元年。设置三个府衙：第一个叫匡复府，第二个叫英公府，第三个叫扬州大都督府。李敬业自称匡复府上将，兼扬州大都督。让唐之奇、杜求仁做左、右长史，李宗臣、薛仲璋做左、右司马，魏思温做军师，骆宾王做记室，十天时间征得精兵十余万人。

李敬业向州县发布文告晓示，大概是说："非法窃取皇位的武氏，人不温和恭顺，门第确实低贱卑微。过去充当太宗皇帝的才人，曾经凭借给太宗皇帝更衣的机会得以侍奉左右，到了太宗晚年，与太子淫乱。悄悄地隐瞒先帝对她的宠幸，暗地里谋求在后宫得宠，穿上皇后的礼服，登上皇后的宝座，陷我们的君王于乱伦的丑恶境地。"又说："武氏杀死她的姐姐韩国夫人和兄长武元爽、武元庆二人，谋杀君王，毒死母亲，是凡人天神共同痛恨的，为天地所不能容纳。"又说："武氏包藏着祸心，偷窥着帝位。皇上的爱子李旦，被幽居在正式寝宫以外的宫室；武氏的同宗武成嗣，被委以重任。"又说："先帝的坟土尚未干，年幼的新君在哪里呢？"又说："试看今日之世界，究竟是谁的天下！"太后看到檄文，问道："谁写的?"有人回答说:"骆宾王。"太后说:"这是宰相的过错。人家有这样的才华,却让他流落江湖不得恩遇!"

李敬业寻找到了一个相貌类似已故太子李贤的人,欺骗众人说:"李贤没有死,逃在这座城里,他让我们起兵。"于是拥戴他来号令天下。

楚州司马李崇福率领所统率的山阳县、盐城县、安宜县三县军队响应李敬业。唯独盱眙人刘行举占据县城不服从,李敬业派他的将军尉迟昭攻打盱眙。朝廷下诏书任命刘行举为游击将军,任命他的弟弟刘行实为楚州刺史。

甲申日,朝廷任命左玉钤卫大将军李孝逸为扬州道大总管,率领三十万军队,让将军李知十、马敬臣做他的副将,来讨伐李敬业。

武承嗣和堂弟右卫将军武三思因为韩王李元嘉、鲁王李灵夔在皇族中辈分尊贵地位显赫,多次劝太后借机杀掉他们。太后与掌握国家大权的大臣商议,刘祎之、韦思谦都没有说话;内史裴炎一个人坚持抗争,太后更加不高兴。武三思是武元庆的儿子。

等到李敬业起兵,薛仲璋是裴炎的外甥,裴炎想显示自己的平安无事,不急急忙忙谈论讨伐的事。太后问他讨伐叛贼的策略,裴炎回答说:"皇帝年龄大了,不能亲自处理政事,所以这些小子能以此为借口。如果太后把权力返还皇帝,那么不用征讨自会平定。"监察御史蓝田人崔詧听到裴炎说的话后,向武则天说:"裴炎受先帝临终嘱托,大权在握,如果没有不良企图,为什么要请太后归还权力?"太后命令左肃政大夫金城人骞味道、侍御史栎阳人鱼承晔审问裴炎,逮捕裴炎投入监狱。裴炎被抓后,言辞气概不屈不挠。有人劝裴炎用谦恭的言辞来免去罪责,裴炎说:"宰相进监狱,哪有保全之理?"

凤阁舍人李景谌作证裴炎一定谋反。刘景先和凤阁侍郎义阳人胡元范都说:"裴炎是国家的重臣,对国家有功,全心拥戴皇上,天下人都知道,我们敢证明他不会谋反。"太后说:"裴炎造反有迹象,只是你们不知道罢了。"刘、胡回答说:"如果裴炎是造反,那么我们也是造反了。"太后说:"朕知道裴炎造反,知道你们不会造反。"文武群臣中证明裴炎不会造反的人很多,太后都不听从他们的证言。不久,将刘景先、胡元范一并投入监狱。丁亥日,任命骞味道为检校内史同凤阁鸾台三品,李景谌为凤阁鸾台平章事。

魏思温劝李敬业说:"你以拥戴李旦为借口,应率领大军敲响战鼓进军,直趋洛阳,那么天下人知道你的志向是在勤王救驾,四方人士都会响应。"薛仲璋说:"金陵城有王者之气,还有长江天险的屏障,足以坚守,不如先夺取常州、润州,作为称霸的基业。这样以后向北去谋取中原,前进没有不利之处,退守也有去处,这是个好办法!"魏思温说:"崤山以东的豪杰因武氏专权,愤恨不平,听说你起兵,都亲自蒸麦饭做干粮,拿起锄头做武器,来等待南军的到来。不趁着这种形势来建立功业,反而又要退缩,自寻巢穴,远近的人听到你这样做后,有谁不人心离散呢!"李敬业没有听取他的话,派唐之奇镇守江都,自己率军队渡过长江攻打润州。魏思温对杜求仁说:"兵力合在一起就会增强,分散就会削弱,李敬业没有聚合力量渡过淮河,聚集崤山以东的军队来攻取洛阳,失败就在眼下啊!"

壬辰日,李敬业攻克润州,俘获刺史李思文,让李宗臣取代他。李思文是李敬业的叔父,知道李敬业的谋略,先派使者抄小路向朝廷告发李敬业反叛的紧急事变,被李敬业攻打,据险坚守了很长时间,军事力量用尽后城被攻破。魏思温请求把他斩首示众,李敬业不答应,对李思文说:"叔叔亲近武氏,应改姓武。"润州司马刘延嗣不投降,李敬业准备杀他,魏思温营救他,得以免于死罪,和李思文一起被关进监狱。刘延嗣是刘审礼的堂弟。曲阿县令河间人尹元贞带领军队救援润州，被打败，为李敬业所擒获，李敬业拿刀胁迫他，不肯屈服而死。

丙申日，朝廷在都亭处斩裴炎。裴炎临死前看着兄弟说："兄弟的官职都是凭自己努力而取得的，我没有出一点儿力气，现在因为我被流放，不是很伤心的事情吗？"朝廷登记并没收他的家产，没有一点积蓄。刘景先初被贬为普州刺史，接着被贬为辰州刺史，胡元范被流放琼州而死。裴炎弟弟的儿子太仆寺丞裴伷先，十七岁，上密封的奏章请求拜见陈说事情。太后召见他，责备他说："你的伯父谋反，还说什么呢？"裴伷先说："我替陛下筹谋计策，哪里敢申诉冤屈？陛下是李氏媳妇，先帝驾崩后，你就独揽大权，更换太子，疏远排斥李氏，封赏尊崇武姓诸王。臣伯父忠诚于国家，反而用罪名来诬陷他，杀戮殃及子孙。陛下像这样做，臣确实痛惜啊！陛下早该恢复儿子帝位还政于君，高卧深居，那么宗族可以保全；不这样做，天下一旦发生变故，就不可再次拯救了！"太后大怒说："胡说，小子竟敢说这样的话！"命令拉出去。裴伷先回过头说："现在采纳我说的话还不晚！"像这样说了三次。太后下令在朝堂上施以一百杖刑，长期流放瀼州。

裴炎被投入监狱时，郎将姜嗣宗出使到长安，刘仁轨拿东都的事询问他，姜嗣宗说："我觉察裴炎有异常情况很长时间了。"刘仁轨说："是使者发现的吗？"姜嗣宗说："是的。"刘仁轨说："我有事上奏，希望交给使者使太后知道。"姜嗣宗说："好。"第二天，姜嗣宗接到刘仁轨的奏章返回东都，奏章里说："姜嗣宗知道裴炎谋反不报告。"太后看后，命人把姜嗣宗从殿庭上拉下去，绞死在都亭。

丁酉日，朝廷追究李敬业前愆而削夺他祖上的官爵，发掘他的祖坟，砍斫棺木，恢复他的本姓徐氏。

僧怀义为白马寺寺主

【唐纪十九】则天后垂拱元年（乙酉，685年）

太后修故白马寺，以僧怀义为寺主。怀义，鄠人，本姓冯，名小宝，卖药洛阳市，因千金公主以进，得幸于太后；太后欲令出入禁中，乃度为僧，名怀义。又以其家寒微，令与驸马都尉薛绍合族，命绍以季父事之。出入乘御马，宦者十馀人侍从；士民遇之者皆奔避，有近之者，辄挝①其首流血，委之而去，任其生死。见道士则极意殴之，仍髡其发而去。朝贵皆匍匐礼谒，武承嗣、武三思皆执僮仆之礼以事之，为之执辔，怀义视之若无人。多聚无赖少年，度为僧，纵横犯法，人莫敢言。右台御史冯思勖屡以法绳之，怀义遇思勖于途，令从者殴之，几死。

[注释]

①挝：读 zhuā，敲击，打。

[译文]

太后修缮以前的白马寺，让僧怀义做寺主。僧怀义是鄠县人，本姓冯，叫小宝，在洛阳市场上卖药。依托千金公主被任用提拔，得到太后宠幸；太后想让他出入内宫，就剃度他为僧，取名怀义。又因为他家境贫寒卑微，让他与驸马都尉薛绍合成一大家族，让薛绍以叔父侍奉他。怀义出入皇宫乘坐太后御赐的马，有十几个宦官随从伺候；百姓碰到他的人都跑着避开，有靠近他的，总是被打得头破血流，丢弃一边就离开，任凭他活着或死去。看见道士就恣意殴打他们，还要剃去他们的头发才离开。朝中显贵都俯卧在地上行礼拜谒，武承嗣、武三思都用僮仆的礼节来侍奉他，替他牵着马缰绳，怀义看到他们好像没有看到一样。他大量聚集游手好闲的少年，度他们为僧，纵容他们无所顾忌地犯法，没有人敢说话。右台御史冯思勖多次依法惩治他们，怀义在路上遇到冯思勖，让手下人殴打他，差一点儿打死。

陈子昂上疏太后承顺天意

【唐纪二十】则天后永昌元年（己丑，689年）

右卫胄曹参军陈子昂上疏，以为："周颂成、康，汉称文、景，皆以能措刑①故也。今陛下之政，虽尽善矣，然太平之朝，上下乐化，不宜有乱臣贼子，日犯天诛②。比者大狱增多，逆徒滋广，愚臣顽昧③，初谓皆实，乃去月十五日，陛下特察系囚李珍等无罪，百僚庆悦，皆贺圣明，臣乃知亦有无罪之人挂于疏网者。陛下务在宽典，狱官务在急刑，以伤陛下之仁，以诬太平之政，臣窃恨之。又，九月二十一日赦免楚金等死，初有风雨，变为景云。臣闻阴惨者刑也，阳舒者德也；圣人法天，天亦助圣，天意如此，陛下岂可不承顺之哉？今又阴雨，臣恐过在狱官。凡系狱之囚，多在极法，道路之议，或是或非，陛下何不悉召见之，自诘其罪？罪有实者显示明刑④，滥者严惩狱吏，使天下咸服，人知政刑，岂非至德克明⑤哉？"

[注释]

①措刑：废置刑罚。②天诛：上天对有罪者的惩罚。③顽昧：愚笨无知。④明刑：指把犯人所犯罪状写在板上，置于其背以示惩罚。⑤克明：明察是非。

[译文]

右卫胄曹参军陈子昂上奏章认为："周朝人赞美成王、康王，汉朝人称扬文帝、景帝，都是因为他们能弃置刑罚的缘故。现在陛下的政治，虽然已经十分完善了，但太平之世，朝廷内外都乐意被教化，不应该有制造祸乱的大臣和贼人，每天触犯天条而被诛杀。近来重大的案件增多，叛逆的人越来越多，愚臣愚顽昏聩，起初认为他们的罪恶都是真实的，只是在上月十五日，陛下专门查明囚犯李珍等人无罪，百官欢庆喜悦，都祝贺陛下圣明，臣才知道也有无罪之人落入法网。陛下追求宽刑，主持刑狱的官吏追求严刑，来损坏陛下的仁慈，来歪曲太平政治，臣私下里恨这些人。再加上九月二十一日陛下赦免楚金等人死罪，天气从开始的风雨交加，变成祥云显现。臣听说天阴得很重象征着刑罚，天气晴朗象征着德化；圣明的人取法于天，上天也会帮助圣明之人，上天的旨意就是这样，陛下怎能不遵奉顺从天意呢？今天又是阴雨天，臣担心过错在主持刑狱的官吏。凡被关押在监狱的犯人，多数被判处最重的死刑，路上人们的议论，有的正确有的错误，陛下为什么不一一召见他们，亲自诘问他们的罪过呢？罪行确凿的把所犯罪状写在板上，置于其背以示惩罚；滥施刑罚的就严惩狱政官员，让天下人都信服，百姓知道政令和刑罚，难道不是具有最高的道德能明察是非吗？"

太后纳谏缓刑用仁

【唐纪二十一】则天后长寿元年（壬辰，692年）

太后自垂拱以来，任用酷吏，先诛唐宗室贵戚数百人，次及大臣数百家，其刺史、郎将以下，不可胜数。每除一官，户婢窃相谓曰："鬼朴①又来矣。"不旬月②，辄遭掩捕、族诛。监察御史朝邑严善思，公直敢言。时告密者不可胜数，太后亦厌其烦，命善思按问，引虚③伏罪者八百五十餘人。罗织之党为之不振，乃相与共构陷善思，坐流驩州。太后知其枉，寻复召为浑仪监丞。善思名譔，以字行。

石补阙新郑朱敬则以太后本任威刑以禁异议，今既革命，众心已定，宜省刑尚宽，乃上疏，以为："李斯相秦，用刻薄变诈以屠诸侯，不知易之以宽和，卒至土崩，此不知变之祸也。汉高祖定天下，陆贾、叔孙通说之以礼义，传世十二，此知变之善也。自文明草昧④，天地屯蒙⑤，三叔流言，四凶构难⑥，不设钩距⑦，无以应天顺人，不切刑名⑧，不可摧奸息暴。故置神器⑨，开告端⑩，曲直之影必呈，包藏之心尽露，神道助直，无罪不除，苍生晏然，紫宸⑪易主。然而急趋无善迹，促柱⑫少和声，向时之妙策，乃当今之刍狗⑬也。伏愿⑭览秦、汉之得失，考时事之合宜，审糟粕之可遗，觉蘧庐⑮之须毁，去萋菲⑯之牙角，顿奸险之锋芒，塞罗织之源，扫朋党之迹，使天下苍生坦然大悦，岂不乐哉！"太后善之，赐帛三百段。

[注释]

①鬼朴：做鬼的材料。②旬月：一个月。③引虚：诱供，诱使说假话。④草昧：天地初开时的混沌状态，亦指国家草创之时。"文明"指武则天称制初改元后用的年号。⑤屯蒙：万物初生稚弱貌。⑥三叔：指韩王、霍王等三位皇叔。四凶：指徐敬业等。构难，交战。⑦钩距：辗转查问，推其实情。⑧刑名：指战国时以申不害为代表的学派，主张循名责实，慎赏明罚，故称"刑名之学"，简称"刑名"。⑨神器：神异的器物，宝剑之类。⑩告端：告密之门。⑪紫宸：帝位的代称。⑫促柱：短的琴柱。柱，特指琴瑟等乐器上支弦的小立柱。⑬刍狗：古代束草为狗，供祭祀用，而后弃之。喻轻贱无用之物。⑭伏愿：希望。伏，谦敬之词。⑮蘧庐：旅馆。⑯萋菲：本是文采交错的样子，后比喻谗毁。

[译文]

太后从垂拱年间以来，任命使用酷吏，先是诛杀李唐宗室贵戚几百人，接着殃及大臣几百家。那些刺史、郎将以下的，数不胜数。每授予一个官位，守门的婢女就私下里相互说："做鬼的材料又来了。"不到一个月，就遭到逮捕、灭族。监察御史朝邑人严善思，公正耿直敢于发表自己的主张。当时告密的人不胜枚举，太后也嫌弃告密者太多，下令严善思查究审问，查出诱使说假话的有八百五十多人。罗织罪名害人的党徒因此一蹶不振，于是一起罗织罪名陷害严善思，严善思被流放𬮿州。太后知道他冤枉，不久又诏命他为浑仪监丞。严善思名谍，人们用他的字称呼他。

　　右补阙新郑人朱敬则认为太后本意是任用严酷刑罚来禁止不同的言论，现在已经代唐称帝登上皇位，社会各阶层已经趋于稳定，应该减少刑罚崇尚宽容，就上疏认为："李斯做秦的丞相，用冷酷无情和欺诈的手段来屠杀诸侯，不知改变为宽厚谦和，最终土崩瓦解，这是不懂得应时而变的危害啊。汉高祖平定天下，陆贾、叔孙通用礼义劝说他，帝位传世十二代，这是懂得变通的好处啊。从文明年间国家草创之时，天地刚刚开蒙，类似周初三位皇叔韩、霍等散布没有根据的话，徐敬业等四个罪魁祸首发难。不辗转查问，推其实情，没有办法用来顺应天命、顺从民心，不亲近刑名之学，不能摧毁奸邪平息暴乱。所以设置神异的宝器铜匦，大开告密之门，弯曲或正直的形影一定会呈现出来，包藏着的祸心一定会完全暴露出来，神明之道帮助正直之人，没有什么罪恶不被剔除，百姓安宁，帝位换了主人。但是极速快跑不能留下完整的足迹，短的琴柱演奏不出和谐的乐音，以前的好策略，变成现在轻贱无用的东西。希望您考察秦汉盛衰的得与失，考察时事怎么做才适宜，详究可以遗弃的糟粕，察知必须摧毁的藏污纳垢的传舍，铲除谗毁者的牙和角，毁坏奸诈阴险者的锋芒，遏止罗织罪名的源头，扫除朋党的踪迹，让天下百姓坦坦荡荡高高兴兴，难道不快乐吗？"太后认为他说得好，赏赐他三百匹帛。

唾面自干

【唐纪二十一】则天后长寿二年（癸巳，693年）

春，一月，庚子，以夏官侍郎娄师德同平章事。师德宽厚清慎，犯而不校。与李昭德俱入朝，师德体肥行缓，昭德屡待之不至，怒骂曰："田舍夫！"师德徐笑曰："师德不为田舍夫，谁当为之！"其弟除代州刺史，将行，师德谓曰："吾备位宰相，汝复为州牧，荣宠过盛，人所疾也，将何以自免？"弟长跪①曰："自今虽有人唾某面，某拭之而已，庶②不为兄忧。"师德愀然③曰："此所以为吾忧也！人唾汝面，怒汝也；汝拭之，乃逆其意，所以重其怒。夫唾，不拭自干，当笑而受之。"

[注释]

①长跪：直身而跪。②庶：但愿，表示希望。③愀然：形容神色变得严肃或不愉快。

[译文]

春天，一月，庚子日，武则天让夏官侍郎娄师德担任同平章事。娄师德宽容厚道清廉谨慎，被冒犯也不计较。与李昭德一起入朝，娄师德身体肥胖行动迟缓，李昭德几次等他不到，生气地骂道："乡巴佬！"娄师德慢慢地笑着说："我不当乡巴佬，谁当乡巴佬！"娄师德的弟弟拜官代州刺史，即将赴任。娄师德对他说："我位居宰相，你又做到州刺史，荣耀恩宠太多了，这是人们嫉妒的，你凭什么才能免于祸患？"弟弟庄重地跪着说："从今以后即使有人唾到我脸上，我把它擦去罢了，希望不让兄长忧虑。"娄师德严肃地说："这正是我忧虑的原因。人家唾到你脸上，是怨恨你啊；你擦掉它，就忤逆了人家的意思，所以人家更加愤怒。唾沫，不用擦，自己就干了，应当笑着接受它。"

酷吏来俊臣

【唐纪二十二】则天后神功元年（丁酉，697年）

箕州刺史刘思礼学相人于术士张憬藏，憬藏谓思礼当历箕州，位至太师。思礼念太师人臣极贵，非佐命无以致之，乃与洛州录事参军綦连耀谋反，阴结朝士，托相术，许人富贵，俟其意悦，因说以"綦连耀有天命，公必因之以得富贵"。凤阁舍人王勔兼天官侍郎事，用思礼为箕州刺史。

明堂尉吉顼闻其谋，以告合宫尉来俊臣，使上变告①之。太后使河内王武懿宗推②之。懿宗令思礼广引③朝士，许免其死，凡小忤意皆引之。于是思礼引凤阁侍郎同平章事李元素，夏官侍郎同平章事孙元亨，知天官侍郎事石抱忠、刘奇，给事中周潘及王勔兄泾州刺史勮、弟监察御史助等，凡三十六家，皆海内名士，穷楚毒④以成其狱，壬戌，皆族诛之，亲党连坐流窜者千余人。

初，懿宗宽思礼于外，使诬引诸人。诸人既诛，然后收思礼，思礼悔之。懿宗自天授以来，太后数使之鞫狱，喜诬陷人，时人以为周、来之亚。

来俊臣欲擅其功，复罗告吉顼；顼上变⑤，得召见，仅免。俊臣由是复用，而顼亦以此得进。

俊臣党人罗告司刑府史樊惎谋反，诛之。惎子讼冤于朝堂，无敢理者，乃援刀自刳其腹。秋官侍郎上邽刘如璿见之，窃叹而泣。俊臣奏如璿党恶逆，下狱，处以绞刑；制⑥流瀼州。

司仆少卿来俊臣倚势贪淫，士民妻妾有美者，百方取之；或使人罗告其罪，矫称敕以取其妻，前后罗织诛人，不可胜计。自宰相以下，籍其姓名而取之。自言才比石勒。监察御史李昭德素恶俊臣，又尝庭辱秋官侍郎皇甫丈备，二人共诬昭德谋反，下狱。

俊臣欲罗告武氏诸王及太平公主，又欲诬皇嗣及庐陵王与南北牙同反，冀因此盗国权，河东人卫遂忠告之。诸武及太平公主恐惧，共发其罪，系狱，有司处以极刑。太后欲赦之，奏上三日，不出。王及善曰："俊臣凶狡贪暴，国之元恶，不去之，必动摇朝廷。"太后游苑中，吉顼执辔，太后问以外事，对曰："外人唯怪来俊臣奏不下。"太后曰："俊臣有功于国，朕方思之。"顼曰："于安远告虺贞反，既而果反，今止为成州司马。俊臣聚结不逞⑦，诬构良善，赃贿如山，冤魂塞路，国之贼也，何足惜哉！"太后乃下其奏。

丁卯，昭德、俊臣同弃市，时人无不痛昭德而快俊臣。仇家争啖俊臣之肉，斯须而尽，抉眼剥面，披腹出心，腾蹋成泥。太后知天下恶之，乃下制数其罪恶，且曰："宜加赤族之诛⑧，以雪苍生之愤，可准法籍没⑨其家。"士民皆相贺于路曰："自今眠者背始帖席矣。"

俊臣以告綦连耀功，赏奴婢十人。俊臣阅司农婢，无可者，以西突厥可汗斛瑟罗家有细婢，善歌舞，欲得以为赏口⑩，乃使人诬告斛瑟罗反。诸酋长诣阙割耳嫠面⑪讼冤者数十人。会俊臣诛，乃得免。

俊臣方用事，选司⑫受其属请不次⑬除官者，每铨数百人。俊臣败，侍郎皆自首。太后责之，对曰："臣负陛下，死罪！臣乱国家法，罪止一身；违俊臣语，立见灭族。"太后乃赦之。

上林令侯敏素谄事俊臣，其妻董氏谏之曰："俊臣国贼，指日将败，君宜远之。"敏从之。俊臣怒，出为武龙令。敏欲不往，妻曰："速去勿留！"俊臣败，其党皆流岭南，敏独得免。

[注释]

①变告：上书告发谋反作乱之事。②推：审讯，探问。③引：揭发，检举。④楚毒：酷刑。⑤上变：向朝廷告发紧急事变。⑥制：帝王的命令。⑦不逞：本指不得志，不如意。多指为非作歹的人。⑧赤族之诛：诛灭全族。⑨籍没：登记财物加以没收。⑩赏口：赏给奴仆。⑪婴面：把脸划破。⑫选司：即吏部尚书。⑬次：次序，级别。不次是不按次序、不按级别。

[译文]

箕州刺史刘思礼向道术之士张憬藏学习相面术，张憬藏说刘思礼应当会担任箕州刺史，官至太师的职位。刘思礼考虑太师是人臣中最为尊贵的，不是辅佐帝王创业的人无法实现这一目标，就和洛州录事参军綦连耀谋划造反，暗中勾结朝中人士，依托相面之术，许诺给人富贵，等到他心情愉悦，趁机劝说："綦连耀有上天的意旨，你一定依靠他来获取富贵。"凤阁舍人王勮兼天官侍郎事，任命刘思礼为箕州刺史。

明堂尉吉顼听说了刘思礼的阴谋，把它告诉合宫县尉来俊臣，让他上书告发刘思礼。太后派遣河内王武懿宗审讯刘思礼。武懿宗使刘思礼广为揭发朝中官员，答应免除他的死罪，凡是对武懿宗稍有违逆心意的都要检举揭发。因此刘思礼揭发凤阁侍郎同平章事李元素，夏官侍郎同平章事孙元亨，知天官侍郎石抱忠、刘奇，给事中周谝和王勮的兄长泾州刺史王勔，王勮的弟弟监察御史王助等，共三十六家，都是国内名人。用尽酷刑来定他们的罪，壬戌日，把他们全部灭族，被连坐流放的亲族党徒有一千多人。

当初，武懿宗表面上对刘思礼宽容，让他诬陷揭发群臣。群臣被诛杀后，接着逮捕刘思礼。刘思礼后悔了。武懿宗从天授年间以来，太后多次让他审理案件，他喜欢诬告陷害人，当时的人把他看做是周兴、来俊臣第二。

来俊臣想独揽功劳，又罗织罪名告发吉顼；吉顼向朝廷告发紧急事变，得到太后召见，才免于罪责。来俊臣因此又被重用，吉顼也因此得以晋升。

来俊臣同伙罗织罪名告发司刑府史樊惎图谋造反，杀了他。樊惎的儿子在朝堂上讼诉冤屈，没有人敢审理，他就拿出刀自己剖腹。秋官侍郎上邽人刘如璿看到此事，私下慨叹哭泣。来俊臣上奏刘如璿偏私恶党叛逆，把他投入监狱，判处绞刑；太后下令把他流放瀼州。

司仆少卿来俊臣依仗权势贪财好色，士人百姓的妻妾有貌美的，他用多种方法掠取占有；或者派人罗织罪名告发他人犯罪，诈称敕令来夺取别人的妻子，先后罗织罪名杀死的人不可计算得尽。从宰相以下，登记他们的姓名占有他们的妻妾。来俊臣自认为才能可与石勒相比。监察御史李昭德一向憎恨来俊臣，又曾经当庭羞辱秋官侍郎皇甫文备，两人一起诬陷李昭德图谋造反，把他投入监狱。

来俊臣想罗织罪名告发武姓诸王和太平公主，又想诬陷皇室的子嗣和庐陵王与京城南北衙门的官员一同谋反，企图以此窃取国家权力，河东人卫遂忠告发了他。武姓诸王和太平公主很害怕，共同揭发来俊臣的罪行，把他囚禁于牢狱，主管官员判处他死刑。太后想赦免他。奏章呈上三天，没有批示。王及善说："来俊臣凶顽狡诈贪婪暴虐，是国家的首恶，不除掉他，一定会动摇朝廷的根基。"太后在园林中游览，吉顼手持马缰绳驾车，太后用宫廷外的事来询问他，吉顼回答说："外面的人只奇怪处斩来俊臣的奏章没有批下来。"太后说："来俊臣对国家是有功的，朕正在考虑这事。"吉顼说："于安远告发虺贞谋反，不久虺贞果然谋反，于安远现在只做到成州司马。来俊臣聚集结交失意的人，诬陷构恶好人，贪赃纳贿的赃物堆积如山，被他害死的冤魂充塞道路，他是国家的祸害，有什么可惜的！"太后这才批准了奏书。

丁卯日，李昭德、来俊臣一起被处死并暴露于市，当时的人没有不痛惜李昭德而为处决来俊臣感到快意的。仇人争着吃来俊臣的肉，片刻就吃光了，挖出眼睛，剥下脸皮，打开胸腹，取出心脏，用脚踩踏成泥。太后知道天下的人憎恨他，就下诏书列举他的罪状，并且说："应诛灭全族，以洗刷百姓的仇恨，可按照法度登记没收他家的财物。"士人百姓都在路上相互庆贺说："从现在开始睡觉时脊背可以贴着席子了。"

　　来俊臣因为告发綦连耀有功，武则天赏赐他十个奴婢。来俊臣阅视司农寺官署的婢女，没有可心的，因为西突厥可汗斛瑟罗家有个小婢女，擅长唱歌跳舞，来俊臣便想得到她作为赏赐的婢女，就派人诬陷告发斛瑟罗造反。众多酋长到皇宫里割耳朵划破脸讼诉冤屈的有几十人。适逢来俊臣被诛杀，斛瑟罗得以幸免。

　　来俊臣刚执掌政权时，吏部尚书接受他的请托不按次序授予官职，每一次铨选有几百人。来俊臣伏法后，侍郎们都去自首。太后责备他们，他们回答说："我们辜负了陛下，该处死罪！我们扰乱了国家的法律，罪名只在自身；违背了来俊臣的话，即刻会被灭族。"太后就赦免了他们。

　　上林令侯敏向来逢迎侍奉来俊臣，他的妻子董氏劝他说："来俊臣是国家的祸害，不久将身首异处，你应该远离他。"侯敏听从了她的话。来俊臣很生气，把他贬为武龙县令。侯敏想不去，妻子说："快去不要停留！"来俊臣败亡后，他的同伙都被流放岭南，只有侯敏免于流放。

狄仁杰上疏治国方略

【唐纪二十二】则天后神功元年（丁酉，697年）

　　仁杰上疏以为："天生四夷①，皆在先王封略②之外，故东拒沧海，西阻流沙，北横大漠，南阻五岭，此天所以限夷狄而隔中外也。自典籍所纪，声教所及，三代③不能至者，国家尽兼之矣。诗人矜薄伐于太原，美化行于江、汉④，则三代之远裔，皆国家之域中也。若乃用武方外⑤，邀功绝域，竭府库之实以争不毛之地，得其人不足增赋，获其土不可耕织，苟求冠带⑥远夷之称，不务固本安人之术，此秦皇、汉武之所行，非五帝、三王之事业也。始皇穷兵极武，务求广地，死者如麻，至天下溃叛。汉武征伐四夷，百姓困穷，盗贼蜂起；末年悔悟，息兵罢役，故能为天所祐。近者国家频岁出师，所费滋广，西戍四镇，东戍安东，调发日加，百姓虚弊。今关东饥馑，蜀、汉逃亡，江、淮已南，征求不息，人不复业，相率为盗，本根一摇，忧患不浅。其所以然者，皆以争蛮貊不毛之地，乖⑦子养苍生之道也。昔汉元纳贾捐之之谋而罢朱崖郡，宣帝用魏相之策而弃车师之田，岂不欲慕尚虚名，盖惮劳人力也。近贞观中克平九姓⑧，立李思摩为可汗，使统诸部者，盖以夷狄叛则伐之，降则抚之，得推亡固存之义，无远戍劳人之役，此近日之令典，经边之故事也。窃谓宜立阿史那斛瑟罗为可汗，委之四镇，继高氏绝国，使守安东。省军费于远方，并甲兵于塞上，使夷狄无侵侮之患则可矣，何必穷其窟穴，与蝼蚁校长短哉！但当敕边兵，谨守备，远斥候，聚资粮，待其自致，然后击之。以逸待劳则战士力倍，以主御客则我得其便，坚壁清野则寇无所得；自然二贼深入则有颠踬⑨之虑，浅入必无寇获之益。如此数年，可使二虏不击而服矣。"事虽不行，识者是之。

[注释]

①四夷：古代统治者对四方少数民族的蔑称，指东夷、西戎、南蛮和北狄。②封略：封疆，界域。③三代：夏商周三代。④依胡三省注，《诗经·六月》载宣王北伐，其诗云："薄伐猃狁，至于太原。"又《汉广》之诗，美文王之道被于南国，美化行乎江汉之域。薄伐，征讨。⑤方外：中原之外，也指边远地区。⑥冠带：冠带是中原的服饰，因以借指文明。⑦乖：违背，背离。

⑧九姓：指突厥的九个部落。⑨颠踬：跌倒、困顿。

[译文]

狄仁杰上疏认为："天下的东西南北四夷，都在先王的封疆之外，所以向东到大海，向西阻隔流沙，北边横亘着大漠，南边阻拦着五岭，这些是老天用来限制夷狄并且隔开中原和外邦的险阻啊。自典籍记载以来，声威教化所波及的，夏商周三代没有到达的地方，国家已全部兼并了它们。诗人夸耀周宣王向北征伐到太原，周文王的美好教化在长江、汉水流域推行，那么夏商周三代的边远地区，现在都是国家疆域之内的了。如果还在疆域之外使用武力，在极远的地方谋求功名，用尽仓库的积蓄来争夺不毛之地，得到那里的百姓不足以增加赋税收入，获得那里的土地不能用来进行农业生产，无原则地求取边远地区夷狄获得文明之邦的声誉，不追求巩固根本安定百姓的计谋，这是秦始皇、汉武帝所做的，不是五帝三皇的功业啊。秦始皇穷兵黩武，追求扩大领土面积，死去的人不知其数，致使天下百姓叛乱离散。汉武帝出兵攻打周边少数民族，导致百姓穷困，盗贼蜂拥而起；晚年后悔觉悟，停止战争，免除徭役，所以能被上天佑护。近来国家连年出兵，耗费越来越大，在西边戍守四镇，在东边戍守安东，征调一天天增加，百姓虚弱疲敝。现在函谷关以东闹灾荒，蜀、汉百姓逃亡，长江、淮河以南，征收没有止息，百姓不能恢复农业生产，一个接一个成为盗贼，根基一发生动摇，祸患不浅。出现这种现象的原因，都是因为争夺蛮貊占领的贫瘠土地，背离了养育百姓的道义。过去汉元帝采纳贾捐之的谋略裁撤朱崖郡，汉宣帝采用魏相的计策放弃车师的土地，并非不想崇尚虚名，只是害怕耗费人力。近来贞观年间，平定突厥九个部落，立李思摩为可汗，让他管辖突厥各部落的原因，就是在夷狄反叛时就讨伐他们，降伏时就安抚他们，遵照推翻行亡道之国、巩固实行存道之邦的道理，没有到远方戍守而劳民的徭役，这是近来国家的法令典章，经营边疆的先例啊。我私下认为应该立阿史那斛瑟罗为可汗，把西北边关四镇委托给他，使已灭亡的高丽国延续下去，让高氏镇守安东。省掉戍守远方的军费，在边塞上聚合军队，让夷狄没有来侵犯欺侮的祸患就行了，何必穷追到他们的巢穴，与蝼蚁之辈较量优劣呢！只应当命令边境驻军，谨慎守御戒备，在遥远的边防设置哨卡，积聚物资和粮食，等敌人自己来了，然后攻击它。以逸待劳，则作战士兵的战斗力就会倍增；占据主动地位防御入侵的敌人，那么我们一方就能获得好处；坚壁清野，那么入侵的贼寇便没有获得的东西；理所当然地，突厥人和吐蕃人侵入我领土内地就会有被颠覆的忧虑，侵入领土不深一定没有攻劫掠夺的好处。像这样过几年，就能让突厥人和吐蕃人不战而屈服。"这事虽然没有施行，有识之士认为狄仁杰的意见是对的。

太平公主权倾朝野

【唐纪二十五】睿宗景云元年（庚戌，710年）

太平公主沉敏①多权略②，武后以为类己，故于诸子中独爱幸，颇得预密谋，然尚畏武后之严，未敢招权势；及诛张易之，公主有力焉。中宗之世，韦后、安乐公主皆畏之，又与太子共诛韦氏。既屡立大功，益尊重，上常与之图议大政，每入奏事，坐语移时③；或时不朝谒，则宰相就第咨之。每宰相奏事，上辄问："尝与太平议否？"又问："与三郎议否？"然后可之。三郎，谓太子也。公主所欲，上无不听，自宰相以下，进退系其一言，其馀荐士骤历④清显者不可胜数，权倾人主，趋附其门者如市。子薛崇行、崇敏、崇简皆封王，田园遍于近甸⑤，收市营造诸器玩，远至岭、蜀，输送者相属于路，居处奉养，拟于宫掖⑥。

[注释]

①沉敏：沉着机敏。②权略：随机应变的谋略。③移时：一段时间。④骤历：迅速升迁。⑤近甸：城郊以外的地方。古称郭外为郊，郊外为甸。⑥宫掖：宫廷，皇宫。

[译文]

太平公主沉着聪慧多谋略，武后认为她像自己，所以在众多的子女中唯独宠爱她，于是能够参与国家机密的谋划，但她还是害怕武后的威严，不敢招惹居高位有势力的人；等到诛杀张易之时，太平公主出了大力。唐中宗时，韦皇后和安乐公主都害怕她，她又和太子李隆基共同诛杀了韦氏。太平公主已经屡次荣立大功，地位更加尊贵，皇上经常同她商讨国家政务，每次她入朝向皇帝陈述事情，都要和皇上坐谈一段时间；有时她没去上朝觐见，宰相会到她府第征询意见。每当宰相们向皇帝奏陈事情，皇上总是问："曾经与太平公主商议过吗？"还要问："与三郎商量过吗？"然后皇上才会同意宰相们的意见。三郎，是太子李隆基。太平公主所想做的事，皇上没有不听从的。从宰相以下，官员的升迁或免职全凭她一句话，其余她举荐的士人迅速升迁清要显达官位的数不胜数。她的权势压倒了皇上，趋承依附她门庭的人就像集市一样多。她的儿子薛崇行、薛崇敏、薛崇简都被封王。田产园林遍布在都城近郊，收购或制造各种可供玩赏的器物，最远可到达岭南、巴蜀，为她运送物品的人相继于路。她的日常生活和待遇，也效法宫廷。

姚元之为相

【唐纪二十六】玄宗开元元年（癸丑，713年）

甲辰，猎于渭川。上欲以同州刺史姚元之为相，张说疾之，使御史大夫赵彦昭弹之，上不纳。又使殿中监姜皎言于上曰："陛下常欲择河东总管而难其人，臣今得之矣。"上问为谁，皎曰："姚元之文武全才，真其人也。"上曰："此张说之意也，汝何得面欺，罪当死！"皎叩头首服，上即遣中使召元之诣行在①。既至，上方猎，引见②，即拜兵部尚书、同中书门下三品。

元之吏事明敏，三为宰相，皆兼兵部尚书，缘边屯戍斥候③，士马储械，无不默记。上初即位，励精为治，每事访于元之，元之应答如响，同僚唯诺而已，故上专委任之。元之请抑权幸，爱④爵赏，纳谏诤，却贡献，不与群臣褒狎，上皆纳之。

姚元之尝奏请序进⑤郎吏，上仰视殿屋，元之再三言之，终不应；元之惧，趋出。罢朝，高力士谏曰："陛下新总万机，宰臣奏事，当面加可否，奈何一不省察！"上曰："朕任元之以庶政⑥，大事当奏闻共议之；郎吏卑秩，乃一一以烦朕邪！"会力士宣事至省中，为元之道上语，元之乃喜。闻者皆服上识君人之体。

左拾遗曲江张九龄，以元之有重望，为上所信任，奏记⑦劝其远谄躁，进纯厚，其略曰："任人当才，为政大体，与之共理，无出此途。而曩之用才，非无知人之鉴，其所以失溺⑧，在缘情之举。"又曰："自君侯职相国之重，持用人之权，而浅中弱植⑨之徒，已延颈企踵⑩而至，谄亲戚以求誉，媚宾客以取容，其间岂不有才，所失在于无耻。"元之嘉纳其言。

[注释]

①行在：皇帝出行所到之地，亦称"行在所"。②引见：接见。③斥候：侦察敌情的士兵，此指瞭望所。④爱：珍惜。⑤序进：按照顺序提拔任用。⑥庶政：各种政务。⑦奏记：用书面向公府等长官陈述意见。⑧失溺：谓失于举人，淹没良才。⑨浅中弱植：浅陋无知，才疏学浅，懦弱无能，不能有所建树。⑩延颈企踵：伸长脖子，踮起脚跟。

[译文]

甲辰日，皇上在渭川狩猎。皇上打算让同州刺史姚元之做宰相，张说嫉恨姚元之，让御史大夫赵彦昭弹劾他，皇上没有采纳。张说又让殿中监姜皎对皇上说："陛下常想挑选河东总管，却难于找到这样的人，臣现在找到了这个人。"皇上问是谁，姜皎说："姚元之文才与武功同时具备，是合适人选。"皇上说："这是张说的意思，你怎能当面欺诬朕，罪当处死！"姜皎叩头坦白服罪，皇上就派遣宦官把姚元之召来。姚元之到了以后，皇上正在狩猎，接见了他，即授予他为兵部尚书、同中书门下三品。

姚元之处置政事聪明精敏，三度为相，都兼任兵部尚书，沿边设置的戍兵营地和侦察瞭望的哨所，以及士卒马匹仓储器械的数量，无不默记在心。皇上刚即帝位，励精图治，遇事都要咨访姚元之，姚元之答话敏捷流利，同僚只能应答罢了，所以皇上特别信任他。姚元之请求抑制受宠的权贵，珍惜爵禄赏赐，采纳直谏的建议，拒绝进献的贡品，不与群臣轻佻玩笑，皇上都采纳了他的建议。

姚元之曾经奏请依照规定的等级次序提拔郎吏，皇上抬头盯着官殿的屋顶，姚元之多次陈述，皇上始终没有回应；姚元之害怕了，小步疾行退出。散朝后，高力士进谏说："陛下刚刚统管天下大事，宰相向皇帝陈述事情，应该当面表明是否可行，为什么您不审察姚元之的建议呢！"皇上说："朕让姚元之总管各种政务，大事应向朕报告共同商议；郎吏是小官，竟然也要一一烦劳朕吗？"适逢高力士到省中宣布诏书，给姚元之说了皇上的话，姚元之才高兴起来。听说这件事的人都叹服皇上深谙为君用人之道。

左拾遗曲江人张九龄，因为姚元之有很高的威望，受到皇上的信任，便写了意见书劝他疏远谄佞、浮躁的人，推荐淳朴淳厚之士，意见书大意说："任用的人应当有才能，这是治理国家的纲领，与有才能的人共同处理政事，不会超出这一途径。但是以往任用人才时，不是没有看出人的品行和才能的眼力，失于举人、淹没良才的原因，在于顺乎人情。"还说："自从您担任宰相要职，执掌用人大权以来，那些心胸浅窄、懦弱无能的人，已经伸长脖子、踮起脚跟向您围拢过来，谄媚您的亲戚以求得赞誉，讨好您的宾客以取悦他们。他们中间难道没有有才能的人吗？失误在于太无耻了。"姚元之赞许并采纳了他的建议。

"伴食宰相"

【唐纪二十七】玄宗开元三年（乙卯，715年）

春，正月，癸卯，以卢怀慎检校吏部尚书兼黄门监。怀慎清谨俭素，不营资产，虽贵为卿相，所得俸赐，随散亲旧。妻子不免饥寒，所居不蔽风雨。

姚崇尝有子丧，谒告①十馀日，政事委积。怀慎不能决，惶恐入谢于上。上曰："朕以天下事委姚崇，以卿坐镇雅俗②耳。"崇既出，须臾，裁决俱尽，颇有得色，顾谓紫微舍人齐澣曰："余为相，可比何人？"澣未对，崇曰："何如管、晏？"澣曰："管、晏之法虽不能施于后，犹能没身。公所为法，随复更之，似不及也。"崇曰："然则竟如何？"澣曰："公可谓救时之相耳。"崇喜，投笔曰："救时之相，岂易得乎！"

怀慎与崇同为相，自以才不及崇，每事推之，时人谓之"伴食宰相"。

臣光曰：昔鲍叔之于管仲，子皮之于子产，皆位居其上，能知其贤而下之，授以国政；孔子美之。曹参自谓不及萧何，一遵其法，无所变更；汉业以成。夫不肖用事，为其僚者，爱身保禄而从之，不顾国家之安危，是诚罪人也。贤智用事，为其僚者，愚惑以乱其治，专固以分其权，媢嫉③以毁其功，愎戾④以窃其名，是亦罪人也。崇，唐之贤相，怀慎与之同心戮力，以济明皇太平之政，夫何罪哉！《秦誓》⑤曰："如有一介臣，断断猗⑥，无他技；其心休休⑦焉，其如有容；人之有技，若己有之，人之彦圣⑧，其心好之，不啻如自其口出，是能容之，以保我子孙黎民，亦职有利哉。"怀慎之谓矣。

[注释]

①谒告：请假。②雅俗：指风雅之士和流俗之人。③媢嫉：嫉妒。④愞戾：凶狠暴戾。⑤《秦誓》：《尚书》里的一篇。春秋时秦穆公伐郑，在崤地被晋国击败，归后告诫群臣时所作的誓词，通篇为悔过之词。⑥断断猗：专心一意的样子。⑦休休：宽容，气魄大。⑧彦圣：有才德。

[译文]

春季，正月癸卯日，朝廷任命卢怀慎为检校吏部尚书兼黄门监。卢怀慎廉洁谨慎，俭省朴素，不谋求资财产业。虽然贵为卿相，所得到的俸禄和赏赐随手周济亲故。妻子儿女的生活不能免于缺吃少穿，住的房子也不能遮风挡雨。

姚崇曾有一个儿子去世，为了办丧事请了十几天的假，使得政务堆积了很多。卢怀慎不能够决断，惭愧地入朝向皇上谢罪。皇上说："朕把天下的政事委托给姚崇，让您安坐而对天下的风雅之士和流俗之人，起到以德威服人的作用罢了。"姚崇办完丧事复出后，短时间内就把积攒的政务处理完毕，不禁露出得意的神色，回头对紫微舍人齐澣说："我做宰相，可与谁相比？"齐澣没有回答。姚崇说："我与管仲、晏婴相比，怎么样？"齐澣说："管仲、晏婴所奉行的法度虽然没有能够延续后世，但还能做到终身实施。您所制定的法令随时都可以更改，好像比不上他们啊。"姚崇说："既然这样，那么到底我是什么样的宰相呢？"齐澣说："您可以说是一位匡救时弊的宰相。"姚崇十分高兴，扔下笔说："匡救时弊的宰相，难道容易找到吗！"

卢怀慎与姚崇同时担任宰相，自认为才能比不上姚崇，每遇到一件事，都推给姚崇，当时的人把卢怀慎叫做"伴食宰相"。

司马光说：过去鲍叔牙对于管仲，子皮对于子产，都是前者地位在后者之上，能够认识到后者的贤能而甘居其下，把国家的政务交给他们；孔子赞美这种做法。曹参自认为比不上萧何，完全遵守萧何制定的成法，没有任何改变；汉朝的功业得以成就。没有才能的人当权，作为他的朋辈，爱惜自身保有禄位，顺从他的旨意，不顾国家的安危，这种人确实是国家的罪人。贤良明智的人当权，作为他的同官，用愚昧和迷乱来扰乱他的统治，用专擅来削弱他的权力，用嫉妒来诋毁他的功绩，用执拗乖僻来窃取他的名望，这种人也是国家的罪人。姚崇是唐朝贤明的宰相，卢怀慎与他齐心协力，来成就唐明皇的太平政治，他有什么罪责呢！《秦誓》里说："如果有一位臣子，专心一意，没有其他的才能；他心胸广阔，气度宽宏大量；别人有了才能，好像自己有了才能一样；别人善美明达，他从内心里喜欢这个人，不只是在嘴上说说而已。这是能容人的人，用他保护我的子孙臣民，我的百姓就能得到好处啊！"这说的就是卢怀慎这样的人。

姚崇荐宋璟代相

【唐纪二十七】玄宗开元四年（丙辰，716年）

姚崇无居第，寓居罔极寺，以病疕①谒告，上遣使问饮食起居状，日数十辈。源乾曜奏事或称旨，上辄曰："此必姚崇之谋也。"或不称旨，辄曰："何不与姚崇议之！"乾曜常谢实然。每有大事，上常令乾曜就寺问崇。癸卯，乾曜请迁崇于四方馆，仍听家人入侍疾；上许之。崇以四方馆有簿书，非病者所宜处，固辞。上曰：

"设四方馆，为官吏也；使卿居之，为社稷也。恨不可使卿居禁中耳，此何足辞！"

崇子光禄少卿彝、宗正少卿异，广通宾客，颇受馈遗，为时所讥。主书赵诲为崇所亲信，受胡人赂，事觉，上亲鞫问，下狱当死。崇复营救，上由是不悦。会曲赦②京城，敕特标诲名，杖之一百，流岭南。崇由是忧惧，数请避相位，荐广州都督宋璟自代。

十二月，上将幸东都，以璟为刑部尚书、西京留守，令驰驿③诣阙，遣内侍、将军杨思勖迎之。璟风度凝远，人莫测其际，在涂竟不与思勖交言。思勖素贵幸④，归，诉于上，上嗟叹良久，益重璟。

[注释]

①病痁：患了疟疾。痁，读 shān，疟疾。②曲赦：因特殊情况而赦免。③驰驿：古时官员因急事奉召入京或外出，由沿途驿站供给夫马和粮食，兼程而进，称驰驿。④贵幸：受到君王的宠爱。

[译文]

姚崇没有府第，寄居在罔极寺中，因身患疟疾向皇上请假，皇上派遣使者问候他的饮食起居状况，每天达几十次。源乾曜向皇帝奏陈的事情有时符合皇上的旨意，皇上总是说："这一定是姚崇的谋略。"有时奏陈的事情不符合皇上的旨意，皇上就说："为什么不与姚崇商量呢！"源乾曜常常向皇上谢罪，承认确实是这样。朝中每有重要的政事，皇上常常让源乾曜到罔极寺询问姚崇。癸卯日，源乾曜请求把姚崇从罔极寺迁居四方馆，还听凭他的家人入馆侍候、陪伴、护理他；皇上答应了。姚崇认为四方馆内有官署的文书簿册，不是病人该居住的地方，坚决推辞。皇上说："设置四方馆是为官员服务的；让您居住是为了国家。我恨不得让您住到宫内，这哪里值得推辞呢！"

姚崇的儿子光禄少卿姚彝、宗正少卿姚异，广泛结交宾朋，就收受了许多馈赠，受到当时人的讥刺。主书赵诲是姚崇亲近信任的人，接受胡人贿赂被发现，皇上亲自审讯，关进牢狱应当处死。姚崇又去援救，皇上因此不高兴。适逢特赦京城的罪犯，皇上在敕书中特别标明赵诲的名字，处以一百杖刑，流放岭南。姚崇因此忧愁恐惧，多次请求辞去宰相，推荐广州都督宋璟代替自己。

十二月，皇上将巡幸东都洛阳，让宋璟做刑部尚书、西京留守，让他驾乘驿马疾行赶赴京城，派内侍、将军杨思勖迎接他。宋璟风度凝重深远，人们揣摩不透他的心思，他在路上始终没有与杨思勖说一句话。杨思勖平素位尊且受皇上的宠信，回京后向皇上诉说，皇上叹息了很久，更加看重宋璟。

姚、宋齐心辅佐成美名

【唐纪二十七】玄宗开元四年（丙辰，716年）

姚、宋相继为相，崇善应变成务，璟善守法持正；二人志操不同，然协心辅佐，使赋役宽平，刑罚清省①，百姓富庶。唐世贤相，前称房、杜，后称姚、宋，他人莫得比焉。二人每进见，上辄为之起，去则临轩送之。及李林甫为相，虽宠任过于姚、宋，然礼遇殊卑薄矣。紫微舍人高仲舒博通典籍，齐澣练习时务，姚、宋每坐二人以质所疑，既而叹曰："欲知古，问高君；欲知今，问齐君，可以无缺政矣。"

[注释]

①清省：清平省约。

[译文]

姚崇和宋璟相继做宰相，姚崇擅长顺应变化成就事业，宋璟善于遵守法纪坚持正道；两人的志向节操不同，却能齐心辅佐皇上，使赋役宽仁公平，刑罚清平省约，百姓富庶。在唐代的贤相中，先前可称赞房玄龄和杜如晦，后来可称赏姚崇和宋璟，其他的人没有能够与他们相比的。二人每次进见时，皇上总是要站起来迎接；离开时，皇上就在殿前相送。等到李林甫做宰相时，虽然受到宠爱任用的程度超过了姚崇和宋璟，但得到的礼遇就太轻贱了。紫微舍人高仲舒精通典籍，齐澣通晓时务，姚崇和宋璟常常向他们询问疑难问题，得到答复后感叹说："想知道古代的事，请教高君；想知道当今的事，请教齐君，就没有缺失的政事了。"

刚直宋璟

【唐纪二十八】 玄宗开元十三年（乙丑，725年）

王毛仲①有宠于上，百官附之者辐凑②。毛仲嫁女，上问何须。毛仲顿首对曰："臣万事已备，但未得客。"上曰："张说、源乾曜辈岂不可呼邪？"对曰："此则得之。"上曰："知汝所不能致者一人耳，必宋璟也。"对曰："然。"上笑曰："朕明日为汝召客。"明日，上谓宰相："朕奴毛仲有婚事，卿等宜与诸达官悉诣其第。"既而日中，众客未敢举箸，待璟，久之，方至，先执酒西向拜谢，饮不尽卮，遽称腹痛而归。璟之刚直，老而弥笃。

[注释]

①王毛仲（？—730）：唐玄宗宠臣，后被谮杀。②辐凑：车的辐条集凑于车轴心，比喻人或物聚集在一起。

[译文]

王毛仲受到皇上的恩宠，巴结他的官员如辐条凑集于车轴心。王毛仲将要出嫁女儿，皇上问他有什么需要。王毛仲叩头回答说："臣万事俱备，只是没有请到客人。"皇上说："张说、源乾曜这些人难道请不来吗？"王毛仲回答说："这些已经请到了。"皇上说："朕知道你请不来的只有一个人，一定是宋璟吧。"王毛仲说："是的。"皇上笑着说："朕明天给你请这位客人。"第二天，皇上对宰相说："朕的奴仆王毛仲家有喜事，你们应当与各位高官全部到他家贺喜。"直到中午，所有的客人都不敢动筷子，等宋璟来，过了很久，宋璟才到，先拿起酒杯向西拜谢君命，没有喝完这杯酒，急忙说肚子疼痛而回家。宋璟为人刚强正直，到老了更是坚定不移。

安禄山、史思明发迹

【唐纪三十】玄宗开元二十四年（丙子，736年）

张守珪①使平卢讨击使、左骁卫将军安禄山讨奚②、契丹叛者，禄山恃勇轻进，为虏所败。夏，四月，辛亥，守珪奏请斩之。禄山临刑呼曰："大夫不欲灭奚、契丹邪？奈何杀禄山！"守珪亦惜其骁勇，乃更执送京师。张九龄批曰："昔穰苴诛庄贾，孙武斩宫嫔。守珪军令若行，禄山不宜免死。"上惜其才，敕令免官，以白衣③将领。九龄固争曰："禄山失律丧师，于法不可不诛。且臣观其貌有反相，不杀必为后患。"上曰："卿勿以王夷甫识石勒④，枉害忠良。"竟赦之。

安禄山者，本营州杂胡，初名阿荦山。其母，巫也；父死，母携之再适⑤突厥安延偃。会其部落破散，与延偃兄子思顺俱逃来，故冒姓安氏，名禄山。又有史窣⑥干者，与禄山同里闬⑦，先后一日生。及长，相亲爱，皆为互市牙郎⑧，以骁勇闻。张守珪以禄山为捉生将，禄山每与数骑出，辄擒契丹数十人而返。狡猾，善揣人情，守珪爱之，养以为子。

窣干尝负官债亡入奚中，为奚游弈⑨所得，欲杀之；窣干绐⑩

曰："我，唐之和亲使也。汝杀我，祸且及汝国。"游弈信之，送诣牙帐⑪。窣干见奚王，长揖不拜，奚王虽怒，而畏唐，不敢杀，以客礼馆之，使百人随窣干入朝。窣干谓奚王曰："王遣人虽多，观其才皆不足以见天子。闻王有良将琐高者，何不使之入朝！"奚王即命琐高与牙下三百人随窣干入朝。窣干将至平卢，先使人谓军使裴休子曰："奚使琐高与精锐俱来，声云入朝，实欲袭军城，宜谨为之备，先事图之。"休子乃具军容出迎，至馆，悉坑杀其从兵，执琐高送幽州。张守珪以窣干为有功，奏为果毅⑫，累迁将军。后入奏事，上与语，悦之，赐名思明。

[注释]

①张守珪：时为幽州节度使。②奚：古代北方的少数民族。③白衣：受处分官员的身份。④王夷甫识石勒：事见《晋书·石勒载记》。晋王衍，字夷甫，位望隆重，有识鉴。石勒年十四，行贩洛阳。衍见而异之，谓将为天下患。长而为群盗，归刘渊，屡将兵陷州郡。晋太兴中，自称赵王，旋杀刘曜称帝，建后赵政权。后以"王夷甫识石勒"喻能预识心怀异志者。⑤适：出嫁。⑥窣，读 sū。⑦里闬：乡里。闬，读 hàn，里巷的门。⑧牙郎：买卖的中间人。⑨游弈：即"游弋"，巡逻。⑩绐：读 dài，欺骗。⑪牙帐：泛指军营，因营帐前树牙旗，故称。⑫果毅：唐代设有果毅都尉，为统府兵之官。

[译文]

张守珪派遣平卢讨击使、左骁卫将军安禄山讨伐奚、契丹叛军，安禄山仗恃自己勇猛而轻率冒进，被叛军击败。夏季，四月，辛亥日，张守珪上奏请示杀了安禄山。安禄山临刑前大声喊叫："张将军不想灭掉奚、契丹吗？为什么要杀掉我安禄山！"张守珪也怜惜他的勇猛，就改为押送京师。张九龄在奏章上批示："过去穰苴杀了骄横的监军庄贾，孙武杀了不听命令的宫嫔。张守珪的军令如果已经颁行，安禄山不应该免死。"皇上爱惜安禄山的才能，下敕令免去他的官职，成了受处分的将领。张九龄坚持争辩说："安禄山出战失利损失军队，按照法律不可不杀。而且我看他的外貌有反叛的相貌，不杀一定成为后患。"皇上说："你不要像王衍看石勒那样看安禄山，枉加戕害忠良之士。"最终赦免了安禄山。

安禄山本是营州的杂姓胡人，原名阿荦山。他的母亲是个女巫；父亲死后，母亲带着安禄山再嫁突厥人安延偃。正碰上突厥部落破裂四散，就与安延偃兄长的儿子安思顺一起逃了出来，所以冒充姓安，名叫禄山。还有一个名叫史窣干的人，与安禄山是乡里，两人生日相差一天。长大后，相互亲近友爱，都做了互市买卖的中间人，凭借勇猛而有名。张守珪任用安禄山为捉生将，安禄山每次与几名骑兵出去，总是擒获几十名契丹人返回。安禄山诡计多端，不可信任，善于揣摩人的心理，张守珪很喜欢他，把他收为养子。

史窣干曾因欠下官债，逃入奚族活动的地区，被奚族的巡逻兵抓获，要杀掉他，史窣干欺骗他们说："我是唐朝的和亲使节，你杀了我，灾祸就会殃及你的国家。"巡逻兵相信了他，把他送到奚王的营帐。史窣干见到奚王，只作揖而不跪拜，奚王虽然愤怒，但因为害怕唐朝，不敢杀他，用招待宾客的礼节，让他住到官馆里，派一百人随着史窣干入朝。史窣干对奚王说："大王派的人虽然多，看他们的才能都不能够拜见我们的天子。听说大王有良将豪酉琐高，为什么不让他入朝？"奚王就命令琐高与部下三百人随史窣干一起入朝。史窣干即将到达平卢，先派人对掌军中赏功罚罪的军使裴休子说："奚王派琐高带领精兵一起来，声称入朝，其实是想袭击军城，应谨慎地做好防备，事前图谋对付他们。"裴休子于是整好军队出迎，到了官馆，把随从的奚兵全部活埋，捉住琐高送往幽州。张守珪认为史窣干有功劳，奏请任命他为果毅，一步一步升迁为将军。后来史窣干入朝向皇帝奏陈事情，皇上与他交谈，喜欢他，赏赐他叫思明。

李林甫欲专大权

【唐纪三十】玄宗开元二十四年（丙子，736年）

初，上欲以李林甫为相，问于中书令张九龄，九龄对曰："宰相系国安危，陛下相林甫，臣恐异日为庙社①之忧。"上不从。时九龄方以文学为上所重，林甫虽恨，犹曲意事之。侍中裴耀卿与九龄善，林甫并疾之。是时，上在位岁久，渐肆②奢欲，怠于政事。而九龄遇事无细大皆力争；林甫巧伺上意，日思所以中伤之。

上之为临淄王也，赵丽妃、皇甫德仪、刘才人皆有宠，丽妃生太子瑛，德仪生鄂王瑶，才人生光王琚。及即位，幸武惠妃，丽妃等爱皆弛；惠妃生寿王瑁，宠冠诸子。太子与瑶、琚会于内第，各以母失职有怨望语。驸马都尉杨洄尚③咸宜公主，常伺三子过失以告惠妃。惠妃泣诉于上曰："太子阴结党与，将害妾母子，亦指斥至尊。"上大怒，以语宰相，欲皆废之。九龄曰："陛下践阼④垂三十年，太子诸王不离深宫，日受圣训，天下之人皆庆陛下享国久长，子孙蕃昌⑤。今三子皆已成人，不闻大过，陛下奈何一旦以无根之语，喜怒之际，尽废之乎！且太子天下本，不可轻摇。昔晋献公听骊姬之谗杀申生，三世大乱。汉武帝信江充之诬罪戾太子，京城流血。晋惠帝用贾后之谮废愍怀太子，中原涂炭。隋文帝纳独孤后之言黜太子勇，立炀帝，遂失天下。由此观之，不可不慎。陛下必欲为此，臣不敢奉诏。"上不悦。林甫初无所言，退而私谓宦官之贵幸者曰："此主上家事，何必问外人！"上犹豫未决。惠妃密使官奴牛贵儿谓九龄曰："有废必有兴，公为之援，宰相可长处。"九龄叱之，以其语白上；上为之动色，故讫九龄罢相，太子得无动。林甫日夜短九龄于上，上浸疏之。

林甫引萧炅为户部侍郎。炅素不学，尝对中书侍郎严挺之读"伏腊"为"伏猎"。挺之言于九龄曰："省中岂容有'伏猎侍郎'！"由是出炅为岐州刺史，故林甫怨挺之。九龄与挺之善，欲引以为相，尝谓之曰："李尚书方承恩，足下宜一造门，与之款昵⑥。"挺之素负气，薄林甫为人，竟不之诣；林甫恨之益深。挺之先娶妻，出⑦之，更嫁蔚州刺史王元琰，元琰坐赃罪下三司按鞫，挺之为之营解。林甫因左右使于禁中白上。上谓宰相曰："挺之为罪人请属⑧所由。"九龄曰："此乃挺之出妻，不宜有情。"上曰："虽离乃复有私。"

于是上积前事，以耀卿、九龄为阿党⑨；壬寅，以耀卿为左丞相，九龄为右丞相，并罢政事。以林甫兼中书令；仙客为工部尚书、同中书门下三品，领朔方节度如故。严挺之贬洺州刺史，王元琰流岭南。

[注释]

①庙社：宗庙社稷。②渐肆：渐渐地放纵。③尚：匹配。多指高攀婚姻。④践祚：帝王即位。⑤蕃昌：繁衍昌盛。⑥款昵：亲近，亲昵。⑦出：离弃。⑧请属：请托，以私事相托。⑨阿党：阿私，偏袒。

[译文]

当初，皇上打算任命李林甫做宰相，询问中书令张九龄的意见，张九龄回答说："宰相决定着国家的安危，陛下让李林甫做宰相，我担心他将来成为国家的祸患。"皇上没有听从他的意见。当时张九龄正凭借文学才能被皇上器重，李林甫虽然憎恨他，还委曲己意而侍奉他。侍中裴耀卿与张九龄友善，李林甫也嫉恨他。这时皇上在位时间长了，渐渐放纵奢侈的欲望，处理政务上很懈怠。而张九龄遇到事情，不论大小都要极力与皇上争论；李林甫巧妙地观察皇上的意图，每天盘算着如何中伤张九龄。

皇上做临淄王时，赵丽妃、皇甫德仪和刘才人都受到宠幸，赵丽妃生了太子李瑛、皇甫德仪生了鄂王李瑶，刘才人生了光王李琚。等到皇上即位，宠幸武惠妃，赵丽妃等人的宠爱都失去了；武惠妃生了寿王李瑁，他的受宠程度超过其他皇子。太子与李瑶、李琚在私邸聚会，都因为自己母亲的失宠而心生怨恼忿恨，牢骚满腹。驸马都尉杨洄娶了咸宜公主，常常暗中窥探三个皇子的过失，来告诉武惠妃。武惠妃哭着告诉皇上说："太子暗中网罗党羽，想谋害我们母子，也指责皇上。"皇上很生气，把这件事告诉了宰相，打算把他们都废黜。张九龄说："陛下登基将近三十年，太子和诸王都没有离开过皇宫，每天都接受皇上的训诫，天下百姓都庆幸陛下在位长久，子孙繁盛。现在三个皇子都已成人，没听说有太大的过错，陛下为什么忽然凭借那些没有根据的话，在高兴和愤怒发生之际，把他们全部废黜呢？况且太子是天下的根本，不能轻易动摇。过去晋献公听信骊姬的谗言杀了太子申生，引发晋国三代大乱。汉武帝相信江充的诬告，治罪戾太子，使京城发生了流血事件。晋惠帝听从贾后的诬陷，废掉了愍怀太子，使中原生灵遭受涂炭。隋文帝听信独孤皇后的话，废黜太子杨勇而另立隋炀帝，于是失去天下。由此来看，废立太子不能不谨慎。陛下一定要这样做，臣不敢接受您的命令。"皇上不高兴。李林甫开始没说什么，退朝后私下对受皇上宠信的宦官说："这是皇上的家事，何必去询问外人！"皇上犹豫不决。武惠妃暗中让官奴牛贵儿对张九龄说："有废必有立，你能援助一下，宰相可长时间担任。"张九龄呵斥牛贵儿，把这些话告诉给了皇上；皇上为他的忠心脸上显出受感动的表情，所以直到张九龄罢相，太子的地位都没有能够动摇。李林甫天天在皇上面前指摘张九龄的缺点，皇上逐渐疏远了张九龄。

　　李林甫荐举萧炅为户部侍郎。萧炅平常不学习，曾面对着中书侍郎严挺之把"伏腊"读做"伏猎"。严挺之对张九龄说："尚书省怎能容许有'伏猎侍郎'呢！"因此萧炅被外放做岐州刺史，所以李林甫怨恨严挺之。张九龄与严挺之关系很好，想荐举严挺之做宰相，曾对他说："李林甫尚书正蒙受皇上的恩泽，你应该去登门拜访一下，与他友好亲昵。"严挺之一向凭恃意气，不肯屈居人下，鄙薄李林甫的为人，最终没有去拜访；李林甫更加憎恨他。严挺之最初娶的妻子，被休掉后改嫁蔚州刺史王元琰。王元琰因为贪污钱财罪被三司审问，严挺之为这件事说情。李林甫趁机让手下的人到宫中告诉了皇上。皇上对宰相说："严挺之在官员面前为罪人请托说情。"张九龄说："这是严挺之先前休掉的妻子，不应该有私情。"皇上说："即使离婚了，但还是有私情的。"

这时皇上想到以前的事，认为裴耀卿与张九龄庇护同党。壬寅日，皇上任命裴耀卿为左丞相，张九龄为右丞相，两人一起被解除参与政治事务的权力。任命李林甫兼任中书令；牛仙客为工部尚书、同中书门下三品，同以前一样领朔方节度使。把严挺之贬为洺州刺史，王元琰流放到岭南。

贵妃受宠

【唐纪三十一】玄宗天宝五载（丙戌，746年）

杨贵妃方有宠，每乘马则高力士执辔授鞭，织绣之工专供贵妃院者七百人，中外争献器服珍玩。岭南经略使张九章，广陵长史王翼，以所献精美，九章加三品，翼入为户部侍郎；天下从风而靡①。民间歌之曰："生男勿喜女勿悲，君今看女作门楣②。"妃欲得生荔支，岁命岭南驰驿③致之。比至长安，色味不变。

至是，妃以妒悍不逊，上怒，命送归兄铦之第。是日，上不怿，比日中，犹未食，左右动不称旨，横④被棰挞。高力士欲尝上意，请悉载院中储偫⑤送贵妃，凡百馀车；上自分御膳以赐之。及夜，力士伏奏请迎贵妃归院，遂开禁门而入。自是恩遇愈隆，后宫莫得进矣。

[注释]

①从风而靡：比喻仿效、风行之迅速。②门楣：门第，家族的地位。③驰驿：驾乘驿马疾行。④横：无缘无故。⑤储偫：储备，存储物资以备需用。偫，读zhì。

[译文]

杨贵妃正受到皇上的宠幸，每次骑马，高力士就为她牵马执鞭，织绣衣服的工匠专供杨贵妃的有七百人，朝廷内外都争着奉献器物衣服和珍贵的玩赏物。岭南经略使张九章、广陵长史王翼，因为进献的物品精美，张九章升为三品官，王翼入朝担任户部侍郎；天下官吏迅速仿效他们的做法。民间歌谣唱道："生男勿喜女勿悲，君今看女作门楣。"杨贵妃想吃鲜荔枝，皇上每年命令从岭南驾乘驿马疾行运来，等到了长安，荔枝的色味不变。

这时，杨贵妃因为嫉妒强悍无礼，皇上很生气，下令把她送到她的兄长杨铦的府第。当天，皇上不高兴，等到了中午，还没有吃饭，手下人所做的事情都不合他的心意，无缘无故被鞭打。高力士想试探皇上的想法，请求把贵妃院中储备待用的物品全用车送给杨贵妃，总共一百多车；皇上又把自己的御膳分赐给杨贵妃。到了晚上，高力士跪下上奏请求迎接杨贵妃回宫，于是打开宫门让杨贵妃入宫。从此杨贵妃受到的宠爱更加深厚，后宫其他宫人不能再进宫内了。

安禄山反叛

【唐纪三十三】玄宗天宝十四/十五载（乙未/丙申，755/756年）

春，正月，己亥，安禄山入朝。是时杨国忠言禄山必反，且曰:"陛下试召之,必不来。"上使召之,禄山闻命即至。庚子,见上于华清宫,泣曰:"臣本胡人,陛下宠擢至此,为国忠所疾,臣死无日矣!"上怜之,赏赐巨万,由是益亲信禄山,国忠之言不能入矣。太子亦知禄山必反,言于上,上不听。

二月,辛亥,安禄山使副将何千年入奏,请以蕃将三十二人代汉将,上命立进画①,给告身②。韦见素谓杨国忠曰:"禄山久有异志,今又有此请,其反明矣。明日见素当极言;上未允,公其继之。"国忠许诺。壬子,国忠、见素入见,上迎谓曰:"卿等有疑禄山之意邪?"见素因极言禄山反已有迹,所请不可许,上不悦;国忠逡巡不敢言,上竟从禄山之请。他日,国忠、见素言于上曰:"臣有策可坐消禄山之谋。今若除禄山平章事,召诣阙,以贾循为范阳节度使,吕知诲为平卢节度使,杨光翙为河东节度使,则势自分矣。"上从之。已草制,上留不发,更遣中使辅璆琳以珍果赐禄山,潜察其变。璆琳受禄山厚赂,还,盛言禄山竭忠奉国,无有二心。上谓国忠等曰:"禄山,朕推心待之,必无异志。东北二虏,藉其镇遏。朕自保之,卿等勿忧也!"事遂寝。循,华原人也,时为节度副使。

安禄山归至范阳,朝廷每遣使者至,皆称疾不出迎,盛陈武备,然后见之。裴士淹至范阳,二十余日乃得见,无复人臣礼。杨国忠日夜求禄山反状,使京兆尹围其第,捕禄山客李超等,送御史台狱,潜杀之。禄山子庆宗尚宗女荣义郡主,供奉在京师,密报禄山,禄山愈惧。六月,上以其子成婚,手诏禄山观礼,禄山辞疾不至。秋,七月,禄山表献马三千匹,每匹执控夫二人,遣蕃将二十二人部送。河南尹达奚珣疑有变,奏请"谕禄山以进车马宜俟至冬,官自给夫,无烦本军"。于是上稍寤,始有疑禄山之意。会辅璆琳受赂事亦泄,上托以他事扑杀之。上遣中使冯神威赍手诏谕禄山，如珣策；且曰："朕新为卿作一汤，十月于华清宫待卿。"神威至范阳宣旨，禄山踞床微起，亦不拜，曰："圣人安隐③。"又曰："马不献亦可，十月灼然④诣京师。"即令左右引神威置馆舍，不复见；数日，遣还，亦无表。神威还，见上泣曰："臣几不得见大家！"

安禄山专制三道，阴蓄异志，殆将十年，以上待之厚，欲俟上晏驾然后作乱。会杨国忠与禄山不相悦，屡言禄山且反，上不听；国忠数以事激之，欲其速反以取信于上。禄山由是决意遽反，独与孔目官、太仆丞严庄，掌书记、屯田员外郎高尚，将军阿史那承庆密谋，自馀将佐皆莫之知，但怪其自八月以来，屡飨士卒，秣马厉兵而已。会有奏事官自京师还，禄山诈为敕书，悉召诸将示之曰："有密旨，令禄山将兵入朝讨杨国忠，诸君宜即从军。"众愕然相顾，莫敢异言。十一月，甲子，禄山发所部兵及同罗、奚、契丹、室韦⑤凡十五万众，号二十万，反于范阳。命范阳节度副使贾循守范阳，平卢节度副使吕知诲守平卢，别将高秀岩守大同；诸将皆引兵夜发。

诘朝⑥，禄山出蓟城南，大阅⑦誓众⑧，以讨杨国忠为名，膀军中曰："有异议扇动军人者，斩及三族！"于是引兵而南。禄山乘铁舆，步骑精锐，烟尘千里，鼓噪震地。时海内久承平⑨，百姓累世不识兵革，猝闻范阳兵起，远近震骇。河北皆禄山统内，所过州县，望风瓦解，守令或开门出迎，或弃城窜匿，或为所擒戮，无敢拒之者。禄山先遣将军何千年、高邈将奚骑二十，声言献射生手⑩，乘驿诣太原。乙丑，北京副留守杨光翙出迎，因劫之以去。太原具言其状。东受降城亦奏禄山反。上犹以为恶禄山者诈为之，未之信也。

庚午，上闻禄山定反，乃召宰相谋之。杨国忠扬扬有得色，曰："今反者独禄山耳，将士皆不欲也。不过旬日，必传首诣行在。"上以为然,大臣相顾失色。上遣特进毕思琛诣东京,金吾将军程千里诣河东,各简募⑪数万人,随便团结以拒之。辛未,安西节度使封常清入朝,上问以讨贼方略,常清大言曰:"今太平积久,故人望风惮贼。然事有逆顺,势有奇变,臣请走马诣东京,开府库,募骁勇,挑马箠⑫渡河,计日取逆胡之首献阙下!"上悦。壬申,以常清为范阳、平卢节度使。常清即日乘驿诣东京募兵,旬日,得六万人;乃断河阳桥,为守御之备。

[注释]

①进画:依胡三省注,进画者,命中书为发日敕,进请御画而行之。意为进呈文件给皇帝圈阅审批,然后发布施行。②告身:委任官职的文凭。③安隐:安稳,平静,安定。④灼然:明显的样子。⑤同罗、奚、契丹、室韦:都是当时北方的少数民族。⑥诘朝:早晨。⑦大阅:检阅军队。⑧誓众:誓师,告诫众人。⑨承平:原为相承平安之意,指社会秩序比较持久的安定局面。⑩射生手:精于骑射的武士。⑪简募:简选招募兵员。⑫马箠:即马棰,马鞭子。

[译文]

春天,正月,己亥日,安禄山入朝。当时杨国忠说安禄山一定会谋反,并且说:"陛下试着征召他,他一定不会来。"皇上派人征召安禄山,安禄山听见诏令立刻来朝。庚子日,安禄山在华清宫拜见皇上,哭着说:"我本是胡人,陛下宠爱提拔到这个地位,被杨国忠嫉恨,我不久就要死了!"皇上怜爱他,赏赐数目巨大,因此更加亲近信任安禄山,对杨国忠的话听不进去。太子也知道安禄山一定会谋反,告诉皇上,皇上没有听进去。

(天宝十五载)二月,辛亥日,安禄山派遣副将何千年入朝向皇上进言,请求用三十二个蕃将代替汉将,皇上诏令立刻下敕书,并发给相关凭证。韦见素对杨国忠说:"安禄山很久就怀有叛离之心,现在又有这样的请求,他将要谋反很明显了。明天我应当直言规劝皇上；皇上没有应允，您要继续劝说。"杨国忠答应了。壬子日，杨国忠、韦见素入宫拜见，皇上迎着说："你们有怀疑安禄山谋反的意思吧？"韦见素趁势直言规劝说安禄山反叛已有迹象，对于他的请求不可以答应，皇上不高兴；杨国忠迟疑徘徊不敢说话，皇上最终顺从了安禄山的请求。另外一天，杨国忠和韦见素对皇上说："我们有计策可以不费力气消除安禄山的阴谋。现在如果授职安禄山为平章事，召他入朝，让贾循做范阳节度使，吕知诲做平卢节度使，杨光翙做河东节度使，那么安禄山的力量就自会分解了。"皇上答应了他们。制书已经写好，皇上留下没有发布，又派宦官辅璆琳拿着珍果赐给安禄山，暗中观察他的变化。辅璆琳接受了安禄山的重金贿赂，还朝后，极力申说安禄山竭尽忠诚献身为国，没有二心。皇上对杨国忠等人说："安禄山，朕推心置腹对待他，他一定不会有二心。东北的奚族与契丹还要凭借他去平定。朕自己保证他不会谋反，你们不要忧虑！"事情于是平息。贾循是华原人，当时任范阳节度副使。

　　安禄山回到范阳，朝廷每次派遣使者来，他都称病不出来迎接，布置好武器装备，然后才出来接见。裴士淹来到范阳，二十多天才得以见到安禄山，安禄山不再行人臣的礼节。杨国忠日夜搜求安禄山谋反的情况，派京兆尹包围了安禄山的府第，逮捕了他的门客李超等人，送到御史台监狱，秘密地处死他们。安禄山的儿子安庆宗与荣义郡主订婚，在京师侍奉皇上，他把这件事秘密告知给了安禄山，安禄山更加恐惧。六月，皇上以给安庆宗成婚为由，下手诏让安禄山参加结婚典礼，安禄山称病不来。秋天，七月，安禄山上表请求献给朝廷三千匹马，每匹马配两个马夫，并派二十二个蕃将押送。河南尹达奚珣怀疑其中有变故，上奏请求"告知安禄山应该等到冬天再来贡献车马，由朝廷供给马夫，不用烦劳他的部下"。到这时皇上才稍微省悟，开始有怀疑安禄山的意思。适逢辅璆琳接

唐纪　357

受贿赂的事也泄漏出来,皇上假托别的事由处死了他。皇上派宦官冯神威携带着手诏按照达奚珣的计策告知安禄山,并且说:"朕刚为你造了一座温汤池,十月在华清宫等着你。"冯神威到范阳宣布诏书,安禄山坐在交床上略微起了起身,也不行拜见的礼节,说:"皇上安稳吧?"又说:"马不让献也可以,十月份我一定大张旗鼓地去京师。"就命令手下的人把冯神威安置在馆舍,不再接见;过了几天,将冯神威遣送回朝,也没有表上奏。冯神威回朝后,见到皇上哭着说:"我几乎不能见到陛下!"

安禄山兼任三道节度使,暗中怀有叛离之心,将近十年,因为皇上待他优厚,所以想等到皇上驾崩后再作乱。适逢杨国忠与安禄山没有彼此和睦、亲爱,多次说安禄山要谋反,皇上没有听从。杨国忠多次用一些事激怒安禄山,想让他快速造反来取信于皇上。安禄山因此决定马上反叛,只与孔目官、太仆丞严庄和掌书记、屯田员外郎高尚以及将军阿史那承庆密谋,其他将领都不知道这件事,只是奇怪安禄山从八月份以来多次犒劳士卒、秣马厉兵罢了。适逢有入朝奏事官从京师返回,安禄山伪造敕书,把诸位将领都召来给他们看,说:"我有密诏,让我率兵入朝讨伐杨国忠,你们应立即随军行动。"众将领十分惊讶地相互看着,没有人敢有不同的意见。十一月,甲子日,安禄山出动所统辖的军队及同罗、奚、契丹、室韦兵共十五万人,号称二十万,在范阳反叛。安禄山命令范阳节度副使贾循留守范阳,平卢节度副使吕知诲留守平卢,别将高秀岩镇守大同,其余诸位将领都带兵连夜出发。

天刚亮,安禄山出了蓟城南门,检阅军队并誓师,以讨伐杨国忠为名,在军中发布文告说:"谁要是有不同的意见煽动将士,斩杀他的三族!"于是率兵向南进军。安禄山坐着铁皮车,统帅着精锐的步兵和骑兵,扬起的尘土绵延千里,鼓声呐喊声震天撼地。当时天下长久太平,老百姓几代人不知道战争,突然听说范阳军队起事，远近惊惧。黄河以北都在安禄山的管辖范围之内，叛军经过的州县望风瓦解，郡守与县令有的打开城门出外迎接叛军，有的弃城逃窜隐匿，有的被叛军擒获杀害，没有敢抵抗的人。安禄山先派遣将军何千年和高邈率领奚族骑兵二十人，声称进献精于骑射的战士，乘坐驿车到太原。乙丑日，北京副留守杨光翙出城迎接，于是被劫持而去。太原向朝廷详细报告这一情况。东受降城也上奏称安禄山反叛。皇上还认为这是厌恶安禄山的人假装这样做，不相信这件事。

庚午日，皇上知道安禄山确实反叛，才召来宰相谋划这件事。杨国忠带着十分得意的表情说："现在反叛的只有安禄山一个人，将士们都不想谋反。不过十天，一定把安禄山的头颅送到皇上面前。"皇上认为他说得对，大臣们相互看着因惊恐而改变脸色。皇上派遣特进毕思琛到东京去，派金吾将军程千里到河东，各招募几万人，随其所宜组织地方民兵丁壮来抗拒叛军。辛未日，安西节度使封常清入朝，皇上向他询问讨伐叛军全盘的计划和策略，常清说大话道："现在天下太平经历了很长时间，所以人们听到动静都害怕叛军。但是事情发展有逆有顺，形势会发生突变。我请求骑着快马到东京，打开府库，招募勇猛的士卒，扬起马鞭子渡过黄河，短时间内就会取逆贼安禄山的头颅献给陛下！"皇上很高兴。壬申日，朝廷任命封常清为范阳、平卢节度使。封常清当天即乘驿车到东京招募兵马，十天时间募得六万人，于是截断河阳桥，为防御叛军做准备。

明皇出逃

【唐纪三十四】肃宗至德元载（丙申，756年）

（五月）甲午，百官朝者什无一二。上御勤政楼，下制，云欲亲征，闻者皆莫之信。以京兆尹魏方进为御史大夫兼置顿使；京兆少尹灵昌崔光远为京兆尹，充西京留守；将军边令诚掌宫闱①管钥②。托以剑南节度大使颖王璬将赴镇③，令本道设储偫④。是日，上移仗北内⑤。既夕，命龙武大将军陈玄礼整比六军⑥，厚赐钱帛，选闲厩马九百馀匹，外人皆莫之知。乙未，黎明，上独与贵妃姊妹、皇子、妃、主、皇孙、杨国忠、韦见素、魏方进、陈玄礼及亲近宦官、宫人出延秋门，妃、主、皇孙之在外者，皆委之而去。上过左藏，杨国忠请焚之，曰："无为贼守。"上愀然曰："贼来不得，必更敛于百姓；不如与之，无重困吾赤子⑦。"是日，百官犹有入朝者，至宫门，犹闻漏声，三卫⑧立仗俨然。门既启，则宫人乱出，中外扰攘⑨，不知上所之。于是王公、士民四出逃窜，山谷细民⑩争入宫禁及王公第舍，盗取金宝，或乘驴上殿。又焚左藏大盈库。崔光远、边令诚帅人救火，又募人摄⑪府、县官分守之，杀十馀人，乃稍定。光远遣其子东见禄山，令诚亦以管钥献之。

　　上过便桥，杨国忠使人焚桥。上曰："士庶各避贼求生，奈何绝其路！"留内侍监高力士，使扑灭乃来。上遣宦者王洛卿前行，告谕郡县置顿⑫。食时，至咸阳望贤宫，洛卿与县令俱逃，中使⑬征召，吏民莫有应者。日向中，上犹未食，杨国忠自市胡饼以献。于是民争献粝饭，杂以麦豆；皇孙辈争以手掬食之，须臾而尽，犹未能饱。上皆酬其直，慰劳之。众皆哭，上亦掩泣。有老父郭从谨进言曰："禄山包藏祸心，固非一日；亦有诣阙告其谋者，陛下往往诛之，使得逞其奸逆，致陛下播越⑭。是以先王务延访忠良以广聪明，盖为此也。臣犹记宋璟为相，数进直言，天下赖以安平。自顷以来，在廷之臣以言为讳，惟阿谀取容，是以阙门之外，陛下皆不得而知。草野之臣，必知有今日久矣，但九重⑮严邃⑯，区区之心无路上达。事不至此，臣何由得睹陛下之面而诉之乎！"上曰："此朕之不明，悔无所及。"慰谕而遣之。俄而尚食举御膳而至，上命先赐从官,然后食之。命军士散诣村落求食,期未时皆集而行。夜将半,乃至金城。县令亦逃,县民皆脱身走,饮食器皿具在,士卒得以自给。时从者多逃,内侍监袁思艺亦亡去,驿中无灯,人相枕藉⑰而寝,贵贱无以复辨。王思礼自潼关至,始知哥舒翰被擒;以思礼为河西、陇右节度使,即令赴镇,收合散卒,以俟东讨。

[注释]

①宫闱:后妃住的地方。闱,内室。代指皇宫。②管钥:钥匙。③赴镇:前去安抚。④储偫:储备,存储物资以备需用。⑤北内:此指大明宫。⑥整比六军:整顿军队。整比,集合整顿;六军,泛指朝廷的军队。⑦赤子:百姓的代称。⑧三卫:唐禁卫军,有亲卫、勋卫、翊卫,合称"三卫"。⑨扰攘:纷乱。⑩细民:普通百姓。⑪摄:代理。⑫置顿:设置,安顿。⑬中使:宦官。⑭播越:流亡。⑮九重:帝王住的宫禁之地。⑯严邃:森严,幽深。⑰枕藉:交错地躺在一起。

[译文]

五月甲午日,百官上朝的不到十分之一二。皇上登上勤政楼,下诏说要亲征,听到的人都不相信。皇上又任命京兆尹魏方进做御史大夫兼置顿使;京兆少尹灵昌人崔光远为京兆尹,担任西京留守;让将军边令诚掌管宫殿的钥匙。皇上假托剑南节度大使颖王李璬需要前去安抚,命令剑南道准备物资。当天,皇上出行到大明宫。到了晚上,皇上命令龙武大将军陈玄礼整理排列军队,重赏他们金钱布帛,从闲厩中挑选了九百多匹骏马,外人都不知道这些事。乙未日,天刚亮,皇上只与杨贵妃姊妹、皇子、皇妃、公主、皇孙、杨国忠、韦见素、魏方进、陈玄礼及亲信宦官、宫人出了延秋门,在宫外的皇妃、公主及皇孙都丢弃而去。皇上路过左藏库,杨国忠请求烧了它,说:"不要被叛贼占有。"皇上忧愁地说:"叛贼来了没有可得的东西,一定又向百姓征收;不如留给他们,不去加重困扰我的百姓。"这一天,官员还有入朝的人,到了宫门口,还可以听到漏壶滴水计时的声音,禁卫军三军的卫士们严肃庄重地设立仪仗,宫门打开后,就有宫人胡乱逃出,宫里宫外一片混乱,不知道皇上所到的地方。这时王公贵族、平民百姓四出逃命,山谷中的普通百姓争着进入皇宫及王公贵族的府第,盗窃掠取金银财宝,有的骑驴跑到殿里。还烧了左藏大盈库。崔光远、边令诚率人救火,又招募人代理府、县官分别守卫,杀了十几个人,局势才稍微安定下来。崔光远派他的儿子向东去见安禄山,边令诚也把宫殿的钥匙献给安禄山。

皇上经过便桥,杨国忠派人烧桥。皇上说:"士民百姓各自躲避叛贼求生,为什么要断绝他们的生路呢!"留下内侍监高力士,让他扑灭大火后再跟来。皇上派宦官王洛卿先行,晓谕沿途郡县官员做好准备。到吃饭时,到了咸阳望贤宫,王洛卿与咸阳县令都逃跑了,宦官去征求召集,官吏与民众都没有人响应。到了中午,皇上还没有吃饭,杨国忠自己买来胡饼献给皇上。于是百姓争相进献粗糙的饭食,其中掺杂有麦、豆;皇孙们争着用手抓着吃,一会儿就吃光了,还没有能够吃饱。皇上都按价给了他们饭钱,慰安问候他们。众人都哭了,皇上也掩面哭泣。有一位名叫郭从谨的老人向皇帝提意见说:"安禄山包藏祸心,本来不是一天了;也有到朝廷去告发他阴谋的人,陛下常常把这些人杀掉,使他的奸计得逞,致使陛下逃亡。因此先王务求请教忠诚善良之人来扩大视听,就是为了这个道理。臣还记得宋璟做宰相时,多次直言敢谏,天下有赖他才得以平安无事。近来,朝中大臣都以直言进谏为忌讳,只是阿谀奉承取悦陛下,所以宫门之外,陛下对发生的事情都不能知道。粗野鄙陋的臣民一定知道会有今日很久了,只因宫禁森严,微不足道的一点看法无法向上表达。事情不是到了这种地步,臣从什么途径能见到陛下而当面诉说呢!"皇上说:"这都是朕的不贤明,后悔莫及啊。"好言安慰郭从谨并让他走了。不久,尚食官举着御膳来了,皇上下令先赏赐给随从官员，然后自己才吃。命令士卒分散到各村寻找食物，约定未时都集合前进。快半夜时，到了金城县，县令也逃走了，百姓也都逃去，食物和做饭用的器具都在，士卒能够自己做饭吃。当时跟随皇上的官员多数逃跑了，内侍监袁思艺也逃走了，驿站中没有灯火，人们互相纵横交错地躺卧在一起睡下来，身份的贵贱无法再辨别。王思礼从潼关来，皇上才知道哥舒翰被捉；皇上任命王思礼为河西、陇右节度使，令他立刻赶赴军镇，收集溃散的士兵，来准备向东进讨叛贼。

马嵬驿之变

【唐纪三十四】 肃宗至德元载（丙申，756年）

丙申，至马嵬驿，将士饥疲，皆愤怒。陈玄礼以祸由杨国忠，欲诛之，因东宫宦者李辅国以告太子，太子未决。会吐蕃使者二十馀人遮①国忠马，诉以无食，国忠未及对，军士呼曰："国忠与胡虏谋反！"或射之，中鞍。国忠走至西门内，军士追杀之，屠割支体，以枪揭其首于驿门外，并杀其子户部侍郎暄及韩国、秦国夫人。御史大夫魏方进曰："汝曹何敢害宰相！"众又杀之。韦见素闻乱而出，为乱兵所挝，脑血流地。众曰："勿伤韦相公。"救之，得免。军士围驿，上闻喧哗，问外何事，左右以国忠反对。上杖屦②出驿门，慰劳军士，令收队，军士不应。上使高力士问之，玄礼对曰："国忠谋反，贵妃不宜供奉，愿陛下割恩③正法。"上曰："朕当自处之。"入门，倚杖倾首而立。久之，京兆司录韦谔前言曰："今众怒难犯，安危在晷刻④，愿陛下速决！"因叩头流血。上曰："贵妃常居深宫，安知国忠反谋？"高力士曰："贵妃诚无罪，然将士已杀国忠，而贵妃在陛下左右，岂敢自安！愿陛下审思之，将士安，则陛下安矣。"上乃命力士引贵妃于佛堂，缢杀之。舆尸寘驿庭，召玄礼等入视之。玄礼等乃兔胄释甲，顿首请罪，上慰劳之，令晓谕军士。玄礼等呼万岁，再拜而出，于是始整部伍为行计。谔，见素之子也。国忠妻裴柔与其幼子晞及虢国夫人、夫人子裴徽皆走，至陈仓，县令薛景仙帅吏士追捕，诛之。

丁酉，上将发马嵬，朝臣惟韦见素一人，乃以韦谔为御史中丞，充置顿使。将士皆曰："国忠谋反，其将吏皆在蜀，不可往。"或请之河、陇，或请之灵武，或请之太原，或言还京师。上意在入蜀，虑违众心，竟不言所向。韦谔曰："还京，当有御贼之备。今兵少，未易东向，不如且至扶风，徐图去就。"上询于众，众以为然，乃从之。及行，父老皆遮道请留，曰："宫阙，陛下家居，陵寝，陛下坟墓，今舍此，欲何之？"上为之按辔久之，乃命太子于后宣慰⑤父老。父老因曰："至尊既不肯留，某等愿帅子弟从殿下东破贼，取长安。若殿下与至尊皆入蜀，使中原百姓谁为之主？"须臾，众至数千人。太子不可，曰："至尊远冒险阻，吾岂忍朝夕离左右。且吾尚未面辞，当还白至尊，更禀进止。"涕泣，跋马欲西。建宁王倓与李辅国执鞚⑥谏曰："逆胡犯阙，四海分崩，不因人情，何以兴复！今殿下从至尊入蜀，若贼兵烧绝栈道，则中原之地拱手授贼矣。人情既离，不可复合，虽欲复至此，其可得乎！不如收西北守边之兵，召郭、李⑦于河北，与之并力东讨逆贼，克复两京，削平四海，使社稷危而复安，宗庙毁而更存，扫除宫禁以迎至尊，岂非孝之大者乎！何必区区温情，为儿女之恋乎！"广平王俶亦劝太子留。父老共拥太子马，不得行。太子乃使俶驰白上。上总辔⑧待太子，久不至，使人侦之，还白状，上曰："天也！"乃分后军二千人及飞龙厩马从太子，且谕将士曰："太子仁孝，可奉宗庙，汝曹善辅佐之。"又谕太子曰："汝勉之，勿以吾为念。西北诸胡，吾抚之素厚，汝必得其用。"太子南向号泣而已。又使送东宫内人于太子,且宣旨欲传位,太子不受。俶、伀,皆太子之子也。

[注释]

①遮:拦住。②杖屦:拄杖漫步。③割恩:弃绝私恩。④晷刻:时刻,片刻。晷,读 guǐ。⑤宣慰:安慰。⑥鞚:读 kòng,马缰绳。⑦郭、李:指唐大将郭子仪、李光弼。⑧总辔:控制缰绳。

[译文]

丙申日,到了马嵬驿,将士们饥饿疲劳,都因极度不满而情绪激动。陈玄礼认为祸乱起因在杨国忠,想杀掉他,通过东宫宦官李辅国把这件事告诉太子,太子尚未决定下来。适逢吐蕃使节二十多人拦住杨国忠所骑的马,因没有吃的向他诉说,杨国忠没有来得及回答,士兵们就呼喊道:"杨国忠与胡人谋反!"有人用箭射他,射中了杨国忠的马鞍。杨国忠跑到马嵬驿西门内,士兵追上杀了他,屠杀分割了他的尸体,在马嵬驿西门外用长矛把他的头颅高举着,还杀了他的儿子户部侍郎杨暄和韩国夫人、秦国夫人。御史大夫魏方进说:"你们这些人怎么敢谋害宰相!"众人又把他杀了。韦见素听见大乱就跑出来,被乱兵用鞭子击打,头上的血洒于地。众人说:"不要伤了韦相公。"救了他,韦见素幸免一死。士兵们包围了驿站,皇上听见喧哗声,问外边发生了什么事,手下人回答说是杨国忠谋反。皇上拄着拐杖走出驿站大门,慰劳士兵,令他们撤走,士兵不答应。皇上让高力士问他们,陈玄礼回答说:"杨国忠阴谋造反,杨贵妃不应再侍奉陛下,希望陛下能弃绝私恩,以正国法。"皇上说:"朕当自行处置这件事。"皇上进入驿站门,拄着拐杖低着头站着。过了许久,京兆司录参军韦谔上前说:"现在众怒难犯,皇上的平安和危险在片刻之间,希望陛下快速决断!"于是叩头,血流满面。皇上说:"杨贵妃常住深宫,怎么知道杨国忠造反的阴谋呢?"高力士说:"杨贵妃确实没有罪,然而将士们已经杀了杨国忠,而杨贵妃还在陛下的身边,他们怎么敢自安其心呢!希望陛下慎重考虑这件事，将士安定了，那么陛下就安全了。"皇上这才命令高力士把杨贵妃带到佛堂内，拿绳子勒死了她。用车将尸体运到驿站的院子里，邀请陈玄礼等人进入院子察看。陈玄礼等人脱下头盔和战衣，叩头谢罪，皇上安慰问候他们，并命令告知各位将士。陈玄礼等人高声呼喊万岁，连拜两次走出院子，于是开始整顿军队准备前进。韦谔是韦见素的儿子。杨国忠的妻子裴柔与其小儿子杨晞、虢国夫人与其儿子裴徽都逃到了陈仓县，县令薛景仙率领官兵追捕并杀了他们。

丁酉日，皇上准备从马嵬驿出发，朝臣只有韦见素一人，皇上就任命韦谔为御史中丞，担任置顿使。将士们都说："杨国忠谋反，他熟悉的文武官员都在蜀地，不可去那里。"有人请求去河西、陇右，有人请求去灵武，有人请求去太原，有人说返回京师。皇上的想法是进入蜀地，恐怕违背众人心愿，最终不说去哪里。韦谔说："返回京师，就要有抵御叛军的准备。现在兵力少，不要轻易向东。不如暂时到扶风，慢慢考虑去向。"皇上向众人询问，众人认为这样对，于是就听从众人的意见。等到出发时，当地有名望的老人拦在路中请求皇上留下，说："宫殿是陛下的家宅，陵园是陛下先人的坟墓，现在舍弃这些，想去哪里呢？"皇上为此扣紧马缰绳停了很久，才命令太子留在后面安抚这些老年人。这些老年人因此说："皇上既然不愿意留下来，我们愿意率领子弟跟着您向东打败叛军，夺回长安。如果您与皇上都去蜀地，让中原百姓以谁为主呢？"片刻间，众人达到几千人。太子不同意，说："皇上远道而来，冒着艰险，我哪能忍心一朝一夕离开他身边。况且我还没有当面向他辞别，我应当回去禀告皇上，再汇报是往前走还是停下来。"说着流着眼泪，勒马回转准备向西去。建宁王李倓与宦官李辅国拉着太子的马笼头劝谏说："安禄山进犯京城，天下分崩离析，不顺应民意，凭什么振兴恢复！现在殿下跟随皇上入蜀，如果叛军焚烧断绝通往蜀地的栈道,那么中原地区就拱手送给叛贼了。人心已经背离,不能重新聚合,即使想恢复到现在这样,容易实现吗!不如收拢西北戍边的军队,召集驻守在黄河北的郭子仪与李光弼,与他们合力东讨叛贼,收复两京,平定天下,使国家从危难转向稳固,使毁坏的宗庙再次得以恢复,打扫宫殿来迎接皇上,这难道不是最大的孝顺吗?何必因为微不足道的情意,而做出儿女般的依恋呢!"广平王李俶也劝太子留下来。这些老年人一起簇拥着太子的马,他不能前行。太子就让李俶骑马急行报告皇上。皇上骑在马上拉着缰绳等待太子,久等没有到,派人暗中察看,探子回来报告太子的情况,皇上说:"天意啊!"于是从后军中分出二千人和飞龙厩马跟随太子,并诏令将士说:"太子仁义孝顺,可继承大唐宗庙,你们要好好协助他。"又诏令太子说:"你努力吧,不要以我为忧虑。西北的各部族胡人,我安抚他们一向优厚,你一定会得到他们的效劳。"太子向南号啕痛哭。皇上又派人把东宫的宫女送给太子,并且宣布诏书准备传位给太子,太子没有接受。李俶和李倓都是太子的儿子。

安禄山之死

【唐纪三十五】肃宗至德二载(丁酉,757 年)

安禄山自起兵以来,目渐昏,至是不复睹物;又病疽①,性益躁暴,左右使令,小不如意,动加棰挞,或时杀之。既称帝,深居禁中,大将希得见其面,皆因严庄白事。庄虽贵用事,亦不免棰挞,阉宦李猪儿被挞尤多,左右人不自保。禄山嬖妾段氏,生子庆恩,欲以代庆绪为后。庆绪常惧死,不知所出。庄谓庆绪曰:"事有不得已者,时不可失。"庆绪曰:"兄有所为,敢不敬从。"又谓猪儿曰:"汝前后受挞,宁有数乎!不行大事,死无日矣!"猪儿亦许诺。庄与庆绪夜持兵立帐外，猪儿执刀直入帐中，斫禄山腹。左右惧，不敢动。禄山扪枕旁刀，不获，撼帐竿，曰："必家贼也。"肠已流出数斗，遂死。掘床下深数尺，以氈②裹其尸埋之，诫宫中不得泄。乙卯旦，庄宣言于外，云禄山疾亟③。立晋王庆绪为太子，寻即帝位，尊禄山为太上皇，然后发丧。庆绪性昏愞，言辞无序，庄恐众不服，不令见人。庆绪日纵酒为乐，兄事庄，以为御史大夫、冯翊王，事无大小，皆取决焉；厚加诸将官爵以悦其心。

[注释]

①病疽：患了毒疮。②氈：毡毯。③疾亟：病重。亟，危急。

[译文]

安禄山从起事反叛以来，眼睛慢慢昏花，到了现在不能再看清东西；又患上了毒疮，性情更加暴躁，手下供使唤的人稍不如意，动不动就用鞭子抽打，有时就杀掉。称帝后，他住在深宫，大将很少能够见他一面，都是通过严庄报告。严庄虽然显贵当权，也不免被鞭打，宦官李猪儿被鞭打得特别多，手下的人不能自保。安禄山的爱妾段氏生的儿子名叫庆恩，想取代安庆绪做太子。安庆绪常害怕被处死，不知道该怎么办。严庄对安庆绪说："事情有迫不得已的时候，时机不可错过。"安庆绪说："兄长有所作为，我怎敢不恭敬地听从。"又对李猪儿说："你前后遭受的鞭打，难道有数吗！不干夺取权力的大事，离死不远了！"李猪儿也答应了。严庄和安庆绪晚上手持武器站在营帐外，李猪儿手持大刀径直冲入帐中，砍向安禄山的腹部。安禄山手下的人害怕不敢动。安禄山摸索枕头旁边的刀，没有找到，摇着床帐的竿子说："一定是家贼。"肠子已流出了好几斗，于是死去。严庄在安禄山的床下挖了几尺深的坑，用毡包裹了他的尸体，埋了他，告诫宫中人不准泄露消息。乙卯日早上，严庄向外宣布说安禄山病情危急，立晋王安庆绪为太子，随即安庆绪即皇帝位，尊称安禄山为太上皇，然后发丧。安庆绪生性昏庸懦弱，说话语无伦次，严庄担心众人不服，不让安庆绪见人。安庆绪每天酗酒为乐，像对待兄长一样侍奉严庄，任命他做御史大夫、冯翊王，事情无论大小都由严庄决定；大大加封诸将的官爵来取悦人心。

史思明之死

【唐纪三十八】肃宗上元二年（辛丑，761年）

史思明猜忍好杀，群下小不如意，动至族诛，人不自保。朝义，其长子也，常从思明将兵，颇谦谨，爱士卒，将士多附之，无宠于思明。思明爱少子朝清，使守范阳，常欲杀朝义，立朝清为太子，左右颇泄其谋。思明既破李光弼，欲乘胜西入关，使朝义将兵为前锋，自北道袭陕城，思明自南道将大军继之。三月，甲午，朝义兵至礓子岭，卫伯玉逆击，破之。朝义数进兵，皆为陕兵所败。思明退屯永宁，以朝义为怯，曰："终不足成吾事！"欲按军法斩朝义及诸将。戊戌，命朝义筑三隅城，欲贮军粮，期一日毕，朝义筑毕，未泥，思明至，诟怒之，令左右立马监泥①，斯须而毕。思明又曰："俟克陕州，终斩此贼。"朝义忧惧，不知所为。

思明在鹿桥驿，令腹心曹将军将兵宿卫；朝义宿于逆旅，其部将骆悦、蔡文景说朝义曰："悦等与王，死无日矣！自古有废立，请召曹将军谋之。"朝义俯首不应。悦等曰："王苟不许，悦等今归李氏，王亦不全矣。"朝义泣曰："诸君善为之，勿惊圣人②！"悦等乃令许叔冀之子季常召曹将军，至，则以其谋告之；曹将军知诸将尽怨，恐祸及己，不敢违。是夕，悦等以朝义部兵三百被甲诣驿，宿卫兵怪之，畏曹将军，不敢动。悦等引兵入至思明寝所，值思明如厕，问左右，未及对，已杀数人，左右指示之。思明闻有变，逾垣③至厩中，自备马乘之，悦傔人④周子俊射之，中臂，坠马，遂擒之。思明问："乱者为谁?"悦曰："奉怀王⑤命。"思明曰："我朝来语失，宜其及此。然杀我太早，何不待我克长安！今事不成矣。"悦等送思明于柳泉驿，囚之，还，报朝义曰："事成矣。"朝义曰："不惊圣人乎?"悦曰："无。"时周挚、许叔冀将后军在福昌，悦等使许季常往告之，挚惊倒于地；朝义引军还，挚、叔冀来迎，悦等劝朝义执挚，杀之。军至柳泉，悦等恐众心未壹，遂缢杀思明，以毡裹其尸，橐驼⑥负归洛阳。

[注释]

①监泥：监督抹泥。②圣人：指史思明。③逾垣：翻越墙头。④傔人：随从佐吏。⑤怀王：指史朝义，史思明庶长子，史思明称帝后封其为怀王。⑥橐驼：骆驼。

[译文]

史思明性格猜忌残忍，喜欢滥杀无辜，属下稍不称他心意，动不动诛杀九族，人人不能自保。史朝义是史思明的长子，经常跟随史思明带兵，非常谦和谨慎，爱惜士兵，将士们多归附他，史朝义没有得到史思明的宠爱。史思明宠爱小儿子史朝清，派他镇守范阳，时常想杀掉史朝义，立史朝清为太子，史思明的手下经常泄露他的阴谋。史思明打败李光弼的军队后，想乘胜向西攻入函谷关，派史朝义率领军队作为先锋，从北路袭击陕城，史思明从南路率领大军紧随其后。三月，甲午日，史朝义的军队到了礓子岭，唐军卫伯玉迎击并打败了他。史朝义多次进攻，都被陕城的唐军打败。史思明退守永宁，认为史朝义胆怯，说："终究不能成就我的大事！"想按军法斩杀史朝义及诸位将领。戊戌日，命令史朝义修筑三隅城，准备贮存军粮，限期一天修好。史朝义修筑完毕，还没有抹泥，史思明就到了，怒骂他，命令随从骑在马上监督抹泥，很快就完成了。史思明又说："等攻克了陕城，终究杀这个贼子。"史朝义忧虑恐惧,不知该怎么办。

史思明在鹿桥驿,命令心腹曹将军率军担任警卫;史朝义住在旅馆,他的部将骆悦、蔡文景劝史朝义说:"我们与您死到临头了!自古就有废立君王的事,请您召见曹将军,谋划大事。"史朝义低着头不回答。骆悦等人说:"大王如果不答应,我们今天就归附李氏,大王也不能保全了。"史朝义哭着说:"诸位好好做这件事,不要惊吓我父亲!"骆悦等人就让许叔冀的儿子许季常召见曹将军,曹到了以后,就把他们的密谋告诉了他;曹将军知道诸位将领都心怀怨恨,害怕灾祸殃及自己,不敢违抗。当晚,骆悦等人率领史朝义的军队三百人,穿着铠甲来到驿站,值宿的卫兵感到奇怪,惧怕曹将军,不敢动手。骆悦等人带兵进入到史思明的卧室,正好史思明去厕所,问他手下的人,没等他们回答,已经杀了好几个人,周围的人指出了史思明的去向。史思明听到有兵变发生,翻越墙头来到马厩里,自己备好马匹骑上,骆悦的侍从周子俊搭弓射箭,射中其手臂,史思明坠落马下,于是被抓住。史思明问:"作乱的人是谁?"骆悦说:"奉怀王史朝义的命令。"史思明说:"我白天说错话了,应该落到这步田地。但是杀我太早了,为什么不等我攻克长安呢!现在事情办不成了。"骆悦等人把史思明押送柳泉驿,囚禁起来,回去报告史朝义说:"大事完成了。"史朝义说:"没有惊吓我父亲吧?"骆悦说:"没有。"当时周挚、许叔冀率领后军驻守在福昌,骆悦等人派许季常前往告诉他情况,周挚惊倒在地。史朝义率领军队回来,周挚、许叔冀出来迎接,骆悦等人劝史朝义抓捕周挚,杀了他。军队到了柳泉,骆悦等人担心众心不一,就用绳子勒死史思明,用毡毯裹尸,用骆驼运回洛阳。

郭子仪挺身说回纥

【唐纪三十九】代宗永泰元年（乙巳，765年）

丙寅，回纥、吐蕃合兵围泾阳，子仪命诸将严设守备而不战。及暮，二虏退屯北原，丁卯，复至城下。是时，回纥与吐蕃闻仆固怀恩死，已争长，不相睦，分营而居，子仪知之。回纥在城西，子仪使牙将李光瓒等往说之，欲与之共击吐蕃。回纥不信，曰："郭公固在此乎？汝绐①我耳。若果在此，可得见乎？"光瓒还报，子仪曰："今众寡不敌，难以力胜。昔与回纥契约甚厚，不若挺身往说之，可不战而下也。"诸将请选铁骑五百为卫从，子仪曰："此适足为害也。"郭晞扣马谏曰："彼，虎狼也；大人，国之元帅，奈何以身为虏饵！"子仪曰："今战，则父子俱死而国家危；往以至诚与之言，或幸而见从，则四海之福也！不然，则身没而家全。"以鞭击其手曰："去！"遂与数骑开门而出，使人传呼曰："令公②来！"回纥大惊。其大帅合胡禄都督药葛罗，可汗之弟也，执弓注矢立于阵前。子仪免胄释甲投枪而进，回纥诸酋长相顾曰："是也！"皆下马罗拜。子仪亦下马，前执药葛罗手，让之曰："汝回纥有大功于唐，唐之报汝亦不薄，奈何负约，深入吾地，侵逼畿县，弃前功，结怨仇，背恩德而助叛臣，何其愚也！且怀恩叛君弃母，于汝国何有！今吾挺身而来，听汝执我杀之，我之将士必致死与汝战矣。"药葛罗曰："怀恩欺我，言天可汗已晏驾③，令公亦捐馆④，中国无主，我是以敢与之来。今知天可汗在上都，令公复总兵于此，怀恩又为天所杀，我曹岂肯与令公战乎！"子仪因说之曰："吐蕃无道，乘我国有乱，不顾舅甥之亲，吞噬我边鄙，焚荡我畿甸⑤，其所掠之财不可胜载，马牛杂畜，长数百里，弥漫在野，此天以赐汝也。全师而继好，破敌以取富，为汝计，孰便于此！不可失也。"药葛罗曰："吾为怀恩所误，负公诚深，今请为公尽力，击吐蕃以谢过。然怀恩之子，可敦兄弟也，愿舍之勿杀。"子仪许之。回纥观者为两翼，稍前，子仪麾下亦进，子仪挥手却之，因取酒与其酋长共饮。药葛罗使子仪先执酒为誓，子仪酹地曰："大唐天子万岁！回纥可汗亦万岁！两国将相亦万岁！有负约者，身殒陈前，家族灭绝。"杯至药葛罗，亦酹地曰："如令公誓！"于是诸酋长皆大喜曰："虏以二巫师从军，巫言此行甚安隐，不与唐战，见一大人而还，今果然矣。"子仪遗之彩三千匹，酋长分以赏巫。子仪竟与定约而还。吐蕃闻之，夜，引兵遁去。回纥遣其酋长石野那等六人入见天子。

[注释]

①绐：欺骗。②令公：指郭子仪，郭时为中书令，故传呼令公。③天可汗已晏驾：唐帝王已死。天可汗，唐代西北各族君长对唐朝皇帝的尊称。④捐馆：捐弃所居之舍。死的讳语。⑤畿甸：京城周围五百里以内的土地。泛指京城地区。

[译文]

丙寅日，回纥、吐蕃两支军队联合包围泾阳，郭子仪命令诸将严密设防守御戒备而不出战。等到天色晚了，回纥、吐蕃联军退守北原。丁卯日，回纥、吐蕃联军再次来到泾阳城下。这时，回纥与吐蕃听说仆固怀恩已经死去，开始互争尊长，不相和睦，分别设置营帐而驻扎，郭子仪知道了这件事。回纥军队驻扎在泾阳城西，郭子仪派遣牙将李光瓒等人前去游说回纥，打算与回纥一起攻击吐蕃。回纥人不相信，说："郭子仪确实在这里吗？你在欺骗我吧。如果真在这里，我可以见他吗？"李光瓒回去作了汇报，郭子仪说："现在我们人少抵挡不过敌人，难以用力量战胜敌人。从前我们与回纥缔结盟约，交情深厚。不如我奋身而起前去劝说他们，可以不战而胜。"诸将请求选派五百人的精锐骑兵作为警卫随从，郭子仪说:"这正好会害了我。"郭晞拉住郭子仪的马劝谏说:"他们是虎狼,父亲大人是国家的元帅,怎么用自己的身体作为老虎的饵食呢!"郭子仪说:"现在与回纥交战,那么我们父子都会战死,国家就危险了;我去用极其真挚诚恳的心意与他们交谈,或许能侥幸使他们听从我,那就是国家的福分了!不这样的话,那么我死了咱们的家也可以保全。"郭子仪扬鞭抽打郭晞的手,说:"走开!"郭子仪就和几位骑兵打开城门冲了出去,郭子仪派人传呼说:"郭公来了!"回纥人非常吃惊。回纥大帅合胡禄都督药葛罗是回纥可汗的弟弟,他搭弓上箭,站在军阵前面。郭子仪脱掉盔甲,放下长枪,走上前去,回纥各位酋长相互看了看说:"正是郭公!"他们都下马围成一圈对着郭子仪跪拜。郭子仪也下了马,上前握着药葛罗的手,责备他说:"你们回纥对我大唐是有大功的,大唐报答你们也不薄,怎么背弃约定,深入我大唐内地,侵犯进逼京畿郊县,放弃以前所立下的战功,结下怨恨仇视,弃去大唐的恩惠而帮助叛臣,这是多么愚蠢啊!况且仆固怀恩背叛国君,抛弃母亲,对你们国家有什么好处!今天我挺身前来,听凭你们抓我杀我,我的将士一定拼死与你们作战。"药葛罗说:"仆固怀恩欺骗我,说大唐天子已经驾崩,您也已经去世,中原无主,我所以才敢同吐蕃前来。我现在知道大唐天子在长安,您又在这里总领军队,仆固怀恩又为上天所杀,我们怎么愿意和您交战呢!"郭子仪趁机劝说道:"吐蕃暴虐不行仁义,趁我国内乱,不顾舅甥之国的关系,吞噬我边疆,焚毁扫荡我京畿地区,他们掠夺的财物用车装都装不完,马、牛和其他牲畜前后长达几百里,散布在原野上,这是上天要把它们赐给你们的啊。保全军队而能与大唐重修旧好,打败敌军又能获取财富,替你们考虑,还有什么比这更有利的吗!不可失这个机会。"药葛罗说:"我被仆固怀恩误导,辜负您实在太深,现在请让我为您尽力,攻击吐蕃来谢罪。只是仆固怀恩之子是回纥可敦的兄弟,希望您放过他不要杀。"郭子仪答应了他。旁观的回纥人站在两边，慢慢向前靠近，郭子仪的部下也迎上去，郭子仪挥手让他们退下，就取出酒来与回纥酋长共饮。药葛罗让郭子仪先举起酒杯起誓，郭子仪把酒洒在地上，说："大唐天子万岁！回纥可汗也万岁！两国的将相也万岁！谁要负约，就在阵前殒命，家族灭绝。"酒杯传到药葛罗手中，他也把酒洒在地上说："我的誓言同郭公一样！"于是回纥诸位酋长都非常高兴地说："此前我们让两位巫师从军，巫师说这次行动非常安稳，不用与唐军交战，见到一位大人物即可返回，现在果真是这样。"郭子仪送给他们三千匹彩帛，回纥酋长分出部分奖赏巫师。郭子仪最终与回纥订友好盟约才回来。吐蕃首领听说后，夜里率领军队逃走了。回纥派他的酋长石野那等六人入朝拜见大唐天子。

颜真卿上疏见放

【唐纪四十】代宗大历元年（丙午，766年）

元载专权，恐奏事者攻讦其私，乃请："百官凡论事，皆先白长官，长官白宰相，然后奏闻。"仍以上旨谕百官曰："比日诸司奏事烦多，所言多谗毁，故委长官、宰相先定其可否。"

刑部尚书颜真卿上疏，以为："郎官、御史，陛下之耳目。今使论事者先白宰相，是自掩其耳目也。陛下患群臣之为谗，何不察其言之虚实！若所言果虚宜诛之，果实宜赏之。不务为此，而使天下谓陛下厌听览之烦，托此为辞以塞谏争之路，臣窃为陛下惜之！太宗著《门司式》云：'其无门籍①人，有急奏者，皆令门司与仗家②引奏，无得关碍。'所以防壅蔽也。天宝以后，李林甫为相，深疾言者，道路以目。上意不下逮，下情不上达，蒙蔽喑呜，卒成幸蜀之祸。陵夷③至于今日，其所从来者渐矣。夫人主大开不讳之路，群臣犹莫敢尽言，况令宰相大臣裁而抑之，则陛下所闻见者不过三数人耳。天下之士从此钳口结舌，陛下见无复言者，以为天下无事可论，是林甫复起于今日也！昔林甫虽擅权，群臣有不咨宰相辄奏事者，则托以他事阴中伤之，犹不敢明令百司奏事皆先白宰相也。陛下倘不早寤，渐成孤立，后虽悔之，亦无及矣！"载闻而恨之，奏真卿诽谤；乙未，贬峡州别驾。

[注释]

①门籍：书有朝臣姓名的牒籍，凭以出入宫门。②仗家：指执掌仪仗宿卫的人。③陵夷：衰落。

[译文]

元载独揽大权，害怕向皇帝陈述事情的人揭露他的阴谋而加以攻击，就上奏说："百官凡是谈论朝政大事，都应先禀报各部门长官，由各长官禀报宰相，然后再将事情向皇帝报告。"他还用圣旨告知百官说："连日来各官署向皇帝陈述的事情烦琐冗杂，所说的多是进谗毁谤之词，所以委托给长官、宰相先确定所说的事是否真实。"

刑部尚书颜真卿上疏，认为："郎官和御史是陛下的耳目。现在让谈论朝政大事的人先告诉宰相，是陛下遮蔽自己的耳目啊。陛下担心大臣进谗言，为什么不观察他们所说的真伪！假如所言真的是假的，应把他们杀掉；如果是真的，应奖赏他们。不尽力做到这样，就会使天下人说陛下对听、看奏章感到厌烦，假托这样为借口堵塞谏诤的途径，我私下替陛下感到惋惜！太宗所著《门司式》说：'那些没有出入宫门记名牌的人，有急事上奏，都命令门司与仗家引导上奏，不能阻碍。'这样做是为了防备被隔绝蒙蔽啊。天宝以后，李林甫担任宰相，十分痛恨上奏谈论朝政大事的人，人们只能在道路上以眼神示意。圣上的意图不能向下传达，下面的情况也不能向上传送。圣上被蒙蔽而臣下沉默不语,最终酿成玄宗逃奔蜀地的灾祸。衰败到今天,它的由来是逐步形成的。圣上大开忠言直谏之路,众大臣还没有人敢直言,更何况现在让宰相、大臣裁决并且抑制他们,那么陛下能听到和看到的不过是三个人的了。天下的士人从此慑于淫威不敢讲话,陛下看到没有人再谈论政事,认为天下没有政事可以谈论了,这是因为李林甫在今天又出现了啊!过去李林甫虽然专权,大臣中仍有不征求宰相意见就上奏谈论政事的,李林甫只能借其他事暗中伤害他们,还不敢公开下令有关官署上奏谈论政事都先禀告宰相。陛下如果不及早醒悟,就会逐渐成为孤独无助得不到同情的人,后来即使心中悔恨这样做,也来不及了!"元载听说颜真卿上疏就痛恨他,参奏颜真卿诽谤朝廷;乙未日,颜真卿被贬为峡州别驾。

陆贽上疏兴邦之计

【唐纪四十四】德宗建中四年(癸亥,783年)

上与陆贽语及乱故,深自克责。贽曰:"致今日之患,皆群臣之罪也。"上曰:"此亦天命,非由人事。"贽退,上疏,以为:"陛下志壹区宇,四征不庭①,凶渠②稽诛③,逆将继乱,兵连祸结,行及三年。征师日滋,赋敛日重,内自京邑,外洎边陲,行者有锋刃之忧,居者有诛求④之困。是以叛乱继起,怨讟并兴,非常之虞,亿兆⑤同虑。唯陛下穆⑥然凝邃⑦,独不得闻,至使凶卒鼓行⑧,白昼犯阙⑨,岂不以乘我间隙,因人携离⑩哉!陛下有股肱之臣,有耳目之任,有谏诤之列,有备卫之司,见危不能竭其诚,临难不能效其死;臣所谓致今日之患,群臣之罪者,岂徒言欤!圣旨又以国家兴衰,皆有天命。臣闻天所视听,皆因于人。故祖伊⑪责纣之辞曰：'我生不有命在天！'武王数纣之罪曰：'乃曰吾有命，罔惩其侮[12]。'此又舍人事而推天命必不可之理也！《易》曰：'视履考祥[13]。'又曰：'吉凶者，失得之象。'此乃天命由人，其义明矣。然则圣哲之意，《六经》会通，皆谓祸福由人，不言盛衰有命。盖人事理而天命降乱者，未之有也；人事乱而天命降康者，亦未之有也。自顷征讨颇频，刑网稍密，物力耗竭，人心惊疑，如居风涛，汹汹[14]靡定。上自朝列，下达蒸黎[15]，日夕族党聚谋，咸忧必有变故，旋属[16]泾原叛卒[17]，果如众庶所虞。京师之人，动逾亿[18]计，固非悉知算术，皆晓占书，则明致寇之由，未必尽关天命。臣闻理或生乱，乱或资理，有以无难而失守，有以多难而兴邦。今生乱失守之事，则既往而不可复追矣；其资理兴邦之业，在陛下克励而谨修之。何忧乎乱人，何畏乎厄运！勤励不息，足致升平，岂止荡涤妖氛，旋复宫阙而已！"

[注释]

①不庭：不朝于王庭者。②凶渠：凶徒的首领、元凶。③稽诛：延缓受诛。稽：留止、延迟。④诛求：征求，责求，强制征收。⑤亿兆：万民。⑥穆：通"默"，沉默。⑦凝邃：深邃，深居。⑧鼓行：击鼓前进，大张声势地进军。⑨犯阙：兴兵进犯朝廷。⑩携离：离心，背叛。⑪祖伊：商纣王臣，周文王蓄谋灭商，诸侯多叛纣归周，他力谏纣王改变残暴统治，纣不听。⑫罔惩其侮：指商纣没有悔改之心，依然傲慢邪恶。惩，制止；侮，傲慢。⑬视履考祥：处于人生艰难跋涉之途的君子，应该经常检视自己所走过的道路，并考察前途可能出现的新情况。"履"为鞋子，引申为走过的路；"祥"为外界所呈现出的吉凶之兆，引申为即将应对的前程。⑭汹汹：旋扰不安，动乱不安。⑮蒸黎：民众，百姓。⑯属：恰好遇到。⑰泾原叛卒：建中四年（783）十月，泾原兵因朝廷赏赐不厚，在长安发动叛乱，推举曾任泾原节度使的朱泚为首，并攻占长安，唐德宗逃往奉天。⑱亿：十万。

[译文]

皇上与陆贽谈到变乱的原因，深深自我责备。陆贽说："导致今日的灾难都是群臣的过错。"皇上说："这也是天命，不是人力所及。"陆贽退朝后，上疏，认为："陛下的志向在于统一天下，四次征伐不来朝拜的人，凶犯的首领延迟受刑，叛逆的将领相继作乱，兵连祸结，将要接近三年了。征讨的军队日渐增多，征收赋税日渐繁重，内地从京城开始向外到达边疆，行路的人有遭遇兵祸的忧虑，居家的人有强制征收的窘迫。所以叛乱相继发生，怨恨、诽谤一并兴起，非同寻常的忧患，是万民共同担心的。只有陛下做出静思的样子深居宫中，独自不知道外面的情况，以致使悍卒击鼓前进，白天进犯朝廷，这难道不是趁着朝廷有漏洞，乘着人心背离吗！陛下有辅佐朝政的重臣，有担任收集情报任务的人，有位居谏官的人，有负责护卫职责的人，他们看到危险不能够竭尽他们的忠诚，面临祸患不能够舍命报效朝廷，我所说的导致今日祸患，是群臣过错的话，哪里只是空话呢！圣旨又认为国家的兴衰，都是由天命决定的。臣听说上天所看到和听到的，都是通过人来实现的。所以祖伊谴责殷纣的文辞说：'我生来是从上天那里接受大命的！'武王历数纣王的罪行说：'竟然说有天命在身，不去克制自己的傲慢之心。'这又是说抛开人事来推求天命是必然不可的道理啊！《易经》说：'处在人生艰难跋涉路途的君子，应经常检视自己走过的道路，并考察前途可能出现的新情况。'又说：'吉凶是得失的表象。'这是说天命是由人掌握的，这个意思很清楚。既然这样，那么圣人贤哲的本意，在《六经》中融会贯通，都说祸福是由人掌握的，不说盛衰由天命掌控。大概人世间的事治理好了而天命降下祸害的情况，是没有的；人世间的事混乱而天命降下安康的情况，也是没有的。近来，征战非常频繁，严密的法律条规稍嫌过密，可供使用的物资耗费净尽，人人心怀惊恐疑虑，好像置身在风浪之上，喧扰不安。上自朝臣，下至百姓，宗族同党早晚聚在一起商量，都担心一定会有意外的事情发生，不久恰好遇到泾原叛兵事件，果然像众人忧虑的那样。京城的百姓，常常超过十万，固然不是都熟悉推算之术，都通晓占卜之书，却明白招致祸乱的缘由，不一定全都与天命有关。我听说治理有时会产生祸乱，祸乱有时会有助于治理；有因为没有危难而失去守成的，有因为多难而兴邦的。现在产生祸乱和失去守成的事情，已成过去不能再追回来；那有助于治理和兴邦的事业，对陛下来说就是要克制私欲，力求上进，慎重地修明自身。为什么要担心叛乱之人，为什么要怕苦难的命运？勤劳不懈，足以实现太平之世，哪里只是荡涤不祥之气，光复朝廷而已！"

回纥称臣

【唐纪四十九】德宗贞元三年（丁卯，787年）

回纥合骨咄禄可汗屡求和亲，且请昏；上未之许。会边将告乏马，无以给之，李泌言于上曰："陛下诚用臣策，数年之后，马贱于今十倍矣！"上曰："何故？"对曰："愿陛下推至公之心，屈己徇人，为社稷大计，臣乃敢言。"上曰："卿何自疑若是！"对曰："臣愿陛下北和回纥，南通云南，西结大食、天竺，如此，则吐蕃自困，马亦易致矣。"上曰："三国当如卿言，至于回纥则不可！"泌曰："臣固知陛下如此，所以不敢早言。为今之计，当以回纥为先，三国差缓①耳。"上曰："唯回纥卿勿言。"泌曰："臣备位宰相，事有可否在陛下，何至不许臣言！"上曰："朕于卿言皆听之矣，至于回纥，宜待子孙；于朕之时，则固不可！"泌曰："岂非以陕州之耻②邪！"上曰："然。韦少华等以朕之故受辱而死，朕岂能忘之！属国家多难，未暇报之，和则决不可。卿勿更言！"泌曰："害少华者乃牟羽可汗，陛下即位，举兵入寇，未出其境，今合骨咄禄可汗杀之。然则今可汗乃有功于陛下，宜受封赏，又何怨邪！

其后张光晟杀突董等九百馀人③,合骨咄禄竟不敢杀朝廷使者,然则合骨咄禄固无罪矣。"上曰:"卿以和回纥为是,则朕固非邪?"对曰:"臣为社稷而言,若苟合取容④,何以见肃宗、代宗于天上!"上曰:"容朕徐思之。"自是泌凡十五馀对,未尝不论回纥事,上终不许。泌曰:"陛下既不许回纥和亲,愿赐臣骸骨。"上曰:"朕非拒谏,但欲与卿较理耳,何至遽欲去朕邪!"对曰:"陛下许臣言理,此固天下之福也。"上曰:"朕不惜屈己与之和,但不能负少华辈。"对曰:"以臣观之,少华辈负陛下,非陛下负之也。"上曰:"何故?"对曰:"昔回纥叶护将兵助讨安庆绪,肃宗但令臣宴劳之于元帅府,先帝未尝见也。叶护固邀臣至其营,肃宗犹不许。及大军将发,先帝始与相见。所以然者,彼戎狄豺狼也,举兵入中国之腹,不得不过为之防也。陛下在陕,富于春秋,少华辈不能深虑,以万乘元子⑤径造其营,又不先与之议相见之仪,使彼得肆其桀骜,岂非少华辈负陛下邪?死不足偿责矣。且香积之捷⑥,叶护欲引兵入长安,先帝亲拜之于马前以止之,叶护遂不敢入城。当时观者十万馀人,皆叹息曰:'广平王真华、夷主也!'然则先帝所屈者少,所伸者多矣。叶护乃牟羽之叔父也。牟羽身为可汗,举全国之兵赴中原之难,故其志气骄矜,敢责礼于陛下;陛下天资神武,不为之屈。当是之时,臣不敢言其他,若可汗留陛下于营中,欢饮十日,天下岂得不寒心哉!而天威所临,豺狼驯扰⑦,可汗母捧陛下于貂裘,叱退左右,亲送陛下乘马而归。陛下以香积之事观之,则屈己为是乎?不屈为是乎?陛下屈于牟羽乎?牟羽屈于陛下乎?"上谓李晟、马燧曰:"故旧不宜相逢。朕素怨回纥,今闻泌言香积之事,朕自觉少理。卿二人以为何如?"对曰:"果如泌所言,则回纥似可恕。"上曰:"卿二人复不与朕,朕当奈何!"泌曰:"臣以为回纥不足怨,曩⑧来宰相乃可怨耳。今回纥可汗杀牟羽,其国人有再复京城之勋⑨,夫何罪乎!吐蕃幸国之灾,陷河、陇数千里之地,又引兵入京城,使先帝蒙尘于陕⑩,此乃必报之仇,况其赞普尚存,宰相不为陛下别白言此,乃欲和吐蕃以攻回纥,此为可怨耳。"上曰:"朕与之为怨已久,又闻吐蕃劫盟,今往与之和,得无复拒我,为夷狄之笑乎?"对曰:"不然。臣曩⑪在彭原,今可汗为胡禄都督,与今国相白婆帝皆从叶护而来,臣待之颇亲厚,故闻臣为相而求和,安有复相拒乎!臣今请以书与之约:称臣,为陛下子,每使来不过二百人,印马⑫不过千匹,无得携中国人及商胡出塞。五者皆能如约,则主上必许和亲。如此,威加北荒,旁詟⑬吐蕃,足以快陛下平昔之心矣。"上曰:"自至德以来,与为兄弟之国,今一旦欲臣之,彼安肯和乎?"对曰:"彼思与中国和亲久矣,其可汗、国相素信臣言,若其未谐,但应再发一书耳。"上从之。

既而回纥可汗遣使上表称儿及臣,凡泌所与约五事,一皆听命。上大喜,谓泌曰:"回纥何畏服卿如此?"对曰:"此乃陛下威灵,臣何力焉!"上曰:"回纥则既和矣,所以招云南、大食、天竺奈何?"对曰:"回纥和,则吐蕃已不敢轻犯塞矣。次招云南,则是断吐蕃之右臂也。云南自汉以来臣属中国,杨国忠无故扰之使叛,臣于吐蕃,苦于吐蕃赋役重,未尝一日不思复为唐臣也。大食在西域为最强,自葱岭尽西海,地几半天下,与天竺皆慕中国,代与吐蕃为仇,臣故知其可招也。"

癸亥,遣回纥使者合阙将军归,许以咸安公主妻可汗,归其马价绢五万匹。

[注释]

①差缓:延缓,迟缓。差,次。②陕州之耻:指唐代宗宝应元年(762),时为雍王的德宗李适在陕州被回纥困辱之事。③张光晟杀突董等九百馀人:780年,回纥首长突董率众并九姓胡等千余人自长安还国,路过振武军,军使张光晟发觉许多木箱里暗藏着长安妇女。当时顿莫何可汗杀登里可汗,正在大杀九姓胡。突董所率九姓胡害怕,不敢去回纥,向张光晟献计,请尽杀回纥

人。张光晟出兵杀突董等和九姓胡,得骆驼及马数千头,缯锦十万匹,以及大量妇女,全数送回长安。④取容:屈从讨好,取悦于人。⑤元子:天子和诸侯的嫡长子。⑥香积之捷:唐肃宗至德二载(757),唐朝军队在郭子仪、李嗣业等人率领下,与回纥怀仁可汗率领的回纥军队在长安城西的香积寺大败安史叛军,杀敌六万多人,取得香积大捷。⑦驯扰:顺服。⑧曏:读 xiàng,往日,从前。⑨再复京城之勋:指的是回纥至德二载与代宗复两京,宝应元年又与帝复东京,是有再复京城之勋。⑩先帝蒙尘于陕:指代宗广德元年(763)吐蕃大肆入侵中原,尽略河西、陇右之地,并入寇长安,剽掠府库市里,焚闾舍,长安中萧然一空。⑪曩:读 nǎng,从前。⑫印马:古代烙有印记的马匹。⑬訾:咸慑。

[译文]

　　回纥合骨咄禄可汗屡次请求和亲,并请求国婚;皇上没有答应他。适逢守边将领报告缺少战马,朝廷没有什么可以拿来供给他们,李泌对皇上说:"陛下如果能采纳臣的谋略,几年之后,马匹的价格会低于现在的十倍!"皇上说:"为什么呢?"李泌回答说:"希望陛下能推用最公正的态度,委屈自己顺从别人,为国家大事考虑,臣才敢说出来。"皇上说:"你为什么有这样的疑虑?"李泌回答说:"臣希望陛下在北方与回纥关系和睦,在南方与云南交好,在西方与大食、天竺结交。像这样,那么吐蕃自会艰难窘迫,马匹也容易获得了。"皇上说:"云南、大食、天竺三国应当按你说的去做,至于回纥则不可以!"李泌说:"臣本来就知道陛下是这样的态度,因此不敢及早说出来。为现在考虑,应当把回纥放在首位,其余三国可延缓考虑。"皇上说:"只是回纥你不要说。"李泌说:"臣忝列宰相之位,事情的可行与否在于陛下您决定,岂有不让臣说话的道理呢!"皇上说:"朕对于你说的话都听从了,至于说回纥的问题,应当等待朕的子孙去解决。朕在位时,绝对不可以!"李泌说:"是因为陛下在陕州受到的耻辱吧!"皇上说:"是的。韦少华等人因为朕的原因遭受侮辱而死,朕哪能忘了这些呢!适逢国家困难很多，没有时间为他们报仇，与回纥交好那一定不可行。你不要再说了！"李泌说："害死韦少华的是牟羽可汗，陛下即位后，他率军入侵，还没有走出他的国境，现在的合骨咄禄可汗就杀了他。既然这样，现在的合骨咄禄可汗是对陛下立有功劳的，应受到封赏，又有什么怨恨呢！在这以后张光晟杀了突董等九百多人，合骨咄禄可汗倒不敢杀朝廷的使者，这样说来，那么合骨咄禄可汗本来是无罪的了。"皇上说："你认为与回纥和好是对的，那朕一定是错的了？"李泌说："臣是为国家说这话的。若我苟且迎合，取悦于陛下，凭什么死去之后在天上去见肃宗和代宗呢！"皇上说："让朕慢慢想一想。"从这以后，李泌奏对了共十五次还多，没有不谈论回纥事情的，皇上最终没有答应。李泌说："陛下既然不答应与回纥和好，希望准许我告老还乡。"皇上说："朕不是拒绝规劝，只是想与你分析其中的道理罢了，何至于立刻想离开朕呢！"李泌回答说："陛下容许臣讲理，这本来是天下人的福分啊。"皇上说："朕不顾惜委屈自己与回纥和好，但我不能够对不起韦少华这些人。"李泌回答说："在我看来，是韦少华这些人对不起陛下，不是陛下对不起他们啊。"德宗说："什么原因？"李泌回答说："先前，回纥叶护率兵帮助朝廷讨伐安庆绪，肃宗只是让臣在元帅府设宴慰劳他们，先帝不曾接见他们。叶护坚持邀请臣到他的军营去，肃宗还是不答应。等到大军将要出发时，先帝才与他们见面。这样做的原因是，那些戎狄是豺狼啊，他们率军进入中原腹地，我们不能不十分小心防备他们。陛下在陕州时，还年轻，韦少华这些人不能深思熟虑，带领着天子的长子直接往访回纥军营，又没有事先与回纥议定会见的仪式，使得他们能够放纵他们凶悍倨璺的本性，难道不是韦少华这些人对不起陛下吗？他们死了也不足以抵当罪责的。况且香积寺大捷时，叶护打算率军攻入长安，先帝亲自在他马前施礼来阻止他入城，叶护就不敢进长安城。当时，看到这种场面的有十万多人,都叹息说:'广平王真是华夏和蛮夷的共主啊!'既然这样,那么先帝屈尊的地方少,伸展抱负的地方多啊。叶护是牟羽的叔父。牟羽身为可汗,发动全国军队为中原的祸难而奔忙,所以他的志向和气概骄傲自负,敢向陛下索取礼遇;陛下天赋的资质神明威武,不会被他屈服。在这个时候,臣不敢说其他的事情,如果牟羽可汗把陛下留在军营中,欢乐宴饮十天,天下人难道能不感到寒心吗!然而,陛下的威严所到之处,连豺狼也驯服柔顺起来了,可汗的母亲两手托着貂皮制成的衣裘献给陛下,喝退手下的人,亲自护送陛下乘马而归。陛下从香积寺的事情看,是委屈了陛下是对的呢,还是说没有委屈陛下是对的呢?是陛下向牟羽屈服了呢,还是牟羽向陛下屈服了呢?"皇上对李晟和马燧说:"与回纥故人不应再见面。朕平素怨恨回纥,现在李泌谈到香积寺的事情,朕自己觉着理亏,你们二人认为怎么样?"二人回答说:"果真像李泌说的,那么回纥似乎可以宽恕。"皇上说:"你们二人也不赞成朕,朕该怎么办呢?"李泌说:"臣认为回纥不值得怨恨,以前的宰相才是应当怨恨的。现在回纥可汗杀了牟羽,他的国人有再次收复京城的功勋,有什么罪过呢!吐蕃庆幸我国发生灾难,攻占河西陇右的几千里土地,还率兵攻入京城,使得先帝在陕州蒙尘,这是一定要报的仇恨,何况吐蕃赞普还在位呢,宰相不给陛下另外说明这件事情,就打算与吐蕃和好来攻打回纥,这是应当怨恨的啊。"皇上说:"我与回纥结怨时间太长了,又听说吐蕃胁迫回纥与自己结盟,现在前往与他们和好,恐怕要再次拒绝我们,我们被夷狄耻笑吧?"李泌回答说:"不是这样。以前臣在彭原时,现在的可汗担任胡禄都督,他与现在的国相白婆帝都跟随叶护前来,臣对他们很亲爱厚待,所以他们听说臣做宰相就来请求和好,哪里会再次拒绝呢!臣现在请求用书信与他们约定:可汗称臣,做陛下的子民,每次来的使者,不能超过二百人,烙有印记用于互市的马匹不能超过一千四,不许携带中原人和胡族商人到塞外去。这五条约定如果回纥都能遵守，那么，陛下就一定要答应与他们和亲。像这样，陛下的声威延及北部荒远的地方，从侧面震慑吐蕃，这足以让陛下平素的志向得到满足。"皇上说："从至德年间以来，我们与回纥结成兄弟关系，现在一下子想臣服他们，他们哪里肯和好呢？"李泌回答说："他们想与中原和亲已经很久了，他们的可汗、国相一向相信我的话，如果事情处理不好，只需再发一封信罢了。"皇上听从了李泌的建议。

不久，回纥可汗派使者上表自称儿和臣，凡是李泌与他们约定的五件事情，全都听命。皇上非常高兴，对李泌说："回纥为什么这样敬服于你呢？"李泌回答说："这是陛下显赫的声威发挥作用，臣有什么力量！"皇上说："与回纥已经和好了，对云南、大食和天竺的招抚怎么办呢？"李泌回答说："与回纥和好了，那么吐蕃就不敢轻易侵犯边塞了。接下来招抚云南，就是砍断吐蕃右臂。云南从汉朝以来就是中国的臣下，杨国忠无缘无故搅扰他们，使他们背叛朝廷，臣服于吐蕃，苦于吐蕃的沉重赋役负担，没有一天不想再做唐朝的臣下。大食在西域各国中最为强大，从葱岭到西海边，地域几乎占天下的一半，与天竺都仰慕中原，世代与吐蕃为仇敌，臣因此知道他们是可以招抚的。"

癸亥日，皇上派回纥使者合阙将军回国，答应把咸安公主嫁给可汗，用五万匹绢抵偿他们的马价。

"今岁颇稔，何为不乐？"

【唐纪四十九】德宗贞元三年（丁卯，787年）

自兴元以来，是岁最为丰稔①，米斗直钱百五十、粟八十，诏所在和籴②。

庚辰，上畋于新店，入民赵光奇家，问："百姓乐乎？"对曰："不乐。"上曰："今岁颇稔，何为不乐？"对曰："诏令不信。前云两税之外悉无他徭，今非税而诛求③者殆过于税。后又云和籴，而实强取之，曾不识一钱。始云所籴粟麦纳于道次，今则遣致京西行营，动数百里，车摧马毙，破产不能支。愁苦如此，何乐之有！每有诏书优恤，徒空文耳！恐圣主深居九重④，皆未知之也！"上命复其家⑤。

臣光曰：甚矣唐德宗之难寤也！自古所患者，人君之泽壅而不下达，小民之情郁而不上通；故君勤恤于上而民不怀⑥，民愁怨于下而君不知，以至于离叛危亡，凡以此也。德宗幸以游猎得至民家，值光奇敢言而知民疾苦，此乃千载之遇也。固当按有司之废格⑦诏书，残虐下民，横增赋敛，盗匿公财，及左右谄谀日称民间丰乐者而诛之；然后洗心易虑，一新其政，屏浮饰，废虚文，谨号令，敦诚信，察真伪，辨忠邪，矜困穷，伸冤滞，则太平之业可致矣。释此不为，乃复光奇之家；夫以四海之广，兆民之众，又安得人人自言于天子而户户复其徭赋乎！

[注释]

①丰稔：庄稼丰收。②和籴：古时官府以议价交易为名向老百姓摊派粮食。③诛求：征求，责求。④九重：帝王住的宫禁之地。⑤复其家：指免除赵光奇家的赋税和徭役。复，免除兵役或徭役。⑥怀：归向，依附。⑦废格：诏令搁置不执行。

[译文]

自从兴元年间以来，这一年的收成最好，一斗米值一百五十钱，一斗粟值八十钱，皇上诏令在收成好的地方由官府议价收购粮食。

庚辰日，皇上在新店打猎，来到村民赵光奇的家中。皇上问："百姓高兴吗？"赵光奇回答说："不高兴。"皇上说："今年收成很好，为什么不高兴？"赵光奇回答说："诏令不讲信用。以前说两税以外没有其他徭役，现在不是正常税种的征求几乎超过了两税。后来又说是议价收购，但实际是强行夺取粮食，还不曾见过一个钱呢。开始说官府买进的谷子、小麦在路边交纳，现在却让送往京西行营，动不动就是几百里地，不是车子坏了就是马死了，人们破产支撑不下去。百姓像这样忧愁困苦，有什么高兴的！每次颁发诏书都说优待照顾百姓，只是一纸空文罢了！恐怕圣上深居在皇宫，全不知道这些吧！"皇上下令免除他家的赋税和徭役。

臣司马光说：太过分了！唐德宗真是难以醒悟了！自古以来，人们所担忧的，是帝王的恩泽壅塞不能通达到下面去，百姓的情绪郁结着不能通报到上边来；所以，君主在上面关怀而百姓不依附；百姓在下面愁怨而君主不知晓，以至于百姓背叛，家败国亡，大都因为这些原因。德宗幸亏因打猎能够来到百姓家中，正好赵光奇敢说话，德宗就知道了百姓的疾苦，这真是极其难得的际遇啊。唐德宗本来应当查处有关部门搁置而不实施诏书，残害百姓，额外地增加赋税，盗窃藏匿国家资财的情况，以及身边那些天天说百姓丰收喜乐的阿谀奉承之徒，杀掉他们；这样以后涤除私心杂念，彻底改悔，革新朝政，摒弃虚夸文饰，废除空洞的公文，谨慎地发布号令，勉励诚信，审察真伪，辨别忠奸，使穷困得到同情，使冤屈得以昭雪，那么太平盛世就能实现了。丢开这些不去做，皇上仅免除赵光奇一家的赋役；凭借天下之大，百姓众多，又怎能人人亲自向天子说明情况，家家户户都免除赋税与徭役呢！

裴延龄恣为诡谲受宠幸

【唐纪五十一】 德宗贞元十年（甲戌，794年）

裴延龄奏称官吏太多，自今缺员请且勿补，收其俸以实府库。

上欲修神龙寺，须五十尺松，不可得，延龄曰："臣近见同州一谷，木数千株，皆可八十尺。"上曰："开元、天宝间求美材于近畿犹不可得，今安得有之？"对曰："天生珍材，固待圣君乃出，开元、天宝何从得之！"

延龄奏："左藏库司多有失落，近因检阅使置簿书，乃于粪土之中得银十三万两，其匹段杂货百万有馀。此皆已弃之物，即是羡馀①，悉应移入杂库以供别敕支用。"太府少卿韦少华不伏，抗表称："此皆每月申奏见在之物，请加推验。"执政请令三司详覆；上不许，亦不罪少华。延龄每奏对，恣为诡谲，皆众所不敢言亦未尝闻者，延龄处之不疑。上亦颇知其诞妄，但以其好诋毁人，冀闻外事，故亲厚之。

群臣畏延龄有宠，莫敢言，惟盐铁转运使张滂、京兆尹李充、司农卿李铦以职事相关，时证其妄，而陆贽独以身当之，日陈其不可用。十一月，壬申，贽上书极陈延龄奸诈，数其罪恶，其略曰："延龄以聚敛为长策，以诡妄为嘉谋，以掊克②敛怨为匪躬，以靖谮③服谗为尽节，总典籍之所恶以为智术，冒圣哲之所戒以为行能，可谓尧代之共工④，鲁邦之少卯⑤也。迹⑥其奸蠹，日长月滋，阴秘者固未尽彰，败露者尤难悉数。"又曰："陛下若意其负谤，则诚宜亟为辩明。陛下若知其无良，又安可曲加容掩！"又曰："陛下姑欲保持，曾无诘问，延龄谓能蔽惑，不复惧思；移东就西，便为课绩⑦，取此适彼，遂号羡馀，愚弄朝廷，有同儿戏。"又曰："矫诡之能，诬罔之辞，遇事辄行，应口便发，靡日不有，靡时不为，又难以备陈也。"又曰："昔赵高指鹿为马，臣谓鹿之与马，物理犹同；岂若延龄掩有为无，指无为有。"又曰："延龄凶妄，流布寰区⑧，上自公卿近臣，下逮舆台⑨贱品，喧喧⑩谈议，亿万为徒，能以上言，其人有几！臣以卑鄙，任当台衡⑪，情激于衷，虽欲罢而不能自默也。"书奏，上不悦，待延龄益厚。

[注释]

①羡馀：唐代官员以赋税盈余为名向皇室进贡的款项。②掊克：聚敛，搜刮民财。③靖谮：安于听信小人的谮言。④共工：中国古代神话中的天神，为洪水之神。传说他与颛顼发生战争，不胜，怒而头触不周山，使天地为之倾斜。后为颛顼诛灭。此外还有一说，谓共工是尧的大臣，与驩兜、三苗、鲧并称"四凶"，被尧流放于幽州。⑤少卯：据《孔子家语》载，孔子为鲁司寇，摄行相事七日而诛乱政大夫少正卯，子贡进曰："夫少正卯，鲁之闻人也，今夫子为政，而始诛之，或者为失乎？"孔子曰："天下有大恶者五，而窃盗不与焉。一曰心逆而险，二曰行僻而坚，三曰言伪而辩，四曰记丑而博，五曰顺非而泽，此五者有一于人，则不免君子之诛，而少正卯皆兼有之。"⑥迹：考察。⑦课绩：考核政绩。⑧寰区：寰宇，国家全境。⑨舆台：古代十等人中，舆为第六等，台为第十等。此泛指地位低微的人。⑩喧喧：声音大而嘈杂。⑪台衡：台辅，宰相之称。

[译文]

裴延龄上奏说官员太多，从今以后，官员队伍出现的缺员，请暂且不要补充，聚集这部分俸禄用来充实国库。皇上打算整修神龙寺，需要五十尺高的松树，没有找到，裴延龄说："臣最近发现同州一个山谷，有树木几千棵，都是大约八十尺高。"皇上说："开元、天宝年间在京城周围寻找上等木材还不可能找到，现在怎么能有呢？"裴延龄回答说："上天长出珍贵的木材，当然是等待圣明的君主才会出现，开元、天宝年间从哪里得到这些呢！"

裴延龄上奏说："左藏库的物品损失遗落很多，最近因为检阅使放置账簿，竟然在废物堆中发现十三万两银子，成匹段的布帛和杂物一百多万件。这都是已经耗费的物品，就是羡余，应当全部搬入杂库来供陛下特殊敕令支取使用。"太府少卿韦少华不同意，直言上书说："这都是每月申报上奏的现存物品，请加以推究验查。"主政的官员请求皇上让三司详细审核；皇上没有答应，也没有责备韦少华。裴延龄每次向皇上陈述时，放肆地说离奇古怪的事情，都是众人不敢说也未曾听说过的，裴延龄对待这些事情没有怀疑。皇上也略微知道裴延龄是荒诞虚妄的，只因裴延龄喜欢诬蔑别人，希望从他那里听到外边的事情，所以亲近厚待他。

　　群臣畏惧裴延龄受到宠爱，没有人敢说话，只有盐铁转运使张滂、京兆尹李充、司农卿李铦，因为职责上的事情与裴延龄所说有关，时常证实他的虚妄，而陆贽却用自身抵挡裴延龄，天天向皇上陈说他不可以重用。十一月，壬申日，陆贽上书极力陈诉裴延龄的虚伪诡诈，历数他的罪状，大意说："裴延龄把聚敛钱财当做治国的长远策略，把诡诈妄为当做美好的谋略，把搜刮民财、聚集怨恨当做超出常情的忠心，把惯于诬陷专进谗言当做竭尽臣下的节操，他汇总典籍里所憎恶的东西用来作为智谋与权术，他冒犯圣贤之人的告诫用来作为品行与才能，可以称他为尧时代的共工，鲁国的少正卯啊。考察他邪恶的祸国害民的行为，随着时间的推移逐渐增长，隐秘的事情固然没有完全彰显，败露了的事情尤其难以全部列举。"他又说："陛下如果认为他蒙受了诽谤，那么确实应该赶快为他分辩清楚。陛下如果知道他不是善良之人，又怎么可以不顾事实加以宽容和掩饰呢！"他又说："陛下姑且想保全扶持他，对他没有一点查究、责问，裴延龄认为他能够蒙蔽欺惑陛下，不再有害怕的想法；他把东边的东西移动到西边去，就成为考核的政绩，将这边的东西拿到那边去，就说是额外的羡余，愚弄欺骗朝廷，如同小儿游戏一样。"他又说："裴延龄虚伪诡诈的才能，诬蔑不实的言辞，遇事就能表现出来，随口就能说出来，没有一天不发生这种事情，没有一时不在做这种事情，这又是难以完全陈述出来的。"他又说："过去赵高指鹿为马，臣认为鹿与马，就事物存在的常理还是相同的，哪里像裴延龄把存在的东西掩饰为不存在的东西，把不存在的东西指成存在的东西呢！"他又说："裴延龄的凶顽虚妄，在全国传布开来，上自公侯卿相等近臣，下至地位低下的官员，嘈杂地谈论他的,有成千上万,但能把这说给皇上的人又有几个!臣凭借低微鄙陋的出身,担任宰相,真情在内心激荡,即使打算不再谈论此人,我还是不能自甘沉默啊。"此书上奏以后,皇上不高兴,对待裴延龄愈加厚爱了。

柳宗元请与刘禹锡易职

【唐纪五十五】宪宗元和十年(乙未,815年)

王叔文之党坐谪官者,凡十年不量移①,执政有怜其才欲渐进之者,悉召至京师;谏官争言其不可,上与武元衡亦恶之。三月,乙酉,皆以为远州刺史,官虽进而地益远。永州司马柳宗元为柳州刺史,朗州司马刘禹锡为播州刺史。宗元曰:"播非人所居,而梦得亲在堂②,万无母子俱往理。"欲请于朝,愿以柳易播。会中丞裴度亦为禹锡言曰:"禹锡诚有罪,然母老,与其子为死别,良可伤!"上曰:"为人子尤当自谨,勿贻亲忧,此则禹锡重③可责也。"度曰:"陛下方侍太后,恐禹锡在所宜矜④。"上良久,乃曰:"朕所言,以责为人子者耳;然不欲伤其亲心。"退,谓左右曰:"裴度爱我终切。"明日,禹锡改连州刺史。

宗元善为文,尝作《梓人传》,以为:"梓人不执斧斤刀锯之技,专以寻引、规矩、绳墨度群木之材,视栋宇之制,相高深、圆方、短长之宜,指麾众工,各趋其事,不胜任者退之。大厦既成,则独名其功,受禄三倍。亦犹相天下者,立纲纪、整法度,择天下之士使称其职,居天下之人使安其业,能者进之,不能者退之,万国既理,而谈者独称伊、傅、周、召⑤,其百执事⑥之勤劳不得纪焉。或者不知体要,炫能矜名⑦,亲小劳,侵众官,听听⑧于府庭,而遗其大者远者,是不知相道者也。"

又作《种树郭橐驼传》曰:"橐驼之所种,无不生且茂者。或问之,对曰:'橐驼非能使木寿且孳也。凡木之性,其根欲舒,其土欲故,既植之,勿动勿虑,去不复顾。其莳⁹也若子,其置也若弃,则其天全而性得矣。它植者则不然,根拳而土易,爱之太恩,忧之太勤,旦视而暮抚,已去而复顾,甚者爪其肤以验其生枯,摇其本以观其疏密,而木之性日以离矣。虽曰爱之,其实害之;虽曰忧之,其实仇之。故不我若也!为政亦然。吾居乡见长人者,好烦其令,若甚怜焉而卒以祸之。旦暮吏来,聚民而令之,促其耕获,督其蚕织,吾小人辍飧饔⁽¹⁰⁾以劳吏之不暇,又何以蕃⁽¹¹⁾吾生而安吾性邪!凡病且怠,职此故也。'"此其文之有理者也。

[注释]

①量移:唐宋时,被贬边远地区的官员遇赦酌情移至近处任职。②亲在堂:指母亲健在。③重:甚,极。④矜:同情,哀怜。⑤伊、傅、周、召:这四位先哲都是古代著名的贤相。伊,商朝初期的贤相伊尹;傅,殷商王武丁的至高权臣傅说,据记载,他是中华汉族傅氏家族的始祖;周,西周初年文王姬昌第四子周公旦,是西周初期杰出的政治家、军事家和思想家,被尊为儒学奠基人;召,周武王时的名臣召公,名奭,一作邵公、召康公。⑥执事:侍从左右供使令的人。⑦炫能矜名:炫耀自己的才能,夸耀自己的名声。炫:夸耀。⑧听听:斤斤计较,争辩不休。⑨莳:栽种。⑩飧饔:读 yōng sūn,做饭。⑪蕃:繁殖,生长。

[译文]

王叔文的朋党因犯罪被贬官的人,已有十年没有升迁了。主政的官员有的人怜惜他们的才华而打算逐步提拔他们,主张全部召他们到京城来,谏官们争着说这样不可以,皇上和武元衡也讨厌这件事。三月,乙酉日,朝廷让他们都担任偏远州的刺史,官位虽然提升了但所处地更加偏远了。永州司马柳宗元担任柳州刺史,朗州司马刘禹锡担任播州刺史。柳宗元说:"播州是不适合内地人居住的地方,刘禹锡的母亲还健在,绝无母子一同前去的道理。"他准备向朝廷请求，自己愿意由柳州改任播州。适逢御史中丞裴度也替刘禹锡进言说："刘禹锡确实有罪，但他母亲老了，与她的儿子作生死分别，实在让人伤心！"皇上说："作为人子，尤其应自己行为谨慎，不要遗留给亲人忧患。这就是刘禹锡确实该指责的地方啊。"裴度说："陛下正在侍奉太后，恐怕对刘禹锡所处的境况也应予以同情。"皇上过了很久才说："我说的话，用来要求做儿子的罢了；但不想伤他母亲的心。"退朝后，皇上对手下说："裴度爱朕到底深切啊。"第二天，改任刘禹锡为连州刺史。

柳宗元擅长写文章，曾写过《梓人传》，认为："有个木匠，没有掌握斧头、刀锯的使用技巧，专门用尺度、圆规、墨斗度量各种木材，观察房屋的样式，看高度、方圆、长短的合适与否，指挥着众多的工匠，各干自己的事情，对不能胜任的人予以辞退。高大的房屋建成后，就唯独用他的名字称说这件事情，并得到了三倍的报酬。这也好比担任宰相的人，设立纲领，整饬法度，选择天下的贤士，使才干与他们的职位相符合，稳定天下的人让他们安心他们的本业，有能力的人提拔，没能力的人屏退。天下事务治理完成后，谈论此事的人们只称颂伊尹、傅说、周公、召公等名相，对那些众多官员的辛勤劳苦却不能记载下来。有的宰相不识大体，夸示能力与崇尚名声，亲自做小的事情，侵占百官的职责，在官署中斤斤计较，而忘掉重大长远的事情，这是不知道为相之道的人啊。"

柳宗元又作《种树郭橐驼传》说："郭橐驼种植的树木，没有不成活且繁盛的。有的人问他，郭橐驼回答说：'我不能使树木生长期延长并且繁殖迅速。大凡树木的本性，它的根须要舒展，它周围的土壤要求原来的陈土，树木种好后，不要挪动和担心，离开它不再看管。栽种树木时，就像对待自己的子女一样，栽种好以后，就像放弃一样，那么树木的天性得以保全，本性不会丧失。别的种树的人却不是这样，种树时树根拳曲一团，更换了新土，对树木的爱护太深，担忧太殷勤，早上看晚上摸，已经离开了再回头看看，更为甚者抓破树皮来查看它是成活了还是干枯了，摇晃着树干来观察栽培的松紧，而树木的本性一天天脱离了。虽说是爱护树木，实际上是损害它；虽说是担心它，实际上是仇视它。所以，他们比不上我！治理国家也是这样。我住在乡里看到当官的喜欢不断发号施令，像是非常怜爱百姓，但结果给百姓带来灾难。早晚都有官吏来，聚集百姓发布命令，催促人们从事农业生产，监督人们从事纺织，我们这些小人物停止吃饭忙着慰劳小吏还来不及呢，又怎能繁殖我们的人口，安养我们的天性呢！百姓困窘倦怠，是由于这个原因啊！'"这是柳宗元作品中深含哲理的文章。

李愬雪夜入蔡州

【唐纪五十六】宪宗元和十二年（丁酉，817年）

（春，正月）李愬至唐州，军中承丧败之馀，士卒皆惮战，愬知之。有出迓①者，愬谓之曰："天子知愬柔懦，能忍耻，故使来抚循②尔曹。至于战攻进取，非吾事也。"众信而安之。

愬亲行视士卒，伤病者存恤之，不事威严。或以军政不肃为言，愬曰："吾非不知也。袁尚书专以恩惠怀贼，贼易之，闻吾至，必增备，吾故示之以不肃。彼必以吾为懦而懈惰，然后可图也。"淮西人自以尝败高、袁二帅，轻愬名位素微，遂不为备。

李愬谋袭蔡州，表请益兵；诏以昭义、河中、鄜坊步骑二千给之。丁酉，愬遣十将马少良将十馀骑巡逻，遇吴元济捉生虞候丁士良，与战，擒之。士良，元济骁将，常为东边患；众请刳其心，愬许之。既而召诘之，士良无惧色。愬曰："真丈夫也！"命释其缚。士良乃自言："本非淮西士，贞元中隶安州，与吴氏战，为其所擒，自分死矣，吴氏释我而用之，我因吴氏而再生，故为吴氏父子竭力。昨日力屈，复为公所擒，亦分死矣，今公又生之，请尽死以报德。"愬乃给其衣服器械，署为捉生将。

丁士良言于李愬曰："吴秀琳拥三千之众，据文城栅，为贼左臂，官军不敢近者，有陈光洽为之谋主也。光洽勇而轻，好自出战，请为公先擒光洽，则秀琳自降矣。"戊申，士良擒光洽以归。

三月，乙丑，李愬自唐州徙屯宜阳栅。

吴秀琳以文城栅降于李愬。戊子，愬引兵至文城西五里，遣唐州刺史李进诚将甲士八千至城下，召秀琳，城中矢石如雨，众不得前。进诚还报："贼伪降，未可信也。"愬曰："此待我至耳。"即前至城下，秀琳束兵投身马足下；愬抚其背慰劳之，降其众三千人。秀琳将李宪有材勇，愬更其名曰忠义而用之，悉迁妇女于唐州。于是唐、邓军气复振，人有欲战之志。贼中降者相继于道，随其所便而置之；闻有父母者，给粟帛遣之，曰："汝曹皆王人，勿弃亲戚。"众皆感泣。

愬每得降卒，必亲引问委曲③，由是贼中险易远近虚实尽知之。愬厚待吴秀琳，与之谋取蔡。秀琳曰："公欲取蔡，非得李祐不可，秀琳无能为也。"祐者，淮西骑将，有勇略，守兴桥栅，常陵暴官军。庚辰，祐率士卒刈麦于张柴村，愬召厢虞候史用诚，戒之曰："尔以三百骑伏彼林中，又使人摇帜于前，若将焚其麦积者。祐素易官军，必轻骑来逐之。尔乃发骑掩之，必擒之。"用诚如言而往，生擒祐以归。将士以祐曩日多杀官军，争请杀之；愬不许，释缚，待以客礼。

时愬欲袭蔡，而更密其谋，独召祐及李忠义屏人语，或至夜分，他人莫得预闻。诸将恐祐为变，多谏愬；愬待祐益厚。士卒亦不悦，诸军日有牒称祐为贼内应，且言得贼谍者具言其事。愬恐谤先达于上，己不及救，乃持祐泣曰："岂天不欲平此贼邪，何吾二人相知之深而不能胜众口也?"因谓众曰:"诸君既以祐为疑,请令归死于天子。"乃械祐送京师,先密表其状,且曰:"若杀祐,则无以成功。"诏释之,以还愬。愬见之喜,执其手曰:"尔之得全,社稷之灵也!"乃署散兵马使,令佩刀巡警,出入帐中;或与之同宿,密语不寐达曙,有窃听于帐外者,但闻祐感泣声。时唐、随牙队三千人,号六院兵马,皆山南东道之精锐也。愬又以祐为六院兵马使。

旧军令,舍④贼谍者屠其家。愬除其令,使厚待之。谍反以情告愬,愬益知贼中虚实。乙酉,愬遣兵攻朗山,淮西兵救之,官军不利;众皆怅恨,愬独欢然曰:"此吾计也!"乃募敢死士三千人,号曰突将,朝夕自教习之,使常为行备,欲以袭蔡。会久雨,所在积水,未果。

甲寅,李愬将攻吴房,诸将曰:"今日往亡。"愬曰:"吾兵少,不足战,宜出其不意。彼以往亡不吾虞,正可击也。"遂往,克其外城,斩首千馀级。馀众保子城,不敢出,愬引兵还以诱之,淮西将孙献忠果以骁骑五百追击其背;众惊,将走,愬下马据胡床,令曰:"敢退者斩!"返斾⑤力战,献忠死,淮西兵乃退。或劝愬乘胜攻其子城,可拔也。愬曰:"非吾计也。"引兵还营。

李祐言于李愬曰:"蔡之精兵皆在洄曲,及四境拒守,守州城者皆羸老之卒,可以乘虚直抵其城。比贼将闻之,元济已成擒矣。"愬然之。

(冬十月)辛未,李愬命马步都虞候、随州刺史史旻等留镇文城,命李祐、李忠义帅突将三千为前驱,自与监军将三千人为中军,命田进诚将三千人殿其后。军出,不知所之;愬曰:"但东行!"行六十里,夜,至张柴村,尽杀其戍卒及烽子⑥。据其栅,命士少休,食乾糒⑦,整羁鞅⑧,留义成军五百人镇之,以断洄曲及诸道桥梁,复夜引兵出门;诸将请所之,愬曰:"入蔡州取吴元济!"诸将皆失色。监军哭曰:"果落李祐奸计!"时大风雪,旌旗裂,人马冻死者相望。天阴黑,自张柴村以东道路,皆官军所未尝行,人人自以为必死;然畏愬,莫敢违。夜半,雪愈甚,行七十里,至州城;近城有鹅鸭池,愬令惊之以混军声。

自吴少诚拒命,官军不至蔡州城下三十馀年,故蔡人不为备。壬申,四鼓,愬至城下,无一人知者。李愬、李忠义钁其城,为坎以先登,壮士从之;守门卒方熟寐,尽杀之,而留击柝者⑩,使击柝如故。遂开门纳众,及里城,亦然,城中皆不之觉。鸡鸣,雪止,愬入居元济外宅。或告元济曰:"官军至矣!"元济尚寝,笑曰:"俘囚为盗耳!晓当尽戮之。"又有告者曰:"城陷矣!"元济曰:"此必洄曲子弟就吾求寒衣也。"起,听于廷,闻愬军号令曰:"常侍传语!"应者近万人。元济始惧,曰:"何等常侍,能至于此!"乃帅左右登牙城拒战。

时董重质拥精兵万馀人据洄曲。愬曰:"元济所望者,重质之救耳。"乃访重质家,厚抚之,遣其子传道持书谕重质;重质遂单骑诣愬降。

愬遣李进诚攻牙城,毁其外门,得甲库,取器械。癸酉,复攻之,烧其南门,民争负薪刍助之,城上矢如猬毛。晡时,门坏,元济于城上请罪,进诚梯而下之。甲戌,愬以槛车送元济诣京师,且告于裴度。是日,申、光二州及诸镇兵二万馀人相继来降。

自元济就擒,愬不戮一人,凡元济官吏、帐下、厨厩之卒,皆复其职,使之不疑,然后屯于鞠场以待裴度。

董重质之去洄曲军也,李光颜驰入其壁,悉降其众。庚辰,裴度遣马总先入蔡州慰抚。辛巳,度建彰义军节,将降卒万馀人入城,李愬具橐鞬⑪出迎,拜于路左。度将避之,愬曰:"蔡人顽悖,不识上下之分,数十年矣,愿公因而示之,使知朝廷之尊。"度乃受之。

李愬还军文城，诸将请曰："始公败于朗山而不忧，胜于吴房而不取，冒大风甚雪而不止，孤军深入而不惧，然卒以成功，皆众人所不谕也，敢问其故？"愬曰："朗山不利，则贼轻我而不为备矣。取吴房，则其众奔蔡，并力固守，故存之以分其兵。风雪阴晦，则烽火不接，不知吾至。孤军深入，则人皆致死，战自倍矣。夫视远者不顾近，虑大者不详细，若矜小胜，恤小败，先自挠矣，何暇立功乎！"众皆服。愬俭于奉己而丰于待士，知贤不疑，见可能断，此其所以成功也。

[注释]

①出迓：出外迎接。②拊循：亦作"抚循"，安抚，抚慰。③委曲：事情的底细。④舍：安置，留宿。⑤返旆：掉转车头。旆，读 pèi，原指旌旗，此指军队的先行车。⑥烽子：守卫烽火台的士卒。⑦乾糒：干粮。⑧羁靮：马络头和缰绳。泛指驭马之物。⑨击柝者：巡夜打更报时的人。柝，读 tuò，梆子，古代巡夜时用以报更的木梆。⑩櫜鞬：装弓箭的器具。

[译文]

春天，正月，李愬到了唐州。军队因失败而受损失后，士兵们都害怕打仗，李愬知道这种情况。有人出外迎接李愬，李愬对他们说："天子知道我优柔懦弱，能够忍受住耻辱，所以让我来抚慰你们。至于说征战进攻，不是我的事。"众人相信他的话，都安下心来。

李愬亲自巡行视察士兵们，慰抚那些伤病士兵，不做出威严的样子。有人拿军中政事不够整肃说事，李愬说："我不是不知道。袁尚书专门用仁爱怀柔敌人，敌人轻视他，听说我来了，敌人一定要增强防备。我故意拿我军的不够整肃给他们看。他们一定会认为我既懦弱又懒惰，这以后事情才能谋划啊。"淮西人自认为曾打败过高氏和袁氏两个主帅，轻视李愬的官职与品位一向卑微，就不做防备。

李愬谋划袭击蔡州，上表请求增加兵力；朝廷颁诏把昭义、河中、鄜坊的两千步兵、骑兵拨给他。丁酉日，李愬派十将马少良率十几个骑兵巡查警戒以保安全，遇到吴元济的捉生虞候丁士良，与他交战，把他擒获。丁士良是吴元济的一员猛将，经常为害唐州东部边地；众人请求把丁士良的心剜出来，李愬答应了。一会儿李愬把丁士良叫来责问他，丁士良没有畏惧的神色。李愬说："丁士良真是一位男子汉！"他命人解开了丁士良的捆绑。丁士良于是自称："我本来不是淮西战将，贞元年间我属于安州，与吴元济作战，被他擒获，自以为要被处死，吴元济释放并重用我。我因为吴元济而得以再生，所以为吴元济父子竭尽全力。昨天我力竭，又被您擒获，也认为要被处死了，现在您又让我活下来，请让我效死力来报答恩德。"李愬就把衣服和武器给了他，让他代理捉生将。

丁士良对李愬说："吴秀琳拥有三千人的军队，占据文城栅，是吴元济的左臂，官军不敢靠近他，因为陈光洽是他出谋划策的主要人物。陈光洽勇敢但举止轻佻，喜欢亲自出阵作战，请替您先捉住陈光洽，那么吴秀琳自会投降了。"戊申日，丁士良捉住了陈光洽，并把他了带回来。

三月，乙丑日，李愬由唐州转移军队驻扎宜阳栅。

吴秀琳率领文城栅的军队投降李愬。戊子日，李愬率军到文城西五里，派遣唐州刺史李进诚率领八千穿甲胄的战士来到城下，召吴秀琳，从城中射出的箭如雨下，军队不能前进。李进诚返回报告说："贼人假装投降，不可以相信。"李愬说："这是在等我来啊。"李愬就前进到城下，吴秀琳收起兵器，置身在李愬的马足前；李愬抚摩着他的背部慰安问候他，收降了吴秀琳三千人的军队。吴秀琳的将领李宪有膂力而且勇武，李愬改他的名为李忠义并重用了他，把文城的妇女全部迁移到唐州。在这个时候唐州、邓州军队的士气再次振作起来，每一个人都有准备打仗的决心。叛贼中前来投降的人在路上连续不断，李愬依从他们的便利安置他们；听说他们有父母的，给粮食与布帛遣送回家，说："你们都是天子的臣民，不要抛弃亲属。"众人都感动得流泪。

李愬每次得到投降的士兵，一定亲自咨询详细情况，因此叛军地形的险阻与平坦和兵力分布的远近虚实他全都知道。李愬给吴秀琳优厚的待遇，与他谋划夺取蔡州。吴秀琳说："您打算夺取蔡州，除非得到李祐不可，我没有能力办到啊。"李祐是淮西的骑兵将领，勇敢而有谋略，把守兴桥栅，常常轻侮官军。庚辰日，李祐率领士兵在张柴村割取麦子，李愬召见厢虞候史用诚，告诫他说："你用三百骑兵埋伏在那片树林中，再派人在前面摇晃旗帜，好像准备焚烧他们的麦堆。李祐一向轻视官军，一定会率领轻骑兵前来驱逐。你就出动骑兵袭击他，一定擒获他。"史用诚按照李愬的话前去，活捉李祐而返回。将士们认为李祐以前杀害很多官军，争相请求杀掉他；李愬没有答应，解开捆绑李祐的绳索，用招待宾客的礼节接待他。

当时，李愬打算袭击蔡州，就更加保密他的谋略。他单独召见李祐和李忠义，屏退其他人后才交谈，有时到半夜，其他人不能参与其事而得知内情。诸位将领担心李祐制造事变，多规劝李愬；李愬对待李祐更加亲密。士兵也不高兴，各路军队每天都有呈文称李祐是叛贼的内应，并且声称是捕获叛贼间谍详细报告了这件事。李愬担心这些毁谤事先传到皇上那里，自己赶不上搭救，就握着李祐的手流着泪说："难道上天不想铲平这伙叛贼吗，为什么我们二人互相了解，情谊深厚还不能胜过众人的言论？"因此李愬对众人说："大家既然认为李祐值得怀疑，请让他在天子那里接受死刑。"于是，李愬给李祐戴上刑具押送京城，事先暗中向皇上表奏说明具体情况，并且说："如果杀了李祐，就无从成就功业。"皇上下诏释放李祐，把他还给李愬，李愬见到李祐很高兴，握着他的手说："你得以保全性命，这是国家的福分啊！"李愬就让李祐代理散兵马使，让他带着佩刀巡视警戒，在军营帐中出入；有时李愬与他一同就寝，秘密交谈通宵达旦，有人在帐外偷听，只听到李祐感动的哭泣声。当时唐州、随州的卫队有三千人，号称六院兵马，都是山南东道精干勇敢的部队，李愬又让李祐做六院兵马使。

依照过去的军令，留宿敌方间谍的人要全家处死。李愬撤消了这一军令，让人们优待间谍，间谍反过来将实情告诉李愬，李愬更加了解了叛贼的内部情况。乙酉日，李愬派遣军队进攻朗山，淮西军队去援救，官军不能取胜；众人都惆怅怨恨，只有李愬独自喜悦地说："这是我的谋略啊！"于是招募敢死的将士三千人，号称突将，从早到晚亲自训练他们，让他们常做出发的准备，李愬想用这支军队袭击蔡州。适逢阴雨连绵，到处积满雨水，没有实施。

甲寅日，李愬准备进攻吴房县，诸位将领说："今天去了是要灭亡的啊。"李愬说："我们军队少，不适合交战，应当出其不意。叛贼因为我们先前退却就不会戒备，这正是可以进攻的时机。"于是李愬率军前往，攻克了吴房县的外城，杀了一千多人。剩余的叛贼防守内城，不敢出战，李愬率军撤退引诱敌人，淮西将领孙献忠果然率领五百名勇猛的骑兵在后面追击；众人大惊，准备逃走，李愬跳下马来，蹲在胡床上，下令说："胆敢退却的斩！"众人回师努力奋战，孙献忠被杀，淮西军队这才撤退。有人劝说李愬乘胜进攻吴房县的内城，可以攻取。李愬说："这不是我的谋略。"李愬率领军队返回军营。

李祐对李愬说："蔡州训练有素、战斗力强的士兵都在洄曲以及四周的边境上据险坚守。防守蔡州城的都是老弱士兵，可以趁着蔡州空虚无备，直接到达蔡州城。等到叛军将领听说时，吴元济已经被擒。"李愬认为他说得对。

冬季，十月，辛未日，李愬命令马步都虞候、随州刺史史旻等留守文城，命令李祐与李忠义率领三千名冲锋陷阵的剽悍将卒作为先锋，自己与监军率领三千人作为中军，命令田进诚率领三千人殿后。军队出发后，不知道要去哪里；李愬说："只管向东行进！"走了六十里路，天色晚了，来到张柴村，把屯戍村中防守的士兵和守候烽火台的士兵全部杀掉。占领他们的栅垒后，李愬命令将士稍作休息，吃些干粮，整理马具，把义成军的五百人留下来镇守张柴村，来阻断洄曲与各条道路间的桥梁，李愬又连夜率领军队出了张柴村的栅门；诸位将领请示前进的方向，李愬说："到蔡州捉拿吴元济！"诸位将领都因惊恐改变神色。监军哭着说："果然中了李祐奸诈的计谋！"当时，刮着大风下着大雪，旗帜破裂，冻死的人马随处可见。天色阴暗，从张柴村向东的道路，都是官军没有走过的，每一个人都自认为一定会死去。只是害怕李愬，没有人敢违抗命令。到了半夜，雪下得更大了。走了七十里路，到蔡州城下；靠近城边有一个喂养鹅鸭的池塘，李愬命令惊扰鹅鸭来混淆军队的喧闹之声。

自从吴少诚拒绝朝廷的命令，官军没有到过蔡州城下已三十多年，所以蔡州人没有防备。壬申日，四更时，李愬来到蔡州城下，城中没有一人知晓。李愬、李忠义用镢头在城墙上挖掘，挖出坑坎率先登城，勇士跟在身后。蔡州城守门的士兵正在熟睡，李愬等把他们全部杀掉，留下敲梆子巡夜的人，让他们跟原来一样敲梆子巡夜。于是打开城门让大队人马进城。到内城时，也是这样做，城中的人们都没有觉察。鸡叫时，雪停了下来，李愬进入了吴元济的外宅。有人告诉吴元济说："官军来了！"吴元济还在睡觉，笑着说："被俘的囚徒在偷东西罢了！天亮后把他们全杀了。"又有人报告说："蔡州城陷落了！"吴元济说："这一定是洄曲的年轻人主动亲近我要冬季服装的。"他站起身来，走到院子中听，听到李愬在军中号令说："常侍传话。"响应号令的有近万人。吴元济开始害怕，说："什么样的常侍，能够到我这里来！"于是吴元济率领手下登上牙城抵御抗击。

当时，董重质拥有一万多训练有素、战斗力强的士兵据守着洄曲。李愬说："吴元济期待的是董重质前来援救罢了！"于是，李愬拜访董重质的家人，优待抚慰他们，派遣他的儿子董传道带着书信先告知董重质，董重质就独自骑马前往李愬处投降。

李愬派遣李进诚进攻牙城，毁掉牙城的外门，发现了兵甲仓库，夺得了军用器具。癸酉日，李进诚再次攻打牙城，用火烧毁牙城的南门，百姓争相背来柴火帮助他，射向城上的箭多得像聚集起来的刺猬毛。到了申时，城门毁坏了，吴元济在城上自认有罪，请求惩处，李进诚用梯子把他接了下来。甲戌日，李愬用槛车把吴元济押送往京城，并且报告给裴度。这一天，申州、光州以及各藩镇的士兵两万多人连续不断地前来投降。

自从吴元济被擒获后，李愬没有杀戮一个人。凡是吴元济的官吏、帐下、厨房及马厩的士兵，李愬都恢复他们的职位，让他们没有疑虑。随后李愬在鞠球场上驻屯军队来等候裴度。

董重质离开洄曲军队后，李光颜率军奔进他的军营，全部招降他的军队。庚辰日，裴度派遣马总率先进入蔡州抚慰将士。辛巳日，裴度树起彰义军的符节，率领投降的士兵一万多人进入蔡州城，李愬背着箭袋出来迎接，在道路左侧向裴度行拜礼。裴度准备避开李愬，李愬说："蔡州人愚妄悖逆，不知道上下级的名分，已经有几十年了，希望您趁机给他们看，使他们知道朝廷的尊贵。"裴度就接受了拜礼。

李愬回师文城。诸位将领请教说："开始您在朗山战败了却不发愁；在吴房取胜了却不夺取吴房；冒着大风暴雪却不停止行军；孤军深入但并不畏惧。然而最终因此获得成功，都是众人不明白的，敢问其中的原因吗？"李愬说："朗山不能取胜，那么敌人轻视我们而不作防备。攻取吴房县,吴房的军队就会逃奔蔡州,合力坚守,所以我把吴房县留下来,来分散敌人的兵力。疾风暴雪加上天色昏暗,那么烽火不能相联系,敌人不会知道我们即将到来。孤军深入,那么人人都致力死战,战斗力就会增加一倍。大概眺望远处的人不考虑近处,考虑大事的人不知道小事,如果自夸小的胜利,顾念小的失败,先把自己扰乱了,哪里谈得上建立功绩呢!"大家都佩服他。李愬奉养自己注重节俭,但供养将士却很丰足;他结识到贤才不怀疑;见到可以的事,能立刻决断,这就是他成就功业的原因。

韩愈切谏斥佛骨见放

【唐纪五十六】宪宗元和十四年(己亥,819年)

中使①迎佛骨至京师,上留禁中三日,乃历送诸寺,王公士民瞻奉舍施,惟恐弗及,有竭产充施者,有然②香臂顶供养者。

刑部侍郎韩愈上表切谏,以为:"佛者,夷狄之一法耳。自黄帝以至禹、汤、文、武,皆享寿考③,百姓安乐,当是时,未有佛也。汉明帝时,始有佛法。其后乱亡相继,运祚④不长。宋、齐、梁、陈、元魏已下,事佛渐谨⑤,年代尤促。惟梁武帝在位四十八年,前后三舍身为寺家奴,竟为侯景所逼,饿死台城,国亦寻灭。事佛求福,乃更得祸。由此观之,佛不足信亦可知矣!百姓愚冥,易惑难晓,苟见陛下如此,皆云:'天子犹一心敬信,百姓微贱,于佛岂可更惜身命?'佛本夷狄之人,口不言先王之法言⑥,身不服先王之法服,不知君臣之义、父子之恩。假如其身尚在,奉国命来朝京师,陛下容而接之,不过宣政一见,礼宾一设,赐衣一袭,卫而出之于境,不令惑众也。况其身死已久,枯朽之骨,岂宜以入宫禁！古之诸侯得吊于国，尚先以桃茢⑦袚除⑧不祥。今无故取朽秽之物亲视之，巫祝⑨不先，桃茢不用，群臣不言其非，御史不举其罪，臣实耻之！乞以此骨付有司，投诸水火，永绝根本，断天下之疑，绝后代之惑，使天下之人知大圣人之所作为，出于寻常万万也，岂不盛哉！佛如有灵，能作祸福，凡有殃咎，宜加臣身。"

上得表，大怒，出示宰相，将加愈极刑。裴度、崔群为言："愈虽狂，发于忠恳，宜宽容以开言路。"癸巳，贬愈为潮州刺史。

[注释]

①中使：帝王从皇宫中派出的使者，多由宦官担任。②然：通"燃"。③寿考：长寿，高寿。④运祚：国运福祚，犹言世运。多指王朝的盛衰兴亡。⑤谨：恭敬。⑥法言：合乎礼义原则的话。下文中的"法服"指合乎礼法标准的服饰。⑦桃茢：桃树与苕帚。茢，读liè，苕帚。⑧袚除：古代习俗，为除灾祛邪而举行的仪式。袚，读fú。⑨巫祝：古代称事鬼神者为巫，祭主赞词者为祝；后连用以指掌占卜祭祀的人。

[译文]

宦官把佛骨迎到京城，皇上让佛骨在宫中停留三天，就依照次序传送各寺院。王公贵族与庶民百姓都恭敬地侍奉、施舍，只怕来不及。有人竭尽家产当做布施，有人在臂上与头顶点燃香火供奉佛骨。

刑部侍郎韩愈上奏章直言极谏，认为："佛是夷狄的一种法术罢了。从黄帝到夏禹、商汤、周文王、周武王，都享年长寿，百姓安居乐业，在这个时候，没有听说有佛。东汉明帝时，开始有了佛法。那以后败乱灭亡连续不断，国运祚福都不长久。宋、齐、梁、陈、北魏以后，侍奉佛逐渐恭敬起来，朝代存在的时间越发短促。只有梁武帝在位四十八年，前后三次放弃帝王身份去做寺院的家奴，竟然为侯景所逼迫，饿死在台城，国家也随即灭亡了。供奉佛是为求佛赐福，居然另外得到了灾祸。由此看来，佛不值得信任！百姓是愚昧的人，易受蛊惑难以开导，如果看到陛下这样做，都说：'天子还专心尊敬和信任佛，老百姓是卑微低贱的人，对待佛难道可以更加顾惜生命吗？'佛本来就是夷狄人氏，嘴里不说先王合乎礼法的言论，身上不穿先王根据礼法规定的不同等级的服饰，不懂得君臣大义，不明白父子恩情。假如佛本身还在人世，接受国家的派遣来京城朝拜，陛下引荐并且接待他，不过是在宣政殿见他一面，礼宾院摆上一宴，赐给衣服一套，卫护他走出国境，不让他迷惑众人的。况且佛本身死去已很久了，枯槁腐朽的骸骨，难道适宜把它请进宫禁！古代的诸侯在国内举行祭奠的仪式，还要先用桃树与笤帚去消除不吉利，现在没有理由拿腐朽污秽的东西亲自观看它，巫祝不先降神祈福，桃杖与扫帚不用除凶去垢，群臣不说佛的错误，御史不检举佛的过失，臣确实感到羞耻！请求陛下将这个佛骨交给官员，把它投到水里火里，永远断绝信佛的根源，断绝天下人的疑问，杜绝后世的迷惑，让天下人知道大圣人做出的事情，超过平常人的许多倍，难道不是盛事吗！佛如果有灵性，能够制造灾祸，所有的灾祸都加在臣的身上吧。"

　　皇上得到韩愈的上表，非常恼怒，拿出来给宰相们看，准备处韩愈以死刑。裴度、崔群替韩愈进言说："韩愈虽然激进，但他所说的是发自忠贞诚恳，应对他宽容以广开言路。"癸巳日，韩愈被贬为潮州刺史。

裴度上表除奸佞

【唐纪五十八】 穆宗长庆元年（辛丑，821年）

　　翰林学士元稹与知枢密魏弘简深相结，求为宰相，由是有宠于上，每事咨访焉。稹无怨于裴度，但以度先达重望，恐其复有功大用，妨己进取，故度所奏画军事，多与弘简从中沮坏之。度乃上表极陈其朋比奸蠹之状，以为："逆竖①构乱，震惊山东；奸臣②作朋，挠败国政。陛下欲扫荡幽、镇，先宜肃清朝廷。何者？为患有大小，议事有先后。河朔逆贼，祇乱山东；禁闱奸臣，必乱天下；是则河朔患小，禁闱患大。小者臣与诸将必能翦灭，大者非陛下觉寤制断无以驱除。今文武百寮，中外万品，有心者无不愤忿，有口者无不咨嗟，直以奖用方深，不敢抵触，恐事未行而祸已及，不为国计，且为身谋。臣自兵兴以来，所陈章疏，事皆要切，所奉书诏，多有参差，蒙陛下委付之意不轻，遭奸臣抑损之事不少。臣素与佞幸亦无仇嫌，正以臣前请乘传③诣阙④，面陈军事，奸臣最所畏惮，恐臣发其过，百计止臣。臣又请与诸军齐进，随便攻讨，奸臣恐臣或有成功，曲加阻碍，逗遛日时；进退皆受羁牵，意见悉遭蔽塞。但欲令臣失所，使臣无成，则天下理乱，山东胜负，悉不顾矣。为臣事君，一至于此！若朝中奸臣尽去，则河朔逆贼不讨自平；若朝中奸臣尚存，则逆贼纵平无益。陛下倘未信臣言，乞出臣表，使百官集议，彼不受责，臣当伏辜⑤。"表三上，上虽不悦，以度大臣，不得已，癸未，以弘简为弓箭库使，稹为工部侍郎。稹虽解翰林，恩遇如故。

[注释]

①逆竖：指王庭凑（？—834），回纥人，唐朝节度使，割据称雄，不听朝命。②奸臣：指元稹。③乘传：驿站用四匹下等马拉的车。④诣阙：到皇宫去。⑤伏辜：服罪。

[译文]

翰林学士元稹与知枢密魏弘简相互之间交情很深，谋求做宰相，因此受到皇上宠爱，每有政事都向他咨询访问。元稹和裴度没有仇怨，只因为裴度是有德行学问和崇高声望的人，害怕他再有功劳被拜相，妨碍自己晋升，所以，凡是裴度上奏谋划的军中大事，他大多和魏弘简从中破坏。裴度于是上表尽力上言他们朋比为奸、为害国家社会不法行为的罪状，认为："王庭凑等叛逆者作乱，使崤山以东地区震动而惊惧，元稹等奸臣朋比为奸，扰乱败坏国家的政事。陛下准备扫除涤荡幽州、镇州的叛乱，首先应该彻底清除朝廷奸党。为什么呢？作为灾祸有大有小，议论商讨公事有先有后。黄河以北地区的叛贼，只能扰乱崤山以东；朝廷内残害忠良的大臣，一定会祸乱天下；因此黄河以北的叛贼危害小，朝廷中的奸臣危害大。对于黄河以北的小贼，臣和诸位将领一定能将他们消灭；朝廷中的大奸臣除非陛下觉悟裁决，没有什么可以来赶走他们。如今文武百官，朝廷内外的众多官员，怀有忠心的人没有不感到愤怒；敢言善辩的人没有不嗟叹，只是因为陛下正奖掖重用他们，才不敢冒犯，担心大事未来得及施行而灾祸殃及自身，他们不为国家考虑，而是为自身谋划。臣自从战争兴起以来，向皇上进呈的言事文书，事情都很要紧，所接到的诏书，多有矛盾的地方，承蒙陛下托付的想法实在不轻，但遭奸臣贬损的事情不算少。臣平素和佞幸之臣没有仇怨，正是因为臣前不久请求乘坐传车到皇宫，面陈与战争有关的事情，奸臣最畏惧的是担心臣揭发他们的罪恶，所以用尽一切办法阻挠我。臣又请求率兵和诸军齐头并进，随战争的需要讨伐叛乱。奸臣担心臣或许能成就功业，多方面加以阻挠，臣的军队不继续前进持续了一些时间；进和退都受到羁绊牵制，主张都被壅蔽阻塞。他们这样做只是想让臣出兵失当，让臣不能成功，那么国家治与乱，崤山以东战场的胜与负，就全然不顾了。作为臣下侍奉皇上，竟到如此地步！如果朝中的奸臣全部赶走，那么黄河以北的叛贼就会不讨自平；如果朝中奸臣还存在，那么叛贼纵然平定也没有好处。陛下如果不相信臣的话，请求拿出臣的奏章，让百官共同评议，奸臣没有受到百官的谴责，臣愿承担罪责而死。"奏章多次上奏，皇上虽然不高兴，因为裴度是朝中大臣，无可奈何，癸未日，朝廷贬魏弘简为弓箭库使，元稹为工部侍郎。元稹虽然被解除翰林学士，但皇上知遇仍和过去一样。

牛李因吐蕃而怨深

【唐纪六十】文宗太和五年（辛亥，831年）

西川节度使李德裕奏："蜀兵羸疾老弱者，从来终身不简①，臣命立五尺五寸之度，简去四千四百馀人，复简募②少壮者千人以慰其心。所募北兵已得千五百人，与土兵参居，转相训习，日益精练。又，蜀工所作兵器，徒务华饰不堪用。臣今取工于别道以治之，无不坚利。"

九月，吐蕃维州副使悉怛谋请降，尽帅其众奔成都；德裕遣行维州刺史虞藏俭将兵入据其城。庚申，具奏其状，且言："欲遣生羌③三千，烧十三桥，捣西戎腹心，可洗久耻，是韦皋④没身⑤恨不能致者也！"事下尚书省，集百官议，皆请如德裕策。牛僧孺曰："吐蕃之境，四面各万里，失一维州，未能损其势。比来修好，约罢戍兵，中国御戎，守信为上。彼若来责曰：'何事失信？'养马蔚茹川，上平凉阪，万骑缀回中，怒气直辞，不三日至咸阳桥。此时西南数千里外，得百维州何所用之！徒弃诚信，有害无利。此匹夫所不为，况天子乎！"上以为然，诏德裕以其城归吐蕃，执悉怛谋及所与偕来者悉归之。吐蕃尽诛之于境上，极其惨酷。德裕由是怨僧孺益深。

[注释]

①简：选择，此处指精简。②简募：选拔招募。③生羌：没有开化的羌人。④韦皋：西川的前任节度使。⑤没身：终生。

[译文]

西川节度使李德裕上奏说："蜀地军队中衰弱生病、年老体弱的士卒，历来是一生都不进行精简的，臣下令确立身高五尺五寸的尺度，精简去四千四百多人，又简选招募年轻力壮的士卒一千人来抚慰民心。招募的北方士兵一千五百人，与蜀地的士卒间杂部署，转而互相训练教习，一天比一天精悍强壮。另外，蜀地工匠制作的兵器，只是务求华丽的装饰不能使用。臣现在从其他府道邀请工匠来制造的兵器，无不坚固而锐利。"

九月，吐蕃维州的副使悉怛谋请求归降唐朝，率领他的全部军队直趋成都；李德裕派兼领维州刺史虞藏俭率军进入占据维州城。庚申日，李德裕备文上奏那里的情况，并且说："我打算派遣三千名未驯服的羌人，烧掉十三桥，攻击西戎的中心地区，可以洗刷长久以来的耻辱，这是西川前节度使韦皋终身遗憾没有能到达的地方！"皇上将李德裕的奏章发给尚书省，召集百官商议，都请求按照李德裕的谋略行事。牛僧孺说："吐蕃的地域，四面各长一万里，失去一个维州，不能损伤它的国势。近来双方结成友好关系，约定共同削减守边兵力。中原朝廷统御戎族的策略，以遵守信约为上策。吐蕃如果派人来责问我们说：'为什么不守信用？'在蔚茹川蓄养战马，北上平凉阪，把一万骑兵分布在回中，怒气加上正直的言词，不到三天就会打到咸阳桥。这时，在西南数千里之外，收复一百个维州有何用处！白白地丢弃诚信，有的只是祸患而没有好处。这是平民百姓不做的事情，何况是天子呢！"皇上认为牛僧孺说得对，诏令李德裕把维州归还吐蕃，把拘捕的悉怛谋和随同他一起降唐的人全部送还。吐蕃把悉怛谋等人在边境上全部诛杀，极其残酷。李德裕因为这个原因更加憎恨牛僧孺。

杜牧上李德裕书

【唐纪六十三】武宗会昌三年（癸亥，843年）

黄州刺史杜牧上李德裕书①，自言："尝问淮西将董重质以三州之众四岁不破之由，重质以为由朝廷征兵太杂，客军②数少，既不能自成一军，事须贴付地主。势赢力弱，心志不一，多致败亡。故初战二年以来，战则必胜，是多杀客军。及二年已后，客军殚少，止与陈许、河阳全军相搏，纵使唐州③兵不能因虚取城，蔡州事力亦不支矣。其时朝廷若使鄂州、寿州、唐州只保境，不用进战，但用陈许、郑滑两道全军，贴以宣、润弩手，令其守隘，即不出一岁，无蔡州矣。今者上党之叛，复与淮西不同。淮西为寇仅④五十岁，其人味为寇之腴，见为寇之利，风俗益固，气焰已成，自以为天下之兵莫与我敌，根深源阔，取之固难。夫上党则不然。自安、史南下，不甚附隶；建中之后，每奋忠义；是以郫公抱真⑤能窘田悦，走朱滔，常以孤穷寒苦之军，横折河朔强梁之众。以此证验，人心忠赤，习尚专一，可以尽见。刘悟⑥卒，从谏求继，与扶同者，只郓州随来中军二千耳。值宝历多故⑦，因以授之。今才二十余岁，风俗未改，故老尚存，虽欲劫之，必不用命。今成德、魏博虽尽节效顺，亦不过围一城，攻一堡，系累稚老而已。若使河阳万人为垒，窒⑧天井之口，高壁深堑，勿与之战。只以忠武、武宁两军，贴以青州五千精甲，宣、润二千弩手，径捣上党，不过数月，必覆其巢穴矣！"时德裕制置泽潞，亦颇采牧言。

[注释]

①上书：给地位高的人写信。②客军：指唐朝廷为征战边疆而临时征用的各藩镇的部队。③唐州：指李愬（773—821），唐代大将。有韬略，善骑

射。元和十一年任唐州、邓州节度使,曾雪夜攻克蔡州。④仅:读jīn,几乎、接近。⑤郇公抱真:李抱真(733—749),唐代功臣,被封为郇公。⑥刘悟:时任上党节度使,下文的刘从谏是其子。⑦故:变故。⑧窒:堵塞。

[译文]

  黄州刺史杜牧向李德裕写信,自称:"我曾询问淮西大将董重质凭借淮西三个州的兵力朝廷四年没有攻破的缘由,董重质认为,开始朝廷征调的兵力太杂乱,调来的藩镇兵力人数少,不能自己组成一支军队,战事必须依附当地的军队。官军势力弱小,军心不齐,大多造成失败灭亡。所以开始交战两年来,淮西每战必胜,这主要是多杀远处调来的藩镇军队。等到两年后,远处调来的藩镇军队接近少数,淮西只与陈许、河阳两个藩镇的军队互相搏击,即使李愬不能率领军队乘虚攻占蔡州,蔡州的兵力也不能支撑啊。当时朝廷如果让鄂州、寿州、唐州只是保护境内,使之不受侵犯,不出兵作战,只用陈许、郑滑两个藩镇的全部军队,加上宣州、润州的弓箭手,让他们防守关隘,那么不出一年,就平定蔡州的叛军了。现在上党叛军的情况又和淮西不同。淮西藩镇割据将近五十年,割据者亲身体会到暴乱的好处,看到制造暴乱带来的利益,这种相沿积久而成的风气、习俗日益强化,声势已经形成,自认为天下的军队无人敢与其抗衡,割据势力根基深厚根源广阔,攻打它实在困难。上党就不是这样。安禄山、史思明的叛军南下时,上党不很依附和隶属;建中年间以后,上党将士每每发扬忠心和义气;所以节度使郇公李抱真能困迫魏博节度使田悦的叛军,赶走朱滔,常率领孤立危急遭受寒冻之苦的军队,挫败黄河以北强劲有力的藩镇叛军。由此证实,上党百姓对朝廷忠心赤胆,习俗风尚专一,可以完全体现出来。上党节度使刘悟去世后,其子刘从谏请求继承职务,支持和附和他的只有当初刘悟从郓州带去的二千亲兵。正值宝历年间朝廷多有变故,就让他为节度使。到现在才二十多年,风俗没有改变，过去的老人还健在，即使有人企图胁迫他们，他们也一定不会听从命令。现在成德、魏博这两个藩镇，即使竭力效忠归顺朝廷，也不过围一城，攻一堡，连累那里的孩子和老人罢了。假如让河阳出动一万兵力修筑防御堡垒，堵塞天井关向外的通道，筑高墙，挖深沟，坚守而不出战。只要用忠武、武宁两个藩镇的军队，加上青州五千人的精锐军队，宣州和润州的二千弓箭手，直捣上党，不过几个月，一定会倾覆上党叛军的巢穴！"当时李德裕在泽州、潞州规划灭贼之策，也多采纳杜牧的建议。

李母教子

【唐纪六十四】武宗会昌六年（丙寅，846年）

以右常侍李景让为浙西观察使。

初，景让母郑氏，性严明，早寡，家贫，居于东都。诸子皆幼，母自教之。宅后古墙因雨隤陷，得钱盈船，奴婢喜，走告母。母往，焚香祝之曰："吾闻无劳而获，身之灾也。天必以先君馀庆，矜其贫而赐之，则愿诸孤他日学问有成，乃其志也，此不敢取！"遽命掩而筑之。三子景让、景温、景庄，皆举进士及第。景让官达，发已斑白，小有过，不免捶楚①。

景让在浙西，有左都押牙忤景让意，景让杖之而毙。军中愤怒，将为变。母闻之，景让方视事，母出坐听事，立景让于庭而责之曰："天子付汝以方面，国家刑法，岂得以为汝喜怒之资，妄杀无罪之人乎！万一致一方不宁，岂惟上负朝廷，使垂年之母衔羞入地，何以见汝之先人乎！"命左右褫②其衣坐之，将挞其背。将佐皆为之请，拜且泣，久乃释之，军中由是遂安。

景庄老于场屋③，每被黜，母辄挞景让。然景让终不肯属④主司，曰："朝廷取士自有公道，岂敢效人⑤求关节⑥乎！"久之，宰相谓主司曰："李景庄今岁不可不收，可怜彼翁⑦每岁受挞！"由是始及第。

[注释]

①捶楚：古代的杖刑用具，因以称杖刑。②褫：读 chǐ，剥去。③场屋：科举考试的地方。也称科场。"老于场屋"意思是说多年混迹于科考考场，一直没有考取。④属：请托。⑤效人：效仿他人。⑥关节：指行贿请托。⑦彼翁：指李景庄的哥哥。

[译文]

朝廷任命右常侍李景让为浙西观察使。

当初，李景让的母亲郑氏，生性严厉明白事理，早年守寡，家境贫寒，住在东都洛阳。几个孩子都未成年，作为母亲她亲自教育他们。李景让家后面的旧墙壁因为下雨而毁坏倒塌，发现了能装满一船的钱，奴婢很高兴，跑来告诉李景让的母亲；李景让的母亲去了后，烧香祝祷它说："我听说不劳而获，是自身的灾祸啊。上天一定是因为你们的父亲留给后辈的德泽，同情我家贫困而赐给钱财，就是希望几个孤儿以后的某一天在学问上有所成就，这才是他的志向，这些钱不要拿取！"就让人把钱掩埋在原处并装填好墙壁。郑氏的三个孩子李景让、李景温、李景庄，都考中了进士。李景让做官显达，头发已斑白，稍微有过错，也免不了被母亲捶打。

李景让在浙西做官，部下左都押牙不合李景让的意旨，李景让用棍杖把他打死了。军中将士因极度不满而情绪激动，将要发动变乱。李景让的母亲知道了这件事，李景让正在办理政事，母亲出来坐在官府治事之所，让李景让站在厅堂中责备他说："天子交给你管辖浙西的重任，国家的法律，怎能成为你个人喜怒的资本，让你乱杀无罪之人呢！万一导致一方不安宁，不只是上对不起朝廷，就是晚年的母亲也要含羞而死，有什么面目见你的先人呢！"说着就让手下的人剥去李景让的衣服并让他坐下来，准备鞭挞李景让的脊背。将领及佐吏都替李景让求情，跪拜并且哭泣，过了很久郑氏才把李景让释放，军中因此安定下来。

李景庄屡考不中，每次落榜后，母亲郑氏总是鞭挞李景让。然而李景让终究不同意嘱咐主试官，说："朝廷科举取士自然会有公正，怎么敢效法别人打通关节呢！"过了很长时间，宰相对主试官说："李景庄今年科举不可以不接纳，可怜他的哥哥每年都要遭受鞭挞！"因此李景庄才得以进士及第。

孙樵上言罢修佛舍

【唐纪六十五】宣宗大中五年（辛未，851年）

进士孙樵上言："百姓男耕女织，不自温饱，而群僧安坐华屋，美衣精馔，率以十户不能养一僧。武宗愤其然，发十七万僧①，是天下一百七十万户始得苏息②也。陛下即位以来，修复废寺，天下斧斤之声至今不绝，度僧几复其旧矣。陛下纵不能如武宗除积弊，奈何兴之于已废乎！日者陛下欲修国东门，谏官上言，遽为罢役。今所复之寺，岂若东门之急乎？所役之功，岂若东门之劳乎？愿早降明诏，僧未复者勿复，寺未修者勿修，庶几百姓犹得以息肩③也。"秋，七月，中书门下奏："陛下崇奉释氏，群下莫不奔走，恐财力有所不逮④，因之生事扰人，望委所在长吏量加撙节⑤。所度僧亦委选择有行业者，若容凶粗之人，则更非敬道也。乡村佛舍，请罢兵日修。"从之。

[注释]

①发十七万僧：依胡三省注，言使僧长发复为齐民也。齐民即平民。②苏息：死而复活，困顿后得到休息。③息肩：免除负担，休息。④不逮：不

及。⑤撙节：克制，节省。

[译文]

　　进士孙樵上书建议："老百姓男耕女织，不能让自己获得温饱，而僧人们安稳地坐在华美的房间里，身穿漂亮的衣裳，吃着精致的食物，大概用十户人家不能供养一个僧人。唐武宗怨恨这种现象，让十七万僧人蓄发再为编户齐民，这样天下一百七十万户人才能够休养生息。陛下即位以来，修整恢复被废弃的寺庙，天下斧头的砍伐之声到现在还没有断绝，剃度的僧人几乎恢复到过去的规模了。陛下纵然不能像武宗那样革除僧人害国的积弊，为什么要复兴那些已废除的积弊呢！近来陛下打算修缮国都东门，谏官上言劝阻，陛下立即罢除这项差役。现在所修复的寺院，难道如修复东门那么急迫吗？所花费的工夫，难道能像修缮东门那么劳苦吗？希望尽早颁布英明的诏示，僧人没有恢复身份的不再恢复，寺院没有修缮的不再修缮，或许百姓还可以得到休息。"秋天，七月，中书门下奏称："陛下崇拜奉祀佛教，下面的人没有不为这件事奔波忙碌的，恐怕国家的财力赶不上，因为尊奉佛教而生发事端，骚扰百姓，希望付托掌管佛事的官员适当地加以节约。对所剃度的僧人也付托相关官员选择恪守戒律操行的人，如果容纳凶残粗野的人入佛门，那更不是尊崇佛法了。乡间的佛舍，请在河、湟军事行动结束后修建。"皇上听从了孙樵的建议。

王仙芝、黄巢起兵

【唐纪六十八】僖宗乾符二年/三年（乙未/丙申，875/876年）

　　王仙芝及其党尚君长攻陷濮州、曹州，众至数万；天平节度使薛崇出兵击之，为仙芝所败。

冤句人黄巢亦聚众数千人应仙芝。巢少与仙芝皆以贩私盐为事，巢善骑射，喜任侠，粗涉书传，屡举进士不第，遂为盗，与仙芝攻剽①州县，横行山东②，民之困于重敛者争归之，数月之间，众至数万。

宋威击王仙芝于沂州城下，大破之，仙芝亡去。威奏仙芝已死，纵遣诸道兵，身还青州；百官皆入贺。居三日，州县奏仙芝尚在，攻剽如故。时兵始休，诏复发之，士皆忿怨思乱。八月，仙芝陷阳翟、郏城，诏忠武节度使崔安潜发兵击之。安潜，慎由之弟也。又昭义节度使曹翔将步骑五千及义成兵卫东都宫，以左散骑常侍曾元裕为招讨副使，守东都，又诏山南东道节度使李福选步骑二千守汝、邓要路。仙芝进逼汝州，诏邠宁节度使李侃、凤翔节度使令狐绹选步兵一千、骑兵五百守陕州、潼关。

丙子，王仙芝陷汝州，执刺史王镣。镣，铎之从父兄弟也。东都大震，士民挈家逃出城。乙酉，敕赦王仙芝、尚君长罪，除官，以招谕之。仙芝陷阳武，攻郑州，昭义监军判官雷殷符屯中牟，击仙芝，破走之。冬，十月，仙芝南攻唐、邓。

王仙芝攻蕲州。蕲州刺史裴偓，王铎知举时所擢进士也。王镣在贼中，为仙芝以书说偓。偓与仙芝约，敛兵不战，许为之奏官；镣亦说仙芝许以如约。偓乃开城延仙芝及黄巢辈三十馀人入城，置酒，大陈货贿以赠之，表陈其状。诸宰相多言："先帝不赦庞勋，期年卒诛之。今仙芝小贼，非庞勋之比，赦罪除官，益长奸宄③。"王铎固请，许之；乃以仙芝为左神策军押牙兼监察御史，遣中使以告身④即蕲州授之。

仙芝得之甚喜，镣、偓皆贺。未退，黄巢以官不及己，大怒曰："始者共立大誓，横行天下，今独取官赴左军，使此五千馀众安所归乎！"因殴仙芝，伤其首，其众喧噪不已。仙芝畏众怒，遂不受命。大掠蕲州，城中之人，半驱半杀，焚其庐舍。偓奔鄂州，敕使奔襄州，镣为贼所拘。贼乃分其军三千馀人从仙芝及尚君长，二千馀人从巢，各分道而去。

[注释]

①攻剽：抢劫，掠夺。②山东：古时多称指崤山以东。③奸宄：犯法作乱。也指犯法作乱的人。④告身：委任官职的凭证，类似于后世的委任状。

[译文]

王仙芝和他的同伙尚君长攻占了濮州、曹州，队伍发展到几万人；唐天平军节度使薛崇出动军队攻打，被王仙芝打败。

冤句人黄巢也聚集民众几千人响应王仙芝。黄巢年轻时与王仙芝都以贩卖私盐作为谋生手段，黄巢擅长骑马射箭，喜好帮助他人，粗略涉猎了一些史书经传，多次参加科考没有考取，于是做了强盗，与王仙芝侵扰劫夺附近的州县，在崤山以东胡作非为，被横征暴敛困扰的百姓争相归附他们，几个月的时间，队伍发展到几万人。

宋威在沂州城下攻打王仙芝，把王仙芝打得大败，王仙芝逃走。宋威上奏说王仙芝已死，就全面遣还诸道军队，自己回到青州；文武百官都入朝祝贺。过了三天，有州县上奏说王仙芝还活着，并且和以前一样侵扰劫夺。当时军队开始休整，朝廷下诏书再次征调，将士们都怨恨而图谋作乱。八月，王仙芝攻占阳翟、郏城，朝廷诏令忠武节度使崔安潜派出军队攻打王仙芝。崔安潜是崔慎由的弟弟。朝廷又诏令昭义节度使曹翔率领五千步兵骑兵和义成兵保卫东都的宫殿，任命左散骑常侍曾元裕为招讨副使，镇守东都，又诏命山南东道节度使李福挑选两千步兵骑兵守卫汝州、邓州等主要的通道。王仙芝向汝州逼近，朝廷下诏命令邠宁节度使李侃、凤翔节度使令狐绹选调一千步兵、五百骑兵镇守陕州、潼关。

丙子日，王仙芝攻占汝州，活捉汝州刺史王镣。王镣是王铎的堂兄弟。东都百姓大为惊惧，人民携家逃出洛阳城。乙酉日，朝廷下诏书赦免王仙芝、尚君长的罪行，授予他们官职，想招抚他们。王仙芝攻陷阳武，又攻打郑州，昭义监军判官雷殷符驻扎中牟，攻打王仙芝，击破了他，王仙芝败逃。冬天，十月，王仙芝向南进攻唐州、邓州。

王仙芝攻打蕲州。蕲州刺史裴偓是王铎主持科考时所举拔的进士，王镣被俘在叛军中，替王仙芝写信劝说裴偓。裴偓和王仙芝约定，收缩兵力不再交战，并答应给王仙芝奏请一个官位；王镣也劝说王仙芝按照约定答应裴偓。裴偓就打开城门延请王仙芝和黄巢及其部下三十多人进城，陈设酒宴，摆出大量财货来赠送给王仙芝等人，裴偓上表述说了王仙芝的情况。宰相们大都说："先帝不赦免庞勋之罪，过了一年最终将庞勋诛杀。现在王仙芝是一小贼，不能与庞勋相比，赦免其罪责并予以官职，更加助长犯法作乱的坏人气焰。"王铎坚决请求招降王仙芝，皇上答应了他；于是任命王仙芝为左神策军押牙兼监察御史，派遣宦官带着授官的凭证到蕲州授予王仙芝。

王仙芝得到授官的凭证很高兴，王镣、裴偓都来祝贺。王仙芝还未撤离蕲州，黄巢因为朝廷没有授官给他，非常恼怒地说："开始我们共同立下宏伟的誓言，当横行天下，现在你独自获得官位赴任左神策军，让这五千多众人归附哪里呢！"并趁势殴打王仙芝，打伤了他的头，那些部下喧哗哄闹无法停止。王仙芝害怕触犯众人的愤怒，就没有接受任命，在蕲州大规模掳掠，城内的百姓，一半被驱逐一半被斩杀，又焚烧百姓的房屋。裴偓逃往鄂州，宦官逃奔襄州，王镣被叛军活捉。叛军于是分出三千多人跟着王仙芝和尚君长，两千多人随着黄巢，各自分走不同的道路离开。

黄巢入长安

【唐纪七十】僖宗广明元年（庚子，880年）

晡时①，黄巢前锋将柴存入长安，金吾大将军张直方帅文武数十人迎巢于霸上。巢乘金装肩舆②，其徒皆被发，约以红缯，衣锦绣，执兵以从，甲骑如流，辎重塞涂，千里络绎不绝。民夹道聚观，尚让历谕之曰："黄王起兵，本为百姓，非如李氏不爱汝曹，汝曹但安居无恐。"巢馆于田令孜第，其徒为盗久，不胜富，见贫者，往往施与之。居数日，各出大掠，焚市肆③，杀人满街，巢不能禁；尤憎官吏，得者皆杀之。

上趣骆谷，凤翔节度使郑畋谒上于道次，请车驾留凤翔。上曰："朕不欲密迩④巨寇，且幸兴元，征兵以图收复。卿东捍贼锋，西抚诸蕃，纠合邻道，勉建大勋。"畋曰："道路梗涩，奏报难通，请得便宜⑤从事。"许之。戊子，上至婿水，诏牛勖、杨师立、陈敬瑄，谕以京城不守，且幸兴元，若贼势犹盛，将幸成都，宜豫为备拟。

庚寅，黄巢杀唐宗室在长安者无遗类。辛卯，巢始入宫。壬辰，巢即皇帝位于含元殿，画⑥皂缯⑦为衮衣⑧，击战鼓数百以代金石之乐。登丹凤楼，下赦书；国号大齐，改元金统。谓广明之号，去唐下体而著黄家日月，以为己符瑞⑨。唐官三品以上悉停任，四品以下位如故。以妻曹氏为皇后。以尚让为太尉兼中书令，赵璋兼侍中，崔璆、杨希古并同平章事，孟楷、盖洪为左右仆射、知左右军事，费传古为枢密使。以太常博士皮日休为翰林学士。璆，邠⑩之子也，时罢浙东观察使，在长安，巢得而相之。

[注释]

①晡时：中时，午后三时至五时。②肩舆：轿子。③市肆：市中店铺。④密迩：贴近，靠近。⑤便宜：因利乘便，见机行事。⑥画：装饰。⑦皂缯：黑色的丝织品。⑧衮衣：古代帝王或公侯穿的绣龙的礼服。⑨符瑞：吉祥的征兆。多指帝王受命的征兆。⑩邠：崔邠，唐代名臣，玄宗末至宪宗朝在世。

[译文]

晡时，黄巢的前锋将柴存进入长安，唐金吾大将军张直方率领几十名文武官员到霸上迎接黄巢。黄巢坐着用黄金装饰的轿子，他的徒众都披着头发，用红缯缠束，穿着精美鲜艳丝织品做的衣裳，手握兵器跟随，披甲的骑兵如同流水行过，运输军用物资的车辆塞满道路，延绵千里，络绎不绝。百姓夹道群聚观看，尚让依照次序告知百姓："黄王起兵，本就是为了百姓，不像李姓皇帝不爱你们，你们只管安稳地生活，不要恐慌。"黄巢居住在田令孜的府第，他的徒众做盗贼时间长了，非常富有，看到贫穷的人，常常以财物周济他们。过了几天，各自出来大规模掳劫，焚烧街市店铺，所杀的人遍布街道，黄巢不能够禁止；黄巢的徒众特别憎恨唐朝官吏，凡抓到的全部杀掉。

皇上奔向骆谷，凤翔节度使郑畋在路边拜谒，请求皇上留在凤翔。皇上说："我不想靠近盗贼，暂且到兴元，征调军队来图谋夺回京城。你东拒贼军的攻势，西向招抚各个蕃族，纠合相邻诸道的军队，尽力建立大的功勋。"郑畋说："道路阻塞，以书面向帝王报告难以通达，请允许我见机行事。"皇上答应了。戊子日，皇上到婿水，颁诏书给牛勖、杨师立、陈敬瑄，告知他们京城没有守住，皇上暂时留居兴元，如果贼军势力仍然强盛，皇上将行幸成都，应该预先做好准备。

庚寅日，黄巢把留在长安的唐朝宗室杀得一个不留。辛卯日，黄巢开始进入皇宫。壬辰日，黄巢在含元殿即皇帝位，装饰黑色丝织物做成天子礼服，敲响几百只战鼓来替代金石音乐。黄巢登上丹凤楼，颁下赦书；定国号为大齐，改元金统。宣称"廣明"年号，为"唐"字去掉下半部分而写上黄家日月，认为这正是自己受命立大齐的好征兆。唐朝三品以上官员全部停职，四品以下官员保留官位如故。册立自己的妻子曹氏为皇后。任命尚让做太尉兼中书令，赵璋兼侍中，崔璆、杨希古一同担任同平章事，孟楷、盖洪为左右仆射、知左右军事，费传古为枢密使。又任命太常博士皮日休为翰林学士。崔璆即崔邠的儿子，当时刚被免去浙东观察使的官职，闲居长安，黄巢找到他并任命他为宰相。

后梁纪

李存勖铲除异己

【后梁纪一】太祖开平二年（戊辰，908年）

初，晋王克用多养军中壮士为子，宠遇如真子。及晋王存勖立，诸假子皆年长握兵，心怏怏不伏，或托疾不出，或见新王不拜。李克宁权位既重，人情多向之。假子李存颢阴说克宁曰："兄终弟及，自古有之。以叔拜侄，于理安乎！天与不取，后悔无及！"克宁曰："吾家世以慈孝闻天下，先王之业苟有所归，吾复何求！汝勿妄言，我且斩汝！"克宁妻孟氏，素刚悍，诸假子各遣其妻入说孟氏，孟氏以为然，且虑语泄及祸，数以迫克宁。克宁性怯，朝夕惑于众言，心不能无动；又与张承业、李存璋相失，数消让①之；又因事擅杀都虞候李存质；又求领大同节度使，以蔚、朔、应州为巡属。晋王皆听之。

李存颢等为克宁谋，因晋王过其第，杀承业、存璋，奉克宁为节度使，举河东九州附于梁，执晋王及太夫人曹氏送大梁。太原人史敬镕，少事晋王克用，居帐下，见亲信，克宁欲知府中阴事，召敬镕，密以谋告之。敬镕阳许之，入告太夫人，太夫人大骇，召张承业，指晋王谓之曰："先王把此儿臂授②公等，如闻外间谋欲负之，但置吾母子有地，勿送大梁，自他不以累公。"承业惶恐曰："老奴以死奉先王之命，此何言也！"晋王以克宁之谋告，且曰："至亲不可自相鱼肉，吾苟避位，则乱不作矣。"承业曰："克宁欲投大王母子于虎口，不除之岂有全理！"乃召李存璋、吴珙及假子李存敬、长直军使朱守殷，使阴为之备。壬戌，置酒会诸将于府舍，伏甲执克宁、存颢于座。晋王流涕数之曰："儿岂以军府让叔父，叔父不取。今事已定，奈何复为此谋，忍以吾母子遗仇雠③乎！"克宁曰："此皆谗人交构④，夫复何言！"是日，杀克宁及存颢。

[注释]

①诮让：谴责。②臂授：把着此儿的胳膊交给。指把某人托付给谁，说明极度信任。③仇雠：仇人。④交构：相互构陷。

[译文]

当初，晋王李克用大量收养军队中的壮士做养子，给予的恩遇如亲儿子一样。等到晋王李存勖即位时，诸位养子都年龄大了并握有军权，心里不高兴不服气，有的托病不出，有的晋见新王不叩拜。李克宁权势很大、地位已经很重要，人心大多归向他。养子李存颢暗中劝李克宁说："哥哥死了，弟弟继位，自古就有这样的事。让叔叔叩拜侄子，在事理上行得通吗！上天授与权位您不取，后悔来不及了！"李克宁说："我家世代以孝敬闻名天下，先王的基业若有了归属，我还有什么奢求！你不要信口胡说，我将杀了你！"李克宁的妻子孟氏，平素强悍，诸位养子各自派遣他们的妻子劝说孟氏，孟氏认为她们说得对，并且担心这些话泄露出去遭受祸患，多次用这件事逼迫李克宁。李克宁生性怯懦，早晚都被众人的话所迷惑，心中不能不有所活动；又与张承业、李存璋彼此失和，多次责备他们；还因事擅自杀死都虞候李存质；还向晋王要求兼任大同节度使，以蔚州、朔州、应州作为统属的地方。晋王李存勖都答应了他。

李存颢等人替李克宁谋划，趁着晋王到李克宁的家里来访，杀死张承业、李存璋，拥戴李克宁为节度使，率领河东九个州归附后梁，捉住晋王李存勖以及太夫人曹氏送到大梁。太原人史敬镕，年轻时侍奉晋王李克用，在李克用手下做事，被亲近信任，李克宁想知道王府中隐秘的事情，召见史敬镕，悄悄地把谋略告诉他。史敬镕假装答应他，进入府上告诉太夫人，太夫人非常惊骇，召来张承业，指着晋王李存勖对他说："先王拉着这个孩儿的胳膊交给你们这些人，如果听说外面有人图谋想背弃他，只求有地方安置我们母子二人，不要送到大梁去，其他的事不用连累你。"张承业惶惧惊恐地说："老奴用死来尊奉先王命令，这是什么话！"晋王李存勖把李克宁的阴谋告诉张承业，并且说："最亲近的亲戚不能互相残杀，我如果让位，那么祸乱就不会发生了。"张承业说："李克宁想把大王母子投入虎口，不除掉他哪里有万全之理！"于是召见李存璋、吴珙以及养子李存敬、长直军使朱守殷，让他们暗中防备。壬戌日，晋王李存勖在官邸陈设酒宴，埋伏的甲兵在座位上拘捕李克宁、李存颢。李存勖流着眼泪责备李克宁说："侄儿以前把府署让给叔父，叔父不赞成。现在事情已经定下来了，为什么又有这样的阴谋，忍心把我们母子舍弃给仇人呢？"李克宁说："这都是进谗言的人互相定计陷害，还有什么可说的！"当天，李存勖杀了李克宁和李存颢。

后唐纪

后唐庄宗宠幸伶人

【后唐纪一、二】庄宗同光元年/二年（癸未/甲申，923年/924年）

帝幼善音律，故伶人多有宠，常侍左右；帝或时自傅粉墨，与优人共戏于庭，以悦刘夫人，优名谓之"李天下"。尝因为优①，自呼曰："李天下，李天下！"优人敬新磨遽前批其颊。帝失色，群优亦骇愕，新磨徐曰："理天下者只有一人，尚谁呼邪！"帝悦，厚赐之。帝尝畋于中牟，践民稼，中牟令当马前谏曰："陛下为民父母，奈何毁其所食，使转死沟壑乎？"帝怒，叱去，将杀之。敬新磨追擒至马前，责之曰："汝为县令，独不知吾天子好猎邪？奈何纵民耕种，以妨吾天子之驰骋乎？汝罪当死！"因请行刑，帝笑而释之。

诸伶出入宫掖②，侮弄缙绅，群臣愤嫉，莫敢出气；亦反有相附托以希恩泽者，四方藩镇争以货赂结之。其尤蠹③政害人者，景进为之首。进好采闾阎④鄙细事闻于上，上亦欲知外间事，遂委进以耳目。进每奏事，常屏左右问之，由是进得施其谗愿，干预政事。自将相大臣皆惮之，孔岩常以兄事之。

初，胡柳之役，伶人周匝为梁所得，帝每思之；入汴之日，匝谒见于马前，帝甚喜。匝涕泣言曰："臣之所以得生全者，皆梁教坊使陈俊、内园栽接使储德源之力也，愿就陛下乞二州以报之。"帝许之。郭崇韬谏曰："陛下所与共取天下者，皆英豪忠勇之士。今大功始就，封赏未及一人，而先以伶人为刺史，恐失天下心。"以是不行。逾年，伶人屡以为言，帝谓崇韬曰："吾已许周匝矣，使吾惭见此三人。公言虽正，当为我屈意行之。"五月，壬寅，以俊为景州刺史，德源为宪州刺史。时亲军有从帝百战未得刺史者，莫不愤叹。

[注释]

①为优：演戏。优，杂戏歌舞表演。②宫掖：宫中的旁舍，嫔妃居住的地方，借指宫中。③蠹：损害。④间阎：平民，民间。

[译文]

后唐庄宗自小就擅长音乐，所以伶人大多受到宠幸，常陪侍在他身边；庄宗有时自己涂上粉墨，和优人一起在宫里嬉戏，来取悦刘夫人，他的优名叫"李天下"。曾因为演戏，自己叫喊说："李天下，李天下！"优人敬新磨突然上前打他的耳光。庄宗变了脸色，优人们都很惊讶，敬新磨慢慢说："治理天下的只有一个人，还喊谁呀！"庄宗很高兴，重重地赏赐他。庄宗曾在中牟打猎，踩踏了民众的庄稼，中牟令抵挡在庄宗的马前进谏说："陛下是百姓的父母，为什么毁坏他们要吃的东西，要使他们弃尸于山沟水渠吗？"庄宗很气愤，叱责他离开，准备杀他。敬新磨追赶捉拿他到庄宗的马前，责骂他说："你做县令，难道不知道我们的天子喜欢打猎吗？为什么还要放任百姓种田，来妨碍我们的天子打猎呢？你罪当处死！"趁机请求庄宗把他杀掉，庄宗笑着就把他放了。

伶人们常出入后宫，轻慢并戏弄士大夫，大臣们愤怒憎恶他们，没有人敢对他们发泄气愤；反而有人依附委托他们求得皇上给予恩惠，四方藩镇的官员们也争着用财物贿赂、巴结他们。危害国家和人民最厉害的伶人，景进是第一个。景进喜欢采集民间的逸闻趣事说给庄宗听，庄宗也想知道外面的事情，于是委托景进来刺探消息。景进每次向庄宗陈述事情，庄宗常常让手下退避后才问他，因此景进能够进行他的进谗陷害，干预朝政大事。从将相大臣以下的官员们都害怕他，孔岩常把他当做兄长来侍奉。

当初在胡柳战役中，伶人周匝被后梁人捕获，庄宗常常思念他；后唐军队攻入汴梁的那一天，周匝在马前拜见庄宗，庄宗很高兴。周匝哭泣着说："臣能够保全生命的原因，都是梁教坊使陈俊、内园栽接使储德源的尽力，希望靠近陛下求得两个州来报答他们。"庄宗答应了他。郭崇韬劝谏说："和陛下结交共同夺取天下的人，都应是英雄豪杰忠诚勇敢的人。今天大功刚成，封赏没有来得及给任何一个人，却首先任命伶人为刺史，恐怕会失去天下民心啊。"因此没有实行。过了一年，伶人多次就这件事进言，庄宗对郭崇韬说："我已经答应周匝，这样让我愧见这三个人。你说得虽然对，还应当替我委屈执行一下吧。"五月壬寅日，任命陈俊为景州刺史，储德源为宪州刺史。当时跟从庄宗转战南北而没有封得刺史的亲兵没有不愤怒叹息的。

李从珂与安重诲之争

【后唐纪六】 明宗长兴元年（庚寅，930 年）

初，帝在真定，李从珂①与安重诲饮酒争言，从珂殴重诲，重诲走免；既醒，悔谢，重诲终衔之。至是，重诲用事，自皇子从荣、从厚皆敬事②不暇。时从珂为河中节度使、同平章事，重诲屡短之于帝，帝不听。重诲乃矫以帝命谕河东牙内指挥使杨彦温使逐之。是日，从珂出城阅马，彦温勒兵③闭门拒之，从珂使人扣门，诘之曰："吾待汝厚，何为如是？"对曰："彦温非敢负恩，受枢密院宣耳。请公入朝。"从珂止于虞乡，遣使以状闻。使者至，壬寅，帝问重诲曰："彦温安得此言？"对曰："此奸人妄言耳，宜速讨之。"帝疑之，欲诱致彦温讯其事，除彦温绛州刺史。重诲固请发兵击之，乃命西都留守索自通、步军都指挥使药彦稠将兵讨之。帝令彦稠："必生致彦温，吾欲面讯之。"召从珂诣洛阳。从珂知为重诲所构，驰入自明。

李从珂至洛阳，上责之使归第，绝朝请。

辛亥，索自通等拔河中，斩杨彦温，癸丑，传首来献。上怒药彦稠不生致，深责之。

安重诲讽④冯道、杨凤奏从珂失守，宜加罪。上曰："吾儿为奸党所倾，未明曲直，公辈何为发此言，意不欲置之人间邪？此皆非公辈之意也。"二人惶恐而退。他日，赵凤又言之，上不应。明日，重诲自言之，上曰："朕昔为小校⑤，家贫，赖此小儿拾马粪自赡⑥，以至今日为天子，曾⑦不能庇之邪！卿欲如何处之于卿为便？"重诲曰："陛下父子之间，臣何敢言！惟陛下裁之！"上曰："使闲居私第亦可矣，何用复言！"

丙辰，以索自通为河中节度使。自通至镇，承重诲指，籍⑧军府甲仗数上之，以为从珂私造；赖王德妃居中保护，从珂由是得免。士大夫不敢与从珂往来，惟礼部郎中史馆修撰吕琦居相近，时往见之，从珂每有奏请，皆咨琦而后行。

[注释]

①李从珂：后唐明宗的养子，下文的安重诲为后唐权臣。②敬事：恭敬地侍奉。③勒兵：统领军队。此指派人。④讽：以委婉的言辞暗示。⑤小校：

古代低级武官名，也指小卒。⑥自赡：自己供养自己。⑦曾：竟然。⑧籍：核查，登记。

[译文]

　　当初，后唐明宗在真定时，李从珂与安重诲饮酒时争吵，李从珂殴打安重诲，安重诲逃走才得以幸免；酒醒后，李从珂悔过谢罪，安重诲终究怀恨他。到这个时候，安重诲执政，从皇子李从荣、李从厚以下都恭敬地为他奔走效劳，忙得没有闲暇之时。当时李从珂任河中节度使、同平章事，安重诲多次在明宗面前揭发他的过失，明宗没有听从他的意见，安重诲就诈称明宗诏令让河东牙内指挥使杨彦温驱逐李从珂。这一天，李从珂出城检查军马的牧养事务，杨彦温派军队关闭城门拒绝他进城，李从珂派人敲门，质问他说："我待你不薄，你为什么这样呢？"杨彦温说："我不敢忘恩，我不过是接受枢密院的文书罢了。请您入朝。"李从珂停在虞乡，派使者向明宗报告情况。使者到了后，壬寅日，明宗问安重诲："杨彦温怎能这样说？"安重诲回答说："这是邪恶、狡诈的人信口胡说，应该火速派兵讨伐他。"明宗怀疑这件事，想引诱杨彦温让他来审问情况，就授予杨彦温为绛州刺史。安重诲坚持请求派出军队攻打杨彦温，明宗就下令西都留守索自通、步军都指挥使药彦稠率军讨伐他。明宗命令药彦稠说："一定要活捉杨彦温，我要当面审问他。"征召李从珂到洛阳。李从珂知道是被安重诲所诬陷，快马入朝自我辩解。

　　李从珂到洛阳后，明宗责令他回家，不准他入朝求见。

　　辛亥日，索自通等人攻取河中，斩杀了杨彦温，癸丑日，传送他的首级进献朝廷。明宗恼怒药彦稠没有活捉杨彦温，严厉地责备药彦稠。

　　安重诲暗示冯道、杨凤上表陈述李从珂失职，应该罪加一等。明宗说："我儿李从珂被坏人的同伙坑害，没有弄明白是非，你们这些人为什么说这样的话呢？你们的意思是不想让他活在人间了吗？这都不是你们的意思吧。"冯、杨二人惶惧惊恐而退。又一天，赵凤又陈述这件事情，明宗没有答应。次日，安重诲自己陈述这件事，明宗说："朕过去做下级武官，家境贫寒，依靠这个孩子拾捡马粪养活自己，到今天朕做了天子，竟不能庇护他吗！你想怎样处置他对你才有利？"安重诲说："这是陛下父子间的事，臣怎么敢乱说！只听陛下定夺！"明宗说："让他闲居在自己的府上就行了，不用再说了！"

丙辰日，明宗任命索自通做河中节度使。索自通到了军镇后，接受安重诲的指派，核查登记军府中兵器数报告给朝廷，认为是李从珂私自制造；依靠王德妃在皇宫内保护，李从珂因此得以免罪。士大夫没有胆量与李从珂交往，只有礼部郎中、史馆修撰吕琦和他住所邻近，不时去看他，李从珂遇到有事上奏请示时，都是咨询吕琦后才去做。

后晋纪

石敬瑭割地而为"儿皇帝"

【后晋纪一】高祖天福元年（丙申，936年）

石敬瑭遣间使①求救于契丹，令桑维翰草表称臣于契丹主，且请以父礼事之，约事捷之日，割卢龙一道及雁门关以北诸州与之。刘知远谏曰："称臣可矣，以父事之太过。厚以金帛赂之，自足致其兵，不必许以土田，恐异日大为中国之患，悔之无及。"敬瑭不从。表至契丹，契丹主大喜，白其母曰："儿比梦石郎遣使来，今果然，此天意也。"乃为复书，许俟仲秋倾国赴援。

契丹主谓石敬瑭曰："吾三千里赴难，必有成功。观汝气貌识量，真中原之主也。吾欲立汝为天子。"敬瑭辞让者数四②，将吏复劝进，乃许之。契丹主作册书③，命敬瑭为大晋皇帝，自解衣冠授之，筑坛于柳林。是日，即皇帝位。割幽、蓟、瀛、莫、涿、檀、顺、新、妫、儒、武、云、应、寰、朔、蔚十六州以与契丹，仍许岁输帛三十万匹。己亥，制改长兴七年为天福元年，大赦；敕命法制，皆遵明宗之旧。以节度判官赵莹为翰林学士承旨、户部侍郎、知河东军府事，掌书记桑维翰为翰林学士、礼部侍郎、权知枢密使事，观察判官薛融为侍御史知杂事，节度推官白水窦贞固为翰林学士，军城都巡检使刘知远为侍卫马军都指挥使，客将景延广为步军都指挥使。延广，陕州人也。立晋国长公主为皇后。

契丹主虽军柳林，其辎重老弱皆在虎北口，每日暝辄结束④，以备仓猝遁逃，而赵德钧欲倚契丹取中国，至团柏逾月，按兵不战，去晋安才百里，声问不能相通。德钧累表为延寿求成德节度使，曰："臣今远征，幽州势孤，欲使延寿在镇州，左右便于应接。"唐主曰："延寿方击贼，何暇往镇州！俟贼平，当如所请。"德钧求之不已，唐主怒曰："赵氏父子坚欲得镇州，何意也？苟能却胡寇，虽欲代吾位，吾亦甘心，若玩寇邀君⑤，但恐犬兔俱毙耳。"德钧闻之，不悦。

闰月，赵延寿献契丹主所赐诏及甲马弓剑，诈云德钧遣使致书于契丹主，为唐结好，说令引兵归国；其实别为密书，厚以金帛赂契丹主，云："若立己为帝，请即以见兵南平洛阳，与契丹为兄弟之国；仍许石氏常镇河东。"契丹主自以深入敌境，晋安未下，德钧兵尚强，范延光在其东，又恐山北诸州⑥邀其归路，欲许德钧之请。

帝闻之，大惧，亟使桑维翰见契丹主，说之曰："大国举义兵以救孤危，一战而唐兵瓦解，退守一栅，食尽力穷。赵北平⑦父子不忠不信⑧，畏大国之强，且素蓄异志，按兵观变，非以死徇国之人，何足可畏，而信其诞妄之辞，贪豪末之利，弃垂成之功乎！且使晋得天下，将竭中国之财以奉大国，岂此小利之比乎！"契丹主曰："尔见捕鼠者乎，不备之，犹或啮伤其手，况大敌乎！"对曰："今大国已扼其喉，安能啮人乎！"契丹主曰："吾非有渝前约⑨也，但兵家权谋不得不尔。"对曰："皇帝以信义救人之急，四海之人俱属耳目，奈何二三其命⑩，使大义不终！臣窃为皇帝不取也。"跪于帐前，自旦至暮，涕泣争之。契丹主乃从之，指帐前石谓德钧使者曰:"我已许石郎,此石烂,可改矣!"

[注释]

①间使:负有见机行事使命的使者。胡三省认为"间"指小路、偏僻的路。②数四:再三再四。数,读shuò。③册书:古代帝王用于册立、封赠的诏书。④结束:整理行装。⑤玩寇邀君:轻视贼寇,拦击君王。玩,忽视,轻慢。邀,拦击,堵截。⑥山北诸州:指太行山北的云、应、寰、朔各州。⑦赵北平:指赵德钧,因其被封为北平王,故称。⑧不忠不信:指赵德钧父子对后唐不忠,对契丹无信。⑨渝前约:改变以前的约定。"前约"指契丹欲以后晋称帝中原。⑩二三其命:或二或三,没有定准。比喻三心二意。

[译文]

石敬瑭派密使向契丹求救,令桑维翰草拟章奏向契丹国主称臣,并且请求用对待父亲的礼节侍奉他,约定事成之日,把卢龙一道以及雁门关以北各州划割给契丹。刘知远进谏说:"称臣就行了,用父亲的礼节侍奉他太过分了。把大量的钱物赠送给他,自然足以让他发兵,不必答应给他土地,恐怕将来有一天契丹会成为中原的大患,后悔这件事就来不及了。"石敬瑭没有听从。奏章送到契丹,契丹国主非常高兴,告诉他母亲说:"我近日梦见石郎派遣使者来,现在果然来了,这是天意啊。"于是写了回信,答应等到八月时,倾全国之力赴救他。

契丹国主对石敬瑭说:"我从三千里外赶来拯救你的危难,一定会帮你成就功业。看你的气度、识见与度量,真是中原国主啊。我想立你做天子。"石敬瑭再三谦逊推让,将吏们又劝他登帝位,于是就答应了。契丹国主制作册封的诏书,任命石敬瑭为大晋皇帝,亲自解下衣服冠冕授给他,在柳林搭筑坛台行礼。这一天,石敬瑭即皇帝位。划割幽、蓟、瀛、莫、涿、檀、顺、新、妫、儒、武、云、应、寰、朔、蔚十六个州来给契丹,仍答应每年输送契丹三十万匹帛。己亥日,石敬瑭下制书,改长兴七年为天福元年,大赦天下；敕命、法制，都遵循后唐明宗时的旧制。任命节度判官赵莹为翰林学士承旨、户部侍郎、执掌河东军府事，掌书记桑维翰为翰林学士、礼部侍郎，暂时主持枢密使事，观察判官薛融为侍御史主管杂事，节度推官白水人窦贞固为翰林学士，军城都巡检使刘知远为侍卫马军都指挥使，客将景延广为步军都指挥使。景延广是陕州人。册立晋国长公主为皇后。

契丹国主虽然驻扎在柳林，他的军用物资和年老体弱的士兵都在虎北口，每当日暮时分就整理行装，来准备仓促间能够逃走。赵德钧想依赖契丹夺取中原，到达团柏一个多月，按住军队没有开战，距离晋安才有一百里，音讯不能相通。赵德钧多次上表为儿子赵延寿请求成德节度使职位，他说："臣现在征伐远方，幽州形势孤弱，想让赵延寿驻守镇州，无论左右都便于接应。"后唐国主说："赵延寿正在攻打贼寇，哪有时间前往镇州！等到贼寇被平息，可以按你的请求去办。"赵德钧乞求不止，后唐国主生气说："赵氏父子坚持想得到镇州，什么意思啊？如果能够使胡寇退却，即使想取代我的位置，我也愿意，如果消极抗敌要挟君主，只恐怕犬兔都得毙命了。"赵德钧听了这样的话，很不高兴。

闰月，赵延寿献出契丹国主赐给他的诏书以及军备铠甲与战马、弓与剑，诈称赵德钧派使者送信给契丹国主，为后唐求结盟好，劝说契丹国主让他带兵回国；实际情况是另写一封密信，用大量的钱物赠送给契丹国主，说："如果立我为帝，请求就用现有军队向南平定洛阳，与契丹结为兄弟之国；仍允许石敬瑭继续镇守河东。"契丹国主自认为进入敌国境内，晋安没有攻下，赵德钧的兵力还比较强，范延光在他东面，又担心太行山以北各州截击他的退路，准备答应赵德钧的请求。

后晋皇帝石敬瑭听说这件事后，非常恐惧，紧急派遣桑维翰拜见契丹国主，劝他说："契丹大国出动正义之师来援救孤立危急的晋国，一次战斗就使唐兵瓦解，后退防守一处营寨，粮食吃完力量耗尽。赵德钧父子对后唐不尽忠心，对契丹不讲信用，害怕契丹大国的强盛，并且一向怀有叛离之心，按兵不动，来观望时局的变化，不是以死殉国的人，哪里值得令人畏惧，而你怎能相信他荒诞虚妄的言辞，贪图细微的小利，放弃将要成功的伟业呢！况且让晋国拥有天下后，将竭尽中原财力来侍奉契丹大国，哪里是这些细微小利可比的呢！"契丹国主说："你见过捕鼠的人吗，没有防备老鼠，还有时被咬伤了手，何况是强大的敌人呢！"桑维翰回答说："现在契丹大国已经扼住了它的咽喉，哪能再咬人呢！"契丹国主说："我不是要违背以前的约定，只是用兵的人随机应变的谋略不得不这样啊。"桑维翰回答说："皇帝用信用和道义救人于危急，天下人都听到和看到了，怎么能三心二意，使得大义没有结果！臣私下认为皇帝不赞成这样做啊。"桑维翰跪在帐前，从早到晚，哭泣着争辩，契丹国主就听从了他，指着帐前的石头对赵德钧的使者说："我已答应石郎，除非这块石头烂了，才能改变。"

汉殇帝之殁

【后晋纪四】齐王天福八年（癸卯，943年）

汉殇帝骄奢，不亲政事。高祖在殡①，作乐酣饮；夜与倡妇微行②，倮③男女而观之。左右忤意辄死，无敢谏者；惟越王弘昌及内常侍番禺吴怀恩屡谏，不听。常猜忌诸弟，每宴集，令宦者守门，群臣、宗室，皆露索④，然后入。

晋王弘熙欲图之，乃盛饰声伎，娱悦其意，以成其恶。汉主好手搏，弘熙令指挥使陈道庠引力士刘思潮、谭令禋、林少强、林少良、何昌廷等五人习手搏于晋府，汉主闻而悦之。丙戌，与诸王宴于长春宫，观手搏，至夕罢宴，汉主大醉。弘熙使道庠、思潮等掖⑤汉主，因拉杀之,尽杀其左右。

明旦,百官诸王莫敢入宫,越王弘昌帅诸弟临于寝殿,迎弘熙即皇帝位,更名晟,改元应乾。以弘昌为太尉兼中书令、诸道兵马都元帅、知政事,循王弘杲为副元帅,参预政事。陈道庠及刘思潮等皆受赏赐甚厚。

[注释]

①在殡:指已入殓而未下葬。②微行:古代尊者隐其身份易服外出。③倮:通"裸",裸露。④露索:裸体搜身。⑤掖:拽着别人的胳膊。

[译文]

汉殇帝骄横奢侈,不亲自处理朝政大事。先帝高祖还在入殓时,他就奏乐畅饮;晚上与以歌舞为业的娼家妇女换上衣服悄悄外出,让男人和女人脱光衣服来观赏。手下的人违逆了他的心意就被处死,没有敢去劝谏的人;只有越王刘弘昌和内常侍番禺人吴怀恩多次劝谏,汉殇帝都没有听从。汉殇帝常常猜忌他的几个弟弟,每次宴饮集会,让宦官把门,各位大臣、宗室,都要裸体被人搜查,然后才能进入。

晋王刘弘熙准备图谋帝位,就打扮华丽的歌姬舞女,使汉殇帝的心情得到欢乐,来促成他的恶行。汉殇帝喜欢用手搏击,刘弘熙就让指挥使陈道庠带着壮士刘思潮、谭令禋、林少强、林少良、何昌廷等五个人在晋王府练习用手搏击,汉殇帝听说后很高兴。丙戌日,汉殇帝与诸王在长春宫宴饮,观看用手搏击,到了晚上宴会完毕,汉殇帝大醉。刘弘熙让陈道庠、刘思潮等人拽着汉殇帝的胳膊,趁势杀了他,把他的手下人全都杀了。

第二天早上,大臣们和诸王没有人敢进入皇宫,越王刘弘昌带着几个弟弟来到宗庙中收藏祖先衣冠的寝殿,迎接刘弘熙即皇帝位,改名为刘晟,改年号为应乾。任命刘弘昌为太尉兼中书令、诸道兵马都元帅,主持朝政大事,循王刘弘杲为副元帅,参与朝政大事。陈道庠、刘思潮等人都受到很丰厚的赏赐。

后汉纪

两个麻荅

【后汉纪二】高祖天福十二年（丁未，947年）

麻荅贪猾残忍，民间有珍货、美妇女，必夺取之。又捕村民，诬以为盗，披面，抉目，断腕，焚炙而杀之，欲以威众。常以其具①自随，左右悬人肝、胆、手、足，饮食起居于其间，语笑自若。出入或被黄衣②，用乘舆，服御物，曰："兹事汉人以为不可，吾国无忌也。"又以宰相员不足，乃牒③冯道判④弘文馆，李崧判史馆，和凝判集贤，刘昫判中书，其僭妄如此。然契丹或犯法，无所容贷⑤，故市肆不扰。常恐汉人妄去，谓门者曰："汉有窥门者，即断其首以来。"

麻荅遣使督运于洺州，洺州防御使薛怀让闻帝入大梁，杀其使者，举州降。帝遣郭从义将兵万人会怀让攻刘铎于邢州，不克，铎请兵于麻荅，麻荅遣其将杨安及前义武节度使李殷将千骑攻怀让于洺州。怀让婴城⑥自守，安等纵兵大掠于邢、洺之境。

契丹所留兵不满二千，麻荅令所司给万四千人食，收其馀以自入。麻荅常疑汉兵,且以为无用,稍稍废省⑦,又损其食以饲胡兵;众心怨愤,闻帝入大梁,皆有南归之志。前颍州防御使何福进,控鹤指挥使太原李荣,潜结军中壮士数十人谋攻契丹,然畏契丹尚强,犹豫未发。会杨衮、杨安等军出,契丹留恒州者才八百人,福进等遂决计,约以击佛寺钟为号。

辛巳,契丹主兀欲遣骑至恒州,召前威胜节度使兼中书令冯道、枢密使李崧、左仆射和凝等,会葬契丹主德光于木叶山。道等未行,食时,钟声发。汉兵夺契丹守门者兵击契丹,杀十馀人,因突入府中。李荣先据甲库,悉召汉兵及市人,以铠仗授之,焚牙门,与契丹战。荣召诸将并力,护圣左厢都指挥使、恩州团练使白再荣狐疑,匿于别室,军吏以佩刀决幕,引其臂,再荣不得已而行。诸将继至,烟火四起,鼓噪震地。麻荅等大惊,载宝货家属,走保北城。而汉兵无所统壹,贪狡者乘乱剽掠,懦者窜匿。八月,壬午朔,契丹自北门入,势复振,汉民死者二千馀人。前磁州刺史李㲄恐事不济,请冯道、李崧、和凝至战所慰勉士卒,士卒见道等至,争自奋。会日暮,有村民数千噪于城外,欲夺契丹宝货、妇女,契丹惧而北遁,麻荅、刘晞、崔廷勋皆奔定州,与义武节度使邪律忠合。忠,即郎五也。

冯道等四出安抚兵民,众推道为节度使。道曰:"我,书生也,当奏事而已,宜择诸将为留后。"时李荣功最多,而白再荣位在上,乃以再荣权知留后,具以状闻,且请援兵,帝遣左飞龙使李彦从将兵赴之。

白再荣贪昧⑧,猜忌诸将。奉国军主华池王饶恐为再荣所并,诈称足疾,据东门楼,严兵自卫。司天监赵延义善于二人,往来谕释,始得解。

再荣以李崧、和凝久为相,家富,遣军士围其第求赏给,崧、凝各以家财与之,又欲杀崧、凝以灭口。李㲄往见再荣,责之曰:

"国亡主辱，公辈握兵不救。今仅能逐一虏⑨将，镇民死者几三千人，岂独公之力邪？才得脱死，遽欲杀宰相，新天子若诘公专杀之罪，公何辞以对？"再荣惧而止。又欲率民财以给军，縠力争之，乃止。汉人尝事麻荅者，再荣皆拘之以取其财，恒人以其贪虐，谓之"白麻荅"。

[注释]

①具：指用来披面、抉目、断腕、焚炙的刑具。②黄衣：古人蜡祭时穿的衣服。下文的"乘舆"指天子、诸侯乘坐的车。③牒：公文，文书，此用为动词。④判：古官制以高位兼任低职、以京官出任州郡官曰判。⑤容贷：宽恕，饶恕。⑥婴城：环绕着城。⑦废省：精简，减少。⑧贪昧：犹"贪冒"，贪图财利。⑨虏：对敌人的蔑称。

[译文]

麻荅贪婪狡猾、残暴狠毒，民间的珍贵财宝、美貌女子，他一定强行取得。他还捕获村民，诬蔑他们为盗贼，揭掉脸皮，挖掉眼睛，砍断手腕，用火烧死他们，想以此来震慑百姓。麻荅常随身携带各种刑具，房屋周围悬挂着人的肝、胆、手、足，他日常生活在其中，谈笑自如。有时穿着黄色衣服出入，乘坐天子坐的车，使用着帝王用的物品，说："这些事汉族人认为不应该，我们国家里没有什么禁忌。"又因为宰相人员不够，就用公文任命冯道兼判弘文馆，李崧兼判史馆，和凝兼判集贤，刘昫兼判中书，他就像这样超越本分、胡作非为。但是契丹族的人有人犯了法，则毫不宽恕，所以市场店铺没有受到滋扰。他常担心城里的汉族人乱跑，就对守门的人说："汉族人中有偷窥城门的，就砍下他的头带回来。"

麻荅派使者到洺州监督运输货物，洺州防御使薛怀让听说后汉高祖已经攻入大梁，就杀了麻荅的使者，率领全洺州的官员百姓投降后汉。后汉高祖派遣郭从义率领一万士兵会同薛怀让到邢州攻打刘铎，没有取胜，刘铎向麻荅请求援兵。麻荅派遣他的将领杨安和前义武节度使李殷率领一千骑兵到洺州攻打薛怀让。薛怀让绕城自守，杨安等人放纵士兵到邢州、洺州一带大肆抢掠。

契丹留在城里的军队不足两千人，麻荅让有关官署供给一万四千人的粮食，他把多出的部分收入归为己有。麻荅常常怀疑汉族士兵，并认为他们没有多少用处，逐渐精简汉族的兵员，又减少他们的粮食来供养胡人的军队。众人内心怨恨愤怒，听说后汉高祖攻入大梁，都有向南归附的念头。前颍州防御使何福进、控鹤指挥使太原人李荣，暗中结交军队中几十名壮士谋划着进攻契丹，只是害怕契丹的力量还比较强大，就犹犹豫豫没有起兵。适逢杨兖、杨安等人的军队外出，契丹留在恒州城里的军队只有八百人，何福进等人于是定下计策，约定以敲击佛寺寺钟的声音为信号。

辛巳日，契丹国主兀欲派骑兵到恒州，召见前威胜节度使兼中书令冯道、枢密使李崧、左仆射和凝等人，一起把契丹先主德光安葬在木叶山。冯道等人还没有出发，吃饭时，寺院的钟声响了。汉族士兵夺取契丹守门人的武器攻击契丹人，杀了十几个人，趁势冲入府署中。李荣抢先占领了武器库，招呼所有的汉族士兵和市中的百姓，把铠甲和兵器分给他们。烧毁牙门，和契丹人作战。李荣号召各位将领齐心协力，护圣左厢都指挥使、恩州团练使白再荣犹豫不决，藏在别的屋子里，士兵用佩刀劈开了帷幕，拽着他的胳膊，白再荣没有办法就一块前行。各位将领陆续到了，烟火在四周燃起，鼓声和喧哗声震动天地。麻荅等人非常震惊，把宝贝、财物和家属装在车上，逃到北城防守。而汉族士兵因为没有统一行动，贪婪狡猾的人趁着混乱抢掠财物，胆小懦弱的人逃窜藏匿。八月壬午日是初一，契丹从北门攻入恒州，气势又振兴起来，汉族百姓死了两千多人。前磁州刺史李穀担心事情不能成功，请求冯道、李崧、和凝到激战的地方慰问勉励士兵，士兵们看到冯道等人来了，争着各自拼命杀敌。适逢黄昏，有几千名村民在城外叫骂，准备抢夺契丹人的宝物财货和妇女，契丹人害怕了就向北逃窜，麻荅、刘晞、崔廷勋都逃向定州，和义武节度使耶律忠会合。耶律忠就是耶律郎五。

冯道等人到处安抚士兵和百姓，众人推举冯道为节度使。冯道说："我是一介书生，适合向皇帝陈述事情，应从武将里选择一位来担任节度留后。"当时李荣功劳最大，而白再荣的职位在李荣之上，于是就让白再荣代掌节度留后事宜，把这些事写成奏章一一上报，并请求援兵。后汉高祖派遣左飞龙使李彦从率领军队前往救援。

白再荣贪财昧利，猜忌各位将领。奉国军主华池人王饶担心被白再荣吞并，诈称脚有病占据着东城门楼，部署军队自我防卫。司天监赵延义与白再荣和王饶二人交好，来来回回告知解释，才得以和解。

白再荣认为李崧、和凝长时间做宰相，家中富有，派遣士兵包围他们的府第，索求奖赏和赐予，李崧、和凝各自拿出家财分给他们，白再荣又想杀死李崧、和凝来灭口。李榖前去见白再荣，责备他说："国家灭亡，君王受辱，你们手中掌握军队不去营救。现在只是驱逐了一个敌人的将领，镇州百姓死了将近三千人，难道只是你的力量吗？刚刚能够脱离死地，就想杀死宰相，新天子如果查究你杀死大臣的罪行，你拿什么话来回答？"白再荣因害怕就停了下来。又想征收百姓的财物来供应军队，李榖极力争辩，白再荣才作罢。汉族人中曾侍奉过麻荅的，白再荣把他们都囚禁起来，来夺取他们的财产，恒州的百姓因为他贪婪暴虐，叫他"白麻荅"。

后周纪

王朴献策

【后周纪三】世宗显德二年（乙卯，955年）

上谓宰相曰："朕每思致治之方，未得其要，寝食不忘。又自唐、晋以来，吴、蜀、幽、并皆阻声教，未能混壹①，宜命近臣著《为君难为臣不易论》及《开边策》各一篇，朕将览焉。"

比部郎中王朴献策，以为："中国之失吴、蜀、幽、并，皆由失道。今必先观所以失之之原，然后知所以取之之术。其始失之也，莫不以君暗臣邪，兵骄民困，奸党内炽②，武夫外横，因小致大，积微成著。今欲取之，莫若反其所为而已。夫进贤退不肖，所以收其才也；恩隐诚信，所以结其心也；赏功罚罪，所以尽其力也；去奢节用，所以丰其财也；时使薄敛，所以阜其民也。俟群才既集，政事既治，财用既充，士民既附，然后举而用之，功无不成矣！彼之人观我有必取之势，则知其情状者愿为间谍，知其山川者愿为乡导，民心既归，天意必从矣。

"凡攻取之道，必先其易者。唐与吾接境几二千里，其势易扰也。扰之当以无备之处为始，备东则扰西，备西则扰东，彼必奔走而救之。奔走之间，可以知其虚实强弱，然后避实击虚，避强击弱。未须大举，且以轻兵扰之。南人懦怯，闻小有警，必悉师以救之。师数动则民疲而财竭，不悉师则我可以乘虚取之。如此，江北诸州将悉为我有。既得江北，则用彼之民，行我之法，江南亦易取也。得江南则岭南、巴蜀可传檄③而定。南方既定，则燕地必望风内附；若其不至，移兵攻之，席卷可平矣。惟河东④必死之寇，不可以恩信诱，当以强兵制之。然彼自高平之败⑤，力竭气沮，必未能为边患。宜且以为后图，俟天下既平，然后伺间，一举可擒也。今士卒精练，甲兵有备，群下畏法，诸将效力，期年之后可以出师，宜自夏秋蓄积实边矣。"

上欣然纳之。时群臣多守常偷安，所对少有可取者，惟朴神峻气劲，有谋能断，凡所规画⑥，皆称上意，上由是重其器识。未几，迁左谏议大夫，知⑦开封府事。

[注释]

①混壹：统一。②炽：势盛。③传檄：传布檄文。④河东：依胡三省注，指占据河东的北汉，与后周为世仇也。⑤高平之败：指954年4月（后周显德元年三月）后周和北汉、契丹联军在高平开战，后周大胜。这是五代十国时期中原王朝由弱转强的开端。⑥规画：筹划，谋划。⑦知：主持，掌管。

[译文]

皇上对宰相说："我常常想使天下大治的方法，没有找到要领，睡觉吃饭也不能忘怀。再加上从唐、晋以来，吴地、蜀地、幽州、并州等地都缺少声威和教化，没有能够统一，应该让近臣写《为君难为臣不易论》和《开边策》各一篇，我要阅览啊。"

比部郎中王朴献策，认为："中原之国失去吴地、蜀地、幽州、并州，都是因为失去道义。现在先看失去的原因，然后知道用来占取的方法。他们开始失去土地时，都是因为君王昏庸臣子奸邪，士兵骄横百姓困顿，奸党在朝廷内气焰嚣张，武将在朝廷外横行不羁，由小渐大，积微成著。现在想要占取，不如反其道而行之罢了。进用有才能的人，退斥无才能的人，这是用来收揽人才的办法；把恩泽潜藏在诚实守信里，这是凝聚人心的办法；奖赏有功之人，惩处罪孽之徒，这是鼓励人们倾尽力量的办法；摒弃奢侈的风气，节俭财物，这是增加财产的办法；按照时令使用民力，减轻赋税，这是让百姓殷富的办法。等到群英荟萃，国家大事已经安定，财用充足，士民归附，这样以后起兵役用他们，功业没有不能成就的！他们那些人看到我们有必然占取的形势，那么知道他们内部情况的人就愿意做我们的间谍，知道他们山川地形的人就愿意做我们的向导，民心已经归附，天意一定会顺从的。

"举凡进攻占领的方法，一定先从容易的地方入手。南唐与我国接壤的地方将近两千里，那种形势容易侵扰啊。侵扰它就应当从它没有防备的地方开始，它防备东边就侵扰西边，防备西边就侵扰东边，他们一定东奔西跑来救援。奔跑之间，我们就可以探知他们力量的虚实强弱，这样以后我们就避实击虚，避强击弱。不需要大举进攻时，暂且用行动迅疾的士兵侵扰它。南方人懦弱胆小，听到有一点点惊扰，一定倾巢来营救。军队多次出动就会让百姓疲惫，财用枯竭；不倾巢救援我们就可以乘虚夺取它。像这样，长江以北诸州将全部被我们占领。占领江北以后，就可以利用那里的百姓，施行我们的法令，长江以南也容易夺取啊。夺取了江南，那么岭南、巴蜀就可以发布檄文来平定。南方平定后，燕地一定会望风归附我们。如果他们不来归附，就调兵进攻它，像卷席子那样就可以平定了。只有河东的北汉是得拼死一战的贼寇，不能用恩德信义来诱导，应当用重兵来制服它。可是北汉从高平之役打了败仗后，兵力枯竭，士气沮丧，一定不会成为我们的边患。应该暂时放在以后图谋，等到天下太平以后，再伺机一举擒获。现在士兵精悍，强壮干练，铠甲兵器齐备，群臣下属害怕军法，诸位将领为国出力，一年以后就可以出兵，应该从夏秋开始准备积蓄充实边关了。"

皇上很高兴地采纳了王朴的建议。当时大臣们多数固守常规苟且偷安，回答皇上的策问很少有可以采纳的，只有王朴神采俊逸，气势刚劲，有谋略能决断，凡是他所筹划的事情，都合乎皇上的意旨，皇上因此看重他的器量见识。没过多久，升任他为左谏议大夫，主管开封府的事宜。

图书在版编目(CIP)数据

资治通鉴/(宋)司马光撰;薛瑞泽,薛伟泽注译
—郑州:中州古籍出版社,2010.7(2013.10重印)
(国学经典)
ISBN 978-7-5348-3387-8

Ⅰ.资… Ⅱ.①司… ②薛… ③薛… Ⅲ.①中国-古代史-编年体②资治通鉴-注释③资治通鉴-译文 Ⅳ.①K204.3

中国版本图书馆CIP数据核字(2010)第120761号

出版社: 中州古籍出版社
　　　(地址:郑州市经五路66号　邮政编码:450002)
发行单位: 新华书店
承印单位: 辉县市伟业印务有限公司
开本: 640mm×960mm　1/16　　**印张:** 28.5
字数: 340千字　　　　　　　　**印数:** 9001-13 000册
版次: 2010年7月第1版　　　　**印次:** 2013年10月第3次印刷

定价:38.00元

本书如有印装质量问题,由承印厂负责调换。